U0382657

王成金　山东省沂水人，中国科学院地理科学与资源研究所研究员，博士生导师。2002年获人文地理学硕士学位，2005年获人文地理学博士学位，2005～2008年做博士后工作，2008年至今在中国科学院地理科学与资源研究所任职。长期以来，主要从事经济地理学与区域发展的研究工作，尤其是在工业地理与区域规划等方面有浓厚的研究兴趣。曾主持国家自然科学基金委员会、中国科学院、国家发展和改革委员会、地方政府等资助的多项课题项目，在*Journal of Transport Geography*、*Social and Economic Geography*、《地理学报》和《自然资源学报》等杂志上发表学术论文90多篇，独立出版著作4部：《集装箱港口网络形成演化与发展机制》《物流企业的空间网络模式与组织机理》《老工业城市调整\改造的理论与实践》《港口运输与腹地产业发展》，参编著作10多部。

Chengjin Wang is a professor in the Institute of Geographical Sciences and Natural Resources Research, the Chinese Academy of Sciences. His research focuses on industrial geography and region development, especially the development of the old industrial city. His research has been funded by many projects from the National Natural Science Foundation of China, Chinese Academy of Sciences, National Development and Reform Commission and many local governments. He has published over 90 papers. In addition to this book, he is also the author of the book *Evolution and Development of Container Ports Network and Dynamic Mechanism*, the book *Spatial Network Mode of Logistics Company and Organization Mechanism*, the book *Port Transportation and the Heavy Industries Development in Hinterland*, the book *Theory and Practice about Transformation of the Old Industrial City* in 2018.

中国科学院重点部署项目“北极地区地缘环境态势的演变研究”（ZDRW-ZS-2017）成果

中国科学院战略性先导科技专项（A 类）项目“基础设施连通性评估及其
空间优化模拟研究”（XDA20010101）成果

特殊类型区域研究系列

东北地区全面振兴的重大问题研究

王成金/著

Strategic Issues of Comprehensive Revitalization in Northeast China

科 学 出 版 社

北 京

内 容 简 介

本书综合集成了经济地理学与产业经济学的研究理念与方法，以专题研究的形式，对当前东北地区高质量发展面临的重大问题进行了深入剖析和发展路径设计。本书系统总结了东北地区新老问题、新老现象的区别与共同点，考察了各时期的振兴方略及沿革；面向国家战略需求，分析了东北地区“五个安全”和“五头五尾”的发展现状，设计了其发展和建设路径；着眼于部门视角，从特色产业、粮食生产基地、旅游资源开发、科技创新、国际合作等领域，深入分析各具体领域的发展现状与存在问题，提出了其发展思路与具体建设任务；着眼于空间视角，从引领示范新高地、城市化重点地区、特殊类型地区等类型区域，分析其发展现状与存在问题，提出了总体发展思路，设计了具体的建设任务。以此，科学阐释了新时代下东北地区高质量发展的重大问题的解决路径，为中国加快推动东北地区全面振兴提供科学指导。

本书可为产业经济区域规划等相关领域的学者和管理决策者提供参考。

图书在版编目（CIP）数据

东北地区全面振兴的重大问题研究 / 王成金著 . — 北京：科学出版社，2021.4

（特殊类型区域研究系列）

ISBN 978-7-03-068495-0

Ⅰ.①东…　Ⅱ.①王…　Ⅲ.①区域经济发展－研究－东北地区　Ⅳ.① F127.3

中国版本图书馆 CIP 数据核字 (2021) 第 056111 号

责任编辑：刘　超 / 责任校对：樊雅琼

责任印制：吴兆东 / 封面设计：无极书装

科学出版社 出版

北京东黄城根北街 16 号

邮政编码 :100717

http://www.sciencep.com

北京建宏印刷有限公司　印刷

科学出版社发行　各地新华书店经销

*

2021 年 4 月第　一　版　开本：787 × 1092　1/16

2021 年 4 月第一次印刷　印张：22　3/4　插页：2

字数：550 000

定价：258.00 元

（如有印装质量问题，我社负责调换）

前　言

一、研究背景

特殊类型地区是指功能特殊与问题突出的空间区域。在中国，特殊类型地区主要包括贫困地区、边境地区、少数民族地区、革命老区、资源型城市、老工业基地与生态退化地区。上述地区的共同底色是“困难”与“问题”。东北地区是典型的特殊类型地区与问题区域。东北地区曾是新中国工业的摇篮，是中国老工业基地相对集中的地区，有着大量的工业城市与大型工业企业。东北地区是中国大规模工业化最早开始的地区，煤炭、石油、铁矿石、森林等资源开发规模较大，形成了许多资源型城市，尤其是许多城市步入了资源枯竭型城市的行列。东北地区是中国少数民族的发祥地之一，有着众多的少数民族居住和集聚于此。东北地区与俄罗斯、蒙古国、朝鲜等国家接壤，有着漫长的边境线。东北地区曾是抗联的活动地区，也是辽沈战役的发生地，有着许多的革命老区。东北地区存在许多的贫困地区，大兴安岭南麓山区是中国 14 个集中连片特困之一。东北地区有着战略性的生态资源，但也有着棘手的生态退化问题，既有不断沙化的科尔沁草原，也有质量不断下降的黑土地。各种特殊类型地区交杂分布、各种问题的综合性与离散性、空间集中连片性，促使东北地区成为特殊类型地区，尤其是成为问题区域。因此，将东北地区作为一个问题区域和特殊类型地区进行研究，是具有现实意义的。

各地区有着不同的资源禀赋、人口分布及经济基础，由此塑造了国土开发的空间格局。长期以来，东北地区一直是中国自然环境、生态系统、社会发展和经济建设的独立板块之一，是中国区域发展总体战略部署的重要构成部分。资源禀赋、区位条件和产业体系使东北地区形成了相对独立的区域系统，许多学者在综合性区划、经济区划、自然区划甚至社会文化区划的研究工作中将东北地区作为独立的板块区域。1954 年，国家提出的七大经济协作区就将东北地区作为独立区域。随后的较长时期内，中国一直采用“两分法”，将国土分为沿海与内地两大部分。“七五”计划（1986 ～ 1990 年）开始，中国国土开始采用“三分法”，将全国分为三大地带，即东部、中部和西部，用于描述刻画全国的社会经济发展与自然地理环境。2006 年，国家“十一五”规划提出了新的划分方法，将全国分为东部、中部、西部和东北地区，由此形成了四大板块，并延续至今。这表明东北地区是中国自然地理与社会经济系统的重要板块。

老工业基地是典型的问题区域，“老”是其主要底色，“困难”是其主要问题，“转型”是其主要发展方向。老工业基地面临的各类问题是工业化和城市化两个社会经济过程长期积累的结果，不仅涉及经济问题，而且涉及社会问题、生态问题，这些问题的长期积累与规模体量决定其具有“顽固性”。老工业基地转型发展不仅是产业升级改造的过程，而且是系统的社会经济系统综合性转型甚至重构的过程。这需要投入大量的各类资源要素，包括资金、人力与技术等。发达国家对老工业基地的调整改造尽管有着很多有效的做法，但没有成熟的模式与完全成功的经验，路径依赖的作用根深蒂固，许多问题尚未得到彻底的解决，仍然缺少发展活力。老工业基地转型发展与调整改造是一项长期的工作，具有很大的复杂性和艰巨性。这需要有持续的振兴战略框架、扶持政策与激励制度，并需要根据不同时期的具体形势和特点进行升级完善。

东北地区是新中国工业的摇篮，也是各类区域问题最为突出和集中的区域。20 世纪 90 年代以来，东北地区面临着复杂的发展困境，并成为国土开发的问题区域和社会经济发展的难点地区。1995 年开始，国家关注到东北地区的振兴发展问题，以辽宁省为试点，探索老工业基地调整改造与振兴发展的有效做法。2002 年，“十六大”报告提出“支持东北地区等老工业基地加快调整和改造”，2003 年党中央、国务院做出了振兴东北地区等老工业基地的战略决策，发布《中共中央 国务院关于实施东北地区等老工业基地振兴战略的若干意见》（中发〔2003〕11 号），明确了实施振兴战略的指导思想、方针任务，先后制定实施了振兴发展的任务与政策，涉及产业转型、交通建设、金融、企业改革、民生事业、创新人才等方面，随后有关部委针对其业务领域相继出台了配套政策。2003 ～ 2012 年，东北地区经历了“黄金十年”，振兴工作取得了重要的阶段性成果。曾经的“东北现象”基本得到消除，当年面临的突出矛盾得到有效缓解，东北地区焕发出新的生机与活力。但随着经济发展进入新常态，特别是 2013 年以来，东北地区出现了经济下行态势，区域发展再度陷入低迷困难阶段，“新东北现象”显现。党中央、国务院高度重视，先后密集出台了新一轮促进东北振兴的政策，涉及基础设施、国企改革、创新驱动、生态环境、沉陷区治理等方面。

近年来，国家高度重视东北地区，并对新时期下东北地区的振兴发展提出了新要求。2015 年“两会”期间，习近平总书记提出东北等老工业基地的振兴发展，不能再唱“工业一柱擎天，结构单一”的“二人转”，要做好加减乘除：加法——投资、需求、创新，减法——淘汰落后产能，乘法——创新驱动，除法——市场化程度。2015 年 7 月 17 日在长春座谈会上，习近平总书记提出振兴东北老工业基地已到了滚石上山、爬坡过坎的关键阶段，要坚决破除体制机制障碍，形成一个同市场完全对接、充满内在活力的体制机制，是推动东北老工业基地振兴的治本之策。2016 年两会期间，习近平总书记在黑龙江代表团参加审议时指出，要扬长避短、扬长克短、扬长补短，向经济建设这个中心聚焦发力，打好发展组合拳，奋力走出全面振兴新路子。2018 年 9 月 25 日至 28 日，习近平总书记在东北地区先后考察农垦粮食基地建三江、老工业基地齐齐哈尔、生态湿地查干湖、石化基地辽阳市、资源枯竭城市抚顺市、综合性城市沈阳，就深入推进东北振兴提出了六个方面的要求：以优化营商环境为基础，全面深化改革；以培育壮大新动能为重点，激发创新驱动内生动力；科学统筹精准施策，构建协调发展新格局；更好支持生态建设和粮食生产，巩固提升绿色发展优势；深度融入共建“一带一路”，建设开放合作高地；更加关注补齐民生领域短板，让人民群众共享东北振兴成果。习近平总书记指出东北地区是我国重要的工业和农业基地，维护国家国防安全、粮食安全、生态安全、能源安全、产业安全的战略地位十分重要，关乎国家发展大局。新时代东北振兴是全面振兴、全方位振兴。

基于上述分析，本书立足东北地区高质量发展的重大问题进行深入的剖析和论述。重点选择对东北地区具有重要意义且之前较少关注的议题进行研究，共选择了 11 个议题，具体包括东北地区新老现象与新老问题、“五个安全”、“五头五尾”、特色产业、粮食生产基地、旅游业、科技创新、国际合作、新区、同城化地区、特殊类型地区，以探索东北地区振兴发展的新竞争力、新动能、新增长点，支撑东北地区的高质量发展。在具体研究上，本书采用专题研究的形式进行分析和撰写，各个专题相对独立。

二、研究内容与关系

本书采用专题的研究形式，按照“现象问题→战略思路→突出领域→空间优化”的主线，比较分析了东北地区新老现象与新老问题及振兴战略沿革，全面剖析了东北地区“五个安全”和“五头五尾”的发展战略与建设路径，深入论述了特色产业、粮食生产基地、旅游业、科技创新、国际合作等支撑东北地区全面振兴的新领域，提出了各领域的发展思路与建设任务，并从空间优化的角度分析了引领示范型新高地、城市化重点地区和特殊类型地区等各类新增长地区的总体发展思路与建设任务。

本书共分为十一章，核心内容主要分为四部分。

第一章，为东北地区新老问题与振兴沿革。本部分基于比较的视角，分析了东北地区的老现象与新现象，从经济结构、国有企业、体制机制、社会民生、资源枯竭、生态环境、对外开放等角度深入总结东北地区的老问题，从营商环境、创新驱动、人口结构、新兴经济、资源外流、区域差距等方面全面剖析了东北地区的新问题，考察了东北问题与振兴战略的关系，总结了东北地区振兴战略的历史沿革及变化。

第二章和第三章，分别为东北地区“五个安全”发展路径与东北地区“五头五尾”建设路径。着眼于国家战略需求，本部分重点分析了东北地区“五个安全”和“五头五尾”发展战略。第二章为东北地区“五个安全”发展路径，主要是聚焦产业安全、能源安全、粮食安全、生态安全和国防安全，全面分析了各个安全领域的发展现状与存在问题，设计了其发展思路，提出了具体的建设路径。第三章为东北地区“五头五尾”建设路径，坚持资源产业链的理念，围绕煤炭、油气、农产品等基础资源“头”，聚焦“油头化尾”、“煤头电尾”、“煤头化尾”、“农头工尾”和“粮头食尾”，分析了各产业链的发展特征与存在问题，提出了其发展思路与建设任务。

第四章～第八章，为支撑东北地区全面振兴的新兴部门与新增长领域的建设路径。从部门和领域的视角，本部分重点分析了支撑东北地区全面振兴的新兴领域与新增长部门的发展战略。第四章为东北地区特色产业发展战略，筛选了东北地区的特色产业，包括冰雪产业、矿泉水产业、林下经济、文化创意产业、草原畜牧业等产业，重点分析了各特色产业的资源禀赋基础、发展现状、存在问题，并提出了其发展思路与建设路径。第五章为东北地区粮食生产基地布局与建设，重点分析了东北地区粮食种植与生产的基本特征，论述了其粮食生产的资源优势与存在问题，在此基础上提出了东北地区的粮食生产路径、分布格局、基地布局与建设保障，并论述了黑龙江农垦集团的基本情况、生产优势与引领战略。第六章为东北地区旅游资源评价与发展路径，基于大旅游产业的视角，全面分析了东北地区的旅游资源禀赋，量化评价了各地区的旅游吸引力，总结东北地区旅游业的发展现状与存在问题，提出了东北地区大旅游业发展的总体思路，并从旅游活动、特色文化、体育运动、健康养老、旅游网络、支撑能力、对外合作等角度设计了主要发展任务。第七章为东北地区科教资源基础和创新路径，重点评价了东北地区科教资源基础与创新成果产出，分析了其发展现状与存在问题，从区域创新体系、成果转移转化、知识产权保护、重点引领区域、科技要素投入、区际国际合作和产业技术重点角度提出了东北地区创新发展的路径。第八章为东北亚形势与东北地区对外开放，重点论述了东北亚地区的国际合作特征、主要国家的发展战略及地缘新形势新格局，分析了东北地区对外开放的现状特征，从构建国际交流合作平台、提高对外贸易发展水平、推动国际多边交流合作、打造商贸物流服务平台、推动矿产资源开发合作、加强运输网络互联互通、突出加强对外开放门户角度提出了东北地区对外开放的主要发展路径，同时深入论述了东北亚地区的重要合作区域与领域。

第九章～第十一章，为东北地区空间结构优化的新增长区域。本部分重点从空间开发的视角，对东北地区国土开发结构进行优化调整，培育新的增长区域。第九章为东北地区振兴新高地与新区建设，从引领示范的视角，重点分析了大连金普新区、长春新区、哈尔滨新区和沈阳沈北新区的基本特点，提出了其发展思路与建设任务。第十章为东北同城化地区识别与发展路径，从新型城镇化的视角，设计了东北同城化地区的识别方法，识别各省区的同城化地区，从行政级别、单元数量、空间形态、自然地理等角度分析了其类型，并从体制机制、基础设施与公共服务、经济产业、城市功能等角度提出了同城化发展战略。第十一章为东北特殊类型地区发展指引，重点分析了林区垦区、少数民族地区、边境地区、贫困地区、资源型地区的发展特征与存在问题，提出了各类地区的发展思路与建设路径。

三、主要观点与结论

本书的主要观点摘要如下。

（1）东北地区形成了老问题与老现象、新问题与新现象，这些问题现象存在长期性、广泛性、叠加性、难度大等特点。“东北现象”主要是指经济发展缓慢，工业举步维艰，企业亏损，大量职工下岗。“新东北现象”主要是指经济增速回落，产业竞争力减弱，营商环境较差。“老问题”主要表现为经济结构单一，“重化”显著，体制僵化，就业困难，社会保障压力大。“新问题”主要表现为营商环境较差，创新发展能力较低，人口增长缓慢且老龄化，新兴产业与民营经济发展不足，人口人才、创新成果、资本等资源外流，中小城市缺少产业实体。

（2）东北地区在国家产业安全、能源安全、生态安全、国防安全、粮食安全方面具有战略意义。产业安全要从打造“国之重器”战略高度出发，做强做优装备制造业。

能源安全要加强俄罗斯原油资源进口，加大海上油气进口与储备基地建设。粮食安全要壮大优质粮食生产基地，加强粮食仓储物流能力建设。生态安全要加强生态功能区建设，推进山地森林保护，确保远东水塔安全，加强草原与河流湿地保护。国防安全要促进特色产业发展，完善基础设施网络，加强边境城镇建设，加快边境乡村振兴，实现兴边富民。

（3）按照产业链模式，就地提高精深加工水平，拓展形成上下游产业，是东北地区产业转型升级与区域经济增长的重要方向。实施“油头化尾”战略，多链条延长“化尾”路径，做大石油化工原料产业，拓展精细化工。实施“煤头电尾”战略，科学发展清洁高效煤电产业，优化新增电源布局，推动电力外送通道建设。实施“煤头化尾”战略，推进褐煤精炼多联产，推动向中高端和精深加工产品转变。坚持“粮头食尾”和“农头工尾”战略，做优粮食加工，做强豆类、畜产品、玉米、林产品等农产品加工，提档升级纺织业，做大生物医药业。

（4）特色产业是东北地区未来经济发展的新增长点。冰雪产业要巩固提升冰雪文化旅游业，推动冰雪运动产业，发展冰雪高端装备制造业。矿泉水产业重点加强矿泉水资源保护与水源地管控，有序推动矿泉水资源开采利用，推动矿泉水精深加工。林下经济重点提升林下养殖业，壮大林下种植业，拓展森林旅游业。文化创意产业要提升传统文化创意产业，培育新兴文化创意业态与龙头企业，壮大文化创意产业园区。草原畜牧业重点要优化畜产品布局，发展优质畜产品加工，推进种业和饲草产业发展。

（5）东北地区开展粮食生产与建设国家粮食生产基地有其独特的优势。东北地区要坚持以粮为纲，以全国“大粮仓”和“粮食市场稳压器”为目标，加强基本粮田保护，壮大优质粮食生产基地建设，重点建设水稻、玉米、大豆、畜牧和林下产业带，提高粮食物流组织能力，积极发展农产品加工业。特别是农垦系统和国有农场是东北粮食生产基地建设的主力军，要发挥引领和辐射带动的作用。

（6）东北地区有着得天独厚的旅游资源禀赋与较好的发展基础，具备开发综合性旅游活动与发展大旅游业的潜力。东北地区的旅游资源与旅游吸引力分布具有明显的空间差异。该地区要坚持一体化的旅游开发理念，积极发展生态旅游、冰雪旅游、文化旅游、滨海旅游、工业旅游、边境旅游等活动，培育优势旅游产品与竞品旅游路线，打造特色旅游品牌，延伸发展文化产业和健康养生产业，打造特色鲜明、吸引力强的旅游目的地。

（7）东北地区有丰富的科技资源与大量的大型国有企业，有较高的科技创新产出能力。东北地区要进一步发挥科技创新的作用，加强区域科技创新体系建设，建设区域创新基地，推动成果转移转化，加强资金、人才及教育等科技要素投入，推动自主创新示范区和国家科学科技城等引领性区域发展，培育成东北地区内生发展动力的主要生长点和全面振兴的重要引擎。

（8）中国、俄罗斯、蒙古国、韩国等国家推行的中长期战略存在着较好的一致性，可以实现对接合作。东北地区要重点构建国际合作平台，提高贸易发展水平，推动生态环境保护、文化教育、民族体育和科技创新等多边交流合作，完善口岸和跨境电商等商贸物流服务平台，推进蒙俄境外资源开发和进口资源落地加工，加强交通互联互通与对外开放门户建设。尤其是推进图们江区域合作开发、“海拉尔－赤塔－乔巴山次区域金三角”合作、东北亚能源合作开发合作、东北亚旅游圈构建、俄罗斯远东超前发展区与符拉迪沃斯托克自由港建设。

（9）东北地区需要集聚高端要素，实施产城融合战略，打造具有引领性和示范性的新增长空间。辽宁大连金普新区、黑龙江哈尔滨新区、吉林长春新区和沈阳沈北新区是东北地区在经济发展低迷背景下新的增长空间。金普新区要建设成为面向东北亚区域开放合作的战略高地，沈北新区要打造为沈阳市新的经济增长区域和城市拓展空间，长春新区要建设成为辐射哈长城市群的增长极，哈尔滨新区要建设为中俄全面合作的重要承载区。

（10）东北地区可以实施同城化的单元有 38 处，黑龙江和辽宁较多，分别有 14 处和 13 处；吉林有 9 处，蒙东地区较少，有 2 处，这是培育新增长空间的重点地区。空间上可形成大都市区模式、中心城市模式、新增长极模式与城市带模式。同城化重点从体制机制、基础设施、经济产业、城市功能等方面实施建设，推动土地、城市、产业等空间利用规划一张图，加快交通、能源、市政等基础设施一张网建设，推进运输、电信、医疗等公共服务同城化，优化产业布局与城市职能分工，推动中间地区的对接开发建设。

（11）东北地区形成了大量具有特殊功能的地区，包括林区垦区、少数民族地区、边境地区、贫困地区和资源型城市。林区垦区要继续优化局场和城镇布局，完善交通、能源、农田水利、森林管护等基础设施网络，促进社会事业全面发展。民族地区深入开展民族团结进步活动，弘扬创新传统少数民族文化，推动宜居民族地区建设，壮大民族产业。边境地区要促进特色优势产业发展，改善基础设施条件，提升沿边开发开放水平，加强生态护边建设。贫困地区要巩固脱贫成果，加大基础设施建设，发展特色农林牧业。资源型城市要有序开发利用资源，构建多元化产业体系，促进城镇更新改造。

目　　录

第一章

东北地区新老问题与振兴沿革

问题与矛盾是区域分析的重要内容，尤其是同一区域在不同环境和条件下所面临的问题与矛盾及变化，对区域战略与区域政策的制定具有基础性作用。东北地区是典型的问题区域，自20世纪80年代中期以来形成了老问题与老现象、新问题与新现象，各种问题与现象相互交织，覆盖领域广泛，持续时间长，需要解决的侧重点有所差异。本章主要是从问题的视角，分析东北地区的新老问题、新老现象与振兴战略沿革。重点阐释了东北现象与“东北新现象”的产生起源与主要表现，深入剖析了东北地区的老问题，包括经济结构、国有企业、体制机制、社会民生、资源枯竭、生态环境与对外开放；全面分析了东北地区的新问题，包括营商环境、创新驱动、人口机构、新兴经济、资源外流、区域差距；总结了东北问题与战略的特性，刻画了各阶段的战略特征。

本专题主要得出以下结论。

“东北现象”主要是指经济发展速度缓慢，工业生产举步维艰，区域经济效益较低，工业企业普遍亏损，经济效益低下，就业矛盾突出，大量职工下岗失业，资源型城市主导产业衰退，区域社会效益差，生态效益差，环境污染严重。“新东北现象”主要是指地区经济增速出现大幅回落，甚至经济出现负增长，在全国的经济地位不断下降，产业竞争力减弱，财政收入增速下滑，居民收入增长放缓，营商环境较差。

东北地区的老问题主要表现为以下几方面：①经济所有制结构比较单一，产业结构“重化”特征显著；产业结构单一，形成许多产业单一地区；发展粗放，产业层次比较低，产品结构不优；经济增长主要依赖于投资驱动，国有企业体制僵化，企业办社会普遍，企业效益较低；市场经济体制发展相对落后；就业形势严峻，下岗失业严重，社会保障压力大。②资源型产业衰退，部分地区资源枯竭。③生态退化趋势显著，湖泊湿地萎缩，环境污染不断加重，黑土问题逐渐凸显。④吸引外资能力较弱，外向经济薄弱。

东北地区的新问题主要表现为以下几方面：①区域营商环境较差，基础设施网络进入老化阶段，投融资方式单一。②技术研发投入不足，技术创新成果少，创新转化能力不足。③人口增长缓慢甚至负增长，并进入了负增长通道；人口老龄化。④传统工业优势不断衰弱，战略性新兴产业发展不足，民营经济发展滞后，工业智能化水平较低。⑤创新成果外流，人口人才外流，资本资金外流。⑥区域差距较大，中心城市资源过于集聚，中小城市缺少产业实体，特殊地区发展困难。

东北地区的问题存在长期性、叠加性、复杂性、难度大等特点，东北地区振兴战略存在系统性与重点性、长期性与阶段性、行政性与市场性特征。20世纪90年代中期开始，东北地区的振兴发展可划分成四个阶段：1995～2003年的典型特征是“试点，局部，国企”，2003～2013年的典型特征是“推行，全域，国企”，2014～2019年的典型特征是“全域，全面，应急”，2020年以来的典型特征是“综合，高质，协调”。

第一节　东北地区的老现象与新现象

一、老现象

1. 产生起源

东北地区是中国最重要的重化工业基地，一直是中国工业财富的主要增长区域。从20世纪初期到20世纪90年代，东北地区的经济总量和占比一直领先全国，石油石化、汽车、煤炭、重型机械、建材以及粮食、林木等产业在中国经济体系中曾占有举足轻重的地位。无论是农业生产还是工业发展，东北地区在国家调控下扮演着向全国“输血”的角色，为国家培养并向全国输送了大量人才（张占斌，2015）。

20世纪80年代以来，东北地区的工业发展相对迟缓，经济增长乏力，与国内其他地区尤其是沿海地区相比存在较大的发展差距，并逐步落后于全国平均水平。这促使东北地区在全国的经济地位不断下降，尤其是进入90年代后表现尤为突出。这引起了社会的广泛关注，90年代初“东北现象”的术语开始产生。“东北现象”的核心是指工业企业经济发展严重不景气，国有工业经济增速与效益明显低于其他地区，处于全国落后地位的现象。从问题性质来看，“东北现象”是经济问题、社会问题。

2. 主要表现

虽然对“东北现象”存在不同的理解，但大致形成了几个方面的共识。综述李诚固和李振泉（1996）等的研究，可以总结“东北现象”主要表现在如下几个方面。

（1）经济发展速度缓慢，与工业地位不符。东北地区的经济增速曾居全国前列，但20世纪80年代中期以来，经济增速较低。1981～1988年，辽吉黑三省社会总产值平均增速分别为10.3%、11%和6.8%，均低于同期全国平均增长水平14.2%。1989～1991年，辽吉黑三省社会总产值平均增速分别为3.5%、4.3%和5.1%，均低于全国平均增长水平；1993～1994年，东北三省地区生产总值平均增速为14.7%，仍低于17.1%的全国平均增长水平。

（2）工业生产举步维艰。1958～1980年，东北三省的工业产值平均增速为10.6%，1981～1985年降至8.2%，90年代增速大幅下滑。1990年，黑龙江、辽宁和吉林省的工业产值增速在全国排名居后，分别居倒数第二位、倒数第四位和倒数第五位，东北三省工业总产值增速仅为0.6%，而全国平均增长水平为7%。

（3）区域经济效益较低。经济效益指标的年均递减速度明显大于其他地区，国有工业利税出现了负增长，预算内企业实现利税下降了25%～45%，超过全国18.5%的平均水平。地方财政赤字严重。

（4）工业企业普遍亏损。企业技术设备、工艺、技术老化，企业竞争力下降，大批国有企业停产、半停产，主导产业及优势产品在全国的地位逐步降低。亏损面和亏损额居高不下，全国亏损面是40%，黑龙江则达到52%，辽宁为62%，吉林为48%。1990年东北三省国有企业亏损额占全国国有企业亏损总额的21.7%，高于其他地区的省均亏损水平。

（5）因国有工业企业经济效益低下，工业产品老化，企业设备设施陈旧，生产技术与工艺落后，企业人才与熟练工人存在外流。

（6）就业矛盾突出，大量职工下岗失业。20世纪90年代后期出现“下岗潮”，形成了规模庞大的下岗产业工人群体。1994年，辽宁、吉林、黑龙江省城镇失业人数分别为30.1万人、11.6万人和23.8万人，分别居全国第2位、第18位和第6位。

（7）经过长期的资源型产业发展，东北本地的矿产资源面临枯竭，资源型城市的主导产业衰退明显。

（8）因工业衰退而导致区域发展的社会效益差。1994年，辽吉黑三省的职工年平均工资分别为4269元、3666元和3375元，分别居全国第14位、第28位和第29位。

（9）生态效益差，环境污染严重。因长期的工业大规模生产，生态环境污染较为严重。1992年，东北工业基地的废水排放达标率仅为14.4%，工业废气处理达标率为44.8%。东部水土流失严重，西部土地沙化、盐碱化日益加剧。

20世纪80年代开始产生的“东北现象”，促使中国政府在90年代开始探索东北老工业的调整改造，并在2003年启动了东北地区等老工业基地振兴战略。

二、新现象

1. 产生起源

为了消除“东北现象”，2003年中央、国务院出台了《关于实施东北地区等老工业基地振兴战略的若干意见》，制定了振兴战略的各项方针政策，东北老工业基地振兴战略正式启动。经过10多年的改造和振兴，东北地区再次与全国发展同步，经济增速一直比较快，成为全国增速最快的地区之一，经济质量和效益不断提高，老工业基地重新焕发了活力。2003～2012年，东北地区生产总值翻了两番多，年均增速达12.7%，高出全国平均水平2个百分点，2008～2012年东北地区的经济增速达到12.5%，高出全国平均水平3.3个百分点，城乡居民收入大幅提高（张占斌，2015）。在东北地区的发展历史中，2003～2012年被称为“黄金十年”。

2013年开始，东北地区呈现出新的经济发展趋势。中国四大板块中，东北地区面临着一系列的问题和困难，经济增速首先下滑，经济发展骤然出现低迷状况，东北经济告急。东北板块经济增速下滑引起各界广泛关注。2015年2月15日，新华社播放调查报告《事关全局的决胜之战—新常态下“新东北现象”调查》，“新东北现象”首次被提出。“新东北现象”的概念开始产生，并有别于2003年实施东北老工业基地振兴战略之前经济增长乏力的“东北现象”。但截至目前来看，“新东北现象”是发展中的问题，是经济层面的问题。

2. 主要表现

“新东北现象”提出以来，新闻媒体和学术领域有着大量的报道和文献，亦形成了不同的理解，但形成了若干方面的共识。综述各类报道和文献，总结“新东北现象”主要表现在如下方面。

（1）地区生产总值增速出现较大幅度的回落，在全国垫底。从2013年开始，东北地区的经济增长明显减速，经济发展陷入困境。2013年，东北地区的经济增速达到8.5%，东北三省在全国的排名均居后10位，黑龙江居倒数第3位。2014年以来，东北地区的经济发展继续下行，并全面低于全国平均水平，辽宁、吉林和黑龙江GDP平均增速分别为5.8%、6.5%和5.6%，均低于全国GDP平均增速，在全国居后5位。2016年，东北地区GDP增速仅为2.83%。具体如图1-1和图1-2所示。

（2）在全国的经济地位不断下降。东北地区占全国的比例基本呈现持续下降的态势，在全国的经济地位不断弱化。2003年，所占比例为9.9%，2003～2012年呈现波动式的增长，基本保持在9.5%～10.4%。2012年开始，东北地区经济占全国的比例开始持续下降，2012年为10.4%，尤其是2016年呈现急剧下降，降至8%，2017年降至7.76%，比2012年减少了2.65个百分点。

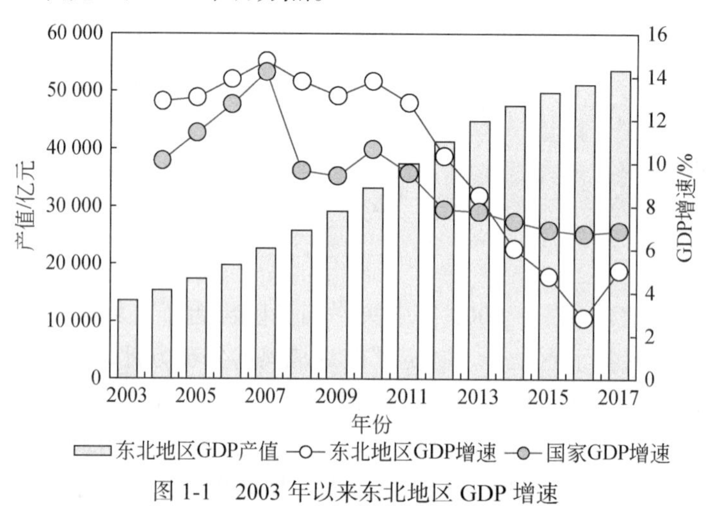

图1-1　2003年以来东北地区GDP增速

（3）经济出现负增长。如图1-2所示，东北三省的经济增速不仅位居全国各省末尾，而且开始出现负增长，2016年辽宁省经济增速下跌到–2.5%。大量的地级市出现负增长，部分地区呈现“断崖式”下跌。

（4）工业发展明显减速。东北地区的工业发展处于低位运行，东北三省工业增加值的增速远低于全国平均涨幅。尤其是，黑龙江省在全国位居末位，其主导产业及重点企业的增速几乎为零，全省工业发展几乎停滞（丁晓燕，2016）。工业不再是“大而不强”，而是“不大不强”。2017年，辽宁省的工业产值仅为2.25万亿元，排名全国第16位，而排名第一的江苏省为15.5万亿元，约为辽宁省的7倍，而苏州相当于辽宁的1.4倍，佛山与辽宁相当。

图 1-2　东北地区振兴战略实施以来经济增速的演变

（5）产业竞争力减弱。东北地区的工业产能过剩明显，而且存在大量的低效产能和落后产能，并主要集中在冶金、化工、建材、造纸等传统行业。产业竞争力下降，产品“特而不尖”“多而不响”“杂而不精”等现象依然存在（丁晓燕，2016）。

（6）财政收入增速下滑。重点工业企业生产萎缩，产品价格持续下滑，房地产市场交易低迷，东北地区的财政收入偏低。2015 年辽宁省的公共财政收入以 –33.4% 的增速居全国末位，吉林省和黑龙江省财政收入增速分别仅为 2.2%、–10.4%（丁晓燕，2016）。

（7）居民收入增长放缓。随着东北经济呈现放缓态势，居民收入受到一定影响，三省城镇居民人均可支配收入增速均低于全国平均水平，与发达地区的收入差距依然显著（丁晓燕，2016）。2014 年全国、黑龙江、吉林、辽宁城镇居民人均可支配收入平均增速分别为 10.1%、9.4%、9.5%、9.6%。

（8）对外贸易下降明显。2014 ～ 2015 年，东北三省对外进出口总额出现悬崖式下滑。

（9）企业艰难运营，许多企业生产艰难，亏损严重。

（10）营商环境较差，资本、人口和人才外流明显，“投资不过山海关”“为什么企业选择离开东北”“为什么东北留不住人”等引起社会广泛关注。

（11）经济趋缓并未产生大规模、集中的下岗失业，并未产生严重的社会稳定问题。

“新东北现象”是“老东北现象”病根未除又遇新挑战所形成的，是原有结构效应和制度效应在特定时期内最大限度地释放或集中爆发。为了破解“新东北现象”，2016 年开始国家启动了新一轮东北振兴战略。

第二节　东北地区的老问题

一、经济结构

1. 所有制问题

所有制结构和产业结构的动态耦合与不完善的市场机制形成摩擦性运转，这成为东北地区经济运行最根本的特征，也是东北地区若干问题形成的微观基础。由于历史原因，东北地区经济所有制结构比较单一，国有经济占主导地位。东北地区的国有经济规模大，国有企业数量多，占比极高。2001 年年底，辽宁、吉林、黑龙江国有经济占比分别高达 78.2%、86.2% 和 87.2%，分别高出全国平均水平 13.3 个百分点、21.3 个百分点和 22.3 个百分点。国有经济分布战线过长，尤其集中在煤炭、森林、装备制造、纺织、石油等行业。

东北振兴战略实施以来，国有经济占比虽然有相当程度的下降，但仍占有主要地位。2005 ～ 2014 年，东北地区的所有制结构发生了很大变化，国有及国有控股企业在所有者权益、总资产和主营业务收入三项指标方面的占比一直在下降，但大量投资项目仍集中在国有企业，对企业“战略重组”和“做大做强”在部分地区强化了国有经济，导致部分指标在个别年份出现反弹。但和全国相比，东北地区尤其是吉林和黑龙江对国有经济的依赖还比较严重，各项指标占比仍显著高于全国。2016 年，东北地区国有企业占比仍然不低于 50%；体量较大的企业也以国有企业为主，2015 年吉林省产值在 100 亿元以上的企业有 12 户，多数为国企尤其是央企。因此，以公有制为主的东北经济结构被锁定在原有的发展路径中，经济活动弹性小，难以实现根本性的结构调整。

2.重化工业结构

东北地区是重化工业地区的典型代表，是新中国初期就建设形成的重化工业基地。经过 20 多年的调整改造，以传统产业为主的产业结构未能有较大的改变，重化工业仍是主导产业。如图 1-3 所示，重工业企业数量占比呈现先增长后减少的趋势，但一直高于 60%；21 世纪之前，重工业企业数量占比一直为 70% ～ 80%；2003 年该占比达到 63.12%，此后持续增长到 2009 年的 69.36%，增长了 6.24 个百分点，然后持续降低到 2017 年的 60.48%，降低了 8.88 个百分点。2003 年，东北三省的重工业产值占比达 78.4%，然后持续提高到 2005 年的 82.3%，又持续下降到 2016 年的 70.9%，2017 年略上升到 72.5%。这表明东北地区的重工业产值比重一直高于 70%，是典型的重化工业结构。

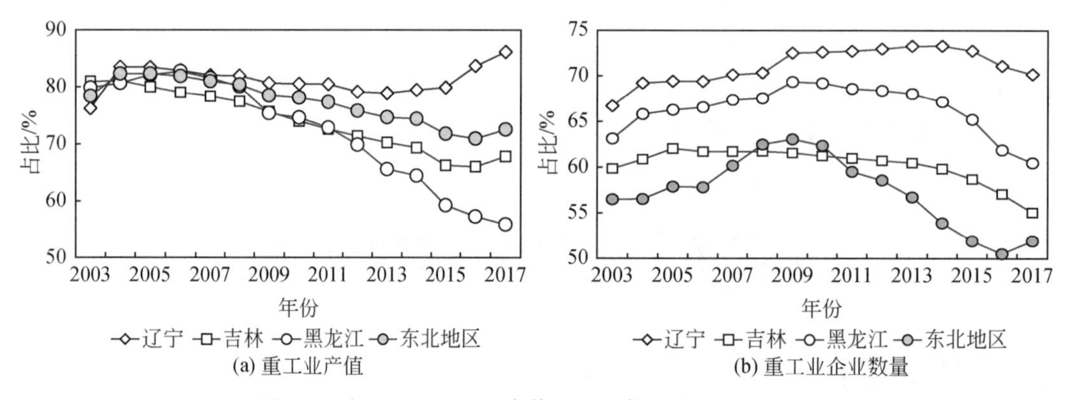

图 1-3　东北地区重工业产值和企业数量占比发展过程

由于蒙东地区的数据较难获得，图中的东北地区实际指东北三省

根据刘志彪和徐宁（2019）等学者的研究，东北地区的主导产业大致分为三类。

类型Ⅰ：“一五”计划时期重点布局的资源类产业项目，主要是煤矿项目，目前基本上资源已枯竭，如阜新海州露天矿、新邱煤矿、抚顺西露天矿和鸡西煤矿等。这些产业面临的问题不是重振而是善后，如生态修复事宜。

类型Ⅱ:该类产业项目较多,多处于竞争性行业,经济效益较低而艰难维持,如鞍钢、吉林铁合金、吉林碳素和抚顺铝厂等企业。

类型Ⅲ：是振兴东北需要重点解决的产业，处于产业链上游核心环节，代表着东北地区目前的发展水平和势力,有较高的技术水平,完成过国家的很多重点工程和任务,研发的重大技术装备屡屡填补国内空白。主要是“国之重器”的装备制造企业，如中国一重、哈电集团、沈阳飞机制造集团、大连造船等。

受计划经济及重工业发展战略的影响，东北地区产业结构“重化”显著。产业结构基本上以钢铁、石化、制造、能源等重化工业为主，是中国重要的装备制造业、能源原材料基地。这些产业主要为资源型产业、重型装备制造业，主要为资本密集型产业为主的粗放式传统工业，技术密集型产业较少。这种经济结构易受市场和环境变化的制约。在向市场经济转轨的过程中，东北地区未能及时调整和改造传统的产业结构，许多工业部门老化；在经济环境发生变化时，市场订单减少，传统资源型产业的比较优势丧失，传统重型装备制造业的竞争力锐减，甚至部分产业沦落为低效产能、过剩产能和落后产能。这促使东北地区原材料与装备工业的地位相对下降，发展优势不断弱化，导致经济发展疲软。

从东北三省的内部来看，重化工业的特征显著。辽宁省的重工业产值占比从 2003 年的 76.2%，上升到 2004 年的 83.5%，然后下降到 2013 年的 78.89%，近年来又呈现增长态势，增长到 2017 年的 86.18%；2003 ～ 2017 年，重工业产值占比一直高于 75%，主要是装备制造、冶金、石化产业。吉林省的重工业产值占比虽然不断下降，但一直高于 65%，仍具有较高的水平，2003 年重工业产值占比达 80.95%，然后持续下降，2016 年达 66.01%，2017 年又反弹到 67.82%。黑龙江省呈现先上升后下降的过程，2003 年为 79.86%，逐步增长到 2006 年的 82.75%，然后持续下降，2017 年达到 55.88%，主要是能源、石化、装备制造、食品加工产业。

3. 产业结构单一

资源禀赋决定着地区产业结构。许多地区的产业结构过度依赖资源优势，资源型行业独大，产业结构单一化现象严重。但在过去，资源型行业特别是能源工业与矿产资源开采及初加工的快速发展支撑了东北地区工业的平稳运行。东北地区共有 15 个产业单一地市，占东北地级行政单元的 36.6%，超过 1/3；黑龙江有 6 个，包括大庆、鹤岗、鸡西、七台河、双鸭山、伊春；吉林和辽宁分别有 3 个和 5 个，分别包括长春、松原、通化和鞍山、本溪、朝阳、阜新、盘锦；内蒙古有 1 个，即呼伦贝尔市。从县级行政单元来看，东北地区共有产业单一县市 69 个；黑龙江有 24 个，吉林有 21 个，辽宁有 12 个，内蒙古有 12 个。这些地区有着不同的单一水平；其中单一水平为 80% ～ 100% 的地区有 14 个，占比为 19.4%，包括林甸县、七台河市、友谊县、鹤岗市、甘南县、依安县、双鸭山市、集贤县、青冈县、嘉荫县、松原市、弓长岭区、辽阳市、陈巴尔虎旗；单一水平为 60% ～ 80% 的地区有 25 个，占比为 34.7%。

这些地区的产业结构多以重工业为主，能源基础原料的主导产业突出，并往往集中了较多的过剩产能和低效产能。如表 1-1 所示，以农产品加工为单一工业的县区有 19 个，占比为 26.4%；以煤炭采选为单一工业的县区有 15 个，占比为 20.8%；以木材加工为单一工业的县区有 10 个；以铁矿石采选和钢铁冶金为单一工业的县区有 6 个，以有色金属矿石采选与冶炼、非金属矿石采选与加工为单一工业的县区均有 4 个；以电力、石油化工、化工为单一工业的县区分别有 3 个；以纺织服装、医药、装备制造为单一工业的县区均有 1 个。大庆主导产业是油气生产加工，其经济增长过度依赖石油开采；呼伦贝尔属于资源型城市，产业结构单一，“原字号”、低端化特征明显。这些地区的工业“一业擎天”，传统产业占比高。

表 1-1　东北地区部分单一工业结构县区的行业类型

产业类型	黑龙江省	吉林省	辽宁省	蒙东地区
煤炭采选	勃利县、鸡西市、鹤岗市、七台河市、依兰县、双鸭山市	江源区、白山市、靖宇县、舒兰市	南票区、调兵山市	牙克石市、霍林郭勒市、陈巴尔虎旗
电力	大兴安岭地区			根河市、鄂温克族自治旗
石油化工	大庆市	松原市	葫芦岛市	
铁矿石采选与钢铁冶金		东丰县	鞍山市、建平县、本溪市、弓长岭区、辽阳县	
有色金属矿石采选与冶炼	嘉荫县			喀喇沁旗、赤峰市、林西县
非金属矿石采选与加工			法库县、海城市、大石桥市	奈曼旗
农产品加工	庆安县、通河县、克东县、甘南县、友谊县、林甸县、克山县、富裕县、虎林县、青冈县、集贤县、依安县	永吉县、德惠市、前郭尔罗斯蒙古族自治县、九台市[①]、双辽市		宁城县、太仆寺旗
木材加工	穆棱市、塔河县、东宁市	桦甸市、蛟河市、抚松县、汪清县、长白朝鲜族自治县、敦化市、临江市		
化工		吉林市	辽阳市	苏尼特右旗
医药		通化市		
装备制造		长春市		

4. 产业层次较低

东北地区是中国重要的经济板块，但产业层次比较低。

（1）东北地区仍处于粗放式的传统工业阶段，初级性和低层次性突出。资金密集型产业占主导地位，技术密集型产业很少。传统产业多，集中在上游环节，新兴产业少，先进装备制造业发展缓慢，多数产业处于全球产业价值链的中低端。基础原材料产业占比高，主要是资源采掘、初级开发及粗加工业，采掘工业、原材料工业产值占东北地区工业产值

① 2014 年 10 月，九台市撤销县级市改为长春市市辖区，命名为长春市九台区。

的 2/3 左右。高新技术产业占比较低，装备制造业产品配套能力和系统集成能力有待提高，原材料工业精深加工度低。辽宁省产值占比较高的行业是装备制造、黑色金属冶炼加工、农产品加工、石油化工；吉林省产值占比较高的行业是汽车制造、农产品加工、医药制造；黑龙江产值占比较高的行业是农产品加工，采矿业，石油化工，电、气、水生产供应业。

（2）产品结构不优，呈现“三多三少”。原材料和中间产品多，最终产品少。粗加工产品多，主要提供矿产资源材料与粗加工产品，“原”字号、“初”字号产品较多，产品加工停留在初加工阶段，深精加工产品少。低级产品多，高级产品少，附加值低，既覆盖石化产业的化工原料加工、玉米等农产品加工，也覆盖人参、林蛙、矿泉水等特产资源加工。东北地区的石化行业中，乙烯产量占全国的 1/5，但下游化学纤维、化学农药等化工产能不足全国的 1%。辽宁石化产品呈现“油头大、化身小、产业链短、附加值低”的状况。大庆以石油初级开发为主，主要为原油、大宗化工原料及有机合成材料，产业链条短，产品附加值较低。松原“一油独大”的格局没有转变，新的主导产业优势尚未形成。

5. 增长方式传统

区域经济增长大致分为三种方式，形成“三驾马车”。长期以来，东北地区经济增长过度依赖投资拉动的特征明显。近年来，东北地区固定资本占 GDP 比重均在 50% 以上，投资对经济增长的贡献率稳定在 60% 以上。如图 1-4 所示，2003 ～ 2010 年，东北地区的投资增速不断提升，并一直维持 30% 以上的高速，对支撑经济快速增长发挥了重要作用；2010 年以后，投资增速虽有所波动，但整体呈现快速下降趋势，从 2010 年的 29.5% 快速下降到 2014 的 –1.4%，2015 年进一步下降到 –4.2%，累积下降 33.7 个百分点。东北地区的出口规模较小，其变化对东北地区经济增长的影响较小；2003 ～ 2008 年，出口增加值基本保持 20% 以上的增速，2009 年受全球金融危机影响突然跌至 –26.7%，2010 年又升到 37%，但之后便呈现持续回落态势，2015 年跌至 –23.5%（杨荫凯和刘羽，2016）。消费增速最为平稳，2003 年后迅速抬升，由 5% 提高到 2008 年的 25.7%；之后持续下降，2015 年增速为 8.4%，但对经济的支撑作用相对稳定且有所提升。这表明投资对东北地区经济增长的贡献率过高，形成“投资一枝独秀”，

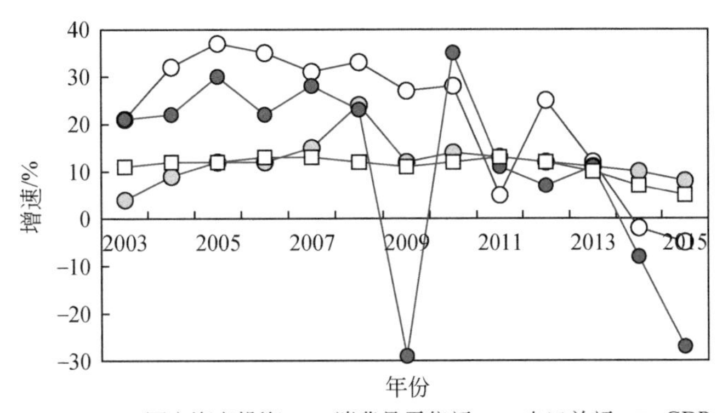

图 1-4　2003 年以来东北地区经济增长驱动力演变

远高于消费和出口，投资驱动型特征明显。在此过程中，本属于淘汰、限制和转型的落后产能和低效产能，其投资规模不降反升，如冶金、建材、造船等形成扩张态势，东北地区水泥过剩产能最高时达到45%。

受计划经济的影响，东北地区的投资基本依靠政府，缺乏活跃的资本市场，造成投资依赖程度过高。尤其在经济出现困难时期，东北地区基本依靠政府施加外力刺激经济增长。从固定资产投资中央项目、地方项目占全国比例来看，2003～2016年江苏、浙江和广东等沿海地区的地方项目占比远高于中央项目，黑龙江中央项目占比远高于地方项目，吉林省多数年份中央项目占比高于地方项目，辽宁省地方项目占比高于中央项目，但二者差距逐渐缩小（牛娟娟和和军，2018）。东北三省主要依靠中央项目，但近年来中央项目在东北地区的投资占比正在下滑。

二、国有企业

1. 国有企业体制

东北地区最早进入计划经济，却最晚退出计划经济。在东北地区，央企及子企业有3000多户，资产近5万亿元，职工有180万人，是全国央企最集中、占比最高的地区。东北地区经济增长主要依靠大型国有企业带动和引领，其产业结构基本由几个大型国有企业决定。如表1-2所示，国有企业和集体企业数量仍占有2.3%的比例，同时有大量的国有控股企业。截至目前，国企改革进程缓慢，政企不分，体制机制僵硬。用人“铁交椅”，分配“大锅饭”。企业经营意识长期遵循计划经济体制，“等靠要”意识浓厚，伸手多，要政策多。企业发展主要靠国家投、银行投、地方财政投“三投”，自身投入能力较低；发展上靠“三拼”，拼资源、拼投资、拼土地。国有企业普遍具有资本密集和规模经济的特征，进入壁垒高，结构刚性强；国有企业尤其是央企在东北地区的许多领域和关键领域都掌握着绝对的资源，形成垄断，与地方争利、与民营争利，对地方发展形成显著的“挤出效应”。国有企业在获得资金、土地、项目、税费减免等方面往往更具有先决优势，对生产成本、市场价格及变动不够敏感，在向市场经济的转轨过程中，普遍适应市场能力较低、自我生存能力差。

表1-2 东北地区工业企业结构构成

类别	黑龙江省		辽宁省		吉林省		东北地区	
	数量/家	占比/%	数量/家	占比/%	数量/家	占比/%	数量/家	占比/%
国有企业	119	3.19	70	1.06	41	0.69	230	1.41
集体企业	28	0.75	88	1.33	30	0.50	146	0.89
股份合作企业	6	0.16	23	0.35	7	0.12	36	0.22
联营企业		0.00	4	0.06	1	0.02	5	0.03
有限责任公司	1532	41.06	1799	27.15	2170	36.34	5501	33.69

续表

类别	黑龙江省		辽宁省		吉林省		东北地区	
	数量 / 家	占比 /%	数量 / 家	占比 /%	数量 / 家	占比 /%	数量 / 家	占比 /%
股份有限公司	191	5.12	281	4.24	336	5.63	808	4.95
私营企业	1660	44.49	3131	47.25	3052	51.11	7843	48.03
其他企业	13	0.35	4	0.06	26	0.44	43	0.26
港澳台商企业	65	1.74	323	4.87	78	1.31	466	2.85
外商投资企业	117	3.14	903	13.63	230	3.85	1250	7.66

2. 问题积重难返

国有企业不仅是企业，而且是一个社会。东北地区的国有企业普遍形成了“企业办社会”现象，承担了过多的社会职能，承办了从幼儿园到子弟校、从医疗卫生到房产后勤安保等全套的社会系统。截至目前，剥离任务尚未彻底完成，历史遗留问题多，社会负担重，生产投入受到挤压。2014 年，东北地区大集体职工占全国 40% 以上，2019 年部署了辽宁省厂办大集体改革工作，同时适时启动中央企业兴办的厂办大集体改革。东北地区的许多企业是 20 世纪 50 ～ 60 年代创建的，“老”的问题突出，投入少，设备更新和技术改造相对缓慢，“设备老”和“技术老”、“产品老”问题并存。初级产品多，深加工产品少，高附加值、高技术含量的产品较少。由于产品缺少市场竞争优势，部分企业开工不足，主要产品的生产设备得不到充分利用。多数企业“人多”，雇用了大量的员工，企业劳动生产效率低，“冗员重”，“退休人员负担重”。这促使企业经济效益差，甚至存在不同程度的亏损。

3. 企业效益较低

20 世纪 90 年代以来，国有企业大量亏损，经营效益比较低。2003 年之前，东北地区困难企业多，资产负债率高，2002 年亏损企业覆盖面为 40%，企业资产负债率平均为 76.4%，高于全国国有企业资产负债率 64.8% 的平均水平。2013 年东北国有企业资产负债率达到 65.27%，此后波动式下降，2017 年达到 59.07%。

2003 年实施东北振兴战略以来，东北地区的国有企业效益有了明显变化，亏损企业数量呈现不断减少的趋势。但 2012 年以来，企业亏损又呈现上升趋势并保持较高的亏损面，这深刻影响各地区的财力建设与发展活力。如图 1-5 所示，从规模以上企业的亏损率来看，2004 年黑龙江和吉林平均水平为 29.54%。在吉林省，2004 年规模以上工业企业亏损率达到 29.54%，但逐步降低到 2016 年的 6.91%，但 2017 年又提高到 10.02%。2003 年黑龙江亏损规模以上企业达到 743 家，2005 年增长到 802 家，2011 年减少至 459 家，此后呈现逐步增长趋势，2017 年达到 1001 家；2003 年黑龙江省规模以上企业的亏损率达到 28.9%，逐步降低到 2011 年的 13.6%，此后逐步提高，2017 年达到 26.8%。

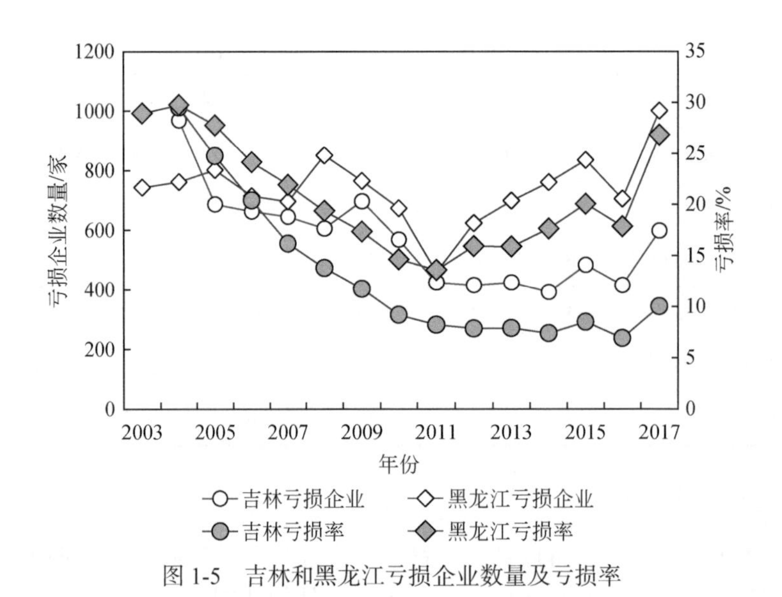

图 1-5　吉林和黑龙江亏损企业数量及亏损率

三、体制机制

1. 政府体制

东北地区的政府体制受计划经济思维影响严重，呈现出显著的计划性、政企不分、强政府弱企业的特点。这导致政府职能经常出现错位、越位、缺位现象。政府倾向培养国有企业，产业政策主要针对制造业、重工业等传统产业和基础设施建设，政府既是出资人又是监管者，无法做到“不错位、不越位、不缺位”。许多资源型城市形成“企业大、政府小”的状况，中央企业有重大的影响。长期以来，东北地区延续财政老体制，20 世纪 80 ～ 90 年代赋税水平远高于东部沿海地区；1988 年，上缴中央财政赋税最多的 10 个大户中，东北地区占四户，分别是沈阳、大连、大庆油田、鞍钢；黑龙江的 13 个地市中，有 4 个煤城、2 个林区、1 个油城归中央部委管理，69 个县市中有 52 个县市存在国营农场、林场等中直单位的交叉，全省国税收入的 80% 由中央企业提供。大庆油田、辽河油田、鞍钢等盈利大户的收益归中央，并未惠及地方，地方政府无力对区域发展进行调控。

2003 年东北振兴战略实施以来，尤其是“放管服”改革以来，东北地区的行政机制虽然有了很大改善，但仍存在很多问题。简政放权的难度较大，许多地区虚于“数字游戏”，实际行政过程并没有改变；部分地区“放管脱节，监管不力”，网上服务事项不全、信息共享程度低、可办理率不高、企业和群众办事不便等问题仍然存在。多数县级电子政务中心的办件量小，未能发挥重大作用。

2. 市场机制

东北地区是中国最早进入计划经济体制的地区，市场经济体制发展相对落后，区域资源配置很大程度上依赖于行政手段。东北地区的企业“等靠要”的计划经济意识浓厚，企业发展趋于保守；企业市场经济意识淡薄，市场化发育程度低，缺少民营经济发展的社会氛围和生长空间，经济增长缺乏自主动力；垄断行业多，许多行业准入门槛过高，公平竞争的市场环境尚未形成。2008 年以来，东北三省的市场化指数虽然在不断提高，但在全国处于中游水平。

四、社会民生

1. 就业创业

20 世纪 90 年代后期，国家启动以“减员增效”为目标的国有企业改革，首当其冲的是东北老工业基地。受产能过剩低效、职工过多、产品结构调整等因素的影响，国有企业开始改制，通过拍卖、承包等方式转为民营或进行重组，精简职工。国有企业破产与职工下岗成为东北地区的突出问题，并集中发生在 1998 ～ 2002 年。1996 年，东北三省的下岗职工达 253 万人，占全国下岗职工总数的 25.3%；辽宁下岗职工为 117.9 万人，占全国下岗职工总数的 14.2%；黑龙江下岗职工为 93.5 万人，占全国下岗职工总数的 13.8%；吉林下岗职工为 41.6 万人，占全国下岗职工总数的 10.3%。1996 年后，东北国有企业下岗失业现象更加严重。1998 ～ 2002 年，东北三省的下岗职工数占全国下岗职工总数的 1/4 左右，辽宁和黑龙江的年下岗职工人数多次跃升至 50 万人以上。下岗、分流、自谋职业、放长假、“两不找”等词汇成了东北的高频词。

截至 2017 年，东北地区的就业形势仍然严峻，失业率一直高于全国平均水平，如图 1-6 所示。东北地区的城镇登记失业人员数量呈现先降低后增长的趋势，占全国失业人数总数的比例也呈现先下降后小幅增长的过程。2003 年占比为 19.54%，2014 年降至为 13.41%，但此后呈现小幅的波动式增长，2017 年增长到 13.76%。辽宁省的失业率由 2003 年的 6.5% 逐步下降到 2013 年的 3.35%，与全国平均水平的差距不断缩小，此后呈现小幅的增长态势，与全国平均水平的差距又呈扩大趋势，失业率增长到 2017 年的 3.8%，比全国平均水平高出 0.62 个百分点。吉林省从 2003 年的 4.3% 逐步下降到 2014 年的 3.4%，2017 年又波动式增长到 3.52%，比全国平均水平高出 0.34 个百分点。2003 ～ 2010 年，黑龙江的失业率呈现波动式变化，但 2012 年开始呈现增长态势，

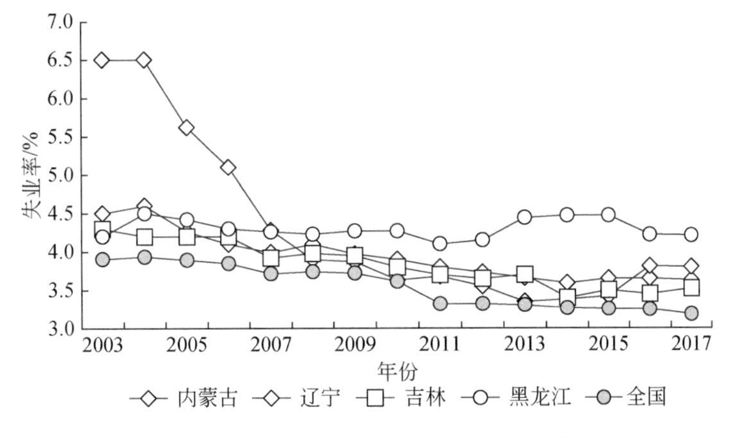

图 1-6　2001 ～ 2017 年东北地区失业率变化

2017 年达到 4.21%，比全国平均水平高出 1.03 个百分点。

2. 社会保障

东北地区的民生事业起点高，但 20 世纪末期以来，社会民生事业发展进入了低落的阶段。东北地区老企业数量多、矿城多，长期积累的社会问题短时间内难以解决。许多城市存在大量企业开工不足、经济效益下滑、亏损面大的现象。居民收入水平较低，部分地区的职工生活条件困难，如本溪、抚顺、阜新、鞍山、鸡西、鹤岗等城市。由于企业效益较差，社会保障资金收缴困难，资金缺口大，尤其是养老基金，负担沉重。资源型城市养老保险、医疗保险和失业保险支出高于全国平均水平，负担沉重。地方财政收支平衡难度较大，地方政府无力培育后续产业和发展公共服务事业。许多城市社会保障压力大、负担重，地方财力难以满足社会保障方面的开支，社会保障体系不健全。2016 年黑龙江企业职工养老保险收入为 890 亿元，支出为 1210 亿元，当期缺口达 320 亿元，而 2015 年账户累计结余仅为 88 亿元，成为全国首个养老保险结余被花光的省份，社保、医保支出约占全省支出的 1/4，缺口进一步增大。在资源型城市和老工业城市，形成了大量的棚户区。

五、资源枯竭

1. 资源型产业衰退

20 世纪 20 年代以来，东北地区就是中国重要的工业基地，资源能源密集型产业有着重要地位。东北地区主导产业多是采掘业和原料加工业，主要是电力热力、汽车制造、钢铁冶金、石油天然气开采和农产品加工等。其中，电力热力的占比最高，达到 13.17%，汽车制造业也达到 12.02%。钢铁冶金占比达到 9.05%，石油天然气开采业和农产品加工分别为 5.93% 和 5.91%，上述产业的资产占比合计达 46.08%，其中资源依赖型产业资产占比为 34.06%，占 1/3。如果合计其他资源型产业，东北地区的资源依赖型产业资产占比达 54.09%，比全国平均水平（45.93%）高出 8.16 个百分点；辽宁省的资源依赖型产业资产占比达到 51.66%，比全国平均水平高出 5.73 个百分点；吉林和全国保持类似的水平，黑龙江最高，达到 71.31%，比全国平均水平高出 25.38 个百分点（表 1-3）。高耗能、高排放产业占比过高，落后产能和过剩产能较多，尤其是有色金属冶炼、铁矿石采选、火电等行业。

辽宁省：钢铁冶金业资产占比最高，达 14.29%，电力热力生产资产占比达 12.13%；汽车制造业和通用设备制造分别达到 8.03% 和 6.29%，交通设备制造、化工、石油化工等产业均高于 5%，专用设备、建材产业均高于 4%。钢铁冶金、电力热力和石油化工及建材产业均为资源依赖型产业。

吉林省：汽车制造业有绝对的优势地位，比重达 27.51%；电力热力生产业达 10.34%，医药制造占 8.07%，农产品加工和建材产业均超过 6%，化工业达到 5.14%，钢铁冶金和石油采选均超过 4%，有色金属冶炼达到 3%。电力热力、农产品加工、建材、钢铁冶金、石油采选、有色金属冶炼均为资源依赖型产业。

黑龙江省：电力热力生产和石油天然气开采业资产占比较高，分别达 19.26% 和 19.17%，农产品加工达 10.16%，上述产业资产占比合计达 48.59%。

表 1-3　东北地区的资源依赖型产业资产占比　　（单位：%）

工业类型	全国	辽宁	吉林	黑龙江	东北地区
煤炭开采和洗选	4.92	2.79	1.80	4.94	2.98
石油和天然气开采业	1.84	1.20	4.47	19.17	5.93
黑色金属矿采选业	0.89	1.72	1.06	0.35	1.25
有色金属矿采选业	0.54	0.36	0.78	0.60	0.52
非金属矿采选业	0.37	0.46	0.19	0.23	0.34
开采辅助活动	0.26	0.88	0.96	1.43	1.02
农副食品加工业	3.12	3.88	6.44	10.16	5.91
酒、饮料和精制茶制造业	1.54	0.60	1.88	2.05	1.26
石油加工、炼焦和核燃料加工业	2.44	5.34	0.39	3.98	3.71
木材加工和木竹藤棕草制品业	0.60	0.25	2.24	1.14	0.98
黑色金属冶炼和压延加工业	5.85	14.29	4.18	2.60	9.05
有色金属冶炼和压延加工业	3.70	3.10	3.00	0.63	2.54
非金属矿物制品业	4.68	4.49	6.42	4.18	4.95
电力热力燃气及水生产业	14.23	12.13	10.34	19.26	13.17
资源依赖型产业资产占比	45.93	51.66	45.14	71.31	54.09

由于高强度、粗放式开发，多数大宗矿产资源，如煤、铜、镍、铅、锌、金、石油等矿产储采比连年下降，多数矿山已进入中晚期，大量矿井关闭，丰富的资源过早枯竭，这促使资源产业萎缩。东北地区很多产业尤其是采掘业已过了“青春期”，进入“中老年期”，资源型产业发展的鼎盛期已过去，产业地位日渐下降（刘幸，2000）。

2. 部分地区资源枯竭

资源始终是东北地区产业发展的重要基础，许多城市是以自然资源开采为主的资源型城市。经过几十年的开发利用，资源型城市面临矿竭城衰问题，缺乏接替产业，经济发展效益低下，城市财力困难。大庆油田的生产早已由油井自喷变为注水加压抽油，产出原油含水率高达 90% 以上，产量锐减，开采成本高。林区早已采伐过度而不得不停采，煤炭行业处境更差，鹤岗、鸡西、双鸭山、七台河四大国有煤矿的平均役龄已达 70 年，33 个主要矿井已有 16 个枯竭，其余矿井的开采成本也不断升高。阜新、鹤岗、双鸭山、佳木斯、抚顺等以煤炭产业为主导的城市陷入困境。目前，大庆油田的可采储量仅剩余 30%，且原油含水率增大，生产难度加大。大小兴安岭林区的森林资源已进入了禁伐阶段，伊春、黑河、大兴安岭、通化、白山、延边等地区的森林采伐产业已经衰退。如表1-4所示，2008年、2009年、2011年，国家分三批确定了69个资源枯竭型城市（县、区），东北地区集中了1/3。其中，蒙东地区集中了3个，辽宁省和吉林省分别集中了7个，黑龙江集中了6个，合计为23个，同时有9个县市享受资源枯竭城市的国家政策。

表1-4　东北地区资源枯竭型城市名单

省区	第一批	第二批	第三批	政策普惠林区
蒙东地区		阿尔山市	乌海市、石拐区	牙克石市、额尔古纳市、根河市、鄂伦春自治旗、扎兰屯市
辽宁	阜新市、盘锦市	抚顺市、北票市、弓长岭区、杨家杖子经济技术开发区、南票区		
吉林	辽源市、白山市	舒兰市、九台市、敦化市	二道江区、汪清县	
黑龙江	伊春市、大兴安岭地区	七台河市、五大连池市	鹤岗市、双鸭山市	逊克县、爱辉区、嘉荫县、铁力市

六、生态环境

1. 生态退化趋势显著

生态环境是东北地区的重要优势，尤其是东部和西部有着优良的生态基础。但长期的工业化和城镇化促使东北地区也面临着一系列的生态问题。长期的过度开垦和毁林开荒促使土地退化，东部地区表现为黑土水土流失，西部地区表现为“三化”，即沙漠化、盐渍化和植被退化，湿地持续萎缩。东北地区振兴战略的实施有力促进了该地区的生态文明建设和绿色发展，但局部地区依然存在生态安全问题，甚至面临着更大的资源环境压力。

长期以来，东北草原地区重利用、轻保护，草原经营方式粗放且为掠夺式。20世纪80年代后期草原已明显退化，90年代草原退化、草场沙化加剧，草原生态系统脆弱。东北西部土地沙漠化面积为7.8万平方公里，占土地总面积的9.7%，形成了科尔沁沙地、浑善达克沙地、乌珠穆沁沙地、呼伦贝尔沙地。80年代后，科尔沁草原退化面积占50%，其中中度退化面积占12%，目前重度退化面积占8%，中度退化面积占60%，退化面积仍以每年2%的速度继续蔓延。70年代以来，锡林郭勒草原退化沙化严重，牧草高度下降了40.3%～76.7%，产量下降了50%～65%，盖度下降了35%～85%；2005年，锡林郭勒草原退化面积占可利用草场面积的74%，浑善达克沙地面积达到5.2万平方公里，成为北方的重要风沙源。21世纪初，呼伦贝尔草原仍以每年2%的速度退化，“三化”退化面积占可利用草原面积的50%，还有近300万公顷的潜在沙化区域。许多地区的草原失去“保护层”，地表半裸露，地表植被退化，牧草簇生且高度“矮草化”，草原功能退化。目前以草地畜牧业为主的地区，植被逐步恢复，而以种植业为主的地区，沙漠化仍在推进，危及东北中部地区的商品粮基地生态安全。

天然草场和农牧交错带仍有大面积的土壤盐渍化，主要分布在松嫩平原。由于气候连续干旱、过度放牧，松嫩平原地区的土地盐碱化面积达 3.7 万平方公里，占土地面积的 4.6%，尤其大安市一带是苏打盐渍土集中分布地区。目前土地盐碱化面积每年以 1.4% ～ 2.5% 的速度递增。

2. 湖泊湿地萎缩

东北地区的水资源在总量上较为丰富，但分布不均衡。东北西部地区为水资源匮乏地区，对工农业生产形成较为明显的制约作用。其中，松辽流域的人均水资源量较低，仅为 1500 立方米，比全国人均水资源量（2220 立方米）偏少 32.4%。东北西部土地荒漠化迅速发展，主要原因之一就是干旱缺水。许多工矿城市的工业和城市用水紧张，部分地区超采地下水，大庆、沈阳、鞍山等城市均已形成了一定面积的地下漏斗。

东北地区是中国湿地资源丰富的地区，东北地区的湿地以淡水沼泽和湖泊为主。20 世纪 60 年代，中国大力开垦北大荒，组建了许多农场，将湿地的水排干，将“北大荒”变成“北大仓”。但这导致湿地面积逐步萎缩，有些河流已成为季节河甚至干枯；水库和湿地缺少足够的水源补给，泡沼锐减，生态功能严重衰退。目前，湿地总面积达到 67.32 万公顷。

3. 环境污染不断加重

东北地区的工业结构决定了发展方式比较粗放，高耗能高污染企业多，各类环境污染较为严重，城镇生活垃圾和工业固废日益增加，节能减排与资源集约利用任务重。东北地区振兴战略实施以来，虽然各类污染得到了有效治理和遏制，但工业基础仍未能彻底改变，而且许多振兴产业项目仍以重化工业为主，污染问题仍然较为严重。

东北地区工业结构、冬季采暖及秸秆焚烧导致了大气污染严重。以重化工业为主的工业结构，导致大气污染物排放较多，雾霾等重污染天气呈高发频发态势。2017 年有 7 个地市盟的单位工业总产值二氧化硫排放水平超过全国平均水平，尤其阜新市超过全国平均水平的 8 倍，朝阳市超过全国平均水平的 4 倍。大城市的空气颗粒物污染严重，2018 年卫星遥感共监测到全国秸秆焚烧火点有 7647 个，主要分布在黑龙江、吉林、内蒙古、山西、河北、辽宁等省份，东北地区的份额较大。2019 年 2 月，中国空气质量最差城市前五位中有四个分布在东北地区，分别为锦州、葫芦岛、大连和绥化。截至 2019 年 2 月 27 日，东北地区有 27 个城市为小时重度污染，累计 222 小时；14 个城市为小时严重污染，累计 115 小时；哈尔滨、大庆、七台河、齐齐哈尔、绥化 5 个城市的空气质量指数出现“爆表”，累计 42 小时。

由于工农业开发和城镇建设，江河污染严重，辽河、图们江、松花江等主要河流存在不同程度的污染，污水处理厂和污水管网等基础设施建设相对滞后，设施管理和运营能力有待提高。如表 1-5 所示，2018 年，松花江为轻度污染，辽河流域为中度污染。松花江流域的主要污染指标为化学需氧量、高锰酸钾和氨氮；在 107 个水质断面中，Ⅳ类水质占 27.1%，Ⅴ类水质占 2.8%，劣Ⅴ类水质占 12.1%，主要支流为中度污染；黑龙江、图们江和乌苏里江等水系为轻度污染，绥芬河水质良好。辽河流域为中度污染，主要污染指标为化学需氧量和氨氮；水质断面中，Ⅳ类占 19.2%，Ⅴ类占 9.6%，劣Ⅴ类占22.1%；干流、主要支流和大辽河水系为中度污染，大凌河水系为轻度污染，鸭绿江水系水质为优。辽东湾近岸海域水质差。

表 1-5　2018 年松花江和辽河流域水质状况

水体		断面数 / 个	比例 /%					
			Ⅰ类	Ⅱ类	Ⅲ类	Ⅳ类	Ⅴ类	劣Ⅴ类
松花江流域	流域	107	0.0	12.1	45.8	27.1	2.8	12.1
	干流	17	0.0	17.6	76.5	5.9	0.0	0.0
	主要支流	56	0.0	12.5	41.1	19.6	3.6	23.2
	黑龙江水系	17	0.0	11.8	23.5	58.8	5.9	0.0
	图们江水系	7	0.0	14.3	42.9	42.9	0.0	0.0
	乌苏里江水系	9	0.0	0.0	55.6	44.4	0.0	0.0
	绥芬河	1	0.0	0.0	100	0.0	0.0	0.0
	省界断面	23	0.0	26.1	60.9	13.0	0.0	0.0
辽河流域	流域	104	3.8	28.8	16.3	19.2	9.6	22.1
	干流	14	0.0	14.3	7.1	35.7	21.4	21.4
	主要支流	20	0.0	10.0	20.0	15.0	20.0	35.0
	大辽河水系	28	7.1	25.0	14.3	10.7	7.1	35.7
	大凌河水系	11	0.0	36.4	27.3	27.3	0.0	9.1
	鸭绿江水系	13	15.4	76.9	0.0	7.7	0.0	0.0
	省界断面	10	0.0	30.0	20.0	10.0	10.0	30.0

资料来源：《2019 中国生态环境状况公报》

4. 黑土问题逐渐凸显

黑土是重要的农业资源和生产要素，是东北粮食生产能力的基石。东北地区是世界三大黑土区之一，黑土区耕地约为 2.78 亿亩[①]。当前，黑土地面积在减少、质量在下降。20 世纪 50 年代大规模开垦以来，东北黑土区逐渐由林草生态系统演变为农田生态系统。由于随后的长期高强度利用，黑土有机质自然流失较多，补充回归较少。同时，黑土区受水蚀、风蚀与冻融侵蚀等因素影响，部分坡耕地黑土层变薄，地力下降。黑土区耕地资源长期透支，化肥农药投入过量，打破了黑土原有稳定的微生态系统，土壤生物多样性、养分维持、碳储存、水净化与水分调节等生态功能退化（邸延顺和孙嘉利，2020）。种植结构单一，以大豆等为主，导致土壤微生物多样性下降；水稻面积逐年扩大，地下水超采严重。

黑土变“瘦”、变“薄”、变“硬”，“亚健康”状态明显。目前，东北地区已有 700 万公顷的坡耕地的黑土层厚度不足 20 厘米，237 万公顷的坡耕地黑土层已消失。据监测，开垦前黑土有机质含量高达 8% ～ 10%。据测算，开垦 20 年的黑土地有机质含

① 1 亩≈ 666.67 平方米。

量下降1/3；开垦40年的有机质下降1/2左右；开垦70～80年的有机质下降2/3左右；土壤有机质含量每10年下降0.6～1.4克/千克（赵雅雯，2017）。近60年来，黑土耕作层土壤有机质含量下降了1/3，部分地区下降了50%，辽河平原多数地区土壤有机质含量已降到20克/千克以下（孟凡杰等，2020）。由于多年的耕种和土壤侵蚀的发展，黑土层已渐浅薄；初垦时黑土层在80～100厘米，开垦70～80年只剩下20～30厘米，2015年东北黑土耕层厚度平均22.1厘米，局部地区出现完全丧失腐殖质层的“破皮黄黑土”。黑龙江东部和东北部的草甸黑土和白浆化黑土地带呈现明显的酸化现象。虽然减化肥、减农药、减除草剂“三减”措施在三江平原大面积推广，但黑土养护成本较高，农民积极性较低。截至目前，支撑全国1/4粮食产量的东北黑土区仍面临严峻考验。

七、对外开放

1. 吸引外资较弱

改革开放以来，外资成为中国各地尤其是沿海地区经济发展的重要驱动力。东北地区未能及时融入该过程，实际利用外资增长乏力，为经济发展提供的新动力较低。如图1-7所示，20世纪90年代初之前，东北三省的实际利用外资规模一直很小，1985年为0.67亿美元；1994年开始逐步增长，2004年达74.22亿美元。2006年开始，规模迅速增大，2013年达到最高为404.46亿美元，2006～2014年成为增长最迅速的时期，该时期为东北地区振兴战略实施时期。2015年开始迅速减少，2017年达222.08亿美元。1985～1991年，东北地区占全国总量的比例呈现较快的增长态势，但基数较低，从1985年的1.41%增长至1991年的10.3%，1992年降至6.33%。1993～2001年，占比呈现稳定的低幅增长态势，增长至2001年的10.61%。2003～2005年，占比呈现下降态势，2005年达到9.32%。2006～2014年呈现快速增长的态势，2014年达33.6%，该时期为东北振兴战略实施阶段。2015年开始比重迅速下跌，2016年达14.54%，2017年略微回升至16.95%。这些外资集中在房地产业、轻工业等领域，与东北地区产业的关联性较弱，产业升级的动力较弱。

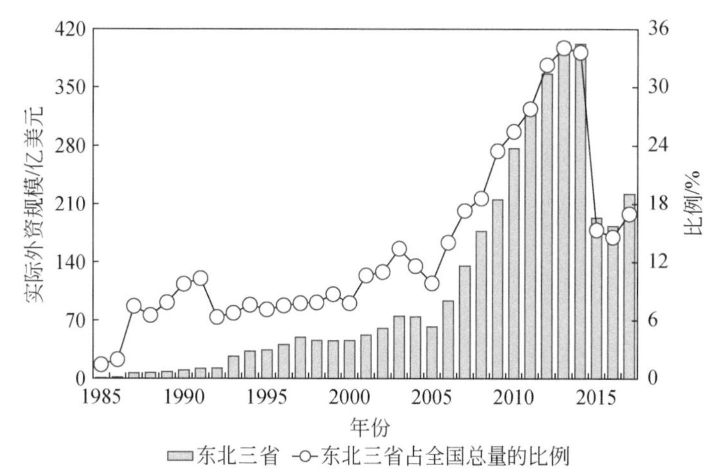

图1-7　东北三省实际利用外资规模及占全国总量的比例

2. 外向经济薄弱

中国对外开放由南方沿海地区逐步向北方和内陆进行拓展。东北地区对外开放相对较晚，外资进入较少，经济发展主要是内资驱动型，外向经济发展薄弱。如图 1-8 所示，从工业企业数量结构来看，内资企业占绝对数量且呈现逐年增长的态势，外资的影响力逐年下降。从港澳台企业数量占比看，东北地区一直很低，低于全国平均水平；2005 年仅为 3.44%，远低于全国平均水平 10.39%；2010 年，占比降至 2.18%，2016 年略升至 2.23%。从外商投资企业数量占比来看，东北地区一直呈现逐年减少的态势；2005 年，占比为 11.28%，高于全国平均水平（10.77%）；2010 年，占比降至 7.7%，减少了 3.58 个百分点；2016 年进一步降至 6.42%，又减少了 1.28 个百分点。从工业产值的内部结构看，东北地区以内资经济为主，港澳台和外商经济占比较小。如图 1-9 所示，从港澳台企业产值看，东北地区有较低的占比，但大致呈现小幅增长的态势；2005 年，占比仅为 2.86%，低于全国平均水平（11.43%）8.57 个百分点；2010 年，占比略上升至 3.69%，低于全国平均水平（9.61%）5.92 个百分点；2016 年，占比略降至 3.55%，低于全国平均水平（8.76%）5.21 个百分点。从外资企业产值看，东北地区有相对较高的占比，但呈现持续的下降态势；2005 年达到 15.98%，低于全国平均水平（20.97%）4.99 个百分点；2010 年占比降至 14.38%，低于全国平均水平（18.12%）3.74 个百分点；2016 年进一步降至 10.77%，低于全国平均水平（13.28%）2.51 个百分点。这种经济结构决定了东北地区的对外贸易较少，出口需求不振。2003 ～ 2015 年，东北三省占全国国际贸易总额的比例维持在 3.6% ～ 4.5%，远低于其人口和 GDP 在全国的占比。

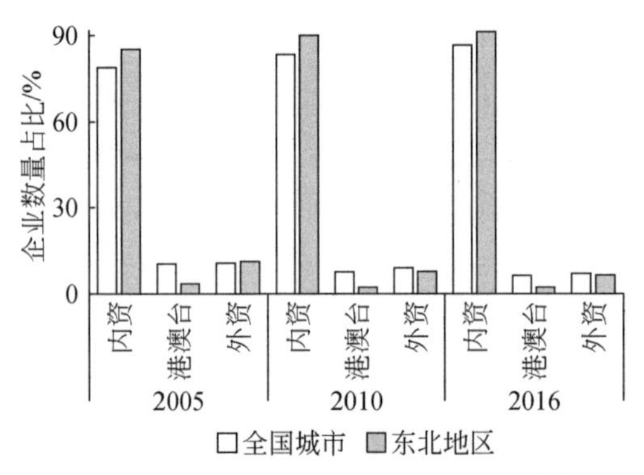

图 1-8　东北地区规模以上企业数量结构

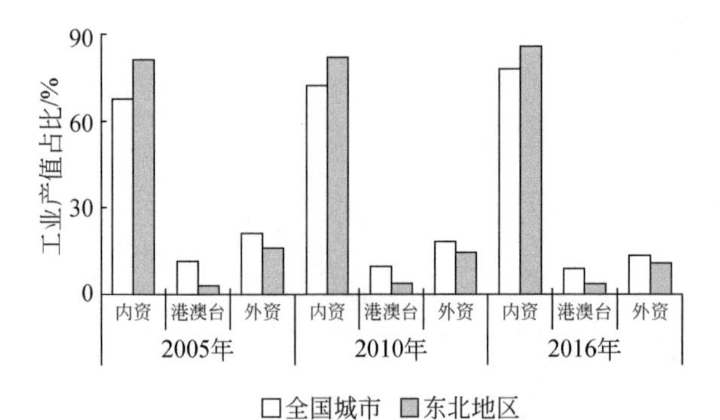

图 1-9　东北地区规模以上工业产值结构

第三节　东北地区的新问题

一、营商环境

1. 区域营商环境

营商环境是指伴随社会经济活动过程的各种周围境况和条件的总和，即经商的政治环境、经济环境、法律环境等。与东部沿海地区的营商环境相比，东北地区存在较大的差距，成为区域发展的明显短板。主要表现在如下方面。

（1）条块关系混杂，部门职责分散或交叉不清，简政放权不到位，流于形式，注重数量，不注重质量，实质性部门的权力没有下放，许多地区“机构换牌子，人员换位子，效果老样子”，行政效率低下。

（2）政府信用体系不健全，部分政府部门“错位”“越位”“缺位”现象屡禁不止，失信行为屡屡发生，政商关系不佳。

（3）法治意识淡薄，地方法律法规不健全，“官本位”观念根深蒂固，义气意识浓厚，不严肃决策和随意干预市场的现象仍然很多。决策失误追究制、执法责任制尚未完全建立。

（4）民营经济发展壁垒多，对民营企业政策“给”得不到位，“取”得过早过多，导致企业在东北地区投资缺少“信心”。部分地区招商引资时随意给投资者许愿，部分地区和单位新官不理旧账，政策连续性差。

（5）企业发展成本高。政府性基金收费种类多，政府经营性收费虽然有所减少，但准政府经营性收费乱象依然存在。电力、供暖等公用事业成本偏高；2016 年 8 月工业用电全国平均价格为 0.77 元 / 千瓦时，辽宁、吉林、黑龙江三省工业用电平均价格分别为 0.86 元 / 千瓦时、0.87 元 / 千瓦时和 0.81 元 / 千瓦时，均高于全国平均价格（武靖州，2017）。

（6）从政府到企业，均暴露出缺乏市场竞争意识的弊端，计划经济时期形成的“等靠要”思想仍然严重，缺乏开拓精神。

2. 基础设施网络

东北地区是中国基础设施网络建设比较早且比较完善成熟的地区。但在新一轮的基础设施网络建设中，东北地区未能抓住机遇，特别是在对改善区域发展环境影响较大的高铁和支线机场建设热潮中，东北地区错过了先发机会，而且历史上积累形成的基础设施网络日渐老化失修，缺少更新维护。这影响了区域发展环境的改善。

从 21 世纪初开始，中国进入了高速铁路的建设热潮。但在此过程中，东北地区仅建设哈大高铁、长吉图高铁等干线。东北地区区内交通便利，但与其他地区交通连接不畅，狭窄的山海关通道、渤海湾和广阔漫长的黄海海域阻隔了东北地区与东部沿海等人口经济核心区的交通连接（魏淑艳和孙峰，2017）。国省道干线公路技术等级明显偏低，存在大量路面状况差、安保设施不完善的路段，农村公路等级仍较低，主要为三级、四级公路和等外公路，路面破损严重，老旧油路“油返砂”现象严重，桥涵改造未能同步进行，危桥数量多。2017 年，东北地区的高铁里程仅有 2828 公里，占全国高铁里程（2.5 万公里）的 11.3%，仅连接了 22 个地市，仅覆盖了东北地级政区总量的 51.6%，尚有 19 个地级行政区未连通高铁。东北地区尤其是蒙东地区有广阔的土地面积，支线机场的建设对改变其可进入性具有重要意义；2017 年，80 公里范围内能享受到航空服务的县级政区达到 79 个，占东北地区县级政区数量的 32.2%，不足 1/3，尚有大量的县级政区未能享受到航空服务；41 个地级行政区中，仅有 24 个地级行政区建有机场，离“市市通机场”的覆盖水平较远。东北地区虽拥有大江大河，但水运设施建设落后，尤其是航运枢纽建设严重滞后，黑龙江、乌苏里江航道稳定性差，港口建设发展缓慢。综合运输枢纽建设滞后，综合客运枢纽、货运枢纽、物流园区数量不足，功能不完善。与蒙古国、俄罗斯、朝鲜的基础设施互联互通尚不完善，国际运输通道连通不够，通关能力不对等，图们江出海口复航尚未实现。

农牧业水利灌溉设施薄弱，水源及渠首工程多修建于 20 世纪 50 ～ 60 年代，工程建设标准低，遗留问题多，灌溉工程破损老化失修失管现象严重，渠系建筑物老化失修，输水、配水渠系需要整治，20% 的灌溉机电井配套不完善，节水技术和设备装备差，水利基础保障作用弱化。邮电和通信等信息设施网络不完善，市政设施落后，尤其是供热设施仍处于地面裸露状态，生产生活等基础设施不完善，社会基础设施等公共服务系统不完善。

3. 投资融资方式

东北地区的经济发展缺少融资渠道，企业融资能力乏力，制约着东北地区的发展。

金融资源利用能力不足。如表 1-6 所示，1998 年之前，东北地区的贷款比重高于 GDP 比重，但差距一直在缩小。2004 年之前，东北地区的金融机构贷存比均高于全国平均水平，信贷资源分配相对宽松。2000 年以来，东北地区经济发展所利用的信贷资金和其经济发展所需的信贷资金之间存在的缺口越来越大，本地资金存量不能满足经济增长的需要（邓嘉纬，2016）。

表 1-6　东北地区金融机构贷存比与 GDP、贷款余额占比

年份	贷存比				东北地区 GDP 在全国的占比 /%	东北地区贷款余额在全国的占比 /%
	全国	辽宁省	吉林省	黑龙江省		
1995	93.8	110.0	164.7	114.2	9.69	11.06
2000	80.3	88.4	118.5	94.4	9.79	8.88
2003	76.4	80.8	99.4	82.8	9.32	6.97
2005	67.8	66.5	78.0	59.6	9.24	5.21

续表

年份	贷存比				东北地区 GDP 在全国的占比 /%	东北地区贷款余额在全国的占比 /%
	全国	辽宁省	吉林省	黑龙江省		
2010	66.7	68.3	75.0	56.3	9.17	4.61
2015	71.0	76.0	81.9	77.7	8.59	6.87

东北地区长期处于旧的投资体制影响之下，企业因缺乏风险约束，形成“投资饥渴症”。长期以来，东北地区经济发展过度依赖于投资，2005 年以来固定资产投资占全国比例先上升后下降，2010 年最大比例达 12.2%，2013 年以来固定资产投资增速明显下滑，2015 年占比下滑到 7.2%，比 2003 年还低 0.4 个百分点，低于 GDP 占比。这表明固定资产投资严重萎缩。固定资产投资、技术改造只能使用银行贷款，促使企业债台高企。

长期以来，东北地区融资方式单一。沈阳铁西区曾对 36 家大企业做过调查，通过银行贷款等传统方式融资的企业占 96%，直接融资、购买新兴融资产品的企业仅占 4%。东北地区长期依赖于国有投资，黑龙江省形成国有投资“一股独大”现象；东北地区仍过度依赖以实物抵押和担保获取银行信贷的传统融资模式。如表 1-7 所示，2017 年，沈阳、大连、长春和哈尔滨的上市公司中仅有 20 家企业获得 VC/PE 融资，其中获得 B 轮以上融资的企业仅为 2 家，获得融资企业总数不及西安市，约为武汉市的 1/2，不及成都市的 1/3。

表 1-7　2017 年 15 个副省级城市创业企业 VC/PE 融资情况　　（单位：个）

城市	融资企业数	B 轮融资企业数量	C 轮融资及以上企业数量	城市	融资企业数	B 轮融资企业数量	C 轮融资及以上企业数量
沈阳	1	0	0	青岛	11	2	1
长春	3	0	0	西安	27	2	1
哈尔滨	4	0	0	厦门	33	4	2
济南	5	0	0	武汉	39	8	2
大连	12	1	1	成都	66	8	4
宁波	9	1	0	南京	54	6	9
杭州	207	24	15	广州	115	14	7
深圳	307	47	20				

资料来源：杨白冰，2019

二、创新驱动

1. 技术研发投入不足

科学技术是重要的生产力，而资金、人才、平台等要素始终是科技研发的投入基础。

长期以来，东北地区的创新投入明显不足。东北地区国有企业比例过高，自身创新动力不强，缺乏科研合作意愿。科技人员是基础性的科技资源，如表 1-8 所示，2017 年东北地区研究和开发（R&D）人员数为 24.02 人 / 万人，仅相当于全国平均水平（44.7 人 / 万人）的 53.7%，规模以上工业企业的 R&D 人员仅占全国总量的 3.78%，规模以上工业企业办研发机构仅为全国总量的 1.11%；高层次人才的缺失较为严重，人才的国际化程度较低。在东北地区的规上工业企业中，设有研发机构的企业数量仅占全国总量的 1.02%，有 R&D 活动的企业数量仅占全国总量的 2.17%。2017 年，东北三省的 R&D 内部经费支出为 704.48 亿元，仅占全国总量的 4%，比例很低；人均 R&D 经费支出仅为 574 元，仅相当于全国平均水平（1267 元）的 45.3%，尤其是大量中小微企业缺少科研投入。从 R&D 的投入强度看，东北地区一直低于全国的平均水平，尤其是 2010 ～ 2017 年投入强度呈现逐年下降的过程。2017 年，全国 R&D 投入强度为 2.13，而东北三省普遍较低，其中辽宁省的 R&D 投入强度为 1.8，吉林省和黑龙江省仅分别为 0.84 和 0.9，不足全国平均水平的一半。近年来，东北地区在孵化基地与科研平台建设方面做了大量工作，但与沿海地区相比仍然较为落后。

表 1-8　2017 年东北地区规模以上工业企业 R&D 人员与研发机构

指标		辽宁省	吉林省	黑龙江省	东北地区	东北地区在全国的占比
规模以上工业企业 R&D 人员	R&D 人员 / 万人	7.9	3.8	3.5	15.3	3.78%
	R&D 人员折合全时当量 / 人年	4.9	2.1	2.4	9.5	3.46%
规模以上工业企业办研发机构	机构数 / 个	581	180	159	920	1.11%
	机构人员 / 万人	4.5	1.7	1.7	8.0	2.45%
	仪器和设备原价 / 亿元	234.7	70.4	40.3	345.4	3.89%
规模以上工业企业	有研发机构的企业数 / 个	452	142	127	721	1.02%
	有 R&D 活动的企业数 / 个	1420	386	410	2216	2.17%

2. 技术创新成果少

有限的科技资源要素的投入决定了创新活动较弱，科技成果产出相对较少，尤其是自主创新能力较低，核心关键技术受制于人。东北地区拥有的专利数量较少，2014 年工业企业专利申请数、拥有有效发明专利数分别达到 2370 件和 1884 件，仅占全国同类指标平均水平的 0.37% 和 0.4%。2017 年，东北地区申请商标共计 19.89 万件，占全国商标申请总量的 3.6%，核准注册占比很低，仅为 3.7%。东北工业企业申请的专利申请数量达到 1.79 万件，包括 7873 件发明专利，同时东北地区的有效发明专利数量达到 2.83 万件，分别占全国同类指标总量的 2.2%、2.5% 和 3%，所占比例很低，具体如表 1-9 所示。专利资源均呈重化工业偏向型产业分布结构，尤其是重工业和机械工业，且科技含量较低，创新仍然聚集在传统优势产业，新兴产业占比较小。东北地区的申请专利数量达到 8.23 件 / 万人，仅相当于全国平均水平（26.6 件 / 万人）的 30.9%；专利授权水平较低，达到 4.61 件 / 万人，相当于全国平均水平（13.21 件 / 万人）的

34.9%；发明专利水平较低，仅为1.38件/万人，仅相当于全国平均水平（3.02件/万人）的45.7%。这与发达地区相比，存在较大的差距。

表1-9　1985～2017年东北地区专利申请授予状况　　（单位：件）

年份	内蒙古	辽宁	吉林	黑龙江
1985～2012	46 702	278 882	90 030	176 814
2013	21 200	160 929	47 156	86 357
2014	3 836	21 656	6 219	19 819
2015	4 031	19 525	6 696	15 412
2016	5 522	25 182	8 878	18 943
2017	5 842	25 095	9 991	18 062

3. 创新转化能力不足

在过去十多年的振兴发展过程中，科研教育发挥了重要支撑作用。但科技创新的资源优势多停留在初始阶段，创新转换能力不足，成果转化率偏低，尚未有效转化为现实生产力和产业优势。特别是，部分"国家队"科研院所的科技创新成果就地转化比较少，部分专利未能及时落地转化，难以在本地实现产业化，更难支撑经济优势塑造。主要原因是围绕创新链的资金链不够完善，科技中介服务机构建设尚处于起步阶段，科技中介机构和服务体系不健全，尤其是科技成果转化在试验—中试阶段等创新链前端环节在东北地区很难找到资金。吉林省各类研究、研发机构较多，但在科研投入、成果转化、发明专利等方面严重不足。科研成果转化水平较低，其转化率低，2015年在技术市场成交的2 891项合同中，买方单位属于吉林省的科研成果占比约为60.4%，有近40%的科研成果流到吉林省之外的省区市。如表1-10所示，2017年，东北三省的工业新产品开发项目为14 271项，仅占全国工业新产品开发项目总量的2.99%，新产品销售收入仅占全国总量的3.73%，占比均比较低。这导致东北地区的科研成果"墙里开花墙外香"。中国科学院大连化学物理研究所近5年在全国实现技术转移转化合同872项，但在辽宁转化不足全所合同总额的4%。这影响了东北新兴产业的发展与传统产业的技术升级，导致东北地区产业领域的关键核心技术与高端装备对外依存度较高。2000～2014年，东北地区高技术企业数仅增长了70%，这远远低于东部（1.83倍）、中部（2.56倍）、西部（1.68倍）的增长水平。

表1-10　2017年各地区规上工业企业新产品开发和销售

项目	新产品开发项目/项	新产品开发经费/亿元	新产品销售收入/亿元	出口
全国	477 861	13 497.8	191 568.7	34 944.8
辽宁	8 228	305.8	3 696.2	401.2
吉林	2 791	117.1	2 774.7	51.1
黑龙江	3 252	66.9	682.5	78.1
东北三省	14 271	489.9	7 153.4	530.4
东北三省占比	2.99%	3.63%	3.73%	1.52%

三、人口结构

1. 人口规模增长

人口既是生产力，也是消费主体，区域发展以人口增长为基础；人口越多，区域越容易产生新的需求和供给、孕育新的产业和经济增长点。东北地区振兴十几年来，东北地区的人口总量经历了先增长后降低的过程。如图 1-10 所示，2014 年开始，东北地区的总人口呈现持续的下降趋势，2017 年达到 12 138 万人，比 2013 年减少了 98.9 万人。由于东北地区的体制内人口众多与计划生育政策执行力度、居民收入水平下降与抚育成本提高等，人口自然增长率较低，这促使 2011 年开始人口增长率持续下降并出现负增长，2011 年人口增长率降至 0.7‰，2013 年降至 0.1‰，2014 年出现负增长，增长率达到 –0.1‰，2015 年增长率迅速下跌到 –2.5‰，2016 年进一步下跌到 –2.9‰，2017 年略微回升到 –2.7‰。具体如图 1-11 所示。2015 年国家全面放开二孩政策，也未能改变人口增长率不断下降的趋势。东北地区总人口数量的加速减少将减少需求和供给，导致区域发展缺乏活力。

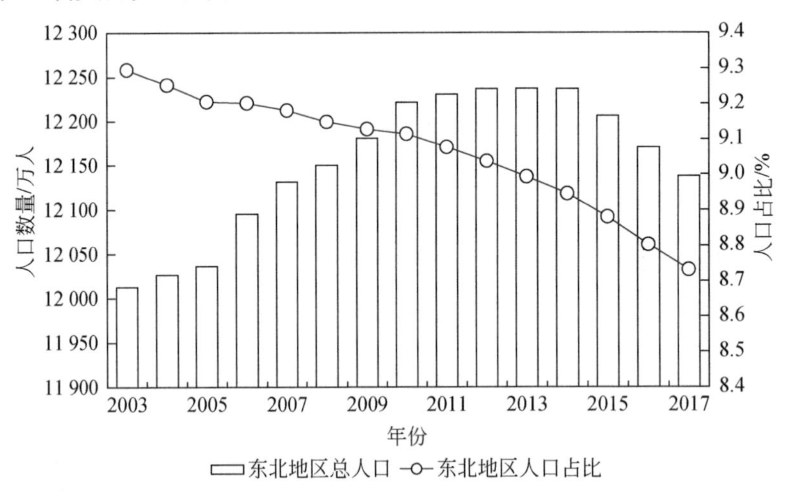

图 1-10　东北地区的总人口变化

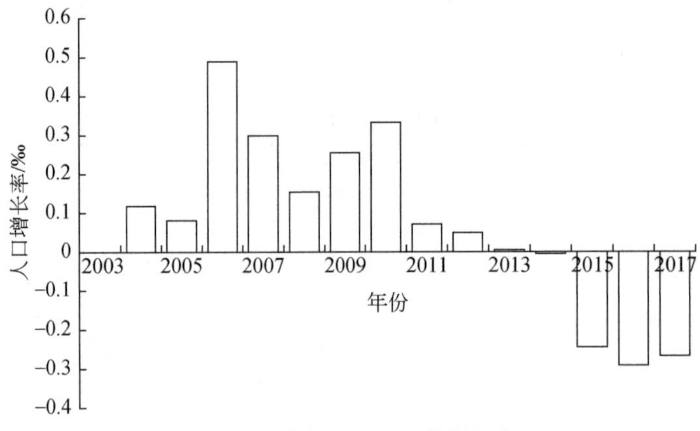

图 1-11　东北地区人口的增长率

东北地区的人口增长呈现一些类似的发展趋势，即人口增长率呈现出持续下降，并向负增长演进的态势。如图 1-12 所示，辽宁省的人口增长率从 2003 年的 1.66‰ 降至 2014 年的 0.24‰，2015 年进入了负增长通道，2017 年人口增长率达到 –2.06‰。吉林省从 2003 年的 1.96‰ 降至 2015 年的 0.34‰，并在 2016 年进入负增长通道，2017 年人口增长率达到 –5.7‰，降幅很大。黑龙江省从 2003 年的 0.52‰ 降至 2013 年的 0.26‰，并在 2014 年进入负增长通道。蒙东地区的人口总量在 2003 ~ 2015 年基本为负增长状态（除 2007 年外），2016 年和 2017 年开始呈正增长状态。

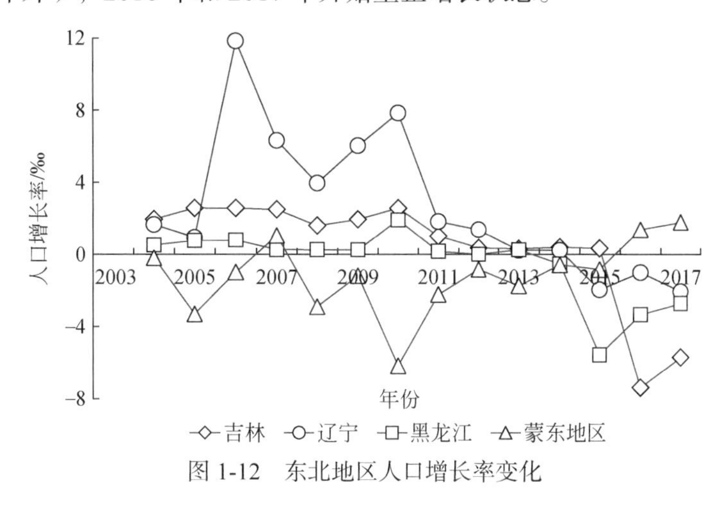

图 1-12　东北地区人口增长率变化

2.人口老龄化

随着人口出生率的降低与人均寿命的延长及人口的流失，东北地区的人口年龄结构也出现了一些问题，并对其发展产生了影响。如图 1-13 所示，2003 年以来，东北地区的老龄人口（65 岁及以上人口）数量呈现先缓慢增长后下降并急剧增长的过程。2003 年，东北地区老龄人口为 841.8 万人，缓慢增长至 2010 年的 998.5 万人，后降至 2013 年的 824.2 万人，然后迅速扩大到 2017 年的 1159.1 万人。辽宁、黑龙江和吉林的老龄人口总量呈现类似的发展过程。其中，2017 年，辽宁省老龄人口为 506.3 万人，

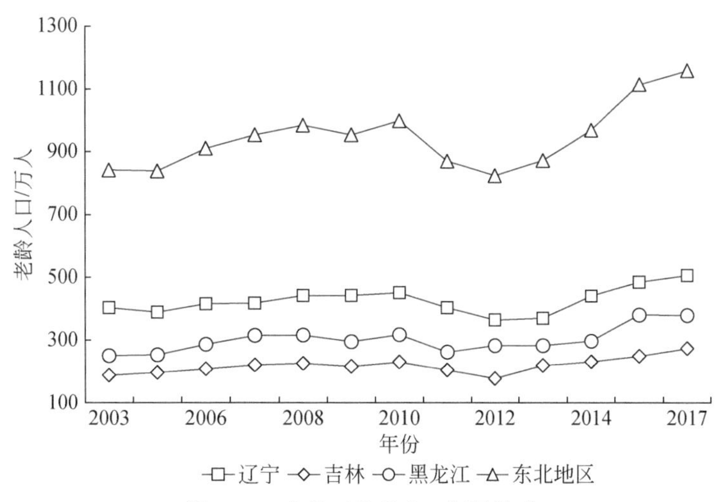

图 1-13　东北三省的人口年龄构成

占东北老龄人口总量的43.7%；吉林省老龄人口为273.5万人，占比为23.6%；黑龙江老龄人口为379.3万人，占比为32.7%。与国际标准相比，东北地区的人口老龄化问题比较突出，人口红利优势逐渐丧失。人口老龄化带来大量问题，增加了东北地区的社会保障压力，包括医疗保健、康复护理、生活照料、精神文化等方面。这引起财政资源分流而对经济增长形成资本约束，降低社会储蓄率而制约投资，缺乏创新而降低产业技术创新动力与能力，劳动力的成本优势丧失，制约经济发展。社保支出成为各级财政越来越沉重的负担，2016年全国有7个省区社保开支入不敷出，东北三省均在其列，黑龙江已成为全国唯一一个社保基金累计结余为负数的省份。

从人口结构来看，东北地区呈现老龄化趋势，而且老龄化水平明显高于全国，如图1-14所示。东北地区的老龄人口占比呈现先缓慢上升后短暂下降再迅速上升的趋势，但各时期东北地区和各省的老龄人口占比均以高于全国平均水平为主。2003年，东北地区的老龄人口占比为7.95%，高于全国平均水平（7.5%）0.25个百分点，缓慢增长至2008年的10%，仍高于全国平均水平（8.25%）1.75个百分点，之后降至2012年的9%，仍高于全国平均水平（8.87%）0.13个百分点；然后迅速增长到2017年的12.9%，并高于全国平均水平（10.47%）2.43个百分点。2017年，辽宁的老龄人口占比最高，达到14.08%，高于全国平均水平3.61个百分点；吉林和黑龙江省相当，分别为12.2%和12.14%，分别高于全国平均水平1.73个和1.67个百分点。

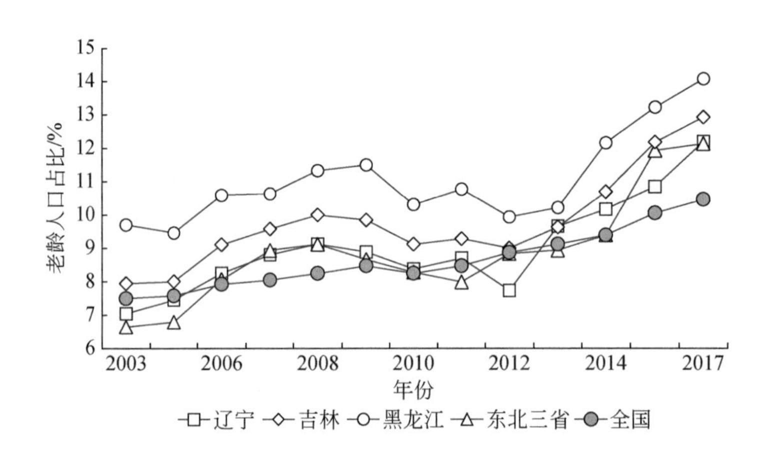

图1-14　东北三省与全国老龄人口占比发展趋势

四、新兴经济

1. 传统工业优势不断衰弱

资源禀赋基础和“156”项目的布局奠定了东北地区的重化工业结构。长期以来，东北地区产业结构以采选、钢铁、石化、能源等基础原材料为主，为国内经济建设提供设备和基础原材料。但改革开放以来，东北地区的产业结构调整缓慢，部分城市甚至不断强化这些传统产业的优势，大量新增投资和项目仍集中在传统领域。在物资短缺的年代，东北地区的资源产业、装备制造业不可或缺，举足轻重；现在供求关系逆转，供大于求，许多行业已进入去产能阶段，尤其是随着沿海地区和国外同类产业的快速发展与竞争力的提高，东北地区的产业优势逐步弱化。近年来，由于资源基础、生产成本和市场变化等因素，这些传统工业技术装备水平低、工艺老化、设备陈旧、更新速度慢，产品竞争力低下，其优势地位逐渐丧失。资源依赖型产业逐步萎缩，基础原材料产业的竞争优势逐步丧失，汽车、石化和农产品加工均呈现不同程度的疲软态势。吉林省受资源和区位限制，炼油和乙烯能力仅占全国的 1.4% 和 4.1%，炼油、乙烯扩大规模及向下游深加工方向发展的空间受限；玉米主产区价格与销售区形成倒挂，逐渐失去竞争优势；淀粉、发酵酒精、包装饮用水等重点产品多为初级加工产品。近些年来，装备制造业的市场份额也不断下降，工程机械、机床及冶金等传统通用设备企业的效益大幅下滑，产品订单不足，亏损额持续增加；52.5% 的企业资产负债率上升，2016 年企业资产负债率达 54.85%，个别企业债务风险持续偏高，15% 的企业负债率超过 60%，少数企业需要靠举债维持经营。东北地区的汽车产业进入了微增长时代，2015 年中国第一汽车集团有限公司（简称一汽集团）市场占有率为 11.6%，比 2010 年下降 2.6 个百分点。

2. 战略性新兴产业发展不足

东北地区的战略性新兴产业发展缓慢，高新技术产业的龙头作用不突出，尚未形成规模优势，对工业增长的贡献度不高。具有广阔市场前景和增长潜力的新兴产业和高新技术产业发展相对落后，具有竞争力的新兴产业集群更少，对传统产业升级改造的作用难以发挥，对区域发展的新动能培育缓慢，区域发展缺乏后劲。2017 年，辽宁战略性新兴产业增速与全国平均水平持平，吉林战略性新兴产业增速为 7.7%，低于全国平均水平 3.3 个百分点，黑龙江战略性新兴产业增速更低，哈尔滨战略性新兴产业增速仅为 1.3%（杨白冰，2019）。从高新技术企业的发展来看，沈阳、大连、哈尔滨等中心城市在总产值、企业数量、上缴税费等方面均位居全国中心城市的末位。新能源汽车批量生产能力不足，智能制造装备的整体规模较小，互联网经济总量不大，新兴产业也存在着“高端产业低端化”的倾向。如表 1-11 所示，在 2017 年经济发展良好的地区中，GDP 总量与独角兽企业数量、数字经济发展指数、淘宝村数量多数呈现密切正相关，而辽宁有 1 家估值仅为 10.9 亿美元的独角兽企业，东北淘宝村数量有 10 个，与发达地区相比数字经济发展指数过低（王蓉，2019）。

表 1-11　2017 年部分地区独角兽企业、数字经济等指标的比较

地区	独角兽企业数量 / 家	全国排名	估值合计 / 亿美元	数字经济发展指数	全国排名	淘宝村数量 / 个	全国排名
广东	19	3	599.3	79.63	1	411	2
江苏	6	5	77.3	66.33	2	262	3
山东	0	—	0	53.64	4	243	4
浙江	18	4	1432	60.46	3	779	1
河南	0	—	0	36.69	12	34	7

续表

地区	独角兽企业数量 / 家	全国排名	估值合计 / 亿美元	数字经济发展指数	全国排名	淘宝村数量 / 个	全国排名
四川	1	12	15	40.60	8	4	12
湖北	5	6	55	40.04	9	4	12
河北	0	—	0	35.24	14	146	6
湖南	0	—	0	37.54	10	3	14
福建	1	12	200	44.19	7	187	5
上海	36	2	1026.6	47.85	6	0	0
北京	70	1	2764.4	52.03	5	3	3
辽宁	1	12	10.9	33.29	15	7	10
黑龙江	0	—	0	23.81	22	0	0
吉林	0	—	0	26.85	20	3	14

资料来源：国家统计局，工信部中国信息通信研究院，科技部发布的《2017年中国独角兽企业发展报告》，阿里研究院

3. 民营经济发展滞后

民营经济与小微企业是创业富民的重要渠道，在扩大就业、增加收入、改善民生、促进稳定、提高国家税收、活跃市场经济等方面具有重要作用，以至形成“民营经济发达，区域发展加快”的规律，区域发展差距实际是民营经济发展的差距。对于以重工业为主的东北地区，国有大型和特大型企业在资本市场、技术市场中具有垄断地位，对中小企业和民营企业有一定的“挤出压抑”效应，非公有制经济和中小微企业举步维艰。综合来看，东北地区的民营经济不发达，发展活力不足，规模不大，势力不强，状态不稳。尤其是2013年以来民营经济发展呈现迅速衰退的态势。

改革开放以来，东北地区的市场经济发展比较缓慢，民营经济活跃度与沿海地区存在明显的差距。2017年，东北三省的民营企业数量占比为48.03%，辽宁省、吉林省和黑龙江省分别为47.25%、51.11%和44.49%。虽然数量占比很高，但产值占比并不高，2017年辽宁省的民营工业产值占比仅为18.15%。私营企业盈利能力较低，2013年辽宁省民营企业的利润总额不足江苏省的50%，2016年下滑到不足1/10；吉林和黑龙江的差距更大。如表1-12所示，2019年中国民营企业500强中，东北地区只有13个，所占比例仅为2.6%。2009年以来辽宁省民营经济的工业产值占比呈现先增长后下降的趋势，2003年占比达36.18%，2013年占比最高，为46.58%，此后一直下降，降至2017年的18.15%。民营经济多处于产业链的中低端，拥有自主知识产权、掌握核心技术、具备国际竞争力的民营企业偏少。既有民营经济多为国有企业配套服务，独立发展能力较差，是庞大强势的国有经济体系的附庸，成规模、成建制、有竞争力的大中型民营企业极少，中小企业产业集群较少，其产品质量、价格、技术及服务能力缺少竞争力。

表 1-12　全国前 500 强民营企业的东北地区清单

全国排序	企业名称	地区	行业	营业收入 / 亿元
23	大连万达集团股份有限公司	辽宁省	综合	1807.7
102	东方集团有限公司	黑龙江省	综合	665.3
109	修正药业集团	吉林省	医药制造	624.2
114	盘锦北方沥青燃料有限公司	辽宁省	石油加工	600.0
143	辽宁嘉晨控股集团有限公司	辽宁省	黑色金属冶炼加工	496.4
182	福佳集团有限公司	辽宁省	化学原料及制品制造	427.3
204	环嘉集团有限公司	辽宁省	废弃资源综合利用	391.5
243	辽宁禾丰牧业股份有限公司	辽宁省	农副食品加工业	346.3
289	铭源控股集团有限公司	辽宁省	批发业	296.4
341	五矿营口中板有限责任公司	辽宁省	黑色金属冶炼加工	251.6
383	辽宁宝来生物能源有限公司	辽宁省	石油加工	225.7
385	盘锦浩业化工有限公司	辽宁省	石油加工	225.4
407	新星宇建设集团有限公司	吉林省	房屋建筑业	251.6

资料来源：中华全国工商业联合会

4. 工业智能化水平较低

东北地区的工业信息技术尚存在较大的差距。因互联网基础设施建设滞后与企业技术改造意识薄弱等，数字经济发展的软硬环境均不佳，传统工业的“两化融合”水平不高，企业生产管理信息化与智能制造水平较低。企业研发、生产、管理和销售等环节虽然进行了不同程度的信息化应用，但与发展需要尚存在较大差距，“两化融合”水平在全国处于中下游水平，多数企业仍处于工业 2.0 阶段。“两化融合”水平参差不齐，大型企业如一汽集团、中国石油吉化集团公司、中车长春轨道客车股份有限公司等信息化水平较高，但其信息系统相对封闭，带动作用有待挖掘。中小企业信息化程度普遍偏低，由于认知程度不高、投资能力不强及缺乏技术人才等，多数企业处于单项应用阶段，尚未实现综合集成的深度融合。

五、资源外流

1. 创新成果外流

尽管东北地区有着密集的科技资源和丰富的科技创新成果，但 70% ～ 80% 的科技成果并不在本地进行转化和产业化。部分高水平科研院所在东北地区研发的产业技术反而输出到其他地区进行转化和产业化，形成“墙内开花墙外香”。典型案例是中国科学院大连化学物理研究所主持的“甲醇制取低碳烯烃技术”，该科研成果获得了国家技术发明一等奖，但该技术于 2011 年就在辽宁省外实现了产业化，但在辽宁省内却迟迟未能落地和进行转化。截至目前，中国科学院沈阳分院在东北地区共建了 15 个科技成果转化平台，但在国内其他的 13 个省市区共建了 39 个科技成果转化平台。这促使许多东北地区的大学和研究机构往往选择南方地区进行成果落地转化。2011 ～ 2013 年，在东北三省外的转移转化科技创新成果项目数和科技合同额分别达到 829 项和 14.3 亿元，占比分别为 78.7% 和 83.7%。科研成果转化率低，2015 年吉林省在技术市场成交的 2891 项合同中，有近 40% 的技术成果外流到吉林省之外的地区。2011 年，东北地区输出的科技合同额约为 248 亿元，此后逐年上升，2015 年为 421.1 亿元。

2. 人口人才外流

新东北现象的重要方面是人口人才外流，改革开放以后东北地区由人口净迁入地变为净迁出地，这意味着人口结构的劣化与人力资本的损失。因本地就业机会少、收入水平低、福利待遇低、发展前景差、气候寒冷等，特别是在沿海地区或京津地区就业机会多、收入水平较高、发展条件较好的比较下，东北地区形成了人口外流的趋势，尤其是人才外流明显。2018 年 12 月，东部、中部、西部、东北地区的企业用工景气指数分别为 96.5、98.9、95.1、89.9, 东北地区仍处于末位；根据 2018 年夏季智联招聘公布的全国 37 个城市平均薪酬，东北三省省会城市沈阳、哈尔滨、长春排在倒数三位（杨白冰，2019）。20 世纪 80 年代以来，东北地区形成人口净流出的趋势，东北三省人口在全国的占比由 1978 年的 9.01% 降至 2014 年的 8.02%（杨玲和张新平，2016）。近年来随着经济的下行，这种趋势有所加重，并呈现出外流人口年轻化、快速化、规模化等新趋势。2000 年黑龙江的省外流动人口渗透率为 0.32，吉林为 0.35，辽宁为 0.7，2010 年分别降至 0.21、0.26 和 0.63。2000 年第五次人口普查时东北三省人口净流入为 36 万，2010 年第六次人口普查则显示 2000 ～ 2010 年人口净流出 180 万人（王羚，2016）。2017 年，东北三省人口净迁出约 35 万人，其中吉林减少 15.6 万人，黑龙江减少 10.5 万人，辽宁减少 8.9 万人。黑龙江的人才外流尤为明显，2013 年齐齐哈尔净迁出人口 2.54 万人，2014 年增至 3.78 万人。东北地区的人口外流方向主要是珠江三角洲、长江三角洲和京津地区，“孔雀东南飞”的特征明显。

东北地区的外流人口主要包括以下方面：①大学生群体。根据调查，大学生群体毕业后愿意留在东北工作的仅占 30%, 70% 的大学生希望去南方城市就业。②骨干人才、高收入者和技术人员外流。③外出务工人员的外流，这类群体的户口往往仍在东北地区，但常年住在东北之外的城市，规模较大。④老年人群体的流出。根据三亚异地养老老年人协会 2014 年的统计，在三亚养老的哈尔滨老人近 20 万人（王羚，2016）。总体来看，东北外流人口以人才、接受高等教育的年轻人及中青年劳动力为主，且迁出人口中非农人口占比较大，占迁出人口的 43%，文化程度较高，大专及以上学历占 25%，尤其是高层、管理层、科技、生产线的骨干力量占比较高。部分国有大型企业高技能人才逐渐流失，特别是具有熟练技能、在核心工序和特殊岗位的技能型人才被外省市挖走。“釜底抽薪”的效应存在。21 世纪之前，东北地区有着庞大的熟练产业工人和高级技师队伍，是东北地区的巨大优势，但目前熟练产业工人和创新能力较强的企业技术人才短缺。2015 年辽宁省就业和人才服务局调查数据显示，辽宁省 652 家企业高级人才需求与现有高级人才数量之比为 1.8 : 1。东北地区汽车、电子信息、生物工程与制药、新材料、新能源、先进装备制造等领域均面临人才紧缺。这不利于当前的东北振兴发展以及未来的长远发展。

3. 资本资金外流

20 世纪末以来，东北地区的产业与资本开始外流，大量民营资本甚至国有资本不断外流，形成“不断输血，不断失血”。许多东北籍的高科技人才带着技术和项目到东南沿海地区创业。东北本地的资金外流，不仅表现为民间个人的购房市场层面，而且表现为企业投资层面。东北地区的企业热衷或倾向于在关内投资，东北多家上市公司的投资不少分布在东北地区之外，其占比较高，而在东北地区的投资则以金融和矿业为主，较少涉及研发、生产项目。哈尔滨誉衡药业股份有限公司 2010 年之前的对外投资主要有 8 笔，其中哈尔滨有 2 笔，河北、山西、北京、上海、陕西有 6 笔；2010 ～ 2013 年对外投资有 6 笔，有 4 笔分布在山东和西藏；2015 ～ 2017 年，对外投资有 14 笔，有 13 笔分布在东北地区之外。葵花药业集团股份有限公司有 10 笔投资分布在东北地区之外的重庆、襄阳、衡水、贵阳、北京等地区；迪瑞医疗 2010 年之后的投资主要分布在深圳、厦门、宁波、上海等地区；中国吉林森林工业集团有限责任公司在广东连州、苏州、北京、廊坊、上海的投资额达到 2.26 亿元；忠旺集团在东北地区之外的投资有 5 笔，投资额 15.3 亿元。近些年来，部分轻资产的服务型企业和有资源、有资金的中型民营企业将注册地南迁，尤其是深圳和珠海等地区。东北地区原有的劳动密集型产业也出现向中西部转移的现象。

六、区域差距

1. 中心城市资源过于集聚

东北地区是中国最早开始工业化和城镇化的地区，有较高的工业化和城镇化水平，也形成了较为密集的城市群。但长期以来，东北地区的发展集聚在四大中心城市，即沈阳、大连、长春和哈尔滨，并集中在哈大铁路沿线地区。经济发展高度集中在四大中心城市，大连的 GDP 占比最高，达到 13.31%，长春和沈阳分别达到 12.37% 和 11.02%，哈尔滨为 8.52%，合计占 45.21%。如表 1-13 所示，工业企业主要集中在省会城市和计划单列市，大连和长春的规模以上企业最多，分别达到 1683 家和 1580 家，沈阳和哈尔滨分别为 1379 家和 1248 家，合计占东北地区规模以上企业总量的 32.3%，即接近 1/3。东北地区虽然科教资源丰富，但呈现四大中心城市的绝对集聚格局；哈尔滨的高校数量最多，达到 51 所，沈阳和长春分别有 47 所和 40 所，大连有 30 所，上述四个城市共占 62.69%。从高校教师资源来看，哈尔滨市集中了 20.95% 的高校教师资源，长春和沈阳分别集中了 17.8% 和 17.3% 的资源，大连为 11.8%，合计占 67.78%，即 2/3。

表 1-13　2017 年东北地区四大中心城市的主要指标占比　　（单位：%）

中心城市	地区 GDP	人口	规模以上工业企业数量	高校数量
沈阳	11.02	7.12	7.55	17.54
大连	13.31	5.09	9.21	11.19
哈尔滨	8.52	8.17	6.83	19.03
长春	12.37	6.41	8.65	14.93
合计	45.21	25.98	32.3	62.69

2. 大量中小城市缺失产业实体

东北地区的中小城市资源较少，包括经济产业、政治资源、扶持政策、改革试点等各方面。尤其是许多重大政策、重大工程和重大项目甚至有些重要定位均赋予了沈阳、大连、长春和哈尔滨四大中心城市，其他大量的中小城市未能获得较好的发展资源。多数中小城市拥有的工业资源、科教资源等较少，经济发展的动力薄弱。大量中小城市缺少产业发展的实体。这些城市在计划经济时期曾依附在中心城市的经济网络和拥有少数国有集体企业，在企业改制过程中国有集体企业破产倒闭，导致企业实体不断减少。截至目前，东北地区的规模以上企业数量很少，主要集中在四大中心城市。同时，中小城市的资金、人才纷纷外流，人口消费也纷纷因交通条件改善而转移到邻近的大城市。这导致东北地区的中小城市发展活力较小，中心城市过于集聚，“大中心”和“小腹地”的错位格局促使资源配置的效率较低，拉低了整个区域发展水平。这是东北地区振兴发展的重要问题，如何赋予中小城市更多的发展资源是拉动整个地区发展的重要方面。

3. 特殊地区发展困难

东北地区有着大量的特殊类型地区，包括边境地区、资源枯竭地区、少数民族地区、林区垦区、生态退化地区、相对贫困地区。这些地区面临着不同程度的发展困境，并成为东北发展的短板地区（孙平军和修春亮，2010）。①大规模的能源和矿产资源开发塑造了大量的资源型城市。在全国 69 个资源枯竭型城市中，东北地区有 22 个，占比为 31.9%。这些城市发展最为困难，且覆盖社会经济各领域，迫切需要新的发展动力。②东北地区共有五个国有林区，分别为内蒙古森工集团、吉林森工集团、龙江森工集团、大兴安岭林业集团、长白山森工集团，经营面积 4.9 亿亩，森林面积达 3.9 亿亩。天然林保护与禁止采伐促使这些林区发展困难，经济转型、居民点撤并、公共服务等建设任务重。③黑龙江垦区地处东北部小兴安岭南麓、松嫩平原和三江平原地区，共有 113 个农牧场，分布在黑龙江省 12 个市，以传统农业生产为主，工业经济相对落后，黑土退化严重。④东北地区共有 39 个边境县，分布于东北四省区，并与朝鲜、俄罗斯、蒙古国相接壤，基础设施与公共服务建设滞后，经济发展相对落后。

⑤东北地区共有 23 个生态退化县市，生态退化严重，人地关系紧张，成为北方的主要风沙源。

第四节　东北地区振兴战略沿革

一、东北问题与振兴战略

1. 问题特性

综合前文的“东北现象”和“新东北现象”、老问题和新问题，可以发现东北地区的问题主要存在如下几个特性。

长期性：东北地区的政治结构、产业发展、福利体系、城市建设是计划经济时期、工业化初期和重大生产力布局的产物，是受体制机制约束比较明显的工业化地区。东北地区的许多问题不是短期能够集中解决的，是长期存在而需要逐步解决的。

叠加性：随着国际背景、国内环境和区内发展条件的变化，东北地区发展面临着长期形成且不断积累的历史遗留问题，也面临着改革开放以来所产生的新问题。新老问题的相互叠加与交错，增加了东北地区调整改造的难度。

复杂性：东北地区的发展问题不仅仅是企业问题与经济问题，而且是社会问题与体制问题，覆盖了社会经济发展的各个方面、各个领域与各个层次。不仅关系东北地区，而且关系国家甚至东北亚；不仅覆盖企业，而且覆盖政府；不仅涉及经济，而且涉及文化。

难度大：东北问题覆盖范围广，涉及人口多，需要同时解决历史问题与当前问题，并设计未来发展，成本较高，难度较大。

2. 振兴特性

鉴于上述东北问题的特性，本书认为东北地区振兴战略也相应形成了如下特性。

系统性与重点性：东北问题是综合性问题，也是区域性问题，其振兴战略是系统化工程，需要构建较为全面的推进体系。在不同时期，东北地区的突出问题可能不同，振兴战略需要根据突出问题调整战略重点，不同城市的战略重点也要因地制宜。

长期性与阶段性：老工业基地转型发展是世界性难题，是长期的历史过程，振兴战略的实施必须具有长期性和稳定性，任重道远，振兴始终在路上。根据各城市、各地区的发展阶段和内外部形势的变化，振兴战略发展方向和转型目标，需要因时因势做出调整，这要求必须瞄准核心问题与关键问题，实施阶段性的重点突破。

行政性与市场性：东北地区的振兴战略要强调市场机制的作用，坚持自力更生与艰苦奋斗，整合各类资源。政府的作用是不可取代的，东北地区要充分发挥政府作为组织者与引导者的作用，在个别地区或个别领域要发挥政府的主导作用。

二、振兴战略沿革

20世纪90年代中期开始，为了解决区域发展问题，东北地区被纳入国家战略而实施振兴。根据各时期的突出问题和振兴政策，东北地区的振兴发展大致分为4个阶段。如图1-15所示。

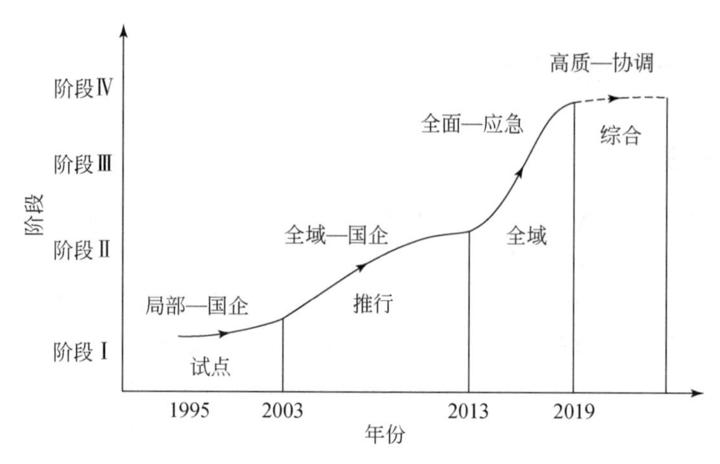

图1-15　中国东北地区的发展阶段与战略沿革变化

1. 第一阶段

该阶段为1995～2003年，典型特征是“试点，局部，国企”。该阶段坚持摸索探索主题，以试点为主，在局部地区推行调整改造，聚焦核心问题实施振兴发展，重点围绕国有企业实施改革。

早在20世纪80年代初期，辽宁省就开始注意工业企业老化问题，加强对老企业的更新改造，1980～1994年仅国有工业企业的更新改造投入资金累计超过1千亿元。90年代，“东北现象”出现之始，便成为社会关注的焦点。1995年6月，时任国务院副总理吴邦国率领16个部委到辽宁进行调研，指出振兴老工业基地需要国家给予必要的支持，创造相对宽松的外部条件。1995年9月，国务院办公会议专门研究了辽宁省问题，提出如下对策：责成国家经贸委牵头，会同有关部门制定发展规划，加大协调力度；明确国家在“八五”期间每年给辽宁省7个亿的资金，并延续到“九五”期间；再给辽宁省增加4个优化资本结构试点市；同时在文件中写进有关东北老工业基地调整改造问题。辽宁省在“九五”期间，推进石化、冶金、机械和电子四大支柱产业发展，对38户骨干企业实施技术改造，实施了200个重点项目；1996年就对135户企业进行了省级现代企业制度试点。

2. 第二阶段

该阶段为2003～2013年，典型特征是“推行，全域，国企”。振兴发展覆盖东北地区，以问题导向为主，聚焦关键问题与突出矛盾，以解决问题，即国企改革、体制机制为主推动振兴发展，以摆脱困境，扭转区域发展态势。该时期，东北地区经历了振兴发展的“黄金十年”。

该时期的政策覆盖财税和金融、企业改革与产业发展、资源型城市与独立工矿区转型政策、棚户区与采煤沉陷区改造、区域合作与对外开放政策。①财税与金融政策主要包括税收豁免、免征、优惠，增加中央投资和专项财政扶持计划。②企业改革与产业发展政策主要涉及传统产业技改扶持、高新技术产业鼓励、农业扶持、企业体制改革和综合性产业指导政策。③资源型城市或独立工矿区转型政策。④以棚户区与采煤沉陷区改造等为主对社会保障追加投入。⑤区域合作与对外开放政策。2004 ～ 2012 年的 GDP 增速比 2000 ～ 2003 年增速提高了 1.7 倍；产业结构持续升级与优化，体现在装备制造企业和高新技术企业利润快速增长，社会民生尤其是棚户区改造和社会保障等显著改善（冯浩城和杨青山，2015）。

进入 21 世纪，辽宁、吉林和黑龙江经济增长速度开始加快，2003 年三省 GDP 增长率均跃升到两位数，分别达 11.5%、10.2% 和 10.2%。直到 2011 年三省均保持两位数增速，分别为 12.2%、13.8% 和 12.2%。2012 年辽宁省增速率先落入个位数，达到 9.5%。“黄金十年”是由国家一系列振兴东北的政策、当时所处的外部市场环境及自身产业结构特点形成的。东北振兴战略提出时，是中国开始以新一轮重化工为特征的工业化加速时期，“住”(住房)和“行”（汽车和旅游）消费结构升级带动了钢铁、建材、能源等产业的突飞猛进，而东北振兴政策正好与这一时期的发展环境相吻合。东北地区发展存在的诸多问题并未解决，但由于外部形势好，市场需求与产业结构相匹配，因此明显成效（陈耀，2017）。实际上，“黄金十年”遮掩了老工业基地长期存在的体制机制和结构性矛盾，体制机制问题并未根本触及或有所触及但并不彻底，结构性问题因市场旺盛需求而更加突出。

3. 第三阶段

该阶段为 2014 ～ 2019 年，典型特征是“全域，全面，应急”。振兴发展覆盖东北地区，以应急扭转经济下滑态势和消除“新东北现象”为主，覆盖各个部门和各个领域，主题是改善发展环境、增强内生动力、培育发展新动能。该阶段是 10 年振兴没有解决且进一步加剧的各种矛盾集中爆发的结果，其中最突出的问题是经济结构不合理、体制机制不健全、政府行为不规范（徐青民，2016）。该阶段的振兴政策包括《国务院关于近期支持东北振兴若干重大政策举措的意见》《推进东北地区等老工业基地振兴三年滚动实施方案（2016—2018 年）》等。

4. 第四阶段

2020 年以后。该阶段的特点是“综合、高质、协调”。振兴发展强调综合性，推进经济、社会、文化、生态等多方面的高质量发展，以实现人文与自然的协调和可持续发展。

东北地区是全国实现区域协调发展最困难的地区，要立足全国和东北亚视野，坚持目标导向与问题导向，聚焦全方位问题和长期问题，通过发展格局的战略性调整和产业优势的积极培育，把东北地区建成高品质国土和高福祉生活的家园，为东北地区迎接未来产业科技革命塑造战略储备空间。东北地区的振兴发展要围绕“一个核心、五个战略”，实施“三力并行、三生并推”。东北地区要在全国甚至东北亚发展格局中审视其比较优势，以高质量发展为核心，实施“五个安全”战略，推动提升发展活力、内生动力与区域竞争力“三力”并行，坚持生态、生活和生产“三生”发展并行推进，聚焦推动国土开发结构优化、体制机制改革、生态保护、产业转型升级、社会和谐、环境改善、创新发展等重点建设任务，形成各部门、各领域、各地区的系统化振兴发展。

第二章

东北地区“五个安全”发展路径

东北地区是我国国土开发和区域发展的重要板块，在我国国家安全体系中有着重要作用。东北地区有着特殊的地缘区位、丰富的能源资源和生态资源及良好的农业生产条件，在国家产业安全、能源安全、生态安全、国防安全、粮食安全方面具有战略性意义。东北地区经过长期的建设与发展，在产业发展、能源生产、生态保护、国防建设与粮食生产等方面取得了巨大的成就，但仍存在不少的问题与不足，需要进一步加强建设。本章主要是基于国家的战略需求，分析东北地区的“五个安全”发展战略。重点从东北地区的战略地位，重点分析了产业安全、国防安全、生态安全、能源安全、粮食安全等方面的资源基础与发展现状，剖析了当前的存在问题，提出了未来“五个安全”建设的总体思路及具体的建设思路。

本专题主要得出以下结论。

（1）产业安全要从打造“国之重器”战略高度出发，以智能制造为核心，全力做好改造升级“老字号”，深度开发“原字号”，培育壮大“新字号”，做强做优装备制造业。重点发展轨道交通装备、航空装备制造、海洋工程装备、机器人和智能制造装备、石化冶金设备、汽车制造业、能源装备、农机装备、工程与矿山设备、精密仪器与装备和“专精特新”装备等产业。

（2）能源安全要加强俄罗斯原油资源进口，加大海上原油进口与储备基地建设，加强天然气进口储备加工，推进境内油气资源开发，巩固煤炭开发，开发新能源。粮食安全要坚持好战略定位，壮大优质粮食生产基地，加强粮食仓储物流能力建设，完善农业支撑体系建设。

（3）生态安全要重点加强重大生态功能区建设，严守生态保护红线，推进山地森林保护，确保远东水塔安全，全力推进草原保护利用，加强河流湖泊湿地保护，继续实施退化土地治理。国防安全要促进特色产业发展，实现兴边富民；创新对外开放合作，培育新动能；完善基础设施网络，提高区域发展支撑能力；加强边境城镇建设，促进产业人口集聚；加快边境乡村振兴，建设美丽风景线。

第一节　产 业 安 全

一、产业安全概念

随着全球生产网络的构建，经济全球化持续推进，各国家之间的经济相互依存程度不断加深、覆盖面不断扩大，经济竞争日益加剧，安全威胁性也不断上升。这促使经济安全受到各国政府的高度重视，并纳入国家安全体系。产业安全是经济安全的基础，是指产业在公平的经济贸易环境下平稳、全面、协调、健康、有序地发展，使该国家产业能够依靠自身努力，在公平的市场环境中获得发展的空间，在国际竞争中具有保持民族产业持续生存和发展并具备竞争优势的能力，从而保证该国经济社会全面、稳定、协调和可持续发展（昝欣，2010）。按照部门类型的基本差异，产业安全可以分为农业安全、工业安全和金融服务业安全，其中工业安全是产业安全的核心组成部分。

产业安全的概念内涵可以从如下几个方面进行解构。

（1）产业发展控制力，尤其是本国政府或资本对产业发展具有自主权或控制权，不能受外来力量或其他国家的明显制约与控制。

（2）产业发展能力，是抵御威胁、保持发展的能力，是某国家产业对国内外不利因素具有足够的抵御和抗衡能力。

（3）产业发展竞争力，包括产品结构、产业技术、工艺设备等具有较高的竞争优势，拥有较好的市场空间。

（4）具有民族权益，强调产业发展的主权。产业发展与企业发展具有很强的国家归属感。

二、东北装备制造业发展历史

东北地区的装备制造业起步较早，发展历史较长，基础相当雄厚，在中国产业安全体系中具有重要作用。

1. 形成阶段：1906～1948年

1906年日俄战争结束后，当时东北地区驻有日本军队和侨民，为配合对华侵略成立了南满洲铁道株式会社（简称满铁），客观上也拉开了东北地区装备制造业发展的序幕。满铁重点建设经营铁路和开发煤炭资源，开始发展钢铁工业，装备制造业萌芽，如表2-1所示。1937年，伪满洲国颁布了《满洲产业开发五年计划纲要》，以钢、铁、煤及液体燃料为中心，发展航空机械、盐化工、机动车辆、金属及电器工业等行业。1945年，东北地区的机械类企业达上千余家，可制造多数机械类产品，但主要满足战争需要，铁路机车车辆制造业和造船业发展迅速。1910～1945年，东北地区共计生产铁路机车911台、客车1383辆、货车43 883辆，机车成为当时东北装备制造业发展水平的主要标志；大连造船业也成为标志，1938 ～ 1944 年先后实施了三次扩建。该时期是东北地区装备制造业的形成阶段，奠定了该地区甚至全国装备制造业的基础（仇荀，2017）。

表 2-1　1933 ～ 1942 年东北地区重点机械类企业

年份	企业	创办者	经营范围
1933	中山钢铁所	中山制钢所	洋钉、螺丝钉、钢条、钢丝、铸钢件
	株式会社奉天前田铁工所	前弥市父子	低压锅炉、暖气片
1934	日满钢材工业株式会社	三井财阀	建筑材料、矿山用机械设备、铁骨
	满洲工业机械株式会社	杨宇霆创办，野村财阀收购	车辆、桥梁、矿山机械、车床
1935	满洲三菱机械株式会社	三菱财阀	锅炉、内燃机、电动机变压器、兵器
1936	昌和制作所	小岛和三郎	飞机零件、灭火器、自行车
1937	协和工业株式会社	伊藤忠会社	船艇用机、抽水机、压缩机、兵器
	满洲金属工业株式会社	祝友财阀	滚轴承、一般机械、矿车延线机
1938	满洲轴承制造株式会社	东京轴承工厂	轴承
1939	满洲吴制砥所	日本吴砥所	砂轮
1940	满州机材工业株式会社	片相嘉禄	消防器材
1941	津村制作所	津村	留声机、矿山机械
	满洲荏原制作所	织田良夫	小型水泵
1942	奉天交通株式会社	伪奉天市政府	修理公共汽车

资料来源：仇荀（2017）

2. 发展阶段：1949 ～ 1978年

改革开放之前，东北地区的装备制造业处于发展阶段，国家实施计划经济体制，给予该地区装备制造业很大支持。该阶段可细分为基础建设阶段（1949 ～ 1959 年）和技术改造阶段（1960 ～ 1978 年）。“一五”期间，重型精密仪器、飞机、汽车制造业逐步发展，冶金与发电设备等一系列重化工装备的产量增长很高，装备制造业突飞猛进，如表 2-2 所示。中国将“156 项目”的大型机械类企业布局在东北地区，共计 13 个项目。通过这些重大工业项目，东北工业基地基本建成，装备制造业形成了门类齐全、规模庞大的产业集群，沈阳、大连、哈尔滨、长春、齐齐哈尔等工业城市崛起，并成为东北地区装备制造业中心（仇荀，2017）。

表 2-2　“一五”时期东北地区部分装备制造业概况

布局城市	企业名称	建设年份	投产年份
哈尔滨	哈尔滨锅炉厂	1954	1960
	哈尔滨量具刃具厂	1953	1956
	哈尔滨仪表厂	1953	1956

续表

布局城市	企业名称	建设年份	投产年份
哈尔滨	哈尔滨汽轮机厂	1954	1960
	哈尔滨电机厂汽轮发电机车间	1954	1960
	哈尔滨碳刷厂	1956	1958
	哈尔滨滚珠轴承厂	1957	1959
长春	长春第一汽车厂	1953	1956
沈阳	沈阳第一机床厂	1953	1955
	沈阳电动工具厂	1952	1954
	沈阳电缆厂	1954	1957
	沈阳第二机床厂	1955	1958
齐齐哈尔	富拉尔基重机厂	1955	1959

资料来源：仇荀（2017）

3. 调整阶段：1979 ～ 2000年

该时期，在全国各地区尤其是东南沿海地区市场经济快速发展的大背景下，东北地区受计划经济体制影响的负面效应开始显现，国有企业改制进程比较缓慢，企业负担重而发展效益较低，装备制造业开始从繁荣走向低落。20 世纪 90 年代初，装备制造业甚至出现衰退现象，很多国有企业缺少资金支持，没有进行有效的现代企业制度改革，企业的技术创新能力和技术改造能力总体上不升反降，加上企业欠债、欠税现象严重突出，冗员问题严重，这些均使东北地区装备制造业一度陷入危险境地（仇荀，2017）。2001 年，黑龙江、吉林、辽宁三省的装备制造业产值之和不及广东省。这是东北地区装备制造业最痛楚的时期。

4. 重振阶段：2001 年以来

该阶段由两轮“东北地区振兴”所组成。2003 年，党中央、国务院共同推出《关于实施东北地区等老工业基地振兴战略的若干意见》，开启了东北地区第一轮振兴。在国家政策、资金等的支持下，东北地区的装备制造业不断发展，加快了技术创新的步伐，探索企业改制、企业管理与组织等方面的创新。2006 年，哈尔滨电气集团有限公司（简称哈电集团）成为中国最大的发电设备和舰船动力装置制造基地，中国一重集团有限公司热壁加氢反应器达到千吨级，吉林一汽集团成为全国最大的汽车生产基地，沈阳机床（集团）有限责任公司跻身世界机床行业 15 强，大连新船重工集团有限公司跻身国际造船企业前 30 强，智能工业机器人开始具备国际竞争力（仇荀，2017）。2013 年以来，东北地区经济持续下行，装备制造业遭受冲击。2016 年，我国颁布《中共中央 国务院关于全面振兴东北地区等老工业基地的若干意见》，启动了新一轮东北地区振兴，经济开始缓慢筑底回升，装备制造业开始了新的发展。

三、大国重器——装备制造业

1. 重点行业

作为共和国工业的摇篮，装备制造业在东北地区甚至全国工业体系中占据相当重要的地位，形成了雄厚的基础和完善的体系，成为“金字招牌”。中华人民共和国成立以来，东北地区在数控机床、大型船舶、海洋工程、铁路机车等重大装备上创造了许多的全国第一。近年来装备制造业再度迅速崛起，提升了“世界工厂”的整体制造水平，形成了大量的高端装备制造部门，并成为“国之重器”，对中国的产业安全具有基础性作用。

（1）东北地区的许多装备制造业在全国具有生存性、基础性等特点，是国家综合国力的重要标志，构成了中国国家安全的物质基础。

（2）东北地区是中国主要的装备制造业科研和生产基地，具有良好的发展基础，产业体系较为完善，门类齐全、设施完备，自我配套能力强。装备制造企业数量多，产品丰富，形成了一批优势产业，主要包括交通运输设备、汽车制造业、船舶和海洋工程装备、航空装备、电力装备等传统行业，以及机器人、高档数控机床、先进轨道交通设备、集成电路等新兴行业。在国家确定的重大技术装备国产化的16个关键领域，东北地区普遍具有优势。辽宁省的智能机床、海洋工程、工业机器人，吉林省的高铁、汽车制造、农业机械、光学精密机械，黑龙江省的发电设备、核电制造、航空装备、农机装备等，均有全国战略意义，为“国之重器”。

（3）东北地区装备制造业服务于全国工业发展，为“中国母机”，是共和国的装备库。“大成套，高端化，全国性”是东北装备制造业的典型特征。一重锻压设备和核岛锻压件为全国钢铁厂和核电站提供设备，中国多数大型船舶制造离不开哈电集团。特别是，东北装备制造业为国家重大工程提供有力支撑，如三峡电站建设。

（4）东北地区装备制造企业掌握着中国先进、关键的工业技术，被誉为“国家砝码”“大国重器”。科研基础好，拥有船舶制造国家工程研究中心、高档数控国家工程研究中心、特高压变电技术国家工程实验室等重大科研资源，尤其是掌握了许多“卡脖子技术”（李庆雪，2018）。例如，大型空分压缩机只有沈阳鼓风机集团股份有限公司、西门子、通用电气可以生产。还拥有大量高校与科研机构。研发了一大批填补国内空白的重大装备产品。

（5）拥有一批知名企业。经过百年建设与发展，东北地区形成了许多优势企业，在国内外同类行业中具有较高的影响力，塑造了一批知名品牌产品。这包括一重集团、哈电集团、沈阳机床、大船重工、长客集团、沈阳鼓风机集团股份有限公司、瓦房店轴承集团有限责任公司，具有较高的技术装备水平、生产能力。

2. 重点企业

经过多年的发展，东北地区在装备制造业领域形成了一批在国内外行业具有重要地位和引领作用的龙头企业。这些龙头企业成为装备制造业集群化和基地化发展的核心与主要增长极。其中，智能制造装备领域主要有沈阳机床、一重集团、瓦轴集团、哈电集团、沈变集团等企业，航空装备领域主要有沈飞集团、沈阳黎明、哈飞集团等企业，海洋工程领域主要有大连船舶重工集团，轨道交通设备领域主要有中车长春轨道客车股份有限公司、大连机车等企业。

哈电集团是由苏联援建“156 项目”中的 6 项沿革发展而来，是中国最大的发电设备、舰船动力装置、电力驱动设备研究制造企业和成套设备出口企业，具备开发设计和生产制造大型煤电、水电、核电、气电、电站总承包工程和舰船动力装置六大核心产品的能力，年产能达 30 000 兆瓦。2019 年，哈电集团在“中国战略性新兴产业领军企业 100 强榜单”中排名第 50 位。

沈鼓集团前身是始建于 1934 年的沈阳鼓风机厂，具备设计制造大型国产化设备的能力，是中国最大的离心式压缩机、轴流式压缩机、通风机、往复式压缩机及水泵的研发、设计、制造企业。该企业在国内离心压缩机、大型鼓风机、锅炉给水泵、冷凝泵等产品方面有很高的市场占有率。

沈阳机床由沈阳第一机床厂、中捷友谊厂、沈阳第三机床厂和辽宁精密仪器厂联合成立，其中的沈阳第一机床厂创建于 1935 年，是国内生产规模最大的综合性机床制造厂和国家级数控机床开发制造基地。

哈飞集团组建于 1952 年，“一五”期间“156 项目”之一，是中国大型航空工业集团，拥有健全的航空工具设计研发制造体系，形成了多品种、多型号的航空产品系列，是中国直升机、轻型多用途飞机、新支线客机的研制和制造基地，是中国唯一同时具备直升机和固定翼机设计研发制造能力的企业。

一汽集团前身为第一汽车制造厂，成立于 1953 年，是年产销 300 万辆级的大型汽车企业集团。拥有汽车的研发、生产、销售、物流、服务、汽车零部件制造等能力，拥有红旗、解放、一汽奔腾、吉林一汽等自主品牌。

北车长客前身为长春客车厂，始建于 1954 年，是苏联援建“156”重点项目之一，是中国最大的铁路客车和城市轨道车辆的研发、制造和出口基地，建有碳钢车、不锈钢车和铝合金车三条生产线。

大船集团前身为“中东铁路公司轮船修理工场”和“中东铁路公司造船工场”，始建于 1898 年。拥有军工、造船、海洋工程、修船和重工五大产业，是国内唯一拥有从千吨级、1 万吨级、3 万 ~ 10 万吨级直至 30 万吨级各级船舶专用建造设施的船厂，可以满足从驳船、拖船、渔船、军船到货船、集装箱船、化学品船、滚装船等各类船舶，以及自升式钻井平台、半潜式钻井平台等各类海工装备的全系列建造需求。

大连机车车辆厂始建于 1899 年，素有中国“机车摇篮”之称，重点经营机车车辆、城市轨道车辆及配件研发、设计、制造等，主产品是东风系列内燃机车和多种火车。

齐齐哈尔机床现为齐重数控装备股份有限公司，是全国机床行业大型重点骨干企业，也是中国数控机床生产基地，主导产品为重型数控立卧式车床、深孔钻镗床、铁路车床、轧辊车床。

中国一重集团有限公司始建于 1954 年。主要为钢铁、电力、能源、汽车、矿山、石化、交通等行业及国防军工提供重大成套技术装备、高新技术产品和服务，现已形成能源装备、工业装备、环保装备、装备基础材料四大产业板块。

3. 存在问题

长期以来，由于各种原因，东北地区装备制造业还存在一些问题，并制约了其长远发展与竞争力提升。

产业层次较低，产品低端化。传统装备制造产业多，新兴产业少，先进装备制造产业与高新技术产业较少，基础原材料产业占比高。多数装备制造的产业链条短，加工深度低，初级产品多，多是“原”字号和“初”字号产品，精加工产品少。低端产品多，中高端产品少，产品附加值低。

系统集成能力较弱，本地配套率低。多数装备制造企业是国有大型企业，中央直属企业多，具备较强的单机制造能力。但这些企业与地方的关联性较小，甚至与地方经济脱节隔离，系统集成能力较弱，产品配套能力较低。例如，汽车产业中国际通行的零部件与整车产值比例为 1.7：1，而 2015 年吉林省只有 0.44：1，汽车零部件的吉林省内配套率仅为 17%，在辽宁省和黑龙江省的合计配套率为 25%，东北地区之外的配套率为 58%，并主要分布在东南沿海地区（图 2-1）。轨道客车配套率尚不足 20%。

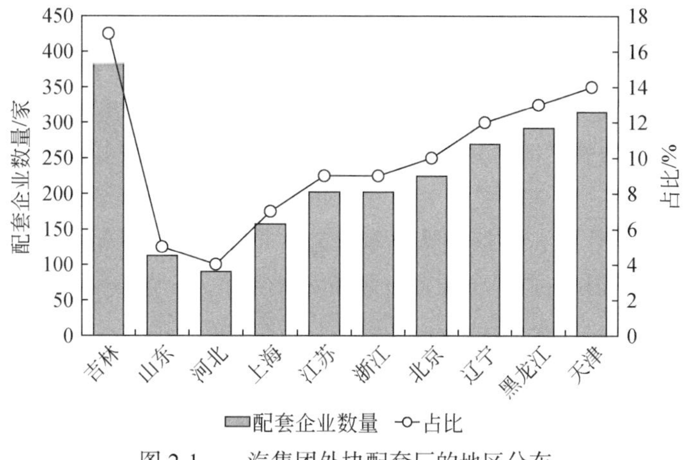

图 2-1　一汽集团外协配套厂的地区分布

智能化水平较低，创新能力不强。装备制造业发展主要依赖传统生产要素的投入，停留在规模扩张层面，发展方式粗放。两化融合水平不高，智能制造水平偏低，多数企业处于工业 2.0 阶段。科研资源虽比较密集，但产学研衔接不紧密，科技资源利用效率低，大量成果不能及时实现产业化。有超过一半的装备制造企业尚未建立自己的技术研发机构，部分投入较高的企业研发经费占销售收入的比例不过 1%，低于日本等发达国家 4 个百分点。同时，大量技术人员和熟练工人纷纷流失。

企业效益较低，亏损面较大。由于体制机制僵硬及历史遗留问题没有彻底解决，东北地区的装备制造企业效率效益较低，资金利税率低于全国平均水平，许多企业甚至存在亏损。如图 2-2 所示，尤其 2010 年以来，吉林和黑龙江工业增速持续下滑，亏损企业数量呈现上升趋势，并保持较高的亏损率，多数国企的资产负债率和财务成本较高。汽车业进入微增长时代，2015 年一汽集团市场占有率为 11.6%，比 2010 年下降 2.6 个百分点。

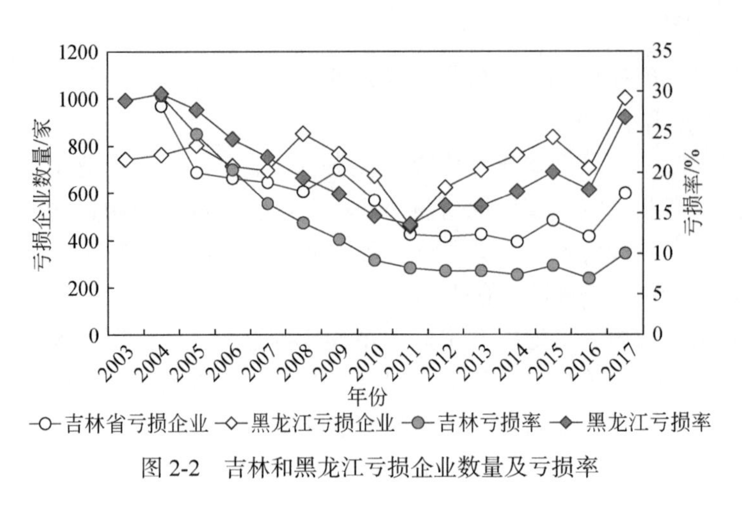

图 2-2　吉林和黑龙江亏损企业数量及亏损率

四、东北装备制造业发展路径

1. 总体发展思路

从打造“国之重器”战略高度出发，坚持高端化、智能化、服务化、特色化发展方向，以智能制造为核心，促进“两化”深度融合，着力推动产业发展质量变革、效率变革、动力变革，调整存量与做优增量并举，全力做好改造升级“老字号”，深度开发“原字号”，培育壮大“新字号”。以高端装备为引领，巩固提升传统优势产业，延伸产业链，发展壮大新型产业，提升重大装备产品技术工艺水平，突出主导优势产品，不断壮大产业规模，从规模、质量和效益等全面提升装备产业竞争力，做强做优装备制造业。以此，确保产业安全，增强中国经济竞争力、创新力、抗风险能力。

重点发展轨道交通装备、航空装备制造、海洋工程装备、机器人和智能制造装备、石化冶金设备、汽车制造业、能源装备、农机装备、工程与矿山设备、精密仪器与装备和“专精特新”装备等产业，建设国内直升机和通用飞机生产基地、国家级轨道交通装备研发制造基地、国家级重型数控机车产业基地、汽车产业综合基地（王斌，2017）。以此，打造具有国际竞争力的现代化装备制造基地。

2. 各行业发展指引

（1）航空装备制造。东北地区要推进大型商用客机制造，重点推动飞机发动机和先进直升机制造，加快大部件转包向支线飞机总装发展，构建零部件生产、总装制造、新机型研发等一体化产业链，加快航空发动机北方维修基地和吉林航空产业园区等产业集聚区建设，建设国内直升机、轻型多用途飞机、支线飞机生产基地，做大做强国产飞机制造业。推进固定翼轻型飞机、机载设备、地面设备等通用航空装备产业化，发展航空传动、辅助动力装置、航电关键部件、减速传动系统，培育涵道式无人机、多旋翼无人机等无人机制造产业，重点推进哈尔滨、沈阳、大连、吉林等国家通用航空产业综合示范区，打造国内直升机、通用飞机生产基地。依托长春航天信息产业园，推动图像传感器、光学相机等关键核心部件制造。研发先进民用直升机发动机、航空传动、涡桨发动机机械系统研制技术，发展航空复合材料、航空轴承及零部件。

（2）海洋工程装备。围绕海洋工程及高技术船舶的增长需求，发展舰船动力及海工关键配套装备，提升液化天然气船、大型客滚船、大型集装箱船、液化石油气船、大型汽车运输船、远洋渔船等船舶制造水平，开展北极新航道船舶、新能源船舶、超级生态环保油船、散货船、集装箱船等高端船型研制，加快发展舰船动力装置，加快发展通信导航、甲板机械、舱室设备等船用配套设备。以海洋油气开发装备为重点，积极发展海洋矿产资源开发装备；以海洋风能工程装备为重点，积极发展海洋可再生能源开发装备；以海水淡化和综合利用装备为重点，积极发展海洋化学资源开发装备制造（贾若祥，2015）。

（3）轨道交通设备。调整产品结构，做大配套产业，建设国家级轨道交通装备研发制造基地。以齐齐哈尔和哈尔滨为中心，重点发展重载快捷铁路货车和普通铁路货车，发展大功率电力机车、内燃机车、超载柴油机车、特种货车等先进适用装备，建设货车修理及出口车基地和关键配件制造基地，加强铁路起重机、特种集装箱、非标装备等产品的技术升级和新产品开发。以长春和哈尔滨为中心，提升整车集成、车体、高性能转向架、列车牵引、网络控制等关键技术（系统）自主研发制造能力，加快中国标准高速动车组、混合动力动车组、城际快速动车组、城轨车辆、新型有轨电车、地铁车辆等产品研发及产业化（王斌，2017）。

（4）机器人及智能设备。加快发展工业机器人、服务机器人、特种机器人产业，加快哈南机器人产业园、中德机器人产业园建设，重点发展机器人核心零部件生产、系统集成、工业软件设计开发，提高外围设备供应配套能力。高档数控机床要开发高速、精密、智能、复合、多轴联动并具备网络通信功能的高档数控机床，建设国家级重型数控机车产业基地，重点打造齐齐哈尔数控重型机床产业集群。

（5）石化冶金设备。石油石化装备以通化、松原、大庆、吉林、齐齐哈尔、盘锦等地区为核心，主要发展特型石油钻采设备等油气田设备、大型钻修两用机、智能传输控制装置等油气集输装备。以“重大装备、高端成套”为主攻方向，积极发展百万吨级乙烯装置用三机、百万吨级 PTA 装置、大型煤化工装置、大型炼油装置等设备。冶金成套装备重点发展高产球团焙烧机成套装备、大型烧结机成套装备等产品，支持发展大吨位、钢包精炼炉等冶炼设备，支持发展有色金属冶炼自动化成套生产线、冶金连铸连轧设备等设备。

（6）汽车整车及零部件制造。围绕汽车轻量化、电动化、智能化发展方向，加快提升整车产能，加强自主品牌乘用车整车研发、新能源汽车制造，丰富产品系列，扩大发动机、变速箱、汽车电子等关键零部件生产，提升全产业链配套能力，率先建成国内领先的汽车轻量化制造体系和节能与新能源汽车、智能网联汽车研发制造基地，打造具有国际竞争实力的汽车产业综合基地。

（7）能源装备制造。电气设备加快发展超超临界发电机组设备、超大容量水轮发电机组、高水头大容量大型抽水蓄能机组，支持发展输变电设备、专用变电设备、电气产品。煤炭装备要提升大功率采煤机、大功率掘进机、重型刮板输送机、重型带式输送机等现有优势产品，提供井下采掘成套装备和洗选成套装备。围绕千万千瓦级风电基地建设，打造集研发、制造、配件供应、服务于一体的风电设备产业集群，建设哈尔滨、大庆、白城、黑河、锡林郭勒等风力发电装备产业园区。核电装备要依托一重集团、哈电集团优势，以齐齐哈尔为中心，实现二代、三代和四代设备制造技术研发、制造共同发展，打造国家级电力装备制造基地。太阳能利用装备鼓励发展高转化率太阳能光伏组件，电动汽车动力电池鼓励扩大动力电池、电池隔膜生产能力。

（8）其他装备制造。先进农机装备加快发展适合东北地区耕种特点的大马力动力机械、先进农机装备、环保型拖拉机、精细化小型农机、高端农业装备、牧业机械装备及关键核心零部件，打造中国北方现代农机装备基地。工程与矿山设备推动工程机械高端化发展，支持研发智能建筑用塔式起重设备、高效采掘装备、大型装载机等设备，支持发展道路清雪除冰机械等环保设备，研发生产大型化、高度自动化、智能化的矿热炉机电成套设备和碳素机电成套设备。发展高精度机械产品，积极研制电液换挡变速器、湿式制动驱动桥等配套产品。加快精密仪器与装备制造基地建设，推动航空遥感与测量、高端传感器等高端装备制造。“专精特新”装备积极发展智能装备、光电装备、冰雪装备、安全装备，培育一批“专精特新”“小巨人”装备企业发展。

3. 促进装备制造业集群化发展

产业链与产业集群的发展始终是产业做大做强的有效产业组织方式。东北装备制造业的发展必须充分重视企业的主体作用，把提升全产业链水平作为主攻方向，坚持分工细化与服务外包，发展壮大核心和配套产业集群，巩固提升既有的大型国有企业，同时积极培育中小型配套企业，促进产业链纵向延伸，打通产业链、供应链，构建大型企业为核心、中小企业协同配套、互补共生的集群式发展格局。

突出优化提升既有的国有大型企业集团，集中优势资源发展主导产品的研发和主要生产环节，尤其是主动对接国际发展趋势与技术要求，有针对性地开发新工艺和新装备，发展总体设计、系统集成、成套生产、配套服务等“一揽子”功能。

鼓励总装企业建立业务分包体系，培育合格的分包商和设备供应商，推动“专精特新”型中小企业发展（贾若祥，2015）。大力发展民营企业和中小企业，鼓励与大企业开展纵向、横向分工，借助大企业获得原料供应、技术培训和营销网络，共同形成产业链和价值链。

积极开展国际产能合作，推进东北地区装备制造业走出去，使东北地区装备制造业在走出去的过程中实现转型升级，带动更多配套产业发展。

积极扩大中德（沈阳）高端装备制造业园的发展，力争在东北地区发挥示范引领作用。

促进中央企业和国有企业与地方建立开放合作机制，在产业拓展、产品研发、企

业培育等方面建立互相合作的机制。各地区要围绕龙头企业建立上下游配套型企业集群或服务型企业集群

国家应制定相应的政策，以装备制造产业链在东北地区的延伸为导向，通过资源整合，促进相关产业在东北三省的有效分工（贾若祥，2015）。

4. 加强技术创新与智能化制造

全面对接第四次工业革命和中国制造 2025，实施创新驱动战略，加快智能化制造发展，提高装备制造业发展质量，推动从要素驱动、投资规模驱动发展为主向以创新驱动发展为主转变。

按照国家加大创新驱动的要求，加大科研经费投入，支持东北地区装备制造业研发和创新，集中攻克一批长期困扰装备制造业发展的共性技术与关键技术，突破一批卡脖子技术，增强自主创新能力，实现技术自立自强，用中国装备支撑中国制造，做强做大民族品牌。

加强企业的智能化改造，鼓励采用先进智能化设备设施，提升企业产品开发、制造、试验、检测能力。重点领域企业数字化研发设计工具普及率达到 80% 以上，关键工序数控化率达到 70% 以上。

依托国家科技计划、重大工程建设，加大对东北地区装备制造业的科技支持力度。依托东北地区的装备制造业骨干制造企业，统筹东北地区科研院所的科研力量，建设国家工程研究中心、国家工程实验室、企业技术中心等。支持中科院与东北地区加强“院地合作”，建设产业技术创新平台。推动大型企业向社会和中小企业开放研发和检验检测设备（贾若祥，2015）。

通过科技金融和国家科技成果转化资金等渠道，加快科技成果转化和产业化。

组织和引导东北地区装备制造业的骨干研发机构、制造企业、检验监测机构、用户单位等建立相关的产业联盟，鼓励相互持股和换股，形成利益共同体，在科研开发、加工制造、市场营销、业务分包等方面开展深入合作。

以智能化、柔性化代替传统产业生产过程。

第二节　能源安全

一、中国能源安全

能源安全是一个涉及国家安全和对外战略等多层面的问题，也是一个关乎国际能源供应和能源地缘政治的问题。能源安全是一个综合性概念，不仅是指以合理的价格为发展提供能源的可靠供应，同时把对自然环境的损害降到最低；不仅要满足当代人类的基本能源需求，而且要使后代免于遭受潜在的能源风险。该概念不仅涉及能源供应，而且涉及能源需求、能源价格、能源运输、能源使用等问题。能源安全的判定标准主要有可靠的供应、合理的价格、充分的石油战略储备、可靠的运输通道和合理的能源

结构，这些因素共同构成能源安全的基础（孙耀唯，2020）。

1. 中国能源安全形势

中国能源资源总量比较大，但人均拥有量较低。煤炭是中国的基础能源，石油天然气资源相对不足，富煤、少气、贫油的能源结构较难改变。能源资源分布很平衡，长距离大规模运输导致运力紧张、成本提高。“电荒”“油荒”“煤荒”等能源短缺现象时有发生。中国是原油净进口国，是仅次于美国的第二大原油消费国，国际石油价格震荡和攀升给中国发展带来多方面的影响。中国从1993年起，从石油净出口国变成净进口国后，石油对外依存度持续上升。2018年中国石油进口量为4.4亿吨，对外依存度升至69.8%；天然气进口量为1254亿立方米，对外依存度升至45.3%（林伯强，2019）。中国在继2017年超过美国成为最大石油进口国后，2018年又超过日本成为最大天然气进口国。

中国正处于工业化、城镇化加速推进的时期，能源消费强度较高，对能源供给形成很大压力。另外，全球能源供需平衡关系脆弱，石油市场波动频繁且受地缘政治与地区冲突影响较大。中国能源安全问题的实质是能源储备和供应结构与能源消费结构不完全匹配，这不仅体现在总量上，更体现在结构上，而且矛盾仍在加深。特别是，中国能源安全矛盾集中体现在油气安全问题。油气进口来源虽然多元化，但仍集中在中东等少数地缘政治不稳定区域，油气进口通道过于集中，过于依赖马六甲海峡，运输风险极大。

2. 中国能源安全战略

日益高涨的对外依存度、地缘政治风险的不断提高，使中国把“石油安全”作为战略性问题来抓。建立战略石油储备，库存量应尽快达到90天安全标准；发展电力驱动的交通方式与交通工具，抑制石油消费；发展风电和光伏。目前，中国已在西北地区（面向中亚）、东北地区（面向俄罗斯）、西南地区（面向缅甸）和东部地区（海上进口）初步构建起跨境油气供应和贸易体系。未来，中国要不断完善多元格局的供需体系，核心工作是保障大通道安全稳定运营和建立合理的定价机制。

2014年6月，国家领导人就推动能源生产和消费革命，提出了五点要求。第一，推动能源消费革命，抑制不合理能源消费。第二，推动能源供给革命，建立多元供应体系。立足国内多元供应保安全，推进煤炭清洁高效利用，发展非煤能源，形成煤、油、气、核、新能源、可再生能源多轮驱动的能源供应体系，同步加强能源输配网络和储备设施建设。第三，推动能源技术革命，带动产业升级。第四，推动能源体制革命，打通能源发展快车道。第五，全方位加强国际合作，实现开放条件下的能源安全。

二、东北能源资源优势

1. 东北地区能源禀赋

东北地区有着丰富的能源资源，包括石油、煤炭、天然气、风能、太阳能、水电等各类能源资源。

石油、天然气资源。大庆油田、辽河油田、松原油田、松辽盆地，是中国重要的石油生产基地，海拉尔盆地、二连盆地、伊通盆地等也是油气资源富集地区。东北油页岩储量占全国第一位，具有开发潜力。辽宁原油剩余技术可采储量为1.9亿吨，主要分布在盘锦地区，沈阳西南部和辽阳西部也有少量分布；天然气剩余技术可采储量为209.4亿立方米，主要分布在盘锦。吉林原油剩余技术可采储量为1.83亿吨，主要分布在西部平原；天然气剩余技术可采储量为726.6亿立方米，主要分布在松原、四平、长春及白城地区；油页岩探明储量约为1086亿吨，占全国探明储量的80%以上，主要分布在前郭—农安、扶余、桦甸、汪清等地区；油砂资源储量达4.83亿吨。黑龙江原油剩余技术可采储量约为4.4亿吨，主要分布在松辽盆地北部；天然气剩余技术可采储量为1317亿立方米，主要分布在松辽盆地北部；油页岩、页岩气资源也较为丰富，主要分布在松辽盆地。内蒙古石油资源探明储量约为7亿吨，愿景储量为40亿吨以上。

煤炭资源。东北地区煤炭资源丰富，保有储量约为723亿吨，煤种齐全。煤炭资源分布不均衡，60%分布在蒙东地区，27%在黑龙江。辽宁煤炭保有储量约有79.3亿吨，主要分布在沈阳、铁岭、阜新、抚顺及辽阳，煤层气主要分布在阜新和调兵山地区，地质储量约177.3亿立方米。黑龙江煤炭保有储量约为203亿吨，主要分布在双鸭山、鸡西、鹤岗及七台河，以炼焦煤为主；探明2000米以内浅煤层气资源量为1870亿立方米，主要分布在上述四个地区。吉林煤炭保有储量约为29.69亿吨，主要分布在延边朝鲜族自治州、长春、吉林、通化、白山等地区。蒙东地区煤炭资源丰富，分布有霍林河、陈巴尔虎旗两个储量超过百亿吨的大煤田，10亿～100亿吨的煤田有6个，分布有伊敏、霍林河和元宝山三大露天矿。

风能资源。东北地区地处中高纬度，多属于温带大陆性季风气候，主要受西风带控制，有丰富的风能资源且品质较高。辽宁省可利用风能资源储量为4860万千瓦；吉林省潜在开发量约为2亿千瓦，可装机容量约为5400万千瓦，集中在西部地区，约占75%。黑龙江50米高风能资源潜力约为10.2亿千瓦，技术可开发量约为2.3亿千瓦，集中在东部山地和西部平原。蒙东地区风能资源储量约为2.87亿千瓦，技术可开发量约为4300万千瓦；翁牛特旗、克什克腾旗和松山区的交界地带，70米高平均风速达8～9.3米/秒，功率密度达700～1200瓦/平方米。

太阳能资源。吉林、辽宁等为太阳能三类地区，全年日照时数达2200～3000小时。太阳能资源富集地区主要分布在蒙东草原、黑龙江中西部盐碱地，重点包括锡林郭勒、通辽、赤峰、白城、松原、齐齐哈尔、大庆、绥化等地区。黑龙江年日照时数在2242～2842小时，平均太阳辐射量为1316千瓦时/平方米，太阳能资源储量相当于750亿吨标准煤。吉林省地面光伏电站潜在开发容量约为9600万千瓦，可装机容量约为3100万千瓦，尤其是西部资源最为丰富。

水电资源。吉林省水电资源较为丰富，90%分布在白山、通化、延边朝鲜族自治州和吉林等地区，西部地区较少，可开发水电装机容量为574.4万千瓦，其中可开发的大型水电站装机容量约为332.9万千瓦。

2. 东北地区能源生产

东北地区的能源工业在全国一直具有重要的地位。煤炭生产在东北四省区均有布局，但集中在蒙东（呼伦贝尔、锡林郭勒、通辽、赤峰），其次是黑龙江东北部（鹤岗、双鸭山、鸡西、七台河）、辽宁北部（铁岭、阜新、沈阳、抚顺），再次是吉林东南部（辽源、白山）。这些地区的煤炭产量占东北地区的 86% 以上，2017 年达 93%。其中，蒙东地区作为主要产煤地区，煤炭产量占东北地区的比例逐年提升，2017 年达 67.8%，比 2005 年提高了 36 个百分点。如表 2-3 所示，呼伦贝尔和锡林郭勒已成为主要的煤炭生产基地，2017 年煤炭产量均超过 8000 万吨，尤其是锡林郭勒在 2010 年曾超过 1 亿吨；通辽的煤炭产量也达到 4672 万吨，赤峰达 1769 万吨。而黑龙江的四大煤城合计仅达到 4538 万吨。这表明东北地区的煤炭生产基地已从传统的黑龙江东部转移到蒙东地区，形成“新老基地共存”的格局。2003 ～ 2010 年，除了辽宁省部分地市以外，绝大多数地市的煤炭产量呈现增加变化。2010 年之后，随着去产能的推进，东北地区的煤炭产量均呈现下降趋势，尤其是辽宁省和吉林省的煤炭生产基地，如阜新由 2010 年的 1873 万吨降为 2017 年的 237 万吨，白山则由 1575 万吨降为 114 万吨，降低了 92.8%。

表 2-3　2005 ～ 2017 年东北地区煤炭产量　（单位：万吨）

省（自治区）	地级行政单元	2005 年	2010 年	2017 年
内蒙古	呼伦贝尔市	2606	6403	8040
	锡林郭勒盟	694	10794	8137
	通辽市	2489	6342	4672
	赤峰市	1649	2857	1769
黑龙江	鹤岗市	1837	1801	1146
	双鸭山市	1288	1903	1055
	鸡西市	1585	1988	1283
	七台河市	1510	1660	1054
辽宁	铁岭市	2226	2184	1697
	阜新市	1427	1873	237
	沈阳市	992	881	867
	抚顺市	702	486	531
吉林	辽源市	867	1331	625
	白山市	724	1575	114

电力生产布局在东北地区相对均衡，除大兴安岭地区与黑河市以外，其他地市均具有一定规模的电力生产能力。黑龙江东北部、吉林东部、西部以及辽宁东北部的部分地市，包括延边朝鲜族自治州、通化、兴安盟等 18 个地市的电力生产相对较小外，其他地市的电力生产规模均不断增加。

原油生产主要集中在大庆、盘锦、松原，即大庆油田、辽河油田和吉林油田。三个地市的原油产量占东北地区的90%以上，产量最大的大庆市占比为64.9%。2003年以来，大庆、盘锦、松原的原油产量均呈现不断下降趋势，2005年大庆、盘锦、松原的原油产量分别为4495万吨、1242万吨和522万吨，而2010年分别为4000万吨、950万吨和610万吨。2017年与2010年相比，除盘锦产量稳定以外，大庆与松原分别减少了600万吨和258万吨。同时，在二连浩特有少量的石油生产。

东北地区有多家石油炼化企业，炼油能力共计1亿吨。其中，抚顺的炼油能力达1100万吨/年，主要加工大庆和辽河油田的原油，混炼部分进口俄罗斯原油。锦州炼油能力达到950万吨/年，主要加工国内原油，进口原油约占总原油加工量的1/3。辽阳和葫芦岛的原油加工能力分别达到1000万吨/年和650万吨/年，盘锦达550万吨/年，是国内最大的沥青生产基地。吉林和哈尔滨的炼油能力分别达到700万吨/年和500万吨/年，主要加工大庆原油，进口原油以俄罗斯油为主。大连的炼油能力达到3000万吨/年。但东北地区的炼化企业成品油库存持续高位运行，黑龙江和吉林的产能有些过剩。由于辽宁沿海炼化企业靠近环渤海、长江三角洲、珠江三角洲等消费市场，近年来原油加工量增幅较大。

3. 东北能源安全问题

东北地区区内能源资源日渐枯竭。由于多年的开采和粗放使用，煤炭、石油等能源储量不断减少，由原来煤、电、石油基本自给的地区转变为煤、电不足和石油输入的地区，能源资源已进入枯竭期。2004年年底，东北三省的石油剩余可采储量仅为8.9亿吨（刁秀华，2009）。大庆油田已进入开采递减阶段，20世纪90年代大庆油田开采逐渐从自喷、抽采到注水，并且注水开采占比越来越大，又采用三次开采技术，注入有洗涤功能的化学剂将石油从岩缝中洗出。

油头效应扩大了东北石油短缺的负面影响。作为中国最大的原油生产基地，大庆油田已成为中国主要炼油厂的原油来源，大庆原油通过铺设到吉林、辽宁等地的原油管道向这些地区的炼油厂供应原油，甚至向更远地区的炼化企业进行供油。随着大庆油田的减产，这些炼油厂的原料供应将出现问题。

重大国际能源合作推进艰难。因各种原因，中俄能源合作项目从商议、谈判开始，就一直充满艰难。这促使重大的能源工程建设呈现出漫长的马拉松式。

三、俄罗斯能源资源优势

俄罗斯是一个能源资源十分丰富的国家，是世界上主要的能源资源出口商，对许多国家的能源保障和能源安全具有重大意义（刁秀华，2009）。

俄罗斯是世界上唯一一个自然资源几乎能够完全自给的国家。俄罗斯的石油探明储量占世界总量的6.1%，天然气储量达48万亿立方米，占世界总量的26.7%。

能源资源大部分集中在西伯利亚和远东地区，是世界上能源资源最丰富的地区。东西伯利亚及远东陆地和水域油气原始可采资源量为850亿～900亿吨油当量，其中石油储量为200亿～220亿吨，伴生气储量为1.5万亿～2万亿立方米，凝析油储量为

30 亿～ 50 亿吨。

俄罗斯的石油供给量远远大于石油需求量，石油出口能力极高。2004 年，俄罗斯原油出口量为 2.3 亿吨，2019 年出口量达到 2.68 亿吨。出口增长以欧洲市场为主，同时通过“东西伯利亚—太平洋”石油管道向亚太地区出口石油。

俄罗斯开始日益重视远东地区的开发。2007 年，俄罗斯成立了远东和外贝加尔地区发展问题委员会，统筹远东开发进程，希望将远东地区振兴发展与中国东北地区振兴规划相衔接。

未来俄罗斯石油出口依靠的主要产区将是西西伯利亚、东西伯利亚和远东地区。东北地区与俄罗斯远东地区在能源领域具有较强的互补性，俄罗斯能源资源为双方的合作提供了有力保障，成为东北地区重要的能源资源供应地。中俄石油合作可以为俄罗斯东部地区的石油资源找到稳定的市场，同时弥补俄罗斯能源工业投资的缺陷。

东北地区参与俄罗斯远东的石油能源开发，有利于缓解东北地区的资源紧张局面，促进东北地区的社会经济发展，同时有力保障中国的经济安全和能源安全。

四、东北地区能源发展路径

1. 加强俄罗斯原油资源进口

充分利用蒙俄地区尤其是俄罗斯远东的石油资源，加快石油进口，开辟中国原油进口的大通道，有力保障东北地区及全国地区的石油资源供应。

鼓励东北地区的石油企业积极参与蒙古国、俄罗斯远东地区的石油资源勘探。尤其是与俄罗斯远东地质勘探部门建立合作，联合勘探远东石油资源，制定开发利用规划和实施方案。

充分利用中俄原油管道，推动东北地区的炼化企业发展与石油战略储备，填补东北地区石油资源供应缺口。

中俄石油管道始于俄罗斯远东管道斯科沃罗季诺分输站，达到大庆，全长 1030 公里，中俄原油管道二线止于大庆，两条管道年输油能力达到 3000 万吨，合同期 20 年。这两条原油管道是中国重要的能源战略通道，是平衡马六甲海峡的重要安全砝码，对保障东北地区和中国能源安全具有重要意义。

积极利用俄罗斯进口原油，加快沿线地区的石油炼化产业发展。重点推动大庆、吉林、辽阳等城市的石油炼化产业发展。

2. 加大海上原油进口与储备基地建设

利用海上通道进口原油是保障东北地区能源安全的重要途径，坚持实施港口进口原油与临港储备基地两条路径并行推进。

港口进口原油：完善辽宁沿海港口设施，推动大连港、营口港、锦州港等港口加快原油进口，大连港进口原油保持在 2000 万吨 / 年左右，营口港保持在 900 万吨 / 年左右，锦州港约 100 万吨 / 年，共计约 3000 万吨 / 年。

临港储备基地：布局临港储备基地是中国能源安全的重要途径，东北地区重点要在大连和锦州等港口建立和完善原油储备基地。其中，大连国家石油储备基地占地 0.73 平方公里，储备原油 300 万立方米；锦州地下石油储备库库容为 300 万立方米。

3. 加强天然气进口储备加工

随着对环境的重视，天然气供应安全成为中国当前能源安全的重要方面。东北地区要完善中俄天然气东线工程建设，连通中国东北、华北和华东地区，打造保障中国北方地区（黑龙江省、吉林省、辽宁省、内蒙古、北京市、天津市、河北省）天然气供应的保障工程，有力保障中国能源安全。

中俄东线工程全线投产后，俄罗斯向中国计划输气量达到 380 亿立方米 / 年，期限 30 年。中俄天然气东线工程境内段按北、中、南三段分期建设。中俄天然气东线管道自俄罗斯东西伯利亚，由布拉戈维申斯克进入黑河，俄罗斯境内长 3000 公里，中国境内长 3371 公里。随着中俄东线北段建成投运，中国将形成西北、西南和东北三条进口管道气供应格局，中国实现天然气进口多元化，更加有利于实现能源供应安全。

东北沿线地区要加强建设配套储气库、应急保障供气体系，提高天然气战略储备能力。

鼓励东北地区的油气企业通过多种途径，参与俄罗斯远东地区和北极地区的天然气田勘探与开采及输送通道建设。鼓励东北企业在俄罗斯远东地区积极投资天然气加工。

多渠道拓展进口俄罗斯天然气，尤其是利用北极东北航道进口俄罗斯北极天然气，鼓励在大连港和营口港进口液化天然气（liquefied natural gas，LNG），年接收能力分别达到 600 万吨 / 年和 300 万吨 / 年，在辽东半岛设立海上 LNG 进口战略储备基地。

4. 推进境内油气资源开发

大力实施精细勘探、效益勘探和战略勘探，加大重点区域油气资源勘查，努力增加资源储量。搞好老油气田调整和新油气田开发，重点围绕海拉尔盆地、二连盆地、大庆油田、松原油田、松辽盆地、伊通盆地，推进石油、天然气、页岩油、页岩气开采和综合利用，实现原油稳产、天然气增产；力争东北本地原油产量达到 4000 万吨 / 年。

实施原油精准开发，加大外围油田难采储量和复杂区块油气开采力度。辽宁重点推动辽河油田开发，原油产量达 1000 万吨 / 年。黑龙江适当压减石油开采量，减缓大庆油田产量下降速度，原油产量达 2500 万吨 / 年。吉林以吉林油田为主体，延缓老油气田递减，重点推动大情字井、大安、扶新、长岭等油田开发，推进汪清、桦甸、农安等油页岩综合开发利用，原油产量达 300 万吨 / 年。内蒙古稳定海拉尔油田、二连浩特油田、科尔沁油田产能，原油产量达 100 万吨 / 年。

5. 巩固煤炭开发，开发新能源

根据各地煤炭资源的禀赋与品质，以巩固自给能力为主，合理开发煤炭资源。稳步推进煤田地质勘探，加强资源枯竭型矿山深部及外围找矿，增加煤炭资源储备。蒙东地区加大开发强度，依托赤峰、兴安、呼伦贝尔、通辽、锡林郭勒，深度开发大煤田，建设一批亿吨级和五千万吨级大型煤炭基地。辽宁省和吉林省逐步削减煤炭产量，黑龙江省重点推动鸡西、鹤岗、双鸭山、七台河等地区的煤炭开采。加大与俄罗斯、蒙古国的煤炭资源开发与进口。

东北地区坚持煤炭就地转化理念，立足水煤组合优势，实施“煤头电尾”，优化发展煤电产业，科学发展热电联产，鼓励建设超超临界燃煤发电机组，大力发展优化型百万千瓦级火电机组。重点建设呼伦贝、赤峰白音华、霍林河、双鸭山、鸡西、鹤岗等煤电基地。完善骨干电网，加强外输通道建设。

积极发展风能、光伏等新能源开发，妥善解决弃风弃光伏电，建设大容量外送通道。东北地区有着丰富的风能资源，结合“北电南送”战略，坚持“建设大风场，融入大电网”，有序开发风电资源，建设一批百万千瓦级大型风电基地。内蒙古重点发展锡林郭勒、赤峰、通辽、呼伦贝尔等千万级风电基地，黑龙江省重点发展哈尔滨、佳木斯、牡丹江、伊春等风电基地，辽宁省重点发展阜新、沈阳、铁岭等风电基地，吉林省重点发展白城、松原风电基地，尤其是白城打造成为400万千瓦风电基地。在资源条件较好、具备大规模接入和本地消纳能力的地区，有序建设光伏发电基地，集中打造锡林郭勒、通辽、赤峰、白城、松原、齐齐哈尔、大庆、绥化光伏发电基地，合理开发大连、长山群岛、朝阳市、四平市等太能发电基地。

第三节　粮食安全

一、中国粮食安全

1. 概念辨析

“国以民为本，民以食为天”，民为国基，谷为民命。粮食既是关系国计民生和国家经济安全的重要战略物资，也是国民最基本的生活资料，粮食安全事关国家安全，粮食事关国运民生。粮食安全是国家安全的重要基础。

粮食安全是人类目前的基本生活权利，主要是指保证任何人在任何时候均能买到又能买得起为维持生存和健康所必需的足够食品，与社会的和谐、政治的稳定、经济的持续发展息息相关。该概念强调了几个方面：确保生产足够数量的粮食；最大限度地稳定粮食供应；确保所有需要粮食的人都能获得粮食（李春顶和谢慧敏，2020）。

2. 中国粮食安全脆弱性

中国是粮食生产大国和人口大国，粮食安全问题处于危机的阴影之下。1991～2015年，中国粮食安全脆弱性不断降低，粮食安全系统的稳定性不断增强，保障国家粮食安全的能力大幅度提升。如图2-3所示，1991～1999年，粮食安全脆弱性指数从 2.524 快速下降到 –0.185，年均下降 0.339；2000 ～ 2003 年，安全脆弱性指数值由 0.03 上升到 0.371；2004 ～ 2015 年，安全脆弱性指数从 0.211 持续下降到 –1.558，年均下降 0.161。与第一阶段相比，第二阶段的粮食安全脆弱性下降是建立在由“吃饱”向“吃好”状态转变的粮食安全保障能力基础上的。

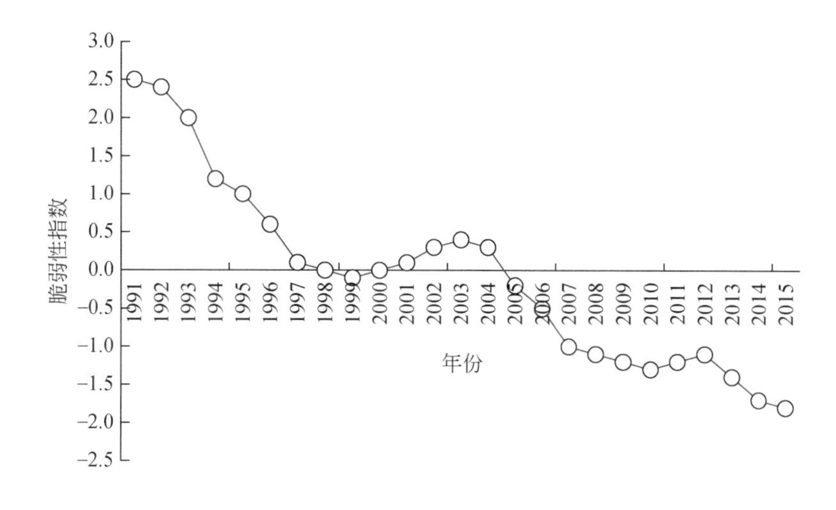

图 2-3　1991 ～ 2015 年中国粮食安全脆弱性

资料来源：姚成胜等（2019）

21 世纪以来，除了 2008 年和 2009 年中国粮食的产量大于需求外，其余年份均是产不足需，且缺口呈日益增大的趋势。这促使中国粮食进口量日益增加，对国际市场的依赖程度逐年增加。2018 年，中国谷物进口量达到 2046.9 万吨，大豆进口量为 8803 万吨，合计为 1.08 亿吨。

人口增长和社会发展导致粮食的刚性需求进一步扩大。2050 年中国人口总量将达到 15 亿人，对谷物和肉食的需求分别为 7.8 亿吨和 1.2 亿吨。城镇化率每增加 1 个百分点，全国粮食需求增加 50 亿千克，而中国城镇化率在 2030 年将达 70%，有 1 亿多人口需要从农村转移到城镇，每个农民由农产品的生产者变成纯粹的消费者带来的粮食直接和间接消费增加量为 40 ～ 50 千克。因此，未来一段时间，中国粮食消费量的增长仍然是趋势。

当前中国粮食生产依然面临着生产资源减少、水资源减少、粮食供需结构性不匹配、环境污染、自然灾害增多、劳动力外流等诸多挑战，粮食安全仍面临较大的压力（姚成胜等，2019）。

受气候变化的影响，气温升高将加剧中国北方地区的水资源短缺，特别是北方干旱和半干旱地区更为严重，干旱促使农作物生长缓慢或甚至停止，造成歉收或绝收。如果夜间温度升高 1 摄氏度，水稻将减产 10%。农业用水占水资源总量的比例不断下降，水质污染等问题日益突出，粮食可持续生产能力大为下降，为粮食安全埋下了长期隐患。

持续推进的工业化、城镇化占用了大量耕地资源，耕地质量也日益下降，而且后备资源有限。2018 年美国人均耕地面积为 1.23 公顷，而中国仅为 0.1 公顷，仅为美国的 7.88%。1992 ～ 2015 年中国城镇扩张占用优质高产的耕地达 3.31×10^4 平方公里，约占城市扩张总面积的 54.7%；1992 ～ 2015 年城镇扩张导致农田净初级生产量下降 1.88%，相当于粮食总产量下降 1245 万吨，粮食自给率下降 2%。

居民收入水平不断提高，促使人们由以粮食为主的植物性食物消费模式向以动物性食物为主的多元化模式转变，粮食作物供给结构变化，供求缺口拉大，加重了中国粮食生产资源压力，冲击中国粮食安全态势。

农业生态环境恶化，灾害频繁发生，威胁日益严重，但农田水利设施落后，防灾减灾效果减弱。2018 年，因低温雨雪、台风和干旱等自然灾害，农作物受灾面积 2067 万 hm^2，其中绝收 258.5 万 hm^2。

大量农业青壮年劳动力流向城市和非农产业，使农业劳动力呈现出妇女化、老弱化特征，对粮食生产产生了较大威胁。

3. 中国粮食安全策略

随着国际形势变化与中国发展阶段的变化，中国粮食安全策略也逐步进行调整。一米一饭关乎国家安危、人民幸福。中国是世界人口最多的发展中国家，其粮食安全状况的任何变化不仅影响本身，也具有广泛的世界效应，粮食安全不仅是中国的民生大问题，也是国家社会稳定的基石。中国人的饭碗要端在自己手里，14 亿人不仅吃得饱，还能吃得好。党和国家领导人高度重视粮食安全问题，在不同场合多次强调。

2013 年 7 月，习近平总书记强调粮食安全要靠自己。

2013 年 11 月，习近平表示：手中有粮，心中不慌。保障粮食安全对中国来说是永恒的课题，任何时候都不能放松。

2013 年 12 月，习近平在中央农村工作会议上强调“我国十三亿多张嘴要吃饭，不吃饭就不能生存，悠悠万事、吃饭为大。”指出“立足国内基本解决中国人民吃饭问题，是由我们的基本国情决定的，也是我们一一贯之的大政方针。一个国家只有立足粮食基本自给，才能掌握粮食安全主动权，进而才能掌控经济社会发展这个大局。靠别人解决吃饭问题是靠不住的。如果口粮依赖进口，我们就会被别人牵着鼻子走。”

2014 年 5 月，习近平总书记指出粮食安全、“三农”工作是一切工作的重要之基。

2016 年 5 月，习近平在黑龙江考察时指出：粮食安全是国家安全的重要基础。

2018 年 4 月，习近平强调十几亿人口要吃饭，这是我国最大的国情。

2018 年 9 月，习近平指出“中国人要把饭碗端在自己手里，而且要装自己的粮食”“中国粮食，中国饭碗”。

党的十八大以来，粮食安全成为治国理政的头等大事，提出了“确保谷物基本自给、口粮绝对安全”的新粮食安全观，确立了以我为主、立足国内、确保产能、适度进口、科技支撑的国家粮食安全战略。中国坚持立足国内保障粮食基本自给的方针，实行最严格的耕地保护制度，实施“藏粮于地、藏粮于技”战略（余秀生，2020）。

二、东北地区的粮食生产优势

1.粮食生产优势

在全国农业发展战略格局中，东北地区发展农业与粮食生产有着特殊的资源优势：①耕地广大。东北地区沃野千里，有着辽阔的土地资源，是全国人均耕地面积最大的地区，也是全国人少地多的地区。耕地主要集中分布于松嫩平原、辽河平原和三江平原。②土壤肥沃。东北平原的土壤是有机质含量很高的黑土、黑钙土，生产力较高。松嫩平原的东部和北部、三江平原西部是黑土的主要分布区，松嫩平原中西部是黑钙土的主要分布区。③适于机械化耕作。东北地区地势平坦，耕地集中连片，适于机械化作业。东北地区粮食生产的机械化水平较高，仅黑龙江垦区就拥有大中型拖拉机2万多台，联合收割机7000多台，播种和大部分田间收割基本上实现了大型机械化生产。④自然条件优越。温带季风气候，夏季高温多雨，雨热同期，有利于作物生长。纬度高，气温低，病虫害少。灌溉水源充足，春季积雪融水，有利于植物春季复苏增加。

2.粮食生产现状

东北地区的传统种植业主要集中在东北三省。从农作物总播种面积来看，东北三省呈现增长的趋势，从2003年的18 239千公顷增长到2017年的25 026公顷，增长了37.2%。农作物播种面积占全国的比例也呈现增长的态势，从2003年的11.97%持续增长到2007年的13.39%，2007～2016年保持平稳状态，2017年迅速增长到15.05%，2003～2017年增长了3.08个百分点。粮食作物是最为重要的农作物，其播种面积呈现总体增长的态势，从2003年的14 871千公顷增长到2017年的23 166千公顷，增长了55.8%。粮食作物主要包括稻谷类、豆类和薯类，谷物类农作物主要包括水稻类、小麦类、玉米、高粱、谷子等农作物。2003～2017年，谷物类作物播种面积从9436千公顷增长到18451千公顷，增长了95.5%；稻谷类农作物播种面积从2332千公顷增长到5261千公顷，增长了1.26倍，占全国的比例也从8.8%增长到17.1%，增长了8.6个百分点。

东北地区的农业发展趋势良好，粮食生产地位突出，为全国粮食安全做出了突出贡献。东北地区是中国重要的商品粮和农牧业生产基地，也是农业资源禀赋最好、粮食增产潜力最大的地区。东北地区振兴战略实施以来，粮食产量除了2009年、2014年和2016年等个别年份出现小幅回落外，其他年份不断增长。2017年，辽宁、吉林、黑龙江三省粮食产量达到1187.5亿千克，约占全国粮食总产量的19.2%。

三、东北地区粮食生产路径

1. 坚持做好战略定位

根据《全国主体功能区规划》，全国各地发挥其比较优势，重点构建“七区二十三带”

为主体的农产品主产区和农业战略格局，这是确保中国粮食安全和食物安全的大局与空间总体设计。其中，东北平原是农产品主产区，要发挥“大粮仓”和“粮食市场稳压器”的作用，把保障粮食安全放在突出位置，毫不放松抓好粮食生产，建设优质水稻、专用玉米、大豆和畜产品产业带，加快转变农业发展方式。东北地区的核心功能是保障农产品供给安全的区域，是农村居民安居乐业的美好家园，是社会主义新农村建设的示范区。重点任务是着力保护耕地，推进连片标准粮田和农田水利设施建设，改善农业生产条件，优化农业生产布局和品种结构，稳定粮食生产，形成优势突出和特色鲜明的产业带，增强农业综合生产能力，增加农民收入，加快建设社会主义新农村，保障农产品供给，确保国家粮食安全和食物安全。

2. 壮大优质粮食生产基地

坚持将粮食基地的建设置于首要的地位。东北地区要重点建设好农产品主产区，积极支持其他农业地区和其他优势特色产品的发展，巩固和保持国家优质商品粮生产基地的战略地位，确保东北地区在全国粮食安全体系中的供应安全。

加大三江平原、松嫩平原、辽河平原等粮食主产区的建设力度，粮食综合生产能力稳定在 1 亿吨以上。

建设以优质粳稻为主的水稻产业带，以籽粒与青贮兼用型玉米为主的专用玉米产业带，以高油大豆为主的大豆产业带，以肉牛、奶牛、生猪为主的畜产品产业带，同时建设小麦带、油菜产业带和马铃薯带。

适度调减玉米、大豆等作物种植面积，重点发展优质水稻、优质专用玉米、专用大豆。玉米种植以松嫩平原为重点，覆盖辽河平原北部及三江平原南部，提高玉米单产水平和产品质量。

优质粳稻种植以三江平原为重点，覆盖辽河平原及松嫩平原中部，并在其他水土资源条件较好的地区适当发展水稻种植。

合理扩大高淀粉马铃薯种植，推进脱毒种薯、加工专用薯和鲜食商品薯“三薯”协调发展，推进马铃薯主食化。

稳定高油大豆生产，扩大高蛋白大豆等品种种植面积，建设优质大豆生产加工基地。

以长白山地区、辽西北丘陵山地、大兴安岭丘陵山地为主，积极发展特色农业和精品农业，建设杂粮杂豆、瓜果生产基地。

3. 加强粮食仓储物流能力建设

东北粮食生产具有全国意义，东北地区是中国粮食产量、商品量、调出量最大的地区，粮食安全必须将种植、加工、贸易和流动等环节融为一体。东北粮食安全能力建设必须将粮食仓储和物流能力纳入其中，重点加强粮食仓储、保管、市场交易和对外调运通道等方面的建设，减少“地趴粮”式储粮和“憋粮”现象。以此，保障东北粮食在全国调拨格局中的畅通。

东北地区应优化粮食仓储设施布局，探索建立政府储备和社会储备相结合的分梯级粮食储备新机制，继续完善建设标准化仓储设施和一批散粮物流设施，支持地方储备粮承储粮库建设，支持国有粮食企业和龙头企业仓储设施建设和承储国家政策性粮食。

完善各仓储基地的配套设施与辅助设施，采用先进成熟的仓储新技术、新工艺、新设备，全面提高粮食收储仓储设施的机械化、自动化、信息化水平，增强粮食仓储设施与收储、接收发运、烘干、量测等能力。

增强东北粮食交易功能，继续完善沈阳、哈尔滨、长春、通辽等国家粮食交易中心功能，在大连商品交易所推出东北优势农产品期货新品种，提高东北地区在全国粮食交易市场的地位。

加快粮食流通体系建设，畅通“北粮南运”，重点加强运粮通道及物流基础设施建设。在粮食产量、调储量的地区推进大型粮食收储点和战略装车点建设，打通粮食主产区的运输瓶颈制约；优化大型粮食物流园区布局，推进散粮“入关”铁路直达，提高散粮铁水联运比例。要巩固大连北良港“北粮南运”的枢纽地位，积极扩大丹东、盘锦等新的下水港。

东北粮食外运重点采用铁水联运和铁路直运两种模式，采用铁路、公路至辽宁港装船下海，经水路运往东南沿海，并与京津、陇海等粮食陆形成铁路运输通道，努力构建“东中西”三条粮食外运大通道。中路以哈大铁路连接大连、营口港；东路以东北东部铁路连接丹东港；西路是将蒙东、辽西等地的粮食通过铁路和公路运入锦州港、盘锦港。

4. 完善农业支撑体系建设

加强粮食生产服务与支撑系统的建设，切实保障农业生产，支撑粮食安全能力。重点从技术创新、农机装备、质量安全、黑土地保护与农民积极性等方面加强建设与发展。

通过技术创新与应用提高生产力是东北粮食安全的重要突破口。实施“藏粮于技”战略，引导扶持高校、科研院所与龙头企业建立紧密联结型科技创新联合体，在化肥农药除草剂减量高效利用、机收脱粒玉米和适口性好的优质粳稻等主要农作物新品种选育、绿色食品营养品质、粮食收储快速检测技术等领域加强科技研发与应用。加强省、市、县、乡四级农产品质检中心（站）建设。

优化农机装备结构，加强玉米收获、水稻插秧、深松作业等薄弱环节，推广大马力、高性能、节能环保和复式作业机械，尤其是松嫩平原、三江平原等地区，重点装备深耕(松)整地、水稻插秧、玉米收获等大型配套农机具，推进农业生产全过程、多领域机械化，2025 年东北田间作业综合机械化程度达到 95%。

突出抓好家庭农场和农民合作社两类农业经营主体发展，推进适度规模经营，鼓励各地因地制宜探索不同的专业合作社模式，发展壮大新型集体经济。

保障粮食安全的根本在耕地。严守耕地保护红线，从严管控各项建设占用耕地特别是优质耕地，全面落实永久基本农田特殊保护制度，夯实粮食生产基础。建设高标准农田，改造中低产田。以典型黑土农区为重点，兼顾广义黑土农耕区，推广黑土地保护性耕作技术应用，采取秸秆还田、增施有机肥及生物肥、轮作休耕等措施进行综合治理，培肥地力。重点推动松花江中下游土地整治、尼尔基库区下游高效节水农业土地整治、三江平原灌区土地整治。开展休耕轮作试点（叶兴庆，2020）。

加强粮食质量建设。持续控制化肥、农药施用量，消除面源污染。实施农业品牌提升行动，聚焦品牌宣传推介、“三品一标”建设、产地追溯、农畜产品加工业提升和绿色农畜产品输出，培育一批绿色农产品区域公用品牌，壮大叫响东北知名品牌。以此，切实保障粮食质量安全。

调动粮食种植积极性。国家和东北地区应注重种粮农民收益保障，调整完善粮食价格形成机制和农业支持保护政策，通过实施耕地地力保护补贴和农机具购置补贴等措施，保障种粮基本收益。完善农村基本经营制度，调动农民种粮积极性。培育新型农业经营主体和社会化服务组织，促进适度规模经营，把小农户引入现代农业发展轨道。

第四节　生态安全

一、生态安全概念

1. 概念辨析

随着人口的增长和社会经济的发展，人类活动对生态环境的破坏不断加剧，生态系统面临的压力不断增大，人地矛盾加剧。尽管各国在生态环境建设上已取得巨大成就，但未根本扭转生态环境逆向演化的趋势，许多危及人类本身安全的生态问题不断发生（国家发改委宏观经济研究院“宏观经济政策动态跟踪”课题组和丁丁，2007）。随着生态危机的加深，生态环境直接关系到国家主权、公民的生存权和社会的稳定，生态安全成为国家安全和区域安全的重要组成部分。“生态安全”的概念最早于 1977 年由美国莱斯特 • R. 布朗提出。1987 年，世界环境与发展委员会正式使用“环境安全”的用语。1996 年，美国国务卿克里斯托弗提出把“环境纳入国家安全”，此后，美国、日本、欧盟、加拿大、俄罗斯等国家和组织都将环境安全列入国家安全战略的主要目标（李辉等，2008）。

生态安全在狭义上是指自然和半自然生态系统的安全，指生态系统的完整性和健康的整体水平，尤其是指生存和发展的不良风险最小以及不受威胁的状态。广义的生态安全是指人类的生产、生活、健康、安乐、基本权利、必要资源、社会秩序、人类适应环境变化的能力不受生态破坏与环境污染等影响的保障程度，包括饮用水与食物安全、空气质量与绿色环境等基本要素。生态安全可以定义为人与自然这一整体免受不利因素危害的存在状态及其保障条件，并使得系统的脆弱性不断得到改善（国家发改委宏观经济研究院“宏观经济政策动态跟踪”课题组和丁丁，2007）。

生态安全是人类生存环境或人类生态条件的一种状态，是一种必备的生态条件和生态状态。健康的生态系统是稳定的和可持续的，在时间上能够维持其组织结构和自治，以及保持对胁迫的恢复力。健康的国家和地区必须防止因生态环境退化而对经济发展的环境基础构成威胁，主要指环境质量状况低劣和自然资源的减少削弱了经济可持续发展的环境支撑能力。生态安全涉及国土资源安全、水资源安全、大气资源安全和生物物种安全，影响政治安全、经济安全和国际安全（国家发改委宏观经济研究院“宏观经济政策动态跟踪”课题组和丁丁，2007）。

2.国家要求与行动

2000年，国务院发布的《全国生态环境保护纲要》明确提出了“改善生态环境质量”和“维护国家生态环境安全”的目标。2004年，《中华人民共和国固体废物污染环境防治法》规定：“为了防治固体废物污染环境，保障人体健康，维护生态安全，促进经济社会可持续发展”，将维护生态安全作为立法宗旨写进了国家法律，使其作为法律的概念得以确立。

2013年，习近平总书记指出：“我国雾霾天气、一些地区饮水安全和土壤重金属含量过高等严重污染问题集中暴露，社会反映强烈。经过三十多年快速发展积累下来的环境问题进入了高强度频发阶段。这既是重大经济问题，也是重大社会和政治问题。”2014年，习近平总书记强调，贯彻落实总体国家安全观，必须既重视外部安全，又重视内部安全，对内求发展、求变革、求稳定、建设平安中国，对外求和平、求合作、求共赢、建设和谐世界；既重视国土安全，又重视国民安全，坚持以民为本、以人为才，坚持国家安全一切为了人民、一切依靠人民，真正夯实国家安全的群众基础；既重视传统安全，又重视非传统安全，构建集政治安全、国土安全、军事安全、经济安全、文化安全、社会安全、科技安全、信息安全、生态安全、资源安全、核安全等于一体的国家安全体系。

2017年，十九大报告指出“坚定走生产发展、生活富裕、生态良好的文明发展道路，建设美丽中国，为人民创造良好生产生活环境，为全球生态安全作出贡献”。从维护生态安全的角度提出了实施绿色发展、治理环境污染、保护生态系统等举措，把“坚持人与自然和谐共生”作为新时代坚持和发展中国特色社会主义的基本方略之一，将建设生态文明作为关系人民福祉和关乎中华民族永续发展的千年大计，强调推动形成人与自然和谐发展现代化建设新格局，为中国生态安全建设指明了方向。

二、东北地区生态优势

东北地区有着显著的生态环境优势，有着得天独厚的森林、草原和湿地等自然生态系统，为东北地区和中国甚至东北亚生态安全提供了基本保障条件，在中国生态安全格局中占据着重要地位。

东北地区有丰富的森林资源，是中国重要的森林基地。大兴安岭、小兴安岭和长白山是中国最大的森林区，一般称为东北林区。耐寒的针叶树种相对最多，是中国唯一的大面积落叶松林地区，主要的树种有红松、兴安落叶松、黄花松等，也有属于阔叶树的白桦、水曲柳等。东北林区共有森林面积6.8亿亩，占全国森林面积总量的37%，木材蓄积量达32亿立方米，占全国木材总蓄积量的1/3。森林涵养的水源成为东北众多城市生产生活的生命线。

草原资源广阔优质，有大片的林草地。东北地区分布有大面积的草原，并是远东大草原的重要组成部分。天然草场主要分布在西部的锡林郭勒草原、呼伦贝尔草原、科尔沁草原，植物种类多，野生牧草达 400 余种。其中，呼伦贝尔草原是世界著名的天然牧场，总面积约 10 万平方公里，天然草场面积占 80%，是世界著名的三大草原之一。科尔沁草原面积约 4.23 万平方公里，锡林郭勒草原面积约为 17.96 万平方公里，优良牧草占 50%，覆盖了草甸草原、典型草原、荒漠草原、沙地植被和其他草场类。

河流数量众多，水系较多。东北地区大致分为松花江流域和辽河流域两个一级区，主要有黑龙江、乌苏里江、松花江、东辽河、西辽河、鸭绿江、图们江等河流，拥有兴凯湖、呼伦湖、月亮泡、查干湖及镜泊湖、五大连池等湖泊。东北地区水量比较丰富，多数河流存在两个汛期，但汛期较短。东北地区分布有大量的湿地资源，有 50 多个湿地自然保护区，多为森林沼泽泥炭湿地和草原沼泽泥炭湿地，2013 年东北地区湿地面积为 104 128.8 平方公里，天然湿地占湿地总面积的 92.2%（表 2-4）。

表 2-4 东北地区天然湿地和人工湿地面积 （单位：平方公里）

湿地类型		1990 年	2000 年	2013 年
天然湿地	沼泽湿地	93 997.4	82 287.1	77 906
	湖泊	8 279.5	8 242.4	6 944
	河流	9 802.3	9 508.5	11 160.8
人工湿地	水库 / 坑塘	5 180.8	5 307	7 665.3
	运河水库	271.3	351.1	452.7

三、东北地区生态问题

当前，东北地区生态环境仍存在不少的问题，仍面临着生态安全失衡的现象，局部地区生态安全问题突出。具体表现在湿地面积萎缩、原始森林过度损坏、土地退化等方面。

原生态森林过度损坏。在东北地区仍存在对原生态森林肆意毁坏、过度伐木及忽略育苗种树等问题，导致原生态森林存在破坏。兴安盟森林资源调查显示，近熟林、成熟林、过熟林面积仅为有林地面积的 6%，可采伐利用的森林资源接近枯竭；有林地平均每公顷蓄积不足 50 立方米。

过度放牧导致草原退化。在东北地区，有大量的天然草场、原生草甸及人工草甸。越来越多的养殖户的出现导致肆意放牧问题的加剧，加大了草原载畜量的负荷，出现牧草过度啃食而降低其生长速度。草原呈现出草原功能退化，植被高度“矮草化”；草原演替逆向化，植被组成“杂草化”等退化特征。目前，白城草原超载量达 50%，而退化面积已占可利用草原的 42%。

湿地面积萎缩，水污染严重。在长期发展过程中，有些河流已成为季节河或干枯，许多水库和湿地缺少足够的水源补给，泡沼数量与水量锐减，湿地面积逐渐萎缩。三江平原经过近 50 年的开发利用，湿地面积由新中国成立初的 443 万公顷，减少到 151 万公顷（衣保中，2014）。湿地萎缩导致区域性生态环境的恶化和涝旱灾害频繁发生，

1970 ～ 1990 年旱涝灾害发生的频率分别增长了 10 个百分点和 14 个百分点。东北西部地区为水资源匮乏地区，草原荒漠化严重，限制了工农业生产。其中，松辽流域人均水资源量 1500 立方米左右，仅占全国人均水资源量（2220 立方米）的 2/3。

土地沙漠化与盐碱化加重。荒漠化每年仍以较快的速度递增，2008 年曾达 1.4%，危及东北中部的商品粮基地生态安全。锡林郭勒草原、呼伦贝尔草原、科尔沁草原和松嫩平原存在不同程度的土地沙化，形成了著名的科尔沁沙地、呼伦贝尔沙地、乌珠穆沁沙地、浑善达克沙地，2017 年科尔沁草原的退化速度达 1.2%，东北西部沙漠化土地达 7.8 万平方公里，占土地总面积的 9.7%。天然草场和农牧交错带仍有大面积的土壤盐渍化，主要分布在松嫩平原，面积达 3.7 万平方公里，占土地面积的 4.6%，仍每年以 1.4% ～ 2.5% 的速度在推进。

四、生态安全建设路径

1. 加强重大生态功能区建设

在全国“两屏三带”为主体的生态安全战略格局中，东北地区有着重要的地位，尤其是在森林、草原、湿地等生态安全格局中具有重要作用。

东北地区需要构建以森林带、草原区及大江大河重要水系为骨架，以广泛分布的农田为主体，以禁止开发区域为重要组成部分的生态安全战略格局，为东北地区甚至东北亚地区提供清新的空气、清洁的水源等生态产品。森林带要重点保护好森林资源和生物多样性，发挥东北平原生态安全屏障的作用；防沙带要重点加强防护林建设、草原保护和防风固沙，对暂不具备治理条件的沙化土地实行封禁保护，发挥“三北”地区生态安全屏障的作用。以生物多样性丰富区、水源涵养区、防风治沙区和资源开发区等为重点，推动重大生态功能区建设，加强生态环境保护和管理。重点建设大小兴安岭和长白山森林生态功能区、呼伦贝尔草原草甸生态功能区和科尔沁草原生态功能区、浑善达克沙漠化防治生态功能区、三江平原湿地生态功能区，确定重点生态功能区边界（表 2-5）。

表 2-5　重点生态功能区的特殊类型县市分布

重点生态功能区	面积 / 平方公里	人口 / 万人
大小兴安岭森林生态功能区	346 997	711.7
长白山森林生态功能区	111 857	637.3
呼伦贝尔草原草甸生态功能区	45 546	7.6
科尔沁草原生态功能区	111 202	385.2
浑善达克沙漠化防治生态功能区	168 048	288.1
三江平原湿地生态功能区	47 727	142.2

大小兴安岭森林生态功能区：森林覆盖率高，具有完整的寒温带森林生态系统，是松嫩平原和呼伦贝尔草原的生态屏障。该生态功能区以水源涵养为主，加强天然林保护和植被恢复，植树造林，涵养水源，保护野生动物。

长白山森林生态功能区：拥有温带最完整的山地垂直生态系统，是大量珍稀物种资源的生物基因库。该生态功能区以水源涵养为主，禁止非保护性采伐，植树造林，涵养水源，防止水土流失，保护生物多样性。

呼伦贝尔草原草甸生态功能区：以草原草甸为主，产草量高，土壤质地粗疏，多大风天气，草原生态系统脆弱。该生态功能区以防风固沙为主，禁止过度开垦、不适当樵采和超载过牧，退牧还草，防治草场退化沙化。

科尔沁草原生态功能区：气候干燥，多大风天气，草场退化、盐渍化严重，为中国北方沙尘暴的主要沙源地。该生态功能区以防风固沙为主，根据沙化程度采取针对性强的治理措施，对沙化严重地区实施禁牧，限制农业生产活动。

浑善达克沙漠化防治生态功能区：以固定、半固定沙丘为主，干旱频发，多大风天气，是北京乃至华北地区沙尘的主要来源地。该生态功能区以防风固沙为主，采取植物和工程措施，加强综合治理。

三江平原湿地生态功能区：原始湿地面积大，湿地生态系统类型多样，在蓄洪防洪抗旱、调节局部地区气候、维护生物多样性等方面具有重要作用。该生态功能区重点以生物多样性维护为主，控制农业开发和城市建设强度，改善湿地环境。

2. 严守生态保护红线

严守生态红线，将各类开发活动限制在资源环境承载能力之内。以水源涵养、防风固沙、生态服务功能、生态敏感区域保护、生物多样性保护和脆弱区保护为目标，严格划定森林、湿地、基本草原、耕地等领域生态红线，包括各类自然保护区、森林公园、风景名胜区、文化自然遗产和地质公园、重要水源地及其他需要特殊保护的地区，保护自然资源与珍稀动植物基因资源。在禁止开发区域内，要强化管控强制措施，优化自然保护地网络，严格控制人为因素对自然生态原真性、完整性的干扰，有效保护珍稀、濒危并具代表性的动植物物种及生态系统。对红线范围内与禁止开发区域核心区的人口逐步有序转移。将重要河湖、湿地、草原生态系统及水生生物、小种群物种的保护空缺作为重点，新建一批国际级和省级自然保护区，推动既有的省级自然保护区提级晋档。

3. 推进山地森林保护，确保远东水塔安全

丘陵山地与森林是东北地区最为重要的生态系统，也是东北地区在全国具有战略意义的生态功能。东北地区需要统筹山地丘陵与森林，坚持资源保护与退化治理共同推进，加强森林生态系统建设，提高森林生态安全与水源涵养能力，确保远东水塔安全。

以天然林工程、森林公园和自然保护区等方式，以大兴安岭、小兴安岭、长白山为主，加大森林生态系统的保护和恢复，加强森林抚育与保护，完善天然林保护制度，

保护森林生态系统。积极研究设立大小兴安岭和长白山生态安全特区。

加强大小兴安岭、长白山、辽东、辽西北等丘陵山地的水土流失治理，提高森林草地覆盖度，增强水源涵养能力，尤其是保护好各重要河流的水源地，确保东北地区甚至东北亚的水塔安全。

在大兴安岭林区、小兴安岭林区、长白山林区加强寒温带针叶林和温带针阔混交林保护。科学开展分类经营，严格执行限额采伐，全面停止天然林商业性采伐，对公益林只进行抚育采伐、低效林改造采伐和更新采伐。对商品林只进行人工林采伐，增加天然林抚育采伐和低产林改造采伐。

开展国土绿化行动，充分利用宜林荒山荒坡、退耕还林地及非林业用地中规划的造林地造林，重点在大兴安岭岭南麓山地和低山丘陵、大兴安岭林区、小兴安岭林区、长白山林区、国境线、牧区山地草原边缘，营造水土保持林、水源涵养林、防风固沙林、护堤护岸林、草牧场防护林、农田防护林，扩大有林地面积。

对森林火灾进行综合防范，建设较为完善的预防、扑救、保障三大体系，及时更新消防装备，推广远程灭火装备，大幅提高消防装备水平。

4. 全力推进草原保护利用

草原是东北地区的重要生态系统，而且与蒙古国草原连为一体，是蒙古大草原和远东草原生态系统的重要部分。东北地区要将生态和生产相结合，坚持保护与修复并重，转变草原生产方式，加强草原生态安全建设。

继续坚持用养结合和草畜平衡的原则，保护和合理利用草场资源，严格执行基本草原保护、草畜平衡和禁牧休牧轮牧制度，推动草原生产方式转变，建立和完善草原生态文明制度。

加强退化草原的治理，重点围绕科尔沁沙地、浑善达克沙地、乌珠穆沁沙地、呼伦贝尔沙地等地区，继续实施退牧还草，扭转草原退化趋势，努力恢复草地生态系统服务功能，建设北方生态安全屏障。

继续推进退牧还草，实施新一轮草原生态保护补助奖励政策，对严重退化草原、中度和重度沙化草原实行禁牧补助，针对沙化、荒漠化、盐碱化、严重退化等不同类型的草原实施重点治理。

重点加强呼伦贝尔草原、科尔沁草原、锡林郭勒草原保护和建设，积极探索建立国家草原公园。

加强草原地区的冰雪、冻害、干旱、火灾、病虫鼠害、野生动物疫病等自然灾害和由此引起的次生灾害的综合防范能力，提高防灾减灾能力。

5. 加强河流湖泊湿地保护

东北地区有大量的河流和大面积的湖泊湿地、海洋，形成了以水为主题的独特生态系统，而且黑龙江、鸭绿江、乌苏里江、额尔古纳河等是重要界河，其生态系统具有国际意义。这需要加强以水为主题的生态保护，保证水资源安全、水生态安全。

加强重要河流的保护与污染治理。重点围绕松花江、嫩江、黑龙江、乌苏里江、辽河、大凌河、小凌河、鸭绿江等河流，加强沿江沿河污染治理，保证水质。

加强重要河流的防洪体系建设，推动重要河段的堤防与蓄滞洪区建设，提高防洪标准，提高应对重大洪水的能力，确保流域安全。

围绕草原、森林和平原地区，加强湿地生态系统保护、恢复与建设，完善湿地保护体系，强化湿地利用监管，推进退化湿地修复，建立健全湿地保护管理机制，遏制湿地生态系统退化趋势。

加强湿地自然保护区、湿地保护小区和湿地公园建设，争取新建一批国家级和省级湿地保护区、湿地公园，扩大保护范围，自然湿地保护率高于70%。

实施渤海、黄海海域海洋生态红线制度，将重要、敏感、脆弱等海洋生态系统纳入海洋生态红线区管控范围并实施强制保护和严格管控，加强辽河口、大连湾、复州湾、普兰店湾、锦州湾近岸海域污染治理。

6. 继续实施退化土地治理

生态退化是东北地区长期存在的重要问题。针对问题型生态区域，坚持“治理”的理念，加强已退化土地的生态修复与建设，推动沙化土地、盐渍化土地、退化土地的生态恢复，遏制土地退化的进一步扩展，提高东北地区的生态安全能力。

针对松辽平原、呼伦贝尔草原等地区，推动盐碱地综合治理，采取灌排洗盐洗碱等“水改”方式等工程措施和松土种植苜蓿草等抗逆作物的“旱改”方式，结合有机肥投入、秸秆还田等生物措施，提高土壤有机质含量，建设高标准基本农田。

围绕加快宜林荒沙、沙化草原和沙化耕地，推进科尔沁、呼伦贝尔、乌珠穆沁、浑善达克、乌拉盖等沙地综合治理，建立沙地生态系统以自然恢复为主的修复机制。

聚焦大小兴安岭和长白山、辽西北丘陵山地，围绕坡耕地、侵蚀沟、东北黑土区、西部风沙区等水土流失严重的区域，加大小流域综合治理力度。

以典型黑土农区为重点，兼顾广义黑土农耕区，采取各类措施开展综合治理，培肥地力，开展休耕轮作试点，实现黑土地合理持续开发利用。

第五节　国防安全

一、国防安全概念辨析

1. 国防安全

国无防不立，民无防不安。一个国家最重要的事情是发展问题和安全问题，后者关系到国家和民族生死存亡。国防安全是国家安全的重要组成部分，有核心地位，具体是指国家防务处于没有风险的客观状态，没有外来侵略和颠覆，不需要进行军事及各方面斗争的客观状态。国防安全是一国安全的基本保证，也是维护一国国际地位的重要依托。

边境是国家防御的前沿阵地，在国家的发展稳定大局中具有重要战略地位。边境既是国家陆地疆域之边缘，也是国家地缘战略的前沿阵地，向内支撑和拱卫着国家核心区的发展，向外则是国家走向外部世界的始端，是各种安全问题汇聚交织的复杂区域和敏感地带。边境安全是国家的边境地区不受侵扰、威胁或危害的状态，与领土安全、边界安全、主权安全等国家疆域安全中最为重要的内容息息相关。边境安全问题在对国家疆域安全造成直接或间接影响的同时，也会从根本上给国家发展带来巨大影响。边境地区的稳定不仅指边境地区的政治稳定、社会秩序稳定，还指边境地区的民心稳定等。

2. 中国国防安全

边境地区的状况关系着国家的稳定大局。中国发展历史表明：天下未乱边先乱，天下已定边未定，边乱国必乱。中国边境地区辽阔，边境线全长 2.28 万公里，分别与越南、老挝、缅甸、不丹、尼泊尔、印度、巴基斯坦、阿富汗、塔吉克斯坦、吉尔吉斯斯坦、哈萨克斯坦、蒙古国、俄罗斯、朝鲜 14 个国家接壤。邻国众多、边界线漫长使得边境安全成为总体国家安全观不得不重视的问题。周边国家地缘环境复杂，破碎化程度高，各国经济社会发展水平参差不齐，政治制度、意识形态也各不相同。中国边境地区一直是世界大国角力的核心区域。

中国历来坚持和平发展道路，坚持和平自主的防卫原则，奉行防御性的国防政策，主要依靠本国力量，广泛争取国际支持，防止外敌入侵，维护本国安全，永不扩张，也不容别国侵犯中国一寸土地。十九大报告明确提出：加快边疆发展，确保边疆巩固、边境安全。

二、东北地区边境线

1. 边境线分布

东北地区位于东北亚核心地区，与朝鲜、俄罗斯、蒙古国三国存在陆地接壤，与朝鲜、韩国存在海域接壤。在辽宁省和吉林省东部地区，与朝鲜接壤，主要分界线为鸭绿江、图们江等水系和长白山山脉。在黑龙江东部、北部和西北部均与俄罗斯接壤，主要国界线为黑龙江、乌苏里江、兴凯湖、额尔古纳河，部分边界线为长白山。内蒙古呼伦贝尔的部分地区与俄罗斯接壤，主要国界线为额尔古纳河；锡林郭勒盟、兴安盟及呼伦贝尔的部分地区与蒙古国接壤，国界线主要为戈壁和草原地区。

东北地区的陆地边境线漫长，共长 8008 公里，占全国陆地边境线总长度（2.2 万公里）的 36.4%。其中，东北地区与朝鲜接壤的边境线长 1416 公里，占东北边境线长度的 17.7%，不足五分之一。东北地区与俄罗斯接壤的边境线长 3645 公里，占东北边境线长度的 45.5%。蒙东地区与蒙古国接壤，边境线长 2947 公里，占东北边境线长度的 36.8%。

如表 2-6 所示，东北地区共有 15 个地级行政区分布有边境线，占东北地级行政区总量的 34.9%，包括丹东、通化、白山、延边州、鸡西、鹤岗、双鸭山、牡丹江、佳木斯、伊春、黑河、大兴安岭地区、呼伦贝尔、兴安盟、锡林郭勒盟。边境线共分布有县市旗39个，占到东北地区县市旗总量的11.1%。其中，辽宁省有2个县市分布在边境地区，吉林省有9个，黑龙江省有16个，蒙东地区有12个。2017年，边境县市区总人口约563万人，占东北地区总人口的4.87%；边境地区生产总值达到2618.1亿元，占东北地区经济总量的3.89%。

表2-6　东北地区的边境县市旗列表

地级政区	县市区	地级政区	县市区
丹东市	宽甸县、东港市	大兴安岭地区	呼玛县、塔河县、漠河县
鸡西市	鸡东县、密山市、虎林市	呼伦贝尔市	陈巴尔虎旗、新巴尔虎左旗、新巴尔虎右旗、满洲里市、额尔古纳市
鹤岗市	萝北县、绥滨县	兴安盟	阿尔山市、科尔沁右翼前旗
双鸭山市	饶河县	锡林郭勒盟	二连浩特市、阿巴嘎旗、苏尼特左旗、苏尼特右旗、东乌珠穆沁旗
伊春市	嘉荫县	通化市	集安市
佳木斯市	抚远市、同江市	白山市	抚松县、长白朝鲜族自治县、临江市
牡丹江市	东宁市、绥芬河市	延边朝鲜族自治州	图们市、珲春市、龙井市、和龙市、安图县
黑河市	逊克县、孙吴县		

2. 发展特征

近年来，东北边境地区的人口减少、贫困问题、生态问题等“多源性”传统安全和非传统安全交织叠加，延缓甚至会阻碍边境地区的社会经济发展（苏长枫，2018）。

经济发展落后。经济发展相对落后，经济体量较小，产业实体较少，许多县市仍为传统的农业地区，以自然经济为主，工业企业比较少。虽居边境地区，对外开放水平相对较低，口岸贸易规模较小。局部地区贫困明显。

人口外流显著。因自然环境、经济收入等各种因素影响，生育率较低，大量人口外流，尤其是青壮年居民减少。中蒙边境许多乡镇的人口出现负增长，人口分布更加稀疏，中朝边境地区（如延边朝鲜族自治州）许多村庄出现空心化。

建设相对滞后。长期以来，“重国防，轻建设”导致边境地区建设投入严重不足，基础设施建设滞后，道路等级低，通达水平有限，高等级的高速公路、铁路较少，适航河流航道开发水平较低。

局部地区存在社会治理问题。边境总体形势较为稳定，但局部边境地区存在问题。

边境管控难度大。中蒙边境漫长，因为草原地区而人口稀少、城镇较少。中朝边境地区延边段点多线长面广，边境管控难度大。

三、东北国防安全发展路径

东北边境地区要坚持“富民、兴边、强国、安全”宗旨，以保基本、补短板为重点，实施民生安边、产业兴边行动，继续完善基础设施和公共服务，积极培育特色产业，壮大经济发展，增加居民收入，提高边民生活质量，建设繁荣稳定和谐边境。

1. 促进特色产业发展，实现兴边富民

注重地缘经济发展，发挥比较优势，加快发展特色产业和优势产业，使流动人口“离土不离乡”，缩小居民收入差距，实现产业兴边富边。

充分利用边境地区的特色农业资源，发展草原畜牧业、生态农业、林下经济和水产品加工业，打造具有边疆特色的农产品品牌。

发挥既有产业基础和境内外资源优势，突出发展木材加工、农产品加工、进口资源落地加工、机电装备、轻纺纺织等产业。合理开发矿产资源，推动就地加工转化。

依托区位和民族文化等优势，积极发展面向蒙古国、俄罗斯、朝鲜的特色农业、加工制造、资源加工、边境旅游、民族工艺及边境贸易等沿边特色产业，集约集聚建设产业园区。

大力发展跨境旅游，建设满洲里边境旅游试验区，并探索在黑河、绥芬河、丹东等地区建设边境旅游试验区，积极建设满洲里、绥芬河、二连浩特、延边、丹东等跨境旅游合作区，并在具备条件的边境口岸城市新增一批跨境旅游合作区，因地制宜发展“跨境三日游”等特色旅游项目。

推动农业产业化发展，延伸产业链，开展农业国际合作项目，强化农产品地理标志登记保护。

2. 创新对外开放合作，培育新动能

按照国家沿边开放战略总体布局，坚持将国防建设与国际交流相统筹发展，根据区位优势、发展基础和资源环境承载力，加快边境地区对外开放，促进国际交流合作，为边境地区发展提供新动能。

以重点口岸城市为节点，建设一批内外贸一体化的特色商贸市场、商品交易市场，鼓励发展国际商贸物流业。建成一批以能源、农产品、粮食等为主的国际物流集散中心。

加快境内合作平台建设，提升国家级边境经济合作区、跨境经济合作区、综合保税区、互市贸易区和高新技术产业开发、经济开发区的功能，打造面向俄罗斯及东北亚开放合作的重要平台。重点加强黑河、绥芬河、满洲里边境经济合作区建设。

根据境内外资源分布和现有口岸基础，完善口岸布局，加强满洲里、绥芬河、黑河、抚远、东宁、同江重点边境口岸基础设施建设，完善饶河、密山、虎林、萝北、嘉荫、黑山头、室韦边境口岸功能，推动开通洛古河、二卡、呼玛、孙吴口岸，如表 2-7 所示。

强化“大通关”区域合作机制，加快电子口岸建设，搭建集口岸通关执法管理和相关物流商务服务于一体的“大通关”信息平台，实现“一站式”通关服务。

表 2-7　东北沿边地区重要开放节点

节点类型	数量	名称
重点开发开放试验区	2	二连浩特、满洲里、延吉（长白）
国家级铁路口岸	7	二连浩特、满洲里、绥芬河、珲春、图们、集安、丹东
国家级公路口岸	23	二连浩特、珠恩嘎达布其、阿尔山、额布都格、阿日哈沙特、满洲里、黑山头、室韦、虎林、密山、绥芬河、东宁，珲春、圈河、沙坨子、开山屯、三合、南坪、古城里、长白、临江、集安、丹东
跨境经济合作区	3	中俄二连浩特－扎门乌德经济合作区、中蒙俄满洲里跨境经济合作区、中俄芬河－波格拉尼奇内跨境经济合作区
边境经济合作区	7	二连浩特、满洲里、黑河、绥芬河、珲春、和龙、丹东

3. 完善基础设施网络，提高区域发展支撑能力

改变基础设施末梢的建设理念，以解决边境生产生活突出困难为目标，加快基础设施建设，改善守边固边环境，重点解决交通、能源、水利和通信等基础设施建设。

推动沿边铁路、公路、机场建设。重点推进“一带一路”国际通道和东北沿边铁路建设，基本实现与毗邻国家相连的公路通道高等级化，建设一批跨境公路大桥建设。完善沿边等级公路建设，加强口岸公路、互市点公路、边防公路、旅游点公路建设，加快牧道及边境巡逻道路建设。加强边境地区航空建设，合理发展白山、珲春等支线机场和通用机场。推动跨界河流航道治理，加强黑龙江、乌苏里江、鸭绿江等国际水运通道建设。

开展沿边地区农村饮水安全巩固提升工程、农田水利工程、防洪抗旱减灾工程等民生水利工程建设，提高水资源调蓄能力和供水保障能力。

因地制宜发展光伏发电、风力发电，深入实施新一轮农村电网改造升级工程，切实保障边境地区生产生活的用电需求。

完善通信设施网络，实现行政村通宽带。

4. 加强边境城镇建设，促进产业人口集聚

改变边缘和前沿理念，建立中心内外辐射思想，按照集约布局原则，加快边境重要节点城市与特色小镇建设，构建以口岸城市和沿边特色小镇为节点的城镇体系，促进产业和人口集聚，打造为对外交流的门户。

选择发展基础较好、自然地理环境优良的抵边城镇，进行集中建设，重点加强丹东、黑河等地级城市，加强人口和产业集聚，努力建设为中等城市。

重点建设延吉、黑河、满洲里、伊春、抚远、嘉荫、逊克、呼玛、同江、绥芬河、丹东等一批城市，形成沿边城市带。

积极发展密山市、虎林市、饶河县、萝北县、嘉荫县、逊克县、呼玛县、漠河县、额尔古纳市、陈巴尔虎旗、新巴尔虎左旗、新巴尔虎右旗等边境口岸城镇，推动有条件的口岸城镇发展成中小城市。

围绕重点口岸和边民互贸市场，加强城镇建设。有序推进重点镇建设，因地制宜发展边境小城镇，培育一批休闲旅游、商贸物流、现代制造、教育科技等特色小镇。

5. 加快边境乡村振兴，建设美丽风景线

边民生产生活既是国家主权的象征，也是保障边境领土安全的原生力量。推动边境乡村振兴，提高边民的边境主人翁的地位，克服乡村空虚化，实现民生安边。

综合考虑守土固边的需要和已具备的发展条件，推进沿边村庄环境综合整治，建设一批村美民富、民族团结、人民幸福的村庄。

加强森林、草原、河湖、湿地生态系统保护和建设，加快界河治理，保障东北地区生态安全。

重视边境地区的发展，推进各项公共服务向边境地区延伸，解决好上学难、看病难等问题，留住边民。加大公共文化资源供给，加强新媒体平台的合作建设，筑成文化安全屏障。

推动边境人口增长，对符合条件的外来人口给予住房补贴，外地人口及其子女享有本地人同等的教育、医疗、社保等待遇。借鉴移民屯垦与边境移民的做法，吸引和鼓励外来人口到边境地区落户定居。以此，维持稳定的人口数量与结构。

加强对口支援、精准扶贫等形式，加大对边民的政策照顾力度，保障和提升边民利益。

第三章

东北地区“五头五尾”建设路径

资源是一个地区发展的重要依托和基础优势，围绕资源形成产业和产业网络是多数区域发展的努力方向。东北地区有着丰富的矿产资源、农业资源、植物资源和动物资源，既有产业产品以“原”字号为主，如何将“原”字号产品和产业按照产业链的模式，就地提高精深加工水平，拓展形成上下游产业，提高对区域发展的贡献，是东北地区产业转型升级与区域经济增长的重要方向。本章主要是从产业链的视角，以资源精深加工和就地转化为目标，分析资源产业链的基本链条与产业关系，分析东北地区“油头化尾”、“煤头电尾”、“煤头化尾”、“粮头食尾”和“农头工尾”的发展路径，包括各产业链模式、发展现状与存在问题、总体思路与具体建设任务等。

本专题主要得出以下结论。

（1）实施“油头化尾”战略，突出“小油头，大化尾”，立足原油生产优势，兼顾多元化原料，按照“宜油则油、宜烯则烯、宜芳则芳”的原则，多链条延长“化尾”路径，推动石化产业链由炼油为主向石化深加工为主转变。巩固油头生产，加大石油炼化，做大石油化工原料，拓展精细化工，鼓励央地企业合作。

（2）实施“煤头电尾”战略，合理开发煤炭资源，科学发展清洁高效煤电产业，优化新增电源布局，积极推动电网建设，推动电力外送通道建设。聚焦蒙东地区和黑龙江东部地区，充分发挥水煤组合优势，实施“煤头化尾”战略，推进褐煤精炼多联产，实施梯级深度利用，控制传统煤化工发展，推动化工产品从传统产品向中高端和精深加工产品转变。

（3）坚持“粮头食尾”和“农头工尾”战略，发挥农垦、林场、农场等企业的引领作用，按照大基地、大品牌、大产业的思路，以“尾”端工业需求和市场消费为立足点和方向引领，以“头”端特色绿色供给优势为基础，做优粮食加工，做强豆类、畜产品、玉米、林产品、酿酒、果蔬等农产品加工，提档升级纺织业，做大生物医药业，把农产品加工业打造为东北地区重要的支柱产业。

第一节 产业链概念与“五头五尾”

一、产业链概念

1. 基本概念

产业链是产业关联，也称为价值链，是指经济活动体系中的各产业、各部门依据一定的技术经济关联、根据前向后向的关联关系而组成的链条式结构和关联形态，或围绕一个关键的最终产品，从形成到最终消费所涉及的各产业部门间的动态关系。产业链的实质是建立在产业内部分工和供需关系基础上的生态图谱，各产业相互之间的供给与需求、投入与产出的关系，以产品技术为联系，以资本为纽带，上下延伸，前后联系，形成链条。产业链是一个包含价值链、企业链、供需链和空间链四个维度的概念。

在空间上，产业链往往是在一定的地理区域内，以某一个产业中具有竞争力或竞争潜力的企业集团为链核，与相关产业的企业以产品、技术、资本等为纽带结成的、具有价值增值功能的战略关系链。产业链分垂直的供需链和横向的协作链。链中企业不是一般的市场交易企业，而是长期的战略联盟与合作关系，共担风险，共享利益。

2. 基本分类

从不同的角度，产业链有着不同的分类方法。从组成成分的角度看，产业链是“链”、“体”和“链主”的统一体。“链”是指以若干企业和产品为节点，以企业之间的物流、信息流、资金流为联系而构成的空间链。“体”表明“链”不是松散的链而是一个紧密相连的新型的经济实体。“链主”是在链内居支配地位的龙头企业，为链内其他企业提供信息服务，履行链内管理者的职能。按企业与企业之间的关系，产业链可分为技术推动型、资源带动型、需求拉动型、综合联动型等若干类型。

产业链具有时间特性，上下链环之间有时间先后之分，产业链环之间的接续时间越短越好。如果不同产业链环之间的地理位置相距较远，则产业链供需成本较高。时间特性要求产业链就地就近构建。

产业链是产业环逐级累加的有机统一体，某一链环的累加是对上一环节追加劳动力投入、资金投入、技术投入以获取附加价值的过程，链环越是下移，其资金密集性、技术密集性越是明显；链环越是上行，其资源加工性、劳动密集性越是明显。欠发达地区多从事资源开采、劳动密集的经济活动，其技术含量、资金含量相对较低，其附加价值率也相对较低。发达地区主要从事深加工、精加工和精细加工经济活动，其技术含量、资金含量相对较高，其附加价值率也相对较高（龚勤林，2007）。区域类型与产业链的层次之间产生了内在的关联关系，欠发达区域一般拥有产业链的上游链环，其下游链环一般则布局在发达区域。

产业链的构建方法通常存在两类：接通产业链和延伸产业链。接通产业链，是指将一定地域空间范围内的产业链的断环和孤环，借助某种产业合作形式串联起来而形成产业链，实际上是一种资源整合。延伸产业链是将一条已经存在的产业链尽可能地向上游延伸或下游拓展，实际上是一种价值拓展。

二、资源头与资源产业链

1. 资源头

资源可分为自然资源和社会资源，本章主要是指自然资源。自然资源主要包括土地、植物、动物、矿产和能源等，而矿物资源主要包括金属矿物、非金属矿物和矿物能源等类型。

金属矿物是指具有明显金属性的矿物，多数是重金属元素的化合物，主要是硫化物和部分氧化物，经冶炼可从中提取金属元素的矿产。黑色金属矿产包括铁、锰、铬、钒、钛等，有色金属矿产包括铜、锡、锌、镍、钴、钨、钼、汞等，贵金属包括铂、铑、金、银等，轻金属矿产包括铝、镁等，稀有金属矿产包括锂、铍、稀土等。

非金属矿物是指不具有金属或半金属光泽、无色或呈各种浅色、在 0.03 毫米厚的薄片下透明或半透明、导电性和导热性差的矿物。主要是含氧盐矿物、氧化物或卤化物矿物。非金属矿物有很多，包括金刚石、水晶、冰洲石、硼、电气石、云母、黄玉、刚玉、石墨、石膏、石棉及燃料矿物等。

化石能源也称为传统能源，是一种碳氢化合物或其衍生物，是由古代生物的化石沉淀而来，是一次性能源。主要包括煤炭、石油、天然气。这些能源是当前许多产业的源头，由此成为“煤头”、“油头”和“气头”。

植物资源是在社会经济技术条件下人类可以利用与可能利用的植物。植物资源大致分为食用、药用、工业用等类型。有商品价值的称为经济植物，尤其是药用植物包括中药、草药、化学药品原料植物、兽用药，工业用植物资源包括木材、纤维鞣料、芳香油、植物胶、工业用油、工业用植物性染料等。

动物资源为人类提供优良蛋白质、皮毛、畜力、纤维素、特种药品，在人类生活、工业、农业并在医药上具有广泛的用途。特种经济动物主要分为肉用、毛用、皮用、药用、茧丝用等类型。

2. 资源产业链

资源加工是指根据物理、化学原理，通过分离、富集、纯化、提取、改性等技术对矿物资源、非传统矿物资源、二次资源及非矿物资源进行加工，获得其中的有用物质。资源型产业是资源经济活动的载体，是指直接从事自然资源开采、加工和消耗利用的产业。在资源型产业发展的生产要素构成中，自然资源占据主体和核心地位。资源型产业分为资源依赖型产业、资源依附型产业、资源依从型产业。资源型产业发展容易受到资源减少、质量下降或枯竭及市场价格变化的影响与干扰。中国多数资源型产业以资源开发、原材料加工为主，而资源的深加工环节欠缺。因此，资源型产业转型应以产业链的横向扩展与纵向延伸为基础，不断完善资源型产业链。

资源型产业链是以资源型产业为主链，与相关联产业形成的一条以资源型产品生产企业为链核，相关企业为链节，以产品、知识、资本等为链体，连接成的战略性关系链网络。资源型产业链包括资源采选或外购、原料生产加工、半成品或成品生产、研发设计、销售、服务等多个环节。资源型产业链是依靠区域自然资源优势，以大型企业为生产者的技术优势和市场扩张需求为驱动而建立起来的，形成本地生产供应链的垂直分工体系。

资源型产业链主要围绕农业资源、铁矿石资源、煤炭资源、油气资源、有色金属矿石资源等“头”，重点形成了农产品加工链、煤电化产业链、钢铁冶金制造产业链、有色金属冶金制造产业链、石油加工产业链、非金属矿物产业链。

农产品加工链：以农产品为“头”，包括粮食、林木、蚕茧、烟草等生物资源，发展了农作物种植或养殖、农产品采集与初加工、精深加工等产业。

煤电化产业链：依托煤炭资源开采，以原煤为“头”，发展了煤炭开采、火电生产、煤化工等产业链，形成“煤头化尾”与“煤头电尾”等链条，形成了典型的煤电化产业链。

非金属矿物产业链：依托非金属矿物资源，如石灰石、瓷土、石英石等，重点发展了采选、初步加工及精细加工等产业链。

石油化工产业链：依托本地的石油、天然气开采及外来的原油资源等原料，围绕油气裂解，发展了石油与天然气勘探与开采、石油冶炼业、基础化工生产与精细化工等产业，下游化工产业范围广、产品多。

钢铁冶金制造产业链：围绕黑色金属矿石尤其是铁矿石，形成了铁矿石开采、钢铁冶炼、钢铁初加工、装备制造等产业链。钢铁产业链成为许多国家的典型资源产业链。

有色金属冶金制造产业链：围绕有色金属矿石，发展了有色金属矿产勘探与开采、金属冶炼、金属加工（含粗加工和精深加工）等生产环节，形成有色金属产业链。有色金属分为重金属（如铜、铅、锌）、轻金属（如铝、镁）、贵金属（如金、银等）及稀有金属（如钨、钼等）。

三、东北资源产业链问题和“五头五尾”

1. 东北资源产业链问题

东北地区有着丰富的资源禀赋，包括煤炭和油气能源、矿产资源、土地资源、森林资源、草原资源。耕地是东北地区的重要优势，尤其黑土资源丰富，2017 年耕地达 39.2 万平方公里。分布有大兴安岭、小兴安岭、长白山三大林区，拥有森林面积 6.8 亿亩，木材蓄积量达 32 亿立方米，占全国总量的 1/3。有呼伦贝尔、锡林郭勒、科尔沁三大草原，野生牧草达 400 余种。东北地区分布有着大庆油田、辽河油田、松原油田、松辽盆地等油田，还有海拉尔盆地、二连盆地、伊通盆地等油气资源富集地区。煤炭资源丰富，保有储量约为 723 亿吨，煤种齐全。矿产资源丰富，矿种比较齐全，主要金属矿产有铁、锰、铜、钼、铅、锌、金及稀有元素，非金属矿产有煤、石油、油页岩、石墨、菱镁矿、白云石、滑石等。这促使东北地区成为中国重要的资源型产业基地。

曾为国家建设作出巨大贡献的东北地区，“原”字号产品有原煤、原油、原粮、原木、原盐等，采油、挖煤、伐木、种粮为主要经济活动。具体来看，2018 年东北三省原煤产量达到 1.11 亿吨，原油产量达到 4647 万吨，从俄罗斯进口原油 3000 万吨，天然气产量达到 67.84 亿立方米，原粮产量达到 1.34 亿吨。在资源初级加工上，2018 年东北三省的火电量为 3850.14 亿千瓦，焦炭产量为 3387 万吨，占全国总量的 7.7%；生铁和粗钢产量分别达到 8190 万吨和 8853 万吨，占全国总量的 10.6% 和 9.6%；水泥和平板玻璃产量分别为 7591 万吨和 5926 箱；乙烯产量达到 359 万吨，占全国的 19.5%。

从产业链的角度来看，东北地区的资源产业链主要存在下述问题。

——产业链窄，城市产业结构过于单一，抵御市场风险能力相对低。

——产业链短，主要为上游产业。

——资源型产品附加值低，主要为初级粗加工产品，产品“价低”，导致城市经济效益不佳。

——资源源头量大，但逐步进入衰退期。石油、煤炭等资源步入枯竭，国有林区全面停止商业性采伐。粮食产量、商品粮调出量居全国第一，但精深加工率不足 40%。

——主要销售原材料，卖原粮、卖原油、卖原木、卖原煤为主要生产活动方式。

2.“五头五尾”

2016 年 5 月 23 ～ 25 日，习近平总书记在黑龙江考察时指出，黑龙江特殊的资源禀赋和产业布局不要当做包袱，而要做好改造升级工作，让老树发出新枝，要以“油头化尾”、“煤头电尾”、“煤头化尾”、“粮头食尾”和“农头工尾”为抓手，推动发展转型。

黑龙江省围绕“五头五尾”，先后编制实施了一系列的实施方案，推动资源型产业延伸链条，提高精深加工水平。2017 年 9 月 6 日，黑龙江省颁布了《关于深度开发“原字号”的若干意见》，出台了一系列的扶持保障“组合拳”。2017 年 8 月 31 日，黑龙江省颁布了《中共黑龙江省委黑龙江省人民政府 关于进一步推进黑龙江农垦改革发展的实施意见》。2017 年 11 月 3 日，黑龙江省召开了“粮头食尾”“农头工尾”工作推进会议。为了发展“煤头化尾”“煤头电尾”，黑龙江省委省政府召开多次会议进行研究和谋划，从顶层设计层面，推出一系列体制机制创新、资源优化配置和重点项目建设的推进措施。

各个地市也进入了实施阶段。2017 年 9 月 21 日，大庆市颁布了《大庆“油头化尾”产业实施方案》。2018 年 3 月，佳木斯颁布了《加快推进“粮头食尾”“农头工尾”实施方案》。2018 年 3 月 1 日，哈尔滨市出台了《加快推进“粮头食尾”“农头工尾”实施方案》，8 月 23 日，宜春市印发了《伊春市加快推进“粮头食尾”“农头工尾”专项方案》。这些实施方案的出台表明东北地区的产业发展开始进入产业链深化阶段。

第二节 “油头化尾”发展路径

一、基本概念

1. 石油产业链

石化产业是基础性产业，为国民经济的运行提供能源和基础原材料，主要是指以石油和天然气为原料，生产石油产品和化工产品的产业链，是许多国家的支柱产业。石油产业链分为如下板块：石油天然气勘探与开采、石油炼制业、石油化工、化工制品、精细化工。综合性石油企业通常覆盖上中下游，进行产业链一体化经营，而中小型石油企业通常专注于某个板块。

上游环节：包括石油和天然气的勘探、开发和生产，是将原油和天然气从地下采出的过程，并将原油和天然气分离、脱水、脱气，形成“原油”和“原气”。

中游环节：主要是指石油炼制业与粗加工业，生产燃料与化工原料；重点将原油炼制成汽油、柴油、煤油、石脑油、重油等油品的过程，并进一步开展催化、裂化、加氢、脱硫等工艺处理，生产出芳烃、沥青、石蜡、润滑油等化工产品，将石油加工成石化中间品的过程，涉及数千种油品。根据原油特性、下游产品规划，原油炼制（炼油）工艺主要分燃料型、燃料－润滑油型、燃料－化工型等。

下游环节：主要是指将石化中间品加工成制品的过程，包括石油化工与精细化工，具体包括医药品、熔剂、化肥和塑料。

2. “油头化尾”

“油头化尾”中的“油”是指原油，“化”是指精细化工产品。“油头化尾”是指以原油为“源头”所牵引，波及开采、炼化、加工和精深加工等各个环节，覆盖上中下游，形成一体化的产业链。产业链结构复杂，关注下游发展是重点。

石油化工与精细化工是该发展战略的重点与核心。石油化工是指从石脑油作为源头进料开始的化学工业，对原料油和气（丙烷、汽油、柴油等）进行裂解，产生裂解气和裂解烃，生产以乙烯、丙烯、丁二烯、苯、甲苯、二甲苯等为代表的基本化工原料；并以乙烯、丙烯、苯、甲苯、二甲苯等初级产品为原料，生产多种有机化工原料（200多种）和合成材料（塑料、合成纤维、合成橡胶、合成树脂类等）。

精细化工主要是对有机化工原料进行精细精深加工的产业。产品种类多，附加值高，产业关联度大，服务于国民经济的诸多行业和高新技术产业的各领域，包括农药、染料、涂料、颜料、试剂和高纯物、黏合剂、催化剂和各种助剂、化学药品和日用化学品、功能性高分子材料等。精细化工率（精细化工产值占化工总产值的比例）是衡量一个国家和地区化学工业发达程度和化工科技水平高低的重要标志（朱军等，2012）。

二、发展特征

1. 发展现状

东北地区的石油化工产业形成了如下特点。

（1）已形成了庞大的石油化工能力。如表 3-1 所示，东北地区的原油生产能力达到 4500 万吨，天然气生产能力达到 70 亿立方米左右。大连市为全国最大的精对二甲苯（PTA）生产基地。东北地区的石油炼化能力达到 2 亿吨左右，其中辽宁的原油加工量居全国第一。东北地区的成品油产量达到 5421 万吨，占全国总量的 15.6%；乙烯产量达到 360 万吨，占全国总量的 19.5%。

表 3-1　2017 年东北三省的主要石油化工产品

石化产品	辽宁	吉林	黑龙江	东北三省	占全国比例 /%
化学纤维 / 万吨	20.5	36.9	5.2	62.6	1.25
初级形态塑料 / 万吨	362.5	117.1	197.8	677.4	7.92
化学农药原料 / 万吨	0.93	1.67	0.36	2.96	1.42
氮磷钾化肥 / 万吨	33.1	17.4	38.3	88.8	1.64
原油 / 万吨	1037	388	3224	4649	24.58
天然气 / 亿立方米	5.9	18.4	43.5	67.8	6.38
硫酸 / 万吨	139.7	79.8	5.05	224.55	2.46
烧碱 / 万吨	76.3	2.17	21.4	99.87	2.92
成品油 / 万吨	3837	552	1032	5421	15.58
乙烯 / 万吨	176.2	76.68	105.8	358.68	19.48

（2）龙头化工企业较多。东北地区拥有大庆油田公司、大庆石化公司、大庆炼化公司、大庆石油管理局、大连石化、西太平洋石化、抚顺石化、辽阳石化、锦州石化、吉林石化等一大批石化龙头企业。炼油企业分散，化工园区发展思路和产业定位趋同，产业特色不显著，产业同质化问题突出。

（3）石化产品结构不尽合理，“油头大，化身小，产业链短，附加值低”。产品以成品油为主，炼油与化工不匹配，炼化一体化程度较低，辽宁省乙烯产量与原油加工量比仅为2.5%。化学工业发展滞后，传统产品多，新产品少；中低端产品多，高技术含量、高附加值产品少；合成材料以通用型为主，化工新材料发展缓慢。化工园区内部企业关联度弱、产品链短，上中下游产业联动不足，产业聚合发展不够，尚未形成产业集群。

（4）精细化工起步发展。盘锦石化及精细化工产业集群销售收入突破千亿元，辽宁省建成了 4 个国家级、6 个省级重点石化及精细化工园区。其中，2012 年辽东湾新区石化产业园被工业和信息化部批准为“国家新型工业化产业示范基地”；2012 年盘锦塑料新材料产业基地被评为“省级新型工业化产业示范基地”。但总体上精细化工发展滞后，烯烃、芳烃等化工基础原料供应不足。

（5）石化企业多为央企，经营管理自成体系，大部分利润上交至中直企业总部，财富流出性明显（张弛等，2012）。央企和地方缺乏常态化沟通机制，中直企业主要采用自我循环模式，石化企业孤立发展对地方经济发展的拉动能力较弱。石化企业具有明显的垄断封闭性特征，对地方经济发展的带动能力较弱。

2. 发展战略

2016年，习近平总书记在黑龙江考察时提出了“油头化尾”的发展战略，鼓励石油精深加工，推动“油城”发展转型。2017年，黑龙江省发展改革委组织编制《黑龙江省“油头化尾”实施方案》，提出了建设5个“油头”项目和六大产业链43个“化尾”项目，破解“油头”难题。随后，大庆市出台了《大庆“油头化尾”产业实施方案》，并编制了《大庆实施“油头化尾”产业重点工作任务分解》。2018年，大庆高新区编制了《推进“油头化尾”产业发展工作方案》。“油头化尾”战略鼓励“油城”发展转型，向油气精深加工、高端加工领域延伸，提高石化产业和精细化工产业的发展质量和效益，“油头”起舞，“化尾”紧追其后，形成良性循环链，推动“油城”向“油化兴市”。

三、建设任务

按照“炼化一体化”理念，坚持大型化和专业化，突出“小油头，大化尾”，立足原油生产优势，兼顾多元化原料、多元化打通“油头”路径，盘活存量，做精增量，坚持“少炼多化”，按照“宜油则油、宜烯则烯、宜芳则芳”的原则，优化工艺路线和产品结构，多链条延长“化尾”路径，高端发展，推动石化产业链由炼油为主向石化深加工为主转变。做强化工产业循环经济园区，优化园区产业结构。

1. 巩固油头生产

坚持本地油头生产和外地油头输入，扩大原油产量和输入量，并建设战略储备基地，为做大“油头”奠定基础。

本地油头生产。东北本地区的原油生产要坚持稳量。如表3-2所示，大庆油田是中国最大的油区，为中石油下属油田，累计探明储量为60亿吨，原油产量要保持在3000万吨/年，2030年保持在2000万吨/年左右。辽河油田为中石油的下属油田，累计探明储量为24亿吨，原油产量稳定在1000万吨/年，天然气开采量为8亿立方米/年。吉林油田是中石油的下属油田，累计探明储量为10.82亿吨，位于吉林省松原市，原油产量要保持在650万吨/年。

表3-2　大庆油田历年产量

年份	产量/万吨	年份	产量/万吨	天然气/亿立方米
1975	5000	2014	4000	35.1
1985	5000	2015	3839	35.3

续表

年份	产量 / 万吨	年份	产量 / 万吨	天然气 / 亿立方米
1995	5000	2016	3656	37.7
2000	5500	2017	3952	40.1
2005	4640	2018	4167	43.4
2010	4000	2019	4363	45.5

外地油头输入。加快完善建设中俄原油管线，利用俄罗斯原油，填补东北地区石油资源供应缺口。中俄原油管道为东西伯利亚—太平洋石油管道中国支线，由中石油负责建设，止于大庆，2011 年投入运行，进口原油量为 1500 万吨 / 年；中俄原油管道二线止于大庆，2018 年 1 月开始输油，输油量为 1500 万吨 / 年，两线合计进口原油量为 3000 万吨 / 年。同时，进口俄罗斯天然气，2019 年 12 月中俄东线天然气管道开通通气，供气能力达到 380 亿立方米 / 年。将大庆打造为全国重要的油气集散枢纽、生产原料基地和调控利用中心。利用大连港、营口港、锦州港等沿海港口，合理进口原油，其中大连港进口原油规模保持在 2000 万吨 / 年，营口港保持在 900 万吨 / 年左右，锦州港约为 100 万吨 / 年，东北沿海港口共计 3000 万吨 / 年。

战略储备基地。主要分布在大连和锦州。大连国家石油储备基地占地面积为 0.73 平方公里，储备原油量为 300 万立方米。锦州地下石油储备库库容为 300 万立方米，为中石化下属。

2. 加大炼化——石油炼化

以本地油田原油和进口原油为原料，围绕千万吨级炼油能力，适度扩大炼油规模，提高重质、高硫、高酸等原油加工能力，增加原油炼量，逐步降低柴汽比，加快油品质量升级，做好做大“油头”，巩固提升原油冶炼基地。东北各地区的原油炼化能力如表 3-3 所示。

表 3-3　东北地区的主要原油炼化企业及炼化能力

地级政区	能力 /（万吨 / 年）	主要炼化企业
鞍山市	15	台安华油化工厂
大连市	7050	西太平洋石油化工、中石油大连石化、恒力石化
大庆市	1450	大庆联谊石化、黑龙江石油化工厂、大庆石油化工、蓝星石油、中石油大庆炼化
丹东市	50	丹东石油化工总厂
抚顺市	1000	中石油抚顺石油化工
哈尔滨市	500	中石油哈尔滨石化
葫芦岛市	1000	中石油锦西炼油化工总厂

续表

地级政区	能力 /（万吨 / 年）	主要炼化企业
吉林市	1010	中石油吉林石化、吉化集团
锦州市	1020	中石油锦州石油化工、锦州市沥青厂
辽阳市	1000	中石油辽阳石油化纤
牡丹江市	35	牡丹江石油化工厂
盘锦市	2285	中石油辽河石化、盘锦市东方沥青、大洼县石油化工、盘山沥青厂、盘锦北方沥青、盘锦太平河石油化工厂、盘锦石油化工厂、盘山县石油化工、北方华锦化学工业
齐齐哈尔市	200	齐化公司、黑龙江齐化化工
沈阳市	80	新民蜡化学品实验厂、沈阳石蜡化工、辽中县炼油厂、沈阳经发沥青厂
松原市	300	中石油前郭石化、松原炼油厂
延边州	220	利安石化
长春市	180	新大石油化工

辽宁省——围绕抚顺石化、辽阳石化、锦西石化、西太平洋石化、大连石化、长兴岛炼化、恒力炼化、锦州石化、辽河石化、北方沥青、福佳炼化等企业进行发展，原油加工能力达 14 000 万吨 / 年，重点建设大连与盘锦两大世界级石化基地。其中，大连市原油加工能力达 7050 万吨 / 年，抚顺市、葫芦岛市、辽阳市和锦州市原油加工能力均为 1000 万吨 / 年，盘锦市原油加工能力为 2285 万吨 / 年。

吉林省——围绕吉林石化、利安石化、新大石化等企业进行发展，原油加工能力达 1710 万吨 / 年。其中，吉林市原油加工能力达 1010 万吨 / 年，松原市原油加工能力为 300 万吨 / 年，延边州图们市和长春农安县原油加工能力分别为 220 万吨 / 年和 180 万吨 / 年。

黑龙江省——依托大庆石化、中石油等龙头企业，原油加工能力达到 3050 万吨 / 年。其中，哈尔滨市原油炼化能力达 500 万吨 / 年，牡丹江市原油加工能力达 35 万吨 / 年，齐齐哈尔市原油加工能力达200万吨/年,2025年大庆原油规划加工量达到2320万吨/年。

3. 做大中间——化工原料

乙烯、丙烯、丁二烯和苯、甲苯、二甲苯是化工产业的原料源头。东北地区要坚持“炼化一体化”，实施优势企业挖潜升级，对部分企业进行炼化一体化改造，补充乙烯裂解装置与催化重整装置，实现炼油、乙烯和芳烃项目联合布局，提高原油加工度，构建石化“三烯三苯”的核心产业链，同步推进环氧乙烷 / 乙二醇、苯乙烯、环氧丙烷等产能建设，扩大基础有机化工原料生产能力，为精细化工发展提供原料（朱军等，2012）。

乙烯链：聚乙烯、苯乙烯、环氧乙烷、乙二醇、聚氯乙烯。

丙烯链：丙烯腈、聚丙烯、丙烯酸、丙烯酸酯、异丙苯。

丁二烯链：四氢呋喃、聚四氢呋喃、丁苯橡胶、顺丁橡胶、子午线轮胎。

苯链：异丙苯、苯酚丙酮、双酚 A、聚碳酸酯、甲苯丙烯酸甲酯、苯乙烯，聚苯乙烯、ABS。

甲苯链：多元醇，MDI、TDI、聚氨酯，聚氨酯深加工。

二甲苯链：对二甲苯、PTA、PET。

4. 拓展化尾——精细化工

精细化工产品种类多、附加值高、应用范围广、产业关联度大。大力发展精细化工已成为各国调整化学工业结构、提升化学工业产业能级和扩大经济效益的战略重点。东北地区要坚持特色化、差异化、高端化，大力发展精深加工，拉长产品链，重点发展具有延伸增值效应的化工新材料、专用化学品、工程塑料、精细化学品、高端化学品，提高产品附加值，推动化工产品向高端化、专用化、精细化方向发展。石油化工产业链与精细化工链如图 3-1 所示。

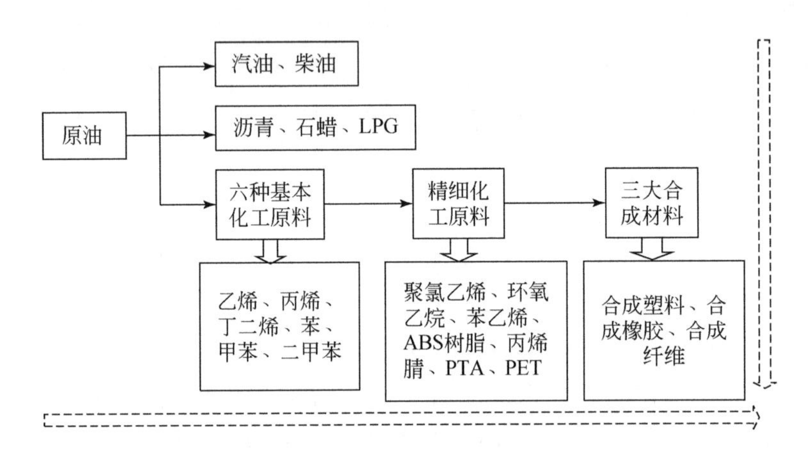

图 3-1　石油化工产业链与精细化工链

围绕环氧乙烷→碳酸二甲酯→聚碳酸酯、环氧乙烷→乙醇胺→乙撑胺、高碳 α-烯烃等乙烯产业链，重点发展工程塑料、汽车配件、医药、农药、润滑油添加剂等下游产品。

围绕环氧丙烷→破乳剂、环氧丙烷→丙二醇及丙二醇醚、苯酚 / 丙酮→双酚 A、苯酚 / 丙酮→聚苯醚等丙烯产业链，重点发展污水处理剂、汽车配件、电子电器、医药、涂料溶剂等下游产品。

围绕二苯基甲烷二异氰酸酯→聚氨酯、精对苯二甲酸 PTA →聚对苯二甲酸乙二醇酯 PET、苯酚 / 丙酮等芳烃产业链，重点发展泡沫材料、橡塑产品、涤纶、电子电器、医药、涂料溶剂等下游产品。

5. 推动央地企业合作

鼓励“油头”企业参与“化尾”建设。鼓励东北地区的石油企业、炼化企业、石化企业等国有中直企业开发“化尾”产业项目，充分利用原料，向下游延伸产业链条。

推动央地合作，做好地方吃配。鼓励东北地区的石油企业、炼化企业、石化企业等国有中直企业支持地方经济发展，加快推动与地方国有企业或民营经济联合，设立混合所有制企业，共同开发“化尾”产业项目，充分利用中直大企业原料，向下游延伸产业链条。完善地方与央企会商机制，在产业布局、资源配置、技术共享、资本合作和招商引资等方面加强战略合作。鼓励地方政府主动参与中直企业的发展战略制定，组织一批具有发展潜力的地方配套企业。

加强与沿海发达地区的合作，与沿海各省建立石化产业战略联盟，引进先进地区的民营资本投资发展下游产业。鼓励企业走“专精特新”和差异化发展道路，加快开发高附加值石化产品。鼓励建立精细化工产业技术联盟，形成精细化工产业技术创新体系。

鼓励企业大力开发和推广推行清洁生产。支持发展循环经济，实施废物综合利用，延伸产业链。加强企业末端治理，实施废渣的减量化和无害化。

四、重点城市发展指引

（1）大连市依托长兴岛炼化一体化，打造炼油-PX-PTA-聚酯-差别化纤维产业链，发展有机化工原料和化工新材料，重点发展电子数码雷管、乳化炸药、现场混装炸药。加大新型加氢催化剂、电催化剂等产品的开发，支持高端医药（农药）及中间体、特种涂料、专用化学品等为主的精细化工发展。加快发展先进高分子材料，重点发展高性能膜材料、先进工程塑料、高性能防腐材料等。依托大连长兴岛（西中岛）石化产业基地、大连松木岛化工园区，建设世界一流石油化工产业基地。

（2）锦州市依托中石油锦州石化分公司炼化、滨海新区石化产业及储运基地、义县添加剂和氟化工基地、北镇石化精细化工基地，发展成为高附加值化工新材料基地，重点发展一批功能性高分子新材料，做精润滑油脂及添加剂、聚氨酯树脂、氟硅树脂、硅橡胶等精细化工产品，建成国内重要的石化和精细化工产业集群。

（3）抚顺市依托“千万吨炼油、百万吨乙烯”，以抚顺高新区化工及精细化工园为核心，构建丙烯、碳四、碳五、碳九、芳烃深加工产业链，打造石油树脂、沥青基碳纤维、涂料染料、炼油催化剂、橡胶新材料五大领先产业，建成国家级精细化工基地。

（4）大庆市重点是稳住油头，原油产量保持在3000万吨/年，天然气达45亿立方米/年。做大石油炼化，形成2500万吨/年炼油能力，扩大乙烯、丙烯、滑油、甲苯、二甲苯等基础原料。做精“化尾”，积极发展化工新材料、精细化学品、橡塑三大产业集群，突出发展聚碳酸酯、异戊橡胶等。重点建设宏伟园区、兴化园区和林源园区。以此，将大庆打造为东北地区重要的乙烯和芳烃生产基地、世界最大的油田化学品生产基地。

（5）安达市以大庆“油头”项目扩产的丙烯、乙烯焦油为原料，积极发展功能化学品及特种新材料、乙烯焦油深加工、环氧丙烷、高性能聚氨酯。

（6）吉林市推进化工原料向化工材料转变、化工中间体向下游终端精细化工产品转变，打造丙烯及聚氨酯、基础化工结构升级、资源综合利用、生物质化工四大特色产业链。新型有机化工材料重点发展特种橡胶、工程塑料、精细化学品、高分子材料等。

（7）辽阳市依托辽阳高新技术开发区，以国家芳烃及精细化工高新技术产业化基地为核心，实施辽阳石化俄罗斯原油加工增效改造，延伸芳烃产业链，巩固环氧乙烷及其精深加工，形成别具特色的聚酯及特种聚酯、聚酰胺及制品、化工新材料、精细化工四个企业群，重点开发化学助剂、日用化工等终端产品，延伸发展苯、乙烯、丙烯、聚酯、碳四等产业链，建设全国重要的芳烃及精细化工产业基地。

（8）盘锦市以辽东湾新区石化及精细化工产业园区为核心，做大石油针状焦和润滑油产业，扩大烯烃、芳烃、醇、醚等生产规模，做强基本有机化学品产业，积极发展特种合成橡胶、特种纤维等化工新材料产业，培育发展催化剂、表面活性剂等高附加值的精细化工产品，建成世界级石化及精细化工产业基地。

（9）松原市加大油气勘探开发，扩大天然气产量，巩固原油产量，油气开采当量累计达2900万吨，页岩油气开采当量达800万吨。增加炼化规模，做好基本有机化工原料、合成材料、苯等主导产品开发，深度开发乙烯、对二甲苯、石墨烯等中高端石化产品。天然气化工重点发展LNG、天然气制乙炔和烯烃产业，加工能力达15亿立方米以上。页岩油气综合利用方面，重点打造炼油、乙烯、丙烯及下游产品深加工，炼化能力达100万吨。

（10）葫芦岛市依托锦西石化分公司和锦西炼化总厂、锦化化工集团、锦西天然气化工等骨干企业，大力发展石油深加工、基础化工和化肥生产，重点发展甲乙酮、顺酐、聚乳酸、苯酐、氨基苯酚等产品，建成国家级煤焦油精深加工和综合利用产业基地。

第三节　“煤头电尾”与“煤头化尾”发展路径

一、基本概念

煤炭被誉为“黑色的金子”“工业的食粮”，是地球上蕴藏量最丰富、分布地域最广的化石燃料。

1. 煤炭种类与用途

根据煤炭的煤化程度、工艺性能、煤炭性质和用途，可以将煤炭分为无烟煤、贫煤、贫瘦煤、瘦煤、焦煤、肥煤、1/3焦煤、气肥煤、气煤、1/2中黏煤、弱黏煤、不黏煤、长焰煤和褐煤等类型（肖毅，2013）。

无烟煤是煤化程度最高的一类煤，挥发分低，含碳量最高，燃点高，无黏结性，燃烧时无烟，是较好的民用燃料。挥发分产率3.5%以下的无烟煤一号以作碳素材料等高碳材料较好；挥发分产率大于3.5%～6.5%的无烟煤二号是生产合成煤气的主要原料；挥发分产率大于6.5%的无烟煤三号可作为高炉喷嘴燃料。

贫煤煤化程度较高，挥发分最低，火焰短但热值较高，无黏结性，不产生胶质体，不结焦，多作为动力或民用燃料。

贫瘦煤煤化程度较高，挥发分较低，胶质体产生较少，黏结性较差，大部分作为动力或民用燃料，少量用于制造煤气燃料。

瘦煤煤化程度较高，挥发分较低，能产生一定数量的胶质体；能炼成熔融不好、耐磨强度差、块度较大的焦炭，可作为炼焦配煤的原料，也可作为民用和动力燃料。

焦煤煤化程度中等或偏高，受热后能产生热稳定性较好的胶质体；中等或较高黏结性；是一种优质的炼焦用煤。

肥煤煤化程度中等，受热到一定温度后能产生较多的胶质体，有较强的黏结性；用肥煤单独炼焦时，能产生熔融良好的焦炭，但强度和耐磨性差，是炼焦配煤的重要部分，不宜单独使用。

气煤煤化程度较低，挥发分较高，受热后能产生一定量的胶质体，黏结性从弱到中等均有；单种煤炼焦时产生出的焦炭细长、易碎，强度和耐磨性均较差，产生较多的煤气、焦油和其他化学产品，多作为配煤炼焦使用，也是生产干馏煤气的优良原料。

1/3 焦煤煤化程度属中等，含中等或较高挥发分的强黏结性煤，用其单独炼焦时能生成强度较高的焦炭，是炼焦配煤的好原料。

气肥煤煤化程度与气煤相近，挥发分高，黏结性强，单煤炼焦时能产生大量的煤气和胶质体，气体析出过多，焦炭强度低，可用作炼焦配煤或生产干馏煤气的原料。

1/2 中黏煤煤化程度较低，挥发分范围较宽，受热后形成的胶质体较少，黏结性稍好的可作为炼焦配煤原料，黏结性差的可作为气化原料或燃烧。

弱黏煤煤化程度较低，挥发分范围较宽，受热后形成的胶质体很少，只有微弱黏结性，主要用作气化原料和燃料。

不黏煤是在成煤初期受一定氧化作用后生成的、以丝质组为主的煤，煤化程度较低，无黏结性，可用作气化原料和燃料。

长焰煤是烟煤中煤化程度较低、挥发分最高的一类煤，受热后一般不结焦，是较好的气化原料和锅炉原料。

褐煤是煤化程度最低的一种煤，发热量低，一般只能作燃料使用，也可作为造气原料。

根据下游行业走向，煤炭一般分为动力煤、炼焦煤和无烟煤。动力煤的主要下游需求是电力行业或其他大型企业的自备电厂，而炼焦煤、无烟煤则对应钢铁焦化行业、化工行业。

2. 煤炭产业链

煤炭作为重要的矿产资源类型，是工业发展的动力与基础原料，由此成为“煤头”。围绕煤炭资源，按照以煤炭资源为原料或服务于煤炭采选，形成若干工业行业与产业部门，下游工业主要包括火电、钢铁、建材和煤化工、精细化工等行业。

根据煤炭与下游产业的关系，煤基产业大致分为四大产业链。

产业链Ⅰ：煤炭—火电—建材。“煤头”主要为动力煤。建材行业主要包括水泥、玻璃、陶瓷等高耗能产业或与粉煤灰存在供需关系的产业。

产业链Ⅱ：煤炭—电 / 焦炭—冶金或其他高耗能产业。“煤头”主要为焦煤，冶金产业主要包括钢铁冶金、有色金属冶金，其中有色金属冶炼重点包括电解铝和电解铜等。

产业链Ⅲ：煤炭—煤化工—精细化工。煤化工包括煤制气、煤制油和其他煤化工产品，精细化工是在上述化工原料基础上精深加工而发展的产业类型。

产业链Ⅳ：煤炭—洗选—装备制造。下游产业与煤炭资源是服务配套关系，装备制造主要包括煤机、采选设备和矿山机械制造。

二、“煤头电尾”

1. 煤头电尾

1）火电

火力发电（thermal power）是指利用可燃物在燃烧时产生的热能，通过发电动力装置转换成电能的一种发电方式。热电联产方式则是利用原动机的排气（或专门的抽气）向工业生产或居民生活供热。可燃物主要是指煤炭。20 世纪 30 年代以后，火力发电进入了大发展的时期。目前，大机组、大电厂是火电产业的主要发展趋势。

火电厂按照发电装机容量大致分为五个类型。装机容量在 10 万千瓦以下为小容量发电厂，装机容量在 10 万～ 25 万千瓦为中容量发电厂，装机容量在 25 万～ 60 万千瓦为大中容量发电厂，装机容量在 60 万～ 100 万千瓦为大容量发电厂，装机容量在 100 万千瓦以上为特大容量发电厂。

燃煤发电机组就是将煤等化石燃料的化学能转化为电能的机械设备。按照蒸汽压力和温度，燃煤电厂分为 4 个类型。中低压发电厂的蒸汽压力一般为 3.9 兆帕、温度为 450℃、单机功率小于 2.5 万千瓦；高压发电厂的蒸汽压力一般为 9.9 兆帕、温度为 540℃、单机功率小于 10 万千瓦；超高压发电厂的蒸汽压力一般为 13.8 兆帕、温度为 540℃、单机功率小于 20 万千瓦；亚临界压力发电厂的蒸汽压力一般为 16.7 兆帕、温度为 540℃、单机功率为 30 万～ 100 万千瓦。超临界燃煤发电机组是指容量为 60 万千瓦以上、主蒸汽压力达到 25 兆帕以上、温度达到 593 ～ 650℃或更高的参数，并具有一次再热或二次再热循环的燃煤发电装置，其技术含量高，机组效率能够达到 45% 左右。

2）电煤 / 动力煤

动力煤是指作为动力原料的煤炭。狭义上，动力煤是指用于火力发电的煤。广义上，凡是以发电、机车推进、锅炉燃烧等为目的，产生动力而使用的煤炭都属于动力煤。

动力煤主要包括褐煤、长焰煤、不黏结煤、贫煤、气煤以及少量的无烟煤。燃料煤的特性主要包括煤特性和灰特性。前者指煤的水分、灰分、挥发分、固定碳、元素含量、发热量、着火温度、可磨性、粒度等，这些指标与燃烧、加工、输送和储存有直接关系。后者指煤灰的化学成分、高温下的特性及比电阻，对燃烧后的清洁程度、钢材的腐蚀性及清除等有影响。发电用煤可采用发热量较低的褐煤、中煤（刘凯瑞，2017）。煤泥或灰分大于 30% 的烟煤，甚至用煤矸石等低热值燃料。即使是泥炭、石煤、天然焦或油母页岩等，也可用来发电。

发热量是指单位重量的煤在完全燃烧时所产生的热量，亦称热值，常用 10^6 焦耳 / 千克表示。它是评价煤炭质量尤其是评价动力用煤的重要指标。发热量主要与煤中的可燃元素含量和煤化程度有关。如表 3-4 所示，常见电煤热值在 5500 大卡 / 千克以上，最低也高于 4500 大卡 / 千克。

表 3-4 煤炭发热量的分级

等级	级别名称	发热量 /（兆焦耳 / 千克）	热值 /（大卡 / 千克）
烟煤与无烟煤	特高热值煤	＞ 29.6	＞ 7000
	高热值煤	25.5 ～ 29.6	6000 ～ 7000
	中热值煤	22.4 ～ 25.5	5300 ～ 6000
	低热值煤	16.3 ～ 22.4	3900 ～ 5300
	特低热值煤	＜ 16.3	＜ 3900
褐煤	高热值褐煤	＞ 18.2	＞ 4300
	中热值褐煤	14.9 ～ 18.2	3500 ～ 4300
	低热值褐煤	＜ 14.9	＜ 3500

2. 发展现状

东北地区有着丰富的煤炭资源，分布较为广泛，保有储量约为 723 亿吨，煤种、牌号分布齐全，从褐煤到无烟煤各变质阶段的煤种均有。其中，60% 的煤炭资源分布在内蒙古东部地区，27% 分布在黑龙江省，13% 在辽宁和吉林两省。炼焦用煤中，气煤占炼焦用煤的 69.1%，焦煤占 19.2%，肥煤及瘦煤数量很少。炼焦用煤地区分布亦不平衡，黑龙江省占东北地区炼焦用煤的 73.6%；非炼焦用煤中，褐煤储量占非炼焦煤的 83.9%，无烟煤很少，东北地区只有 424 亿吨，占 0.67%，且分布亦零散、质量劣，满足不了东北地区工业对无烟煤的需要。辽宁省的煤炭主要分布在沈阳市、铁岭市、阜新市、抚顺市及辽阳市，用煤与非炼焦用煤兼用；黑龙江分布在双鸭山市、鸡西市、鹤岗市及七台河市，储量丰富、煤种齐全，以炼焦煤为主。吉林省尚未发现和探明大型煤田，现有煤田主要分布在延边朝鲜族自治州、长春市、吉林市、通化市、白山市等地区，且煤质较差，以褐煤为主。蒙东地区分布有霍林河、陈巴尔虎旗两个储量超过百亿吨的大煤田，10 亿～ 100 亿吨的煤田有 6 个。

如图 3-2 所示，2018 年，吉林省、辽宁省、黑龙江省、蒙东地区的煤炭产能分别为 2001 万吨 / 年、3964 万吨 / 年、8790 万吨 / 年和 25 325 万吨 / 年，合计产能达到 40 080 万吨 / 年。2018 年吉林省、辽宁省、黑龙江省的煤炭产量分别为 1518 万吨、

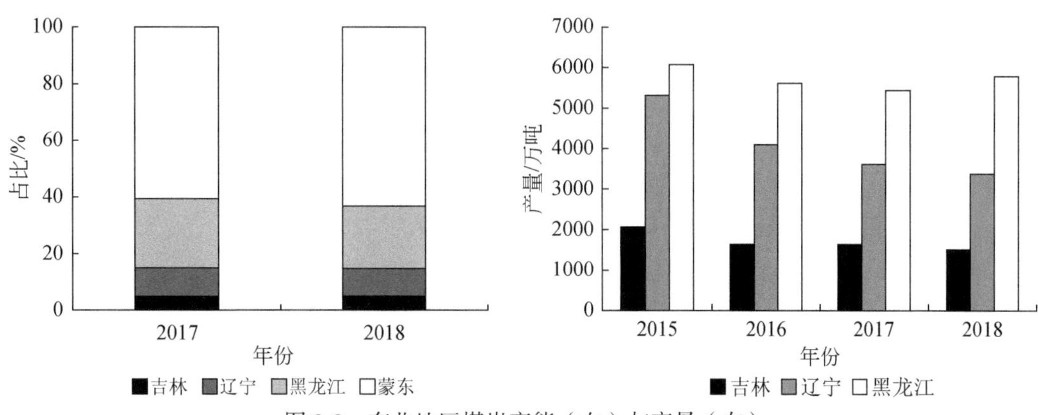

图 3-2 东北地区煤炭产能（左）与产量（右）

3376 万吨和 5792 万吨。2015 年以来，吉林、辽宁、黑龙江三省的火电发电量绝对值均呈上升趋势，2018 年火电发电合计增速达 5%，火电发电合计占比 79.27%。

主要的煤炭城市对产业和城市发展提出了主动转型的思路。其中，七台河市确定了“依托煤，延伸煤，不唯煤，超越煤”的发展思路，不再走“挖煤卖煤、炼焦卖焦”的老路。双鸭山市提出了“加快延伸产业链，推进煤电化一体化发展，建设全国技术领先的现代煤化工产业基地”的现代煤电化产业示范区战略。

3. 发展路径

东北地区要坚持“煤头电尾”战略，优化新增电源布局，应用清洁高效燃煤技术，发展清洁高效煤电，鼓励建设现代化大型清洁高效坑口电站，推动电力外送通道建设，打造绿色煤电基地。

1）合理开发煤炭

根据各地煤炭资源的禀赋与品质，合理开发煤炭资源，稳定煤炭生产规模，2025 年煤炭产量保持在 2 亿吨左右。

蒙东地区：贯彻实施国家能源基地建设战略，深度开发大煤田、大矿区，以保障煤电和现代煤化工等耗煤项目为主，建设一批亿吨级和五千万吨级大型煤炭基地，重点建设胜利、伊敏、白音华、元宝山、宝日希勒、五一牧场、五间房等煤炭基地和巴彦宝力格、贺斯格乌拉、查干淖尔、吉林郭勒、哈日高毕、高力罕等矿区，2025 年原煤产量控制在 1.5 亿吨左右。

辽宁省：坚持削减煤炭产量，推动煤炭城市转型，合理开发铁岭等地区的煤炭资源，2025 年原煤产量削减为 5000 万吨。

吉林省：要逐步削减煤炭产量，重点推动白山、延边、长春等地区的煤炭资源开发，2025 年煤炭产量控制在 1 亿吨左右。

黑龙江省：重点要限制煤炭开发，强调煤炭资源保护，严格控制新增煤炭产能，重点推动鸡西、鹤岗、双鸭山、七台河等地区的煤炭资源开采，2025 年煤炭产量控制在 7000 万吨。

加强收集利用技术攻关，推动煤层气规模化、产业化和市场化进度，辽宁重点开发沈北煤田、沈南煤田等煤层气资源，黑龙江重点开发鸡西、鹤岗、哈尔滨依兰等地区的煤层气开发。

2）科学发展火电

东北地区要统筹考虑煤源、负荷中心和电网建设等因素，优化布局燃煤火电。立足煤炭就地转化和水煤组合优势，以“煤头电尾”为方向，优化发展煤电一体化，建设大型清洁高效坑口电站，以用电需求引导煤电建设，严格控制新建、扩建大型常规煤电，鼓励使用超临界、超超临界燃煤发电机组，大力发展优化型百万千瓦级火电机组，建设绿色煤电基地。重点建设呼伦贝伊敏和宝日希勒、锡林郭勒胜利和五间房及白音华、赤峰克什克腾旗与元宝山、通辽霍林河、双鸭山、鸡西、鹤岗等煤电基地，形成国家级煤电基地。

坚持以用热需求引导煤电建设，发展余热利用和热电联产，积极推进背压式机组等热电联产项目建设，满足北方寒冷地区不断增加的集中供热需求。积极促进燃煤机组转型发展，实施燃煤电厂超低排放改造，鼓励建设大型热电机组。吉林和辽宁煤炭资源禀赋较少，而蒙东地区主产褐煤，经济运输距离在500公里左右，充分利用赤大白、巴新等能源通道，根据需要建设一定规模的负荷中心港口、路口电站。

3）加快电网建设

按照国家特高压及跨区电网输送总体布局，围绕重大煤电基地，实施“西电东送”“北电南送”，积极建设电力外送通道，提高外送承载调度能力。

加强特高压电力外送通道及配套工程建设，发展超高压、特高压外送路线，构建连接东北、华北、华东地区的超高压走廊，重点建设锡林郭勒盟—南京1000千伏交流、锡林郭勒—山东800千伏直流、锡林郭勒—江苏800千伏直流、扎鲁特—山东、赤峰—华北、呼伦贝尔—华北、锡林郭勒—张北、白城—扎鲁特等外送通道，形成面向华北、华中和东北的输电走廊，破解大型电力基地外送瓶颈，解决东北地区“窝电”困境。

完善电网省区间联络线和区域内主干网架，加强500千伏主干网架建设，建成呼伦贝尔、兴安、通辽、赤峰一体化的500伏主干网架。重点建设白音华—营口、上都—承德、赤峰—利州、开鲁—新民、珠日河—科尔沁—新民、锡林浩特—乌拉盖等500千伏超高压输电，以及赤峰—通辽、伊敏—科尔沁、汗海—灰腾梁、锡林浩特—白音华、冯屯—白城、吉林—延吉、锡林浩特—温都尔、岭东—兴安、兴安—科尔沁、海北—岭东、双鸭山—建三江、鹤岗—伊春等500千伏输变电，建设呼伦贝尔—辽宁支流输电通道，谋划以哈尔滨为起点的特高压外送通道，加快“西电东送”。

4）整合煤电资源

坚持煤电一体化经营，鼓励企业运用资本重组、持股、兼并等各种途径，积极向下游或上游推进产业链，整合煤电资源，实现资源开采、输送、转化、销售的一体化经营。鼓励煤炭企业发展火电装机，鼓励电力企业购置矿权、推动煤炭资源开发，鼓励煤炭企业和电力企业投资建设运煤铁路与高压电网。煤炭资源开发、火电布局必须要考虑资源环境承载力，充分考虑水煤组合优势，在水资源严重短缺地区要控制煤炭开发规模与火电装机规模。

5）重点城市指引

赤峰市建成面向京津冀地区的清洁能源输出基地，火电装机容量力争达到800万千瓦/年。积极建设清洁能源外送通道，重点建设赤峰—华北超高压电力外送通道、赤峰元宝山—河北500千伏电力改接输电通道、赤峰巴林—辽宁阜新500千伏电力输送通道。

呼伦贝尔市围绕煤炭就地转化，有序开发伊敏、宝日希勒、五一牧场等煤田，产量达1亿吨；集中建设伊敏、宝日希勒、扎赉诺尔等千万千瓦级大型煤电输出基地，火电装机达1015万千瓦。推进呼伦贝尔—山东、呼伦贝尔—华北外送通道建设。

锡林郭勒盟重点打造胜利、白音华两个5000万吨级矿区及五间房、贺斯格乌拉等1000万吨级矿区。建设一批“高参数、大容量、高效率、高度节水”的坑口燃煤电站群，重点建设锡林浩特市胜利、西乌珠穆沁旗五间房和白音华、阿巴嘎旗查干淖尔、乌拉盖管理区贺斯格乌拉、东乌珠穆沁旗乌尼特等坑口电站群和多伦县路口电站群，煤炭就地转化率达 70%，火电装机达 3100 万千瓦。推进锡盟—山东、锡盟—泰州、锡盟—张北“两交一直”特高压及多伦—北京通北超高压等外送通道建设。

通辽市打造霍林河煤田煤炭清洁生产输出基地，褐煤产量控制在 8600 万吨 / 年，火电装机达到 1770 万千瓦 / 年；加快通辽扎鲁特旗—山东青州 ±800 千伏特高压、科尔沁—辽宁新民 500 千伏超高压外送通道及配套电源点建设。

阜新市巩固传统煤电产业，利用巴新铁路的优势，推进煤炭精深加工，建设煤炭深加工基地和集散地。稳定火电产业发展，火电装机容量达 190 万千瓦 / 年。

鹤岗市原煤生产能力保持在 2500 万吨，火电装机容量达 160 万千瓦 / 年，加强 500 千伏鹤岗变电工程建设。

双鸭山市提升现代化煤矿建设水平，整合地方煤矿，煤矿数量控制在 95 处以内，煤矿平均规模提高到 100 万吨 / 年以上。发展清洁燃烧发电技术，适度发展大型热电联产和低热值煤发电项目，装机容量达 500 万千瓦 / 年。

鸡西市适度开采新的煤炭资源，建设集约、安全、高效的现代化矿井，重点推进龙昌 400 万吨矿井、合作 120 万吨立井、天源煤炭 90 万吨矿井改扩建等项目。煤炭产能稳定在 2800 万吨 / 年左右。加快煤电转化，发展电力多联产，推进热电联产、煤矸石、粉煤灰综合利用等建设。热电联产集中供热能力达 3500 万平方米，装机容量达 300 万千瓦 / 年。

白山市提高煤电技术环保水平和经济性，鼓励煤电联营和煤电一体化，火电装机容量达 200 万千瓦 / 年。

三、“煤头化尾”

1.“煤头化尾”

1）煤化工

煤化工是以煤炭为原料的相关化工产业的统称，指因煤含碳元素较高而为主要原料，经一次、二次化学加工和深度化学加工，使煤转化为气体、液体和固体产品或半成品，而后进一步加工成各种燃料和化工产品的过程，主要包括煤的气化、液化、干馏及焦油加工和电石乙炔化工等。在煤的各种化学加工过程中，焦化是应用最早且至今仍是最重要的方法，目的是制取冶金用焦炭，同时生产煤气、苯、甲苯、二甲苯、萘等芳烃。煤化工的产业发展始于 18 世纪后半叶，19 世纪形成了完整的煤化工体系，20 世纪许多以农林产品为原料的有机化学品多改为以煤为原料生产，煤化工成为化学工业的重要组成部分。

2）化工用煤

无烟煤是变质程度较高的煤种，是主要的化工用煤，也是碳素生产的重要原料。优质无烟煤主要是指灰分 <15%、硫分 <1%、可选性好的煤种。如果直接液化，煤炭要求灰分较低，褐煤、长焰煤等年轻煤种是比较好的选择；煤间接液化是将煤气化，生成 H_2/CO 的原料气，再在一定压力和温度下加催化剂，合成液体油，对煤质要求相对低，灰分要低于 15%。七台河市是东北地区最大的无烟煤生产基地。

在工业应用中，不同行业对煤炭的工艺要求及适用煤种不同。具体如表 3-5 所示。

表 3-5 不同工业对煤炭的工艺要求及适用煤种

用途	工艺要求	可用煤种
发电	发热量高、硫分低	弱黏煤、不黏煤、长焰煤、无烟末煤
炼焦	焦砟特征、黏结指数	气煤、肥煤、焦煤、瘦煤
喷吹	低灰、低硫、可磨指数高	无烟煤、贫瘦煤、烟煤
化工	粒度大	无烟块煤
水泥	各种窑要求不同	烟煤、无烟块煤
陶瓷	低灰、低硫、高发热量	烟煤的块煤
民用	无	所有煤种

资料来源：张引刚（2014）

3）煤化工产业链

煤化工产业链是指基于化工产品上下游（包括原料）为联系的产品链条，一般包括原料（主要是煤炭）和多种化工产品。煤基合成化学品示意图如图 3-3 所示。

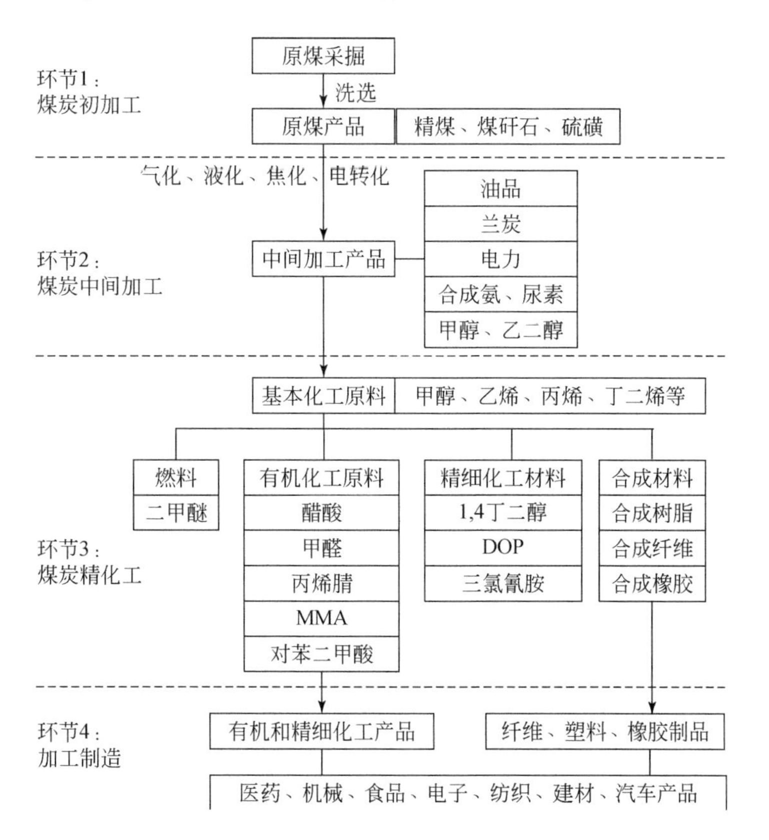

图 3-3 煤基合成化学品示意图

资料来源：榆横工业区总体规划（2010—2030）

如表 3-6 所示，根据生产工艺和产品的不同，煤化工分为煤焦化（热解）、煤气化、煤液化和煤电石四条生产链。按不同的产品路线，煤化工可以分为煤制油、煤制烯烃、煤制醇醚、煤焦化—焦碳—电石、煤气化～合成氨等。

表 3-6　煤化工基本分类

按工艺路线划分	煤焦化	煤→焦炭→冶金
		煤→焦炭→电石→乙炔→ PVC
	煤气化	煤→甲烷气
		煤→合成气→合成氨或甲醇
		煤→合成气→醋酐或醋酸甲酯
		煤→甲醇→烯烃
	煤液化	直接液化：美国 HTI、日本 BEDOL、德国 IGOR、中国神华
		间接液化：F-T 合成、Mobil 工艺
按成熟度和历程划分	传统煤化工	煤焦化、煤电石制乙炔、煤气制合成氨或甲醇
	新型煤化工	煤制甲烷气、煤气化制甲醇、煤制二甲醚、煤制烯烃、煤制乙二醇、煤制芳烃、煤制油

资料来源：郭亮（2017）

按照产业发展成熟度和发展历程，煤化工分为传统和新型两类。其中，煤焦化、氯碱、煤电石、合成氨等属于传统煤化工，包括焦炭、电石、煤制化肥、煤焦油、焦炉煤气等化工产品。新型煤化工以生产可替代石油化工的原料和洁净能源为主，主要采用先进的煤气化和液化技术，主要包括煤基合成气甲烷化、煤气化生产甲醇进而生产化产（乙烯、丙烯、乙二醇、二甲醚和芳烃化合物等）和油品（甲醇汽油、柴油、石脑油和燃料油等）、直接液化生产油品以及 IGCC(整体煤气化联合循环)发电等（郑颖，2018）。

2. 发展现状

中国传统煤化工产品生产规模居世界第一，合成氨、甲醇、电石和焦炭产量分别占全球产量的 32%、28%、93% 和 58%（栗进波，2017）。传统煤化工产品处于阶段性供大于求状态，产能均有一定的过剩，主要是结构性过剩，如表 3-7 所示。据不完全统计，2013 年至 2015 年 5 月，获得发改委路条的煤化工项目共计 22 个，而各地上报发改委欲获得“路条”的煤化工项目达 104 个。传统煤化工的主要产成品是焦炭、合成氨和甲醇。目前，这些产能严重过剩，且具有高能耗、高污染，资源利用率低，附加值低的特点。

目前，东北地区的煤化工产业规模较小，以煤焦化工业和焦炉煤气生产合成氨化肥为主，煤制天然气也逐步发展。其中，七台河煤化工产业耀眼，焦炭实际生产能力 900 万吨 / 年，煤焦油加工能力达 60 万吨 / 年，煤气制甲醇生产能力达 38 万吨 / 年。

表 3-7　煤化工产品产能与产量总体情况

类型	产品	2014 年		2015 年 1 ～ 6 月	
		产能 / 万吨	产量 / 万吨	产能 / 万吨	产量 / 万吨
传统产品	煤制焦炭	50 000	47 980	50 000	22 638
	煤制煤焦油	2 500	2 399	2 500	1 132
	煤制焦炉煤气	2 125	2 039	2 125	962
	煤制粗苯	950	912	950	431
新型产品	煤制天然气	31.05	8	31.05	9.4
	煤制二甲醚	423	148	423	74
	煤制乙二醇	332	58	332	16.89
	煤（甲醇）制烯烃	613	240	1 136	280
	煤炭液化	258	120	258	44.49

资料来源：2015 年中国煤化工行业发展概况 . http://www.chyxx.com/industry/201512/371122.html

3. 发展路径

1）总体发展思路

立足煤炭就地高效清洁转化，聚焦蒙东地区和黑龙江东部地区，在资源环境承载力范围之内，充分发挥水煤组合优势，在运煤通道与水资源兼备地区合理布局煤化工，根据煤种煤质特点，采用不同煤转化技术，加快褐煤提质工艺研发进程，推进褐煤精炼多联产，实施梯级深度利用，推进产业链条化、企业循环化、生产清洁化、产品多元化，拉长主副产品产业链，开发系列产品深加工，控制传统煤化工发展，推动化工产品从焦化、甲醛、炭黑等传统产品向煤制甲醇、烯烃、天然气、乙二醇、合成氨尿素等中高端和精深加工产品转变，提升产品档次，向现代煤化工转变，建设国家级新型煤化工产业基地。在水资源短缺的地区要严禁煤化工产业布局，严禁煤化工项目与农业、生态争水。

2）合理发展煤化工原料

坚持终端消费和原料供应两个需求，通过气化、液化、焦化和电转化等技术，合理发展煤化工原料产品。重点发展四类产品。

面向清洁能源消费需求，重点发展燃料型产品，重点生产洁净能源和可替代石油化工的油品和气品，包括煤制油（柴油、汽油、航空煤油）、煤制天然气等产品，以及替代燃料，形成煤炭—能源一体化产业链。燃料型产品的生产须配备建设管道，并连通干线管道。

要根据东北地区的冶金产业和对外输出的需求，巩固发展煤焦产业。同时，推进由冶金焦向化工焦转变。

煤制化肥产品的生产要控制规模，但在粮食基地要适度扩大化肥生产规模。化肥产品重点包括合成氨、尿素等。

突出发展化工型煤化工产品，重点包括煤质甲醇、乙二醇、乙烯、丙烯、丁二烯等化工原料，为下游精细化工发展提供化工原料。

3）深度发展新型煤化工

坚持深度发展，在甲醇、乙二醇、乙烯、丙烯、丁二烯等基本化工原料的基础上，积极发展新型煤化工和精细煤化工，重点发展合成化工、精细化工、材料化工，加快向清洁化学品、农化品等产业转型，推动原料向材料转化。

重点发展三条产业链：①有机化工原料。重点发展醋酸、甲醛、丙烯腈、MMA 和对苯二甲酸等产品。②精细化工材料。重点发展 1 和 4 丁二醇、DOP 和三聚氰胺。③合成材料。重点发展合成树脂、合成纤维、合成橡胶。

基于上述的产业基础，面向各产业的发展需求，深化发展加工制造，积极发展有机化工和精细化工产品、纤维和塑料及橡胶制品等，加快开发医药、机械、食品、电子、纺织服装、建材、汽车等用化工产品的加工制造。

4）打造煤化工产业链

根据东北地区的煤炭资源与既有煤化工产业，重点打造四条煤化工产业链。

产业链Ⅰ：依托煤制烯烃，构建环氧乙烷、高碳 α- 烯烃产业链及环氧丙烷、苯酚 / 丙酮等产业链，重点发展工程塑料、汽车配件、医药、涂料溶剂等下游产品。

产业链Ⅱ：依托煤制油，在生产成品油的基础上，延伸发展烯烃、芳烃等下游产品。

产业链Ⅲ：依托煤制乙二醇，打造 PET 聚酯、其他特种高分子材料等产业链，重点发展涤纶纤维、聚酯瓶及聚酯薄膜、工程塑料等下游产品。

产业链Ⅳ：依托焦炭及其副产品，打造煤焦油深加工、焦炉煤气制 LNG、焦炭气化制甲醇及费托合成制清洁化学品等产业链，重点发展合成塑料、天然气、甲醇、清洁化学品等下游产品。

5）地区发展指引

赤峰市立足赤锡水煤合作，在运煤通道与水资源兼备地区，坚持“以水定点”，壮大现代煤化工产业，重点发展煤制气、煤制油、尿素、甲醇、乙二醇、聚氯乙烯、烯烃等煤化工产品，拉长煤化工副产品综合利用链条。培育煤化工产业集群，打造克什克腾旗煤化工循环经济园区、右旗大板煤电一体化循环经济园区。煤化工年转化煤炭 6000 万吨。

呼伦贝尔市合理控制煤制化肥、煤制气等传统煤化工，积极发展煤制烯烃、二甲醚、乙二醇等现代煤化工，建立呼伦贝尔化工原料基地；推动尿素深加工，延伸发展聚酯、长丝、短纤维等下游精深化工产品。重点发展岭东工业园区、扎赉诺尔煤电化基地、额布都格跨境合作区。煤炭年转化量力争达 3000 万吨。

锡林郭勒盟在具备水资源条件的地区，合理发展煤化工，重点发展褐煤热解与提质、煤制尿素、煤制天然气等煤化工，推进聚丙烯下游树脂加工产业链条建设。

通辽市以霍林郭勒市、扎鲁特旗煤化工产业园和经济技术开发区为基地，围绕煤制乙二醇、草酸、乙醇酸、草酸盐、合成氨、工程塑料等多联产链条进行精深加工。

兴安盟发挥水煤组合优势，推进煤制天然气、褐煤提质、褐煤综合利用油气联产、煤制化肥、煤制甲醇、煤制烯烃项目，开发系列产品深加工项目，延伸产业链条。

阜新市合理发展现代煤化工及精深加工，推进煤制气、煤制乙二醇、煤制油等产品，加快以天然气主副产品精细加工，构建天然气、甲醇精细化工及煤制烯烃、废弃物综合利用产业链。

白城市以打造化工芳烃产业集群为目标，重点发展乙二醇、煤制芳烃、废矿物油加氢、高纯蜡、高吸水性树脂、甲醇制烯烃、煤焦油轻质化等产品。

双鸭山市以经济技术开发区新型煤化工园区、宝清朝阳煤化工园区为重点，采用新的煤干馏、气化、液化技术，形成煤干馏提油、煤制甲醇转烯烃及下游产品、煤制芳烃及煤制乙二醇、煤地下气化、褐煤蒸汽干燥提质、煤间接液化、聚氯乙烯等煤化工产业链，煤炭转化率达 70% 以上。

鸡西市围绕低质煤高效清洁利用，大力发展煤炭化工，延伸产业链条，构建煤制烯烃、煤制芳烃、煤制乙二醇、煤制天然气四大板块，加快发展乙二醇、聚乙烯等。重点打造“一个园区（鸡西开发区煤化工产业园区）、两大集群（梨树工业谷煤焦化产业集群、鸡东煤化工产业园）、三个主导产业链（煤焦化、煤气化、煤液化）”，煤炭就地加工转化率达 60% 以上。

白山市推进煤炭加工，打造原煤—洗精煤—焦炭—煤气—甲醇、煤焦油、液化天然气（LNG）产业链为主体的新型产业体系，提升焦炭生产和焦炉煤气、煤焦油深加工产品等中间终端产品占比。

第四节　“农头工尾”与“粮头食尾”发展路径

一、基本概念

1. 农业资源

农业属于第一产业，是提供支撑国民经济建设与发展的基础产业，以土地资源为生产对象，利用动植物的生产发育规律，通过人工培育动植物资源、生产食品及工业原料的产业。农业的劳动对象是有生命的动植物，产品是动植物本身。广义的农业包括种植业、渔业、林业、畜牧业，狭义的农业是指种植业，本研究指广义概念。农业受生物的生长繁育规律和自然条件的制约，具有强烈的季节性、地域性、周期性，产品多具有鲜活性，不便于运输和储藏。

种植业是指栽培各种农作物以取得植物性产品的生产部门，可获得粮食、副食品、饲料和工业原料。涉及粮食作物、经济作物、饲料作物等，具体包括粮食、棉花、油料、麻类、丝桑、糖、菜、烟草、水果、中药、杂粮。粮食作物包括稻谷类、麦类、薯类、玉米等，油料作物包括花生、油菜籽和芝麻等，糖料作物包括甘蔗和甜菜等。

畜牧业是利用已被人类训话的动物或野生动物的生理机能，通过人工饲养、繁殖而将牧草和饲料等植物能转变为动物能，以获得畜产品的产业，包括草原牧区畜牧业、农区畜牧业。动物种类包括肉羊、肉牛、肉鸡、蛋鸡、生猪等。畜牧业不但为居民生活提供肉、蛋、乳、禽等食品，而且为纺织、油脂、食品、制药等产业部门提供原料。

渔业是指捕捞、养殖鱼类和其他水生动物及海藻类等水生植物以获得水产品、提供食品和工业原料的产业，包括湖泊河流淡水渔业和海洋渔业，也分为养殖业和捕捞业。

林业是通过培育和保护森林以取得木材和其他林产品、利用林木的行业。

2. 农产品加工

农产品加工是用物理、化学和生物学的方法，将农业的主、副产品制成各种食品或其他用品的一种生产活动。主要包括粮食加工、饲料加工、榨油、酿造、制糖、制茶、烤烟、纤维加工及果品、蔬菜、畜产品、水产品等的加工。目前，农产品加工向深度、精度及专业化方向发展，主要农产品深加工或二次以上加工的比例达 30% 以上。

农产品加工业主要包括如下方面。

农副食品加工业是直接以农林牧渔业产品为原料进行的谷物磨制、饲料加工、植物油和制糖加工、屠宰及肉类加工、水产品加工及蔬菜、水果和坚果等食品的加工活动。

食品制造业指粮食及饲料加工业、植物油加工业、制糖业、屠宰及肉类蛋类加工业、水产品加工业、食用盐加工业和其他食品加工业。包括烘焙食品制造、糖果巧克力蜜饯制造、方便食品制造、乳制品制造、罐头食品制造、调味品和发酵制品制造和其他食品制造。

酒、饮料和精制茶制造业包括酒精、酒、软饮料、精制茶制造，产品主要为白酒、啤酒、碳酸饮料、茶饮料和瓶（罐）装饮用水等。

烟草制品业是指烟叶复烤、卷烟制造和其他烟草加工。

纺织业是指用天然纤维或化学纤维加工而成各种纱、丝、绳、织物及其色染制品的工业。按原料性质，分为棉纺织工业、毛纺织工业、丝纺织工业、麻纺织工业、化学纤维工业等，主要原料有棉花、羊绒、羊毛、蚕茧丝、化学纤维、羽毛羽绒等。按生产工艺不同，可分为纺纱、织布、针织、印染等工业活动。广义上的纺织业包括服装业。

皮革工业是指利用畜产品加工的工业，以动物生皮为主要原料进行系列加工，包括以生皮为加工对象的制革业，以革为主要原料的皮鞋制造业。

木材加工业指以木材为原料，主要用机械或化学方法进行加工的工业。现在产品已从原木的初加工品，如电杆、坑木、枕木和各种锯材，发展到成材的再加工品，如建筑构件、家具、车辆、船舶、文体用品、包装容器等木制品，以至木材的再造加工品即各种人造板、胶合木等（于洋，2010）。

家具制造业是指用木材、金属、塑料、竹、藤等材料制作的，具有坐卧、凭倚、储藏、间隔等功能，可用于任何场所的各种家具的制造。产品包括各种床、桌、椅、凳、柜、箱、架、沙发、屏风等。

造纸和纸制品业主要是制造各种纸张及纸板的工业，包括用木材、芦苇、甘蔗渣、稻草、秸秆、麻秆等原料制造纸浆的纸浆制造业，制造纸和纸板业及生产涂层、上光、上胶、层压等加工纸及字型用纸版的加工纸制造业。

橡胶和塑料制品业包括橡胶制品业和塑料制品业。橡胶制品业是指以天然及合成橡胶为原料生产各种橡胶制品的活动。塑料制品业是指以合成树脂（高分子化合物）为主要原料，经采用挤塑、注塑、吹塑、压延、层压等工艺加工成型的各种制品的生产活动。

二、发展现状

1. 农业资源

东北地区有着肥沃的土壤，以黑土和黑钙土为主，土层深厚，有机质含量高。东北地区有着丰富的森林资源，大兴安岭、小兴安岭和长白山是中国最大的森林区。东北林区木材蓄积量达到 32 亿立方米，占全国木材总蓄积量的 1/3。东北地区有着广阔的草原，分布有呼伦贝尔草原、科尔沁草原和锡林郭勒草原。河流数量众多，水系较多，分布有松花江流域和辽河流域，分布有大面积的湿地和众多的湖泊，南部区域濒临渤海和黄海。2017 年，辽宁、吉林、黑龙江三省粮食产量达到 2375 亿斤，约占全国的 19.2%，其中，辽、吉、黑三省粮食产量分别为 427 亿斤、744 亿斤和 1204 亿斤，是中国重要的小麦、大豆和玉米生产基地。辽宁海域拥有两大渔场，即海洋岛渔场和辽东湾渔场。

东北地区农产品加工业已具备了一定的规模，形成了部分优势产业和产品，一些产品在国内外市场上具有较强的竞争力。如表 3-8 所示，目前构建了米、面、油、乳、肉、薯、种、药等十大产业化体系，已初步形成玉米、水稻、大豆、马铃薯、蔬菜、亚麻、乳品、畜禽八大类农产品加工集群，但以玉米、大豆和稻谷加工为主（金双燕等，2017）。东北地区拥有北大荒米业集团、绿都集团、响水米业、鹤鸣米业、星火绿色精洁米公司、“九三”油脂、哈高科、大自然油脂、长春大成、吉安生化等龙头企业。2016 年，黑龙江玉米深加工能力由 180 亿斤增加到 220 亿斤，粮食加工转化 439 亿斤，有效使用绿色食品标识产品 2600 个，2017 年粮食加工转化率达到 46%。“北大荒”品牌连续 15 年入选中国 500 最具价值品牌榜，九三非转基因大豆油、完达山、北大荒有机米等品牌都成了安全放心食品的“代名词”，“五常大米”成为中国驰名商标，品牌价值达 670 亿元；2017 年，黑龙江在全国粮食油料类获奖品牌入选 11 个，占比达到 47.8%（金双燕等，2017）。黑龙江垦区有农产品加工企业 1003 家，规模以上企业有 177 家。

2. 存在问题

虽然东北地区农产品加工业发展势头较好，奠定了较强的发展基础，但仍然发展不足，尚存在着种强加工弱、链短价低、有头无尾、虎头蛇尾、头尾脱节等问题。

农业资源丰富，但就地转化率较低。虽然东北地区有着各种农业资源、植物资源及动物资源，但种植养殖为主，“原”字号输出与就地消费为主，加工转化率较低。2016 年，黑龙江省粮食总产达到 1211.7 亿斤，粮食总产量、商品量和调出量连续 6 年全国第一，但精深加工率不足 40%（金双燕等，2017）。

表 3-8　2016 年东北地区农产品产量及占全国比例

农产品类型		东北三省产量 / 万吨	占全国比例 /%	农产品类型	东北三省产量 / 万吨	占全国比例 /%
粮食	稻谷	3394	16.4	油料	185.6	5.1
	小麦	31.3	0.2	棉花	0.0126	0.002
	玉米	7426	33.8	麻类	8.04	30.7
	大豆	571.7	44.2	甜菜	22.2	2.32
	薯类	206.7	6.2	烟叶	12.0	4.4
粮食合计		11629.7	19.3	蔬菜	4046.8	5.1

产业链延伸不足，产品附加值低。多数农产品企业生产工艺简单，加工层次较低，粗加工为普遍现象，精深加工度不高，加工链条较短，附加值低，原材料没有得到充分利用，原材料浪费严重。东北地区稻谷加工企业多限于普通大米和精洁米等初级产品加工，黑龙江精深加工的稻米产品仅有 10 多种，稻谷加工业对稻谷资源的增值率仅为 1：1.3。吉林省玉米加工产品有 100 多种，精深加工产品只有 30 ～ 40 种，粗加工和精深加工的比例为 6：3.4，许多加工企业只能生产普通淀粉、酒精等单一产品。而发达国家玉米加工的产品高达 2000 多种，精加工比例达到 90% 以上（王为农和贾玉良，2006）。

企业规模小，缺少龙头企业。农产品深加工企业规模普遍较小、能力弱，中小企业居多，可以辐射带动产业发展、具有国际竞争力的企业较少，名牌企业就更少。东北地区现有 4000 多家大米加工企业，日加工能力在 150 吨以上的企业只占 15%，农垦集团的引领作用不足（王为农和贾玉良，2006）。中小企业的发展不足导致产业集群的层次较低，集群数量较少、规模较小。

产品雷同严重，低端竞争激烈。同类农产品加工企业低水平重复建设显著，低端产品的加工能力存在过剩，这导致恶性竞争，价格战较为明显，微薄利润占市场。吉林省大豆加工能力则超过 1 倍以上，大量生产能力闲置。东北地区的许多粮食加工企业开工率较低，总体亏损。

产品种类少，知名品牌少。东北地区的农产品加工种类较少，传统产品较多，精深加工产品和创新产品较少，主要是果蔬、肉类和乳品加工。特色不突出，缺乏知名品牌，更缺乏在国际市场上具有竞争力的品牌，缺乏品牌支撑效应。中低档产品多、名优产品少，初级产品多、精深加工和终端产品少。2016 年，黑龙江垦区食品加工业有 73% 的企业从事谷物磨制，毛利率为 2.6%。

企业技术装备落后。多数企业的生产工艺落后，技术装备水平低，技术装备水平较高或接近国际先进水平的企业较少，这影响了产品的更新换代与精深加工水平。部分企业仍是家族企业，大量企业为传统的作坊企业。

贸工农一体化格局尚未形成。原料生产为传统的分散生产，缺少覆盖所有环节的大企业集团，各环节之间尚未形成紧密连接的产业链，尚未建立起“从田间到餐桌”的生产—加工—销售—物流网络。

三、建设任务

贯彻落实“粮头食尾”和“农头工尾”战略，发挥农垦、林场、农场等企业的引领作用，按照大基地、大品牌、大产业的思路，坚持工农融合发展，以“尾”端工业需求和市场消费为立足点和方向引领，以“头”端特色绿色供给优势为基础，以稳定农业和增加农民收入为目标，以安全、健康、绿色、高端、优质为主线，“应加工、尽加工”“宜精深、全精深”，坚持做大做强做精，培育大企业、实施大项目、建设大园区、发展大产业，做优粮食精深加工、畜禽加工和特产品加工三大优势产业，延伸加工产业链，多措并举“增品种”，大力发展生物质化工和生物质能源产业，聚焦初加工、主食加工、精深加工、副产物综合利用4个领域，提高加工深度与精深加工率，打造“从田间到餐桌”的全产业链，把农产品加工业打造为东北地区重要的支柱产业，推动东北地区绿色大基地、大粮仓、大菜园向大粮商、大工厂、大厨房转变，建设全国知名的绿色食品与农产品精深加工基地，推动保障国家粮食安全向保障食品安全升级。

1. 做优粮食加工制造

利用东北地区丰富的粮食资源，坚持“吃得好、吃得安全、吃得健康、吃得便利”，实施“中国好粮油”行动，突出发展绿色食品工业和粮食深加工，粮食加工转化率和主食品工业化率分别达 88% 和 25% 以上。粮食加工重点发展主食加工业，推动向精深加工方向发展，大力发展以大米、小麦、马铃薯、玉米等为原料的主食品、方便食品、休闲食品、功能性食品，提高速冻食品、方便食品、粗纤维食品、杂粮深加工、高油酸食用油等名优新特产品在食品中的占比。重点发展高品质谷物食品、特色饮品。

统筹五常大米、响水大米等地理标志产品，推动水稻加工企业产能、品牌优化整合重组，提高稻米产品档次和品质。积极利用生物技术、高效干燥技术等先进技术，向快餐米饭、米粉、米糠油、米蛋白等精深加工及综合利用发展，打造整粒米、米粉和综合利用三大系列产品，建设全国优质绿色有机粳米加工基地。整粒米系列重点发展胚芽米、水晶米、珍珠米、速食干燥米、方便米饭等，米粉制品重点发展方便米面、方便米粥、大米点心、大米饼干等。支持稻米加工副产品综合利用，不断开发谷壳、米糠、碎米等副产品，米糠深加工重点发展米糠油、米糖等产品，利用稻壳发展生产稻壳板材、可降解环保包装等项目。

推进小麦加工业发展，提高面粉生产本地化水平。马铃薯加工要稳步发展淀粉、粉条等传统生产，大力发展方便、休闲、变性淀粉等高端产品，推进马铃薯面食主食化。饲料加工要巩固发展饲料添加剂生产，重点发展无公害和绿色配合饲料生产。积极发展与传统谷物结合的营养性、时尚性、娱乐性食品。

引导粮食加工企业精选原料、精通工艺、精细加工、精美包装，向精深化方向发展。强化粮油加工副产品的综合利用。壮大一批粮食加工园区和产业化龙头企业，打造一批特色名牌产品和知名商标，促进向“专、新、特、精”方向发展，鼓励龙头企业建立产品质量追溯机制。

2. 做强农产品加工

1）豆类加工

大豆是东北地区的重要农作物，大豆加工已成为重要产业。东北地区要充分利用非转基因大豆资源，推动大豆加工和杂豆深加工，开发深加工和终端产品，实现精深加工率达60%以上。以黑龙江和吉林为重点，扩大大豆加工规模，提高大豆精深加工和副产品综合利用水平，重点支持发展非转基因大豆浓缩蛋白、分离蛋白和大豆食品加工、豆粉、素肉、豆类冲调食品与营养口服液，打造非转基因品牌。积极开发大豆蛋白新产品和新领域，在大豆分离蛋白、浓缩蛋白和组织蛋白的基础上，开发生产活性蛋白粉、大豆肽粉和胶质蛋白等产品（王为农和贾玉良，2006）。发展有东北特色食用植物油产业体系，提升色拉油、人造奶油、起酥油生产，积极发展代可可脂、改性油脂、燃油添加剂等。探索大豆的子叶、皮、胚部分的精深加工和开发利用。

2）畜产品加工

依托牧区和农区畜牧业，加快发展畜牧产品深加工，重点发展肉蛋加工，推动传统冻肉向精细分割、冰鲜、熟制品半熟制品方向转变，探索制定牛羊肉精细分割标准，提高副产物综合利用水平，打造“乌珠穆沁羊肉”等高档牛羊肉品牌。加快发展肉松、中西式香肠、火腿、培根等熟食制品，积极发展肉、谷物、蛋奶混制方便休闲食品，全蛋粉、蛋白粉、蛋黄粉等高档原料性食品。

依托锡林郭勒、齐齐哈尔、松原、兴安盟、呼伦贝尔和通辽，大力发展乳制品加工；稳定发展液体乳，重点发展乳粉和炼乳，开发高端配方系列的乳糖、乳清粉、功能型基料、功能性乳饮料等新产品。支持乳品企业在东北具有奶源优势的地区扩大产能布局，推动传统乳制品加工业向标准化、规模化和高端化升级。

鼓励辽宁沿海各地区积极发展海洋鱼产品加工，重点发展系列鱼制品、风味食品、速冻制品、保健方便制品，建设高品质海洋产品加工基地。

3）玉米加工

突出玉米原料市场量大、产业链长、产品附加值高的特点，发挥“黄金玉米带”的资源优势，以吉林和黑龙江为重点，利用微生物发酵、高新分离等现代生物技术，加快玉米深加工产业升级，形成玉米加工全产业链，提高玉米就地加工转化率。东北地区控制种植总量，大力发展下游产品，加快发展高档主食、休闲、方便食品，延长产品链。积极发展用作淀粉糖和发酵制品的生产原料，鼓励发展氨基酸、有机酸、赖氨酸等发酵产品。突出发展变性淀粉、L-乳酸、玉米谷朊制品等系列产品；适度发展优质食用酒精、医用酒精、淀粉等初级加工产品；鼓励发展玉米油系列、方便型营养玉米食品和高纯度无水酒精。积极推进玉米皮、玉米胚芽、玉米芯、玉米秆等资源的深度利用。

4）林产品加工

在大小兴安岭和长白山林区，扶持发展林特产品、森林食品、中药材等林产品加工业。做优林木深加工业，推进木结构房屋、木制工艺品、家具等林木产品提档升级，在黑河、加格达奇、伊春、海拉尔、牙克石、根河、扎兰屯等地，扶持一批具有较强竞争力和品牌优势的大型木材精深加工企业。林下产品依托“黑森”等品牌优势，重点发展食用菌干制品、山野菜、即食产品、保健品（人参、蜂产品）等精深加工食品；鼓励发展蓝莓、沙棘等浆果果干和饮品；加快发展坚果仁、蜂蜜等特色林下食品，突出发展林蛙、梅花鹿等林养产品。以此，打造林下经济生产基地。

5）酿酒产业

发展适合大众消费的高品质纯粮酒、果酒和功能性保健酒。做优做强高品质白酒，研发低度数纯粮多香型融合的白酒。适度开发水果啤酒、风味啤酒、低醇及无醇啤酒、精酿个性化、差异化啤酒。积极发展具有地域特色的葡萄酒、蓝莓冰酒、配制酒、其他蒸馏酒、其他发酵酒、保健酒等系列产品，提升干红酒质量，扩大甜红酒规模，打造山葡萄冰酒精品。加快发展传统格瓦斯饮料，蓝莓、蓝靛果、沙棘、树莓等优质特色野生浆果饮料、生态粮蔬饮料、植物蛋白饮料等具有一定地方特色的饮料。

6）果蔬加工

东北地区应围绕出口蒙俄韩等国际市场、“北菜南销”及本地消费，培育发展西红柿、马铃薯、白菜、辣椒等水果蔬菜品种规模种植，建设一批果蔬生产基地。加快发展瓜果蔬菜加工，重点发展无公害、绿色和有机产品加工，提高清洗、分级、预冷、保鲜、杀菌和包装等处理能力。此外，提升发展烟草产业，重点发展中式卷烟低害品类，做大“长白山”品牌。

3. 提档升级纺织业

依托纺织重点园区和龙头企业，大力发展高新技术和先进适用技术，以增品种、提品质、创品牌的“三品”战略为重点，做精毛纺、麻纺，拓展羊绒毛织、亚麻制品等中高档纺织服装市场。

1）毛纺产业

发挥锡林郭勒“中国承接纺织产业转移基地”的优势，依托苏尼特右旗绒毛纺织产业循环经济园区，加快发展羊绒毛产业，重点发展无毛绒、洗净毛、绵羊绒、毛条、羊绒被、羊绒衫等产品。推广羊毛羊绒低温染色、新型小浴比染色等技术，支持白城重点发展呢绒、纱线、特种用途面料服装、军品服装、列车内饰布等，实现纺织产品的多样化和高档化。

2）麻纺产业

基于东北地区亚麻的种植优势，推广应用先进的亚麻纺纱、织造及低污染、低能耗脱胶和染整等加工技术，围绕产品品种丰富和质量水平提升，加强齐齐哈尔亚麻原料基地建设，扩大亚麻布、亚麻纱等原料产能，重点发展亚麻针织纱、亚麻高纺织纱、亚麻针织布，研发亚麻制衣、汽车内饰、麻制床上用品等高端精细产品，提升产品质量档次。

4. 做大生物医药业

1）生物种业

依托丰富的生物资源，加强生物农业、生物制造、生物环保等领域合作。围绕生物发酵、生物肥料、生物饲料、生物育种等重点领域，打造特色生物制造产业链。引进分子育种、细胞育种等现代生物技术，推动生物育种产业化、规模化发展，重点建设兴安－赤峰生物育种产业集群。

2）生物医药

发挥高寒地区草原森林及中医药资源优势，采用先进适用的生物工程技术，统筹发展中医药、原料药、生物医药等，做强中药、做优生物制药、做大化学药。

加快发展生物医药。实施重大新药创制行动，提升基因工程药物、诊断试剂等生物医药产品的研发和生产能力，推动原料药、医药中间体向成品药和制剂转变。积极发展新兴生物药物、基因工程药物、新型疫苗。引进植物药提取分离等先进技术，重点发展中医优势病种及疗效确切、临床作用突出的重要创新药及二次开发产品。发挥哈尔滨生物医药产业集聚发展国家级试点的带动作用，建设大庆、哈尔滨、大庆等生物医药产业集群。

突出发展中药产业。依托玉米、大豆、北药等专业原料，大力发展中药产业。挖掘松茸、刺五加、五味子、人参、平贝、板蓝根、柴胡等北药资源，大力发展以北药为支撑的现代中药产业。积极发展中药饮片、中成药，开发药茶、药酒、药膳等功能性保健品及延伸产品。支持中医药技术创新，建设中医药工程实验室和研究中心，提升中医药新产品研发能力。加大通辽、呼伦贝尔、白山、通化、哈尔滨、牡丹江等中医药生产基地。重点建设通辽－赤峰蒙药产业集群、通化－白山－延边中药产业集群，建设国家级的蒙药研发基地、现代化蒙中医药生产基地。

化学药要推动自主创新，加快开发活性化合物高效合成、手性合成与拆分、药物晶型、分子蒸馏等新技术，重点发展化学药品、原料药、特效仿制药。支持松原、赤峰、吉林、辽源、四平提升化学原料药、制剂产业，推动原料药、医药中间体企业向成品药和制剂转变。推动医疗机构与特医食品企业合作，推进营养类及辅助治疗类特医食品。

3）生物质能源

以玉米秸秆发酵和农业废弃物为重点，瞄准新一代生物质燃料，推进生物质发电、固化、气化、液体燃料等综合利用，拓展生物质能源应用空间，争取在发电、供气、供热、燃油等领域实现规模化发展。以生物质成型燃料替代煤炭、以生物质成型燃料供热替代燃煤供热“两个替代”为方向，加快生物质成型燃料发展。在松嫩平原，按照国家规划布局有序发展玉米燃料乙醇产品、生物柴油、生物航油，推进玉米秸秆、玉米芯等副产品综合加工利用。在松嫩平原、三江平原，根据生物质资源赋存量和能源需求，因地制宜发展生物质热电联产，发展以秸秆、稻壳、废弃菌袋、林木加工剩余物等为原料的生物质直燃发电、茎秆制燃料乙醇、生物质天然气。选择有条件的燃煤电厂进行秸秆掺烧改造试点，开展生物质气化发电等试点示范。

5. 坚持农垦引领

农垦系统是农头工尾和粮头食尾建设的引领者。黑龙江垦区企业已形成了较好的发展基础，拥有农业产业化龙头企业70余家，拥有较具影响力的知名品牌，北大荒米业、九三油脂、完达山乳业、北大荒丰缘麦业、北大荒肉业、北大荒麦芽等企业已成为行业“旗舰”，覆盖稻米、油脂、面粉、麦芽、乳品、肉类、医药等行业。东北地区农产品加工业的发展需要加强农垦系统和国有农场的引领作用。鼓励以已有的农垦企业品牌为基础，打响区域品牌。鼓励农垦系统加强技术研发，并积极向地方推动产业化转化。鼓励农垦增强企业竞争力，巩固提升龙头企业，大力扶持中小企业发展，努力发展产业集群。对带动能力强、能够发展深加工的重点企业进行重点扶持，鼓励企业升级改造。鼓励构建“龙头带基地，基地加农户”的发展格局。

第四章

东北地区特色产业发展战略

特色资源与特色优势是一个区域发展的重要基础，也是形成区域分工的重要基础。在全国发展格局中，东北地区一直是老工业基地，重化产业是其发展重点。东北地区有着独特的地理环境、气候资源及生态系统，资源独特优势显著，如何将资源优势转变为产业优势和经济优势是东北老工业基地推动产业结构优化升级、塑造区域发展新动能的重要途径。本章主要是从区域发展特色优势的视角，以寻求新的发展动力与培育新的经济增长点为目标，分析东北地区特色产业的发展路径。重点阐释了特色产业的基本概念，设计了东北地区特色产业的识别方法，并进行了产业识别，深入分析冰雪产业、矿泉水产业、林下经济产业、文化创意产业、草原畜牧业等发展路径，包括基本概念、资源优势、发展基础与存在问题、发展方向与建设任务。

本专题主要得出以下结论。

（1）特色产业是以“特”制胜的产业，是一个国家或地区在长期的发展过程中积淀形成或依赖于特有资源而发展起来的产业类型，是特定的区域比较优势。特色产业的筛选坚持特色显著、不可替代性、竞争力较高、增长潜力大、地方性突出等基本原则。通过识别，东北地区的特色产业主要包括冰雪产业、矿泉水产业、林下经济产业、文化创意产业和草原畜牧业。这些产业是东北地区未来产业发展的新增长点。

（2）冰雪产业要重点完善产业链，巩固提升冰雪文化旅游业，多方面推动冰雪运动产业，扩大冰雪场馆设施建设与供给，发展冰雪高端装备制造业，探索冰雪产业发展新模式。矿泉水产业重点加强矿泉水资源保护与水源地管控，有序推动矿泉水资源开采利用，加强矿泉水经营主体建设，提高产品质量，规范产业市场，积极推动矿泉水精深加工，塑造品牌，提高产品知名度。

（3）林下经济产业重点是巩固提升林下养殖业，加快壮大林下种植业，积极拓展森林旅游业，完善支撑体系建设。文化创意产业重点整合文化科技资源，营造创意产业平台，提升优化传统文化创意产业，培育与发展新兴文化创意业态，积极培育引领性龙头企业，巩固壮大文化创意产业园区。

（4）草原畜牧业重点要优化草原畜产品布局，推进草原利用方式转变，积极发展优质畜产品加工，推进种业和饲草产业发展，加强畜产品质量品牌建设，创新草原畜牧业发展模式。呼伦贝尔草原、锡林郭勒草原、科尔沁草原要根据具体情况，分别推进草原保护与可持续利用、特色畜产品发展与地方性品牌培育。

第一节　特色产业选择

一、特色产业概念

特色是一个事物所特有的、区别于其他事物的本质属性，或表现为风格或形式。这种特色是由事物赖以产生和发展的特定或特有环境因素所决定的。这些特色表现为特殊原料、传统秘方、特殊地理条件、地域历史文化、技术特点、外观形态等。

特色产业是以“特”制胜的产业，是一个国家或地区在长期的发展过程中积淀形成或依赖于特有资源而发展起来、其他国家或区域尚未发展或发展水平较低的、独特的甚至不可复制的产业。特色产业是相对于其他地区而言的，是区域比较的结果，具有相对比较优势或绝对比较优势。这些特有资源或是地理环境，或是自然资源，或是特种技术，或是特种文化，是其他区域尚未发展或发展水平较低的产业。有特色支撑的经济为特色经济。

二、选择标准

1. 选择原则

一个地区的经济要获得持续发展的动力和源泉，内生动力非常关键，必须谋求在某一方面或某一领域持久的特色竞争优势（任淑华，2011）。而特色产业必须根据各地区的特有资源进行筛选。在学术界中，特色产业可以通过区位商进行评价，但主要是筛选既有产业，无法识别潜在的特色产业。

具体筛选需要坚持如下基本原则。

（1）特色突出，具有很强的地域性或其他标志性。

（2）某个空间范围内具有不可替代性或较低水平的替代性，提供与众不同的产品或资源。

（3）不一定具有规模。

（4）竞争力较高。

（5）具有较高的增长潜力。

（6）地方性突出，产业发展有很强的空间约束性。

2. 特色产业筛选

特色产业和特色经济对培育未来的优势产业及东北地区的全面振兴具有重要作用。根据上述原则，对东北地区的特色产业进行筛选。经过综合分析，本书认为，东北地区具有明显特色的产业主要包括冰雪产业、林下经济产业、草原畜牧业、文化创意产业等。东北地区可以集中各自的优势资源，采取超常规的措施，对上述产业选择性地进行重点突破。

3. 发展方向

特色产业的发展应坚持如下基本方向。

形成规模。扩大生产规模，形成大规模的专业化，形成产业与经济。

形成产业链。围绕特色资源或特有技术，根据技术经济关联，发展上下游产业，积极发展配套产业，拓展产业部门，形成以产业链为核心的产业群。

形成竞争力。拥有特色资源，形成特有技术，在市场竞争中获得领先地位。

形成效益。产业发展要有较高的商品化程度，综合效益较高，形成较好的市场回报，有较好的市场利润。

形成品牌。积极申请专利或品牌，形成特色产品形象。

第二节　冰雪产业发展路径

一、冰雪经济概念辨析

1. 冰雪经济概念解读

冰雪经济是以冰雪产业为主体的经济发展形态，冰雪产业是以冰雪资源为主体所开发形成的资源型产业。具体来说，冰雪产业是指以冰雪资源为依托，对其进行开发利用，附带产生社会或经济效益的一系列与冰雪有关的社会、经济和文化活动（何于苗等，2017）。该产业是以旅游业为核心，一二三产业协调发展，各项效益最佳组合的生态经济综合体，始于文化，兴于旅游，成于经济，益于社会。

冰雪产业是新兴产业，随着发展环境的变化，其内涵不断拓展，像缆车、雪具、造雪设备、压雪机、雪服、雪镜、雪橇乃至冰雪小镇的地产。具体来说，冰雪产业由四大板块构成，分别是冰雪旅游、冰雪文化产业、冰雪体育产业及冰雪装备制造业。目前，冰雪旅游进入黄金发展期，迎来大众冰雪旅游时代；冰雪赛事数量逐年增多，参赛及观察人员数量增加，参赛人员多样化，办赛规模扩大，影响力加强，发展形势良好。

2. 东北冰雪资源禀赋

中国的冰雪资源丰富，分布范围广泛，既有永久性的积雪与冰川，又有季节性的积雪与结冰。冰雪资源主要分布在东北、华北、西北地区。其中，东北地区是中国冰雪文化的发源地，无论是开发历史，还是发展规模，均居于全国领先地位。

气候条件及冰雪资源禀赋是冰雪产业发展的基础。特殊的地理环境与纬度分布，决定了冰雪是东北地区的重要特色或地理表征术语。东北地区是中国冰雪资源最丰富的地区，冰雪的质量、数量与时空范围均是亚洲最好的，与欧洲阿尔卑斯山、北美落基山共同处于“冰雪黄金纬度带”。东北地区位于北纬 38°43' ～ 53°35' 和东经 115°32' ～ 135°10'，气候特征属于寒温带、温带大陆性季风气候，主要表现为冬季漫长且寒冷，夏季短促且温暖。如表 4-1 所示，辽宁与吉林两省冬季时长约 6 个月，黑龙江北部冬季时长可延至 7 ～ 8 个月（吕博和张博，2017）。寒冷的气候促使东北地区冬季多流域封冻，冰雪期长，黑龙江流域、鸭绿江流域、辽河流域封冻期历时 4 ～ 5 个月。大部分地区从当年 11 月开始至翌年 3 月均为雪季，降雪日数为 20 ～ 50 天，降雪初日和终日间隔 180 天左右，积雪日数达到 80 ～ 120 天，长白山、大小兴安岭及黑龙江北部地区积雪日数可达 150 天以上，积雪较厚，最大深度为 58 ～ 80 厘米（韩静，2007）。冰雪资源分布广泛，雪质好。上述自然条件表明东北地区为“中国冰雪之乡”，具备发展冰雪产业的潜力。

表 4-1　东北三省冰雪资源状况

地区	冬季平均气温 /℃	冰雪期 / 天	封冻期
黑龙江	−30 ～ −18	120	黑龙江流域（包括松花江流域），11 月中旬至翌年 4 月中旬，约 5 个月
吉林	−20 ～ −14	100	鸭绿江流域，11 月底至翌年 3 月底，约 4 个月
辽宁	−17 ～ −4	70	辽河流域，11 月底至翌年 3 月底，约 4 个月

资料来源：韩杰（1993）

东北地区的冰雪质量在很大程度上直接取决于不同地区的气候条件。

黑龙江省冬季温度最低，雪期也最长，雪量大，决定了黑龙江省具有冰和雪的双重优势，但冰的优势更为突出。山地资源丰富，有利于开发滑雪资源（吕博和张博，2017）。

吉林省山地资源丰富，有利于开发滑雪资源。冬季温度相对较低且雪期短，并且寒风少，地理位置介于黑龙江和吉林两省之间，虽比黑龙江雪量略小和雪期短，但雪质软硬适中，少寒风侵袭，降低了吉林省冬季户外运动门槛，相对具有一定雪的优势（吕博和张博，2017）。

辽宁省冬季气温优势稍显落后，冰雪留存期相对短暂，冰雪旅游项目的开发需要依赖于适当的人工降雪，但温泉冰雪旅游项目特色突出（吕博和张博，2017）。

3. 东北冰雪文化资源

东北地区的冰雪资源禀赋决定了地域性的冰雪历史文化底蕴深厚，冰雪人文源远流长。快速发展的冰雪旅游和冰雪运动则得益于该地区悠久的冰雪历史文化，从最初的冰雪活动拓展到冰雪文化、冰雪体育、冰雪旅游、冰雪艺术等众多领域。

民族冰雪文化资源。东北地区是中国多民族地区，创造与发明了诸如爬犁、冰鞋、滑雪板、拖床等满足日常生活、交通、运输及战争需要的工具。17 世纪前期，满族每年都有“冰嬉表演”，还有“抽冰猴、滑冰车、拉爬犁、冰上石球”等；蒙古族有冰雪那达慕节，达斡尔族有打冰哧溜，锡伯族有蹬冰滑子、撑冰车，赫哲族有滑雪、狗拉雪橇，鄂伦春族擅长骑射和森林狩猎。这些风格迥异的民族冰上运动以及冰雪文化积累形成了丰富多彩的民族民俗冰雪文化。2002 年至今，内蒙古已举办 14 届内蒙古冰雪那达慕节。

冰雪节庆资源。东北地区的冰雪节日、节庆较多，形式多样，内容丰富多彩，如哈尔滨冰雪节、漠河冰雪文化节、哈尔滨国际滑雪节、长春冰雪旅游节、净月潭瓦萨国际越野滑雪节、呼伦贝尔市冰雪旅游节、大兴安岭冰雪旅游文化节。1985 年创办的哈尔滨国际冰雪节是中国第一个以冰雪为内容的区域性节日，节日期间有冰博会、雪博会、冰洽会、冬季服装展会、雪地足球赛、冬泳、滑雪、滑冰等一系列活动。2003 ～ 2016 年，长春市已连续举办 20 届冰雪旅游节和 15 届净月潭瓦萨国际滑雪节。

冰雪体育资源。冰雪体育资源丰富，冰雪体育基地众多，东北地区共有 130 家滑雪场。滑雪资源主要集中在哈尔滨市、伊春市、牡丹江市、大兴安岭地区、长春市、吉林市、沈阳市、辽源市，如表 4-2 所示。亚布力滑雪场和北大湖滑雪场是符合国际标准的滑雪场，有亚洲最大的室内速度滑冰馆、冰球花样训练馆。1998 年，首届黑龙江 (哈尔滨) 国际滑雪节举办，现已成为世界四大冰雪节之一。2007 年长春举办了亚冬会，陆续举办了瓦萨国际越野滑雪节、自由式化学世界杯、短道速滑世界杯等一系列国际高水平赛事；2008 年齐齐哈尔举办了全国冬运会，2009 年哈尔滨举办了世界大学生冬运会。

表 4-2　东北地区滑雪旅游设施与冰雪节庆活动情况

地区	滑雪旅游主要设施	冰雪节庆活动
黑龙江	约 100 家滑雪场，具有 S 级质量等级的滑雪场 27 家	中国黑龙江国际滑雪节、中国哈尔滨国际冰雪节、哈尔滨太阳岛雪博会、中国佳木斯国际泼雪节、中国齐齐哈尔关东文化旅游节、黑龙江中国雪乡旅游节
吉林	近 20 家滑雪场，其中国家级滑雪培训基地 1 家	中国长春冰雪旅游节暨净月潭瓦萨国际滑雪节、吉林国际雾凇冰雪节、长白山冰雪旅游节、中国・吉林查干湖冰雪捕鱼旅游节、中国・通化冰雪旅游节
辽宁	约 10 家滑雪场，大型滑雪场 3 家	中国沈阳国际冰雪节

资料来源：孟爱云（2009）

冰雪旅游资源。东北地区的冰雪旅游在国内占有优势地位，冰雪旅游资源丰富，有观光类、体育休闲类、节庆类、赛事类、民俗游乐类等各类冰雪旅游产品。冰灯、冰雪旅游地主要集中在哈尔滨、牡丹江、齐齐哈尔、伊春、吉林、长春、沈阳、大连等大中城市。在东北地区，每个城市都有人工冰场、天然冰场、天然雪场。许多地区开展了森林雪地探险、森林狩猎、雪地雪橇等旅游活动。

二、东北冰雪产业基础

1. 发展基础

东北地区以其得天独厚的资源优势，成为国内滑雪旅游市场的领头羊，以黑龙江、吉林发展最为突出（何于苗等，2017）。

（1）冰雪产业形成蓬勃发展态势。东北地区发展冰雪产业具有先天优势，长期以来形成较好的产业基础。冰雪产业类型日益丰富，覆盖的地域范围不断拓展。目前，冰雪旅游占据东北地区众多城市旅游市场的一半份额，成为东北地区的冰雪产业基础。

2016年春节黄金周期间，辽宁冰雪旅游共接待游客980.1万人次，旅游总收入69.2亿元；吉林冰雪旅游接待游客889.8万人次，旅游总收入75.7亿元；黑龙江冰雪旅游接待游客901.1万人次，旅游总收入107.5亿元。冰雪产业在东北地区正在快速发展，逐渐成为东北地区经济发展的有力支撑。

东北各地区在“十三五”规划中均特别对冰雪旅游发展做出了规划。吉林省已经正式发布了关于做大做强冰雪产业的实施意见，黑龙江和辽宁省也出台了相关的扶持和鼓励政策，加速发展冰雪旅游和相关产业。其中，吉林省成立了由省长担任组长的冰雪产业发展领导小组，并将旅游业和冰雪产业纳入各地、各部门的绩效考核。吉林省还积极开展与其他省份的合作，如与黑龙江联手打造旅游共同体、与浙江联手打造“游客互换计划”等（张建和赵丹丹，2019）。目前，原来的冰雪“冷资源”正向旅游“热业态”转变。

（2）已开发的冰雪旅游类型。近年来，东北地区的冰雪旅游市场日臻成熟，围绕“冰雪”的项目不断增多。冰雪旅游产品大致分为观光类、运动休闲类、节庆类、赛事类、娱乐类和其他体验类等。东北地区基本形成了“深度玩冰、厚度玩雪、暖度温泉、热度民宿”的发展格局。

观光类产品有哈尔滨冰雕节、雪雕展、辽宁龙潭冰瀑、吉林雾凇。

运动休闲类产品主要包括花样滑冰、冰壶、高山滑雪、冰钓、冬泳、疗养保健。

节庆类产品主要是结合各地民俗而打造的如冰雕艺术节，娱乐类有马拉雪橇等。

赛事类产品涉及各类专业体育赛事，包括滑雪赛、滑冰赛、冬泳赛、攀冰赛，如瓦萨国际越野滑雪赛、松花江冬季国际龙舟大赛、冬季雪地越野汽车摩托车挑战赛。

其他体验类产品有冬季采摘、雪地温泉等。

（3）冰雪运动产业方兴未艾。东北地区的冰雪运动产业已初步形成了以健身休闲为主，竞赛表演、场馆服务、运动培训和体育旅游等业态协同发展的格局。冰雪运动参与和培训需求旺盛，竞赛表演活动日益丰富，冰雪旅游业发展迅猛，冰雪场地建设运营市场化程度较高。黑龙江省推广冰雪运动，2016～2017年黑龙江冰雪赛事推介会上提出设计冰雪赛事71项，包括冰球赛事、其他冰上赛事、雪上赛事、综合性体育赛事、群众趣味冰雪活动等类型。通过年度系列赛事的举办，在黑龙江省掀起冰雪运动热潮。趣味冰雪系列活动已设计策划出22项活动项目，包括雪地摩托、大众冰钓等，打造“黑龙江省快乐冰雪秀、冰上杂技”等大型高雅冰雪文艺活动。2015年，乐视体育宣布与黑龙江体育局就冰雪领域等诸多方面达成合作，主要围绕冰雪赛事的各种线上线下开发运营（何于苗等，2017）。

冰雪器材制造业是冰雪产业发展中重要组成部分。经过长期的发展，东北地区已经发展部分冰雪器材制造业，但离冰雪装备制造业的距离较远。例如，黑龙冰刀公司是中国唯一一家自主生产冰刀的企业。

（4）部分景区已成为冰雪旅游知名品牌。东北地区培育了一批冰雪旅游知名品牌。雪乡、长白山风景区、松花湖滑雪场三个冰雪景区占据途牛预订量的前三位，万科松花湖度假区、亚布力滑雪旅游度假区、哈尔滨冰雪大世界、吉林北大壶滑雪场、雾凇岛、万科长白山滑雪场进入了前十位（韩元军，2018）。在途牛旅游网上预定的冰雪旅游景区中，吉林省的长白山温泉、北大壶滑雪场景区位居游客满意度前两位，黑龙江哈尔滨的亚布力滑雪旅游度假区、内蒙古呼伦贝尔的呼伦湖、吉林省长春净月潭、辽宁沈阳棋盘山滑雪场、吉林省吉林市万科松花湖度假区分列第 4 到第 9 位。中国•哈尔滨国际冰雪节、长春冰雪旅游节暨净月潭瓦萨国际滑雪节、中国•吉林国际雾凇冰雪节、中国（呼伦贝尔）冰雪那达慕、中国•查干湖冰雪渔猎文化旅游节、中国•满洲里中俄蒙国际冰雪节进入“2017 ～ 2018 冰雪季冰雪旅游节事十强”。长白山国际度假区、万科松花湖度假区蝉联“冰雪季滑雪旅游区竞争力排名十强”前两名，在中国滑雪旅游区市场中的领头羊地位。亚布力滑雪场、北大壶滑雪度假区、亚布力阳光度假村榜上有名。吉林省的国信南山温泉、关东文化园、御龙温泉在冰雪目的地人气最高的十大温泉中占据了三席名额。雾凇岛、长白山景区、净月潭入选人气最高的十大冰雪景区（陶连飞，2018）。

（5）具有特色的冰雪旅游城市开始涌现。经过十年发展，部分城市在全国冰雪产业发展格局中形成了独具特色的冰雪形象。2017 年 11 月至 2018 年 4 月，长白山、长春、吉林市名列人气最高的传统冰雪旅游目的地前十名。哈尔滨市、长春市、吉林市、延边州、呼伦贝尔市获得“2018 十佳冰雪旅游城市”称号。长白山保护开发区、阿尔山市获评“2018 冰雪旅游投资潜力区”，长白山保护开发区凭借火爆的冰雪旅游投资热点与潜力稳居榜首（陶连飞，2018）。

哈尔滨市是冰雪文化旅游竞争力最强的城市。1985 年哈尔滨市就开始举办冰雪节，2001 年升级为国际冰雪节。同时有哈尔滨冰灯游园会、冰雪电影节、冰洽会、冰雪大世界、亚布力滑雪场。

长春市冰雪产业竞争力较强，成功承办 1999 年全国第九届冬季运动会和 2007 年第七届亚洲冬季运动会后，“中国长春净月潭冰雪旅游节暨瓦萨国际越野滑雪节”闻名世界（杨斌，2013）。

沈阳市于 1993 年开展大规模冰雪活动，2004 年举办第 1 届冰雪节，升级为国际冰雪节（杨斌，2013）。

牡丹江市紧邻哈尔滨市，凭借“中国雪乡”的品牌效应，与哈尔滨市冰雪文化旅游逐渐形成一体化发展。

2. 存在问题

东北作为冰雪资源最为丰富的地区，冰雪产业已粗具规模。但目前仍存在众多的问题，主要集中在盲目开发、重复开发、资源闲置浪费、冰雪制造产品集中在低端市场及企业效益低等方面。

（1）冰雪产业链尚未形成。冰雪资源是东北地区的特有资源，围绕冰雪应形成系统化的产业链。但目前东北地区的冰雪产业尚未形成完整的产业链。产业布局和结构不合理，产业主体形式为滑雪场与冰雪旅游，冰雪运动占冰雪产业的主体。冰雪旅游虽独具特色，但仍以观光为主，集中在冰雕、冰灯、滑雪等，反映本土特色和文化内涵的冰雪旅游产品较少，且多年内容不变。冰雪市场开发深度不足，冰雪旅游纪念品缺乏，体现地方特色的冰雪文化纪念品更少。冰雪运动仅限于运动本身和餐饮业，冰雪装备依赖进口，冰雪运动器材的生产企业规模小。

（2）缺乏科学规划，同质竞争明显。目前，东北地区的冰雪产业缺少整体规划与总体设计，缺乏统筹发展思路，各地区“各自为战”。各地纷纷提出发展冰雪经济和打“冰雪牌”，市场定位不明确，项目发展缺乏内涵，盲目模仿开发，“冰雪名片”遍地开花。各地区竞相将冰雪旅游作为发展重点，项目单一，地区差异缺乏，区域内同质化竞争激烈。产业发展决策管理机制尚不完善，各地区尚未根据其具体发展条件制定具有针对性的指导政策。各冰雪产业部门之间缺少协调沟通，各经营项目之间缺少必要的联合，冰雪产业缺少配套的财政支持。多数滑雪场为民营和股份制投资，尽快回收投资，未能把滑雪场经营当作长期投资行为。雪场占用的土地是租用的，产权概念是临时的。这影响了投资者的投资行为，急功近利在所难免。

（3）软硬环境建设滞后，服务质量有待提高。虽然冰雪产业在东北地区已形成了一定的特色优势，但因其超常速发展，导致软硬环境建设滞后，许多环节的服务质量较低。优质雪场较少，多数雪场不具备应有的地理条件和硬件设施，滑冰滑雪场馆建设缺少标准化，配套设施简单，在功能上无法适应冰雪爱好者的多层次需求。多数产业项目规模普遍较小，雪道面积超过 100 公顷的雪场仅有万科松花湖度假区滑雪场、吉林北大壶滑雪场和万科长白山度假区滑雪场三家。城市周边低档次雪场林立，尚建有许多不具备国家资质标准的小雪场，硬件设施差，只有初级雪道，设备设施、配套服务、安全保障等有待提升。天气预报系统、专业巡逻队伍、救护资源等尚缺乏。产业项目运营标准和制度缺失，管理模式落后，从业人员服务意识淡薄，缺乏规范管理，“低价”争抢客源等恶性竞争普遍。

（4）缺乏市场宣传力度。目前东北地区的冰雪产业宣传力度不够突出。多数冰雪企业营销意识薄弱，宣传过于简单，大部分产业项目仅在有限的范围内做微型广告，通过旅行社进行宣传。政府对冰雪产业的宣传未能给予足够重视，尚未将资源进行整合，打造地域形象，各地区缺少特色的冰雪产业形象，各产业项目缺少个性。这导致东北冰雪产业缺乏品牌形象，主题雷同，与国内其他地区相比吸引力逐步降低，与国际其他地区相比，国际竞争力很低。

三、东北冰雪产业发展路径

立足得天独厚的积雪资源、深厚的冰雪文化资源，坚持“冰天雪地也是金山银山”和“冰雪产业是大市场大产业”的理念，实施“大冰雪”战略，宜冰则冰、宜雪则雪，积极推动资源优势转变为经济优势，坚持做精产品、做优服务、做长产业链作为重点，加强冰雪资源整合，联动融合冰雪文化、冰雪商贸、冰雪装备制造等关联产业发展，形成以冰雪文化为引领，以冰雪旅游为本体，以冰雪体育为基础，以冰雪装备为支撑的产业发展体系；坚持错位发展，合理布局冰雪产业基地，错位发展。以此，推动“冷资源”变“热经济”，实现“白雪换白金”，把东北地区建设成为中国冰雪产业引领地区，建设成为世界级旅游目的地、冰雪产业集聚地，为东北地区的全方位振兴和全面振兴增添新动能。

1. 重点完善冰雪产业链

冰雪资源具有较强的产业带动效应，辐射范围较广。东北地区要依托冰雪资源，以冰雪旅游和冰雪运动为基础，明确市场定位，优化发展环境，沿着上下游，对冰雪产业进行联合开发和多元化投入，完善冰雪全产业链，推动冰雪产业的规模化、市场化、专业化发展，打造多元化的冰雪产业链（何于苗等，2017）。冰雪产业坚持“产业链完善”和“发展质量”并重，提升冰雪产业发展质量和水平，推动各类产业协调发展。

积极发展集冰雪旅游、冰雪运动、冰雪装备制造。以冰雪场地设施建设运营为基础，以冰雪旅游为核心，以冰雪大众休闲健身和竞赛表演为突破口，以冰雪体育旅游为带动，冰雪装备制造为支撑，相关产业配套协同发展的冰雪产业体系。加快发展冰雪健身休闲产业，形成普遍化的大众运动基础；突出发展冰雪旅游业，推动冰雪运动产业，突出发展冰雪装备制造业。积极推动产业平台、市场宣传、品牌塑造和人才培养等冰雪服务业发展，拓展冰雪地产和冰雪娱乐业。建立一批产业规模较大、集聚效应明显的国家冰雪产业示范基地。以此，建设为国内领先、国际具有竞争力的冰雪产业基地。

2. 巩固提升冰雪文化旅游业

充分利用东北地区的冰雪资源优势，树立“大冰雪旅游”观念，整合冰雪旅游资源市场，形成合力，提升发展冰雪旅游，开发更高层次、更具竞争力的旅游产品，打造具有国际知名度的东北地区冰雪旅游目的地。

（1）丰富冰雪旅游产品。突出冰雪特色，大力发展精品旅游项目、旅游景区、旅游线路，开发新颖的特色冰雪旅游项目，引导各类冰雪旅游项目规范、有序、健康发展，创立“北国冰雪”国际旅游品牌。大力发展“冰雪+”，如冰雪+民族风情、冰雪+温泉、冰雪+节庆、冰雪+渔猎等，形成林海雪原、雪林狩猎、林海探险、火山冰雪、湿地冰雪等以赏雪、玩雪、滑雪等为主的多项冰雪体验活动（孟爱云，2009）。突出区域差异，实施差别化冰雪旅游发展战略，规避冰雪旅游产品的同质化竞争与项目重复建设，建立优势互补的联动机制，形成通达东北、覆盖范围较广的冰雪旅游网络。提升旅游产品的档次，建设一批高端冰雪旅游产品。搭建集观赛旅游、体验旅游、健身休闲、极限挑战、民族体育、冰雪运动于一体的东北冰雪旅游推广平台。重视冰雪旅游与其他旅游形式的结合，拓展冰雪旅游产业外延。突出抓好以哈尔滨、长春、沈阳为核心的冰雪旅游带、旅游圈建设。

（2）打造冰雪旅游精品项目。根据冰雪旅游资源和布局，加快东北地区的冰雪旅游资源整合。各地区根据资源优势，形成错位分工，黑龙江重视“冰”，吉林重视“雪”，辽宁省重视“冰雪温泉”。以冰雪旅游重点项目为核心，打破行政界限，精心打造冰雪旅游组织体系和精品项目、景区与线路，整合推出“大东北冰雪旅游线路”，形成不同内容和不同层次的冰雪旅游集群。

（3）培育特色冰雪文化。坚持冰雪形象与地域文化相结合，挖掘和打造具有民族地域风情和历史文化底蕴的特色冰雪文化，树立东北地区冰雪旅游文化整体形象。在黑龙江和吉林两省冰雪文化基础上加以挖掘和延伸，有计划、有重点地开发冰雪文化品牌项目，丰富冰雪文化内涵，创建具有中国特色的冰雪文化品牌（何于苗等，

2017）。

（4）加强中蒙俄冰雪旅游国际合作。推动东北地区与蒙俄两国建立冰雪旅游国际合作机制。中俄两国共同培育冰雪旅游线路，推广跨国冰雪旅游产品，促成多目的地跨境冰雪旅游项目的合作。与俄罗斯合作探索冰雪旅游延伸到北极，全年全方位开展冰雪旅游项目，形成国际化的旅游圈。共同承办中俄国际冰雪旅游活动，开展多形式的冰雪赛事。

3. 多方面推动冰雪运动产业

东北地区是中国冰雪运动的发展基地，有着厚重的文化底蕴、优越的自然条件及充足的资源保障，具备了发展冰雪运动产业的潜力。坚持“因地制宜、统筹兼顾”的原则，东北地区积极发展冰雪运动产业，以冰雪场地设施建设运营为基础，重点发展冰雪休闲健身、冰雪竞赛、冰雪表演，完善冰雪运动产业体系。

（1）发展冰雪健身休闲业。以普及冰雪运动为目标，坚持普及推广、服务群众，大力组织群众冰雪活动，积极发展冰雪建设休闲产业。广泛开展冰雪建设休闲活动，定期组织举办“全城热练”冰雪系列活动，形成群众冬季项目活动体系，组织开展欢乐冰雪等大众系列品牌活动。鼓励各地依托自然和人文资源，积极开发冰车、抽冰嘎等形式多样、反映民族文化和地方民族的冰雪健身项目，努力挖掘大众化冰雪项目。

（2）积极发展冰雪竞赛产业。突出发展专业化的冰雪竞技体育，大力组织举办各类冰雪赛事活动，利用各种途径引进国内外的知名赛事，尤其是谋划承接和组织重大赛事与职业赛事。城区以冰上项目为主、县域以雪上项目为主，以花样滑冰、冰球、冰壶、攀冰和单板滑雪等为重点，优化冰雪竞技项目布局。鼓励社会力量通过联合办队、独立办队、冠名赞助等形式组建冰雪运动队或俱乐部，加快提高冰雪竞技水平。扶持建设一批具有国内外影响力的冰雪竞赛基地。

（3）加快发展冰雪表演产业。充分利用冬奥会的历史机遇，以娱乐化为导向，深入开发冰雪经济，大力拓展冰雪表演市场，开发冰雪杂技、冰雪舞蹈等各类表演项目，壮大冰雪表演产业。培育冰雪商业表演，推进冰雪表演活动市场化运作。举办速度滑冰、轮滑转滑冰（雪）等青少年冰雪表演活动。东北各地区可以考虑依托本地自然资源、民俗文化和人文资源，培育更多的冰雪消费热点。

（4）普及青少年冰雪运动。培养青少年冰雪运动技能，推进冰雪运动进校园，有条件的中小学应将冰雪运动列入冬季体育课教学内容。鼓励有条件的学校建立常态化校园冬季运动竞赛机制。推行“百万青少年上冰雪”、“校园冰雪计划”、青少年冬令营等活动，促进青少年冰雪运动的普及。

4. 扩大冰雪场馆设施建设与供给

东北地区要在现有基础上扩大规模、提高质量，稳步推进冰雪场地设施建设，因地制宜建设一批高质量的冰雪场地，建设一批以健身休闲为主的冰雪场地设施，扩大群众性冰雪设施供给。

（1）加快滑冰场地建设。推动滑冰馆建设，鼓励城区常住人口超过 50 万人的城市根据自身情况建设公共滑冰馆。依托现有滑冰训练基地和大型体育场馆群，完善和配套设施，建设可承办高水平冰上运动竞赛表演的滑冰馆。推广室外天然滑冰场和建设可拆装滑冰场。有条件的地区要充分利用江、河、湖等水域资源建设天然滑冰场。鼓励在公园、校园、广场、社区等地建设可拆装式滑冰场。支持现有的滑冰馆进行改扩建增容，提升设施配置和功能。改造修缮各级滑冰训练基地，完善功能，满足各级运动队训练并兼顾群众健身需求。

（2）推动滑雪场地建设。有条件的地区要依托气候、地貌和生态等自然资源因地制宜建设滑雪场地，支持建设雪道面积大于 5 万平方米的滑雪场。鼓励现有滑雪场完善场地配套服务设施，提高场地设施质量。

（3）鼓励公共冰雪乐园建设。各地要以规模适当、功能优先、经济适用、节能环保为原则，合理建设公共滑冰馆，纳入全民健身场地设施建设和健康养老服务工程统筹考虑。有条件的地区要利用公园、城市广场等公共用地，建设以冰雪游憩活动为主的室内外冰雪乐园。以此，形成布局合理、类型多样、基本满足需求的冰雪场地设施网络。

5. 发展冰雪高端装备制造业

冰雪经济的内容较为广泛，其基础是冰雪产业，而冰雪高端产业的基础则是高端装备制造业。以全面振兴东北地区为契机，坚持国产化、高端化和品牌化发展战略，做大做强东北地区的冰雪装备制造业。

（1）加快发展冰上摩托、冰上链轨车、冰原钻探机械、冰上营地建筑、科考器材、通信器材、极寒服装、超低温工作生活用具等高端制造业。引入高端装备制造业项目，重点对接国际知名冰雪装备生产企业和知名品牌国内代工企业。

（2）加快冷链物流、冷冻储藏、保鲜库房与用具等生产性制造业，推动冰雪体育器材、冰雪文化器材及生产与生活兼用冰雪制造业（冰箱、冰柜、移动冷冻箱等）冰雪生活性制造业。

（3）围绕冰雪旅游业，积极发展滑冰场娱乐器械与服装、滑雪场与娱乐器械及服装等制造业。推进东北地区传统冰雪装备制造企业改造升级，实现专业化、市场化和规模化发展。着力培育一批冰雪产业中小企业和新兴企业。

（4）搭建产需对接平台，支持冰雪装备制造企业与冰雪场地等用户单位联合开发冰雪装备，加强技术升级和品牌打造，在产品的技术、设计、质量、功能等方面做足功夫，扶持具有自主品牌的冰雪运动器材装备、防护用具、设施设备、客运索道等冰雪用品企业和服装鞋帽企业发展。统筹优化东北冰雪装备产业布局，建立国内一流、以冰雪装备用品为主的冰雪装备研发制造业特色聚集区。

6. 探索冰雪产业发展新模式

坚持产业链拓展与经营性模式相结合，实施“冰雪 +”，加强与健康、旅游、休闲、住宅、商业、会展、文化等功能的融合发展，拉长服务链，探索冰雪产业发展新模式，带动相关业态发展。

（1）积极探索“四季经营”模式。“一年三闲”是东北冰雪产业发展的现实难题。东北地区应借鉴国外经验，依托气候、生态等自然资源，培育风筝、自行车、滑翔、攀岩、高尔夫等非雪季运动项目，在非雪季吸引游客，推动冰雪场馆由单季向四季运营转变。以此，将冰雪场地建成冬季滑雪、四季休闲娱乐的旅游度假目的地。

（2）合理发展“滑雪地产”。冰雪地产是滑雪产业链延伸的必然趋势，围绕重要冰雪资源、冰雪基地或大型滑雪场，合理开发房地产业，放大滑雪产业的经济社会效应。

（3）突出发展冰雪特色小镇。充分利用好国家发展体育小镇的政策，依托大型冰雪基地，建设冰雪特色小镇，打造成为就近城镇化的载体。镇区结合景区建设冰雪乐园，加快建设各类公共服务与配套设施。

第三节　矿泉水产业发展路径

一、东北矿泉水资源

1. 天然矿泉水

矿泉水是在特定地质条件下形成的一种液态矿产资源，分为天然矿泉水和非天然矿泉水。具体来说，矿泉水产自地下基岩，是从地下深处自然涌出的或是经人工揭露的、经钻井采集、未受污染的深部循环的地下矿水，含有一定量的矿物盐、微量元素或二氧化碳气体，并以温度、矿化度、水化学成分为特征的水。矿泉水界限指标包括锂、锶、锌、硒、溴化物、碘化物、偏硅酸、游离二氧化碳和溶解性总固体。天然矿泉水中必须有一项或一项以上达到界限指标的要求。

矿泉水有很高的经济价值和社会效益，可用来作为保健饮料、治疗疾病等。其中，饮料矿泉水是矿泉水系列中的最关键种类。截至目前，全国发现 4100 多处饮用天然矿泉水产地，其中 1/3 的水源经过了国家级鉴定，主要分布在华东和华南地区，其中云南、福建、湖南、吉林、四川和广东等地区发现最多。已开发利用、以不同规模建厂投产的厂地点已有 81 处，以山东崂山、广东龙川与深圳、黑龙江五大连池、辽宁汤岗子、四川华蓥山、福建仙景、南京定山、吉林长白山等地区的矿泉水开发最早。

2. 吉林省与长白山

吉林省独特的地质构造和自然地理条件形成了丰富的矿泉水资源。吉林省已发现并通过技术鉴定的矿泉水达 333 余处，总允许开采量 32.4×10^4 立方米 / 天以上，以长春、白山和延边等地最为集中，其次为吉林、四平、通化和辽源地区。95% 以上为偏硅酸型矿泉水、锶型矿泉水及偏硅酸锶复合型矿泉水，白山和延边地区尚分布有多处含二氧化碳、锂、锶、偏硅酸等多种成分并同时达标的稀有类型矿泉水水源地。

长白山区域拥有丰富的天然矿泉水资源，是世界三大矿泉水水源地之一，为吉林省的典型特色资源。长白山与阿尔卑斯山、北高加索并列为世界三大矿泉水基地。长白山天然矿泉水，类型多样，多分布在植被茂密、无污染的长白山原始生态环境中。2004 年，国家质量监督检验检疫总局①批准对“吉林长白山天然矿泉水”实施原产地域产品保护。

（1）天然矿泉水资源储量大。长白山地区降水丰沛，为矿泉水的形成提供了充足的水源补给。长白山天然矿泉水资源储量丰富，流量稳定，水温稳定，具备特大规模开发的条件。水源地有 396 处，占全国总允许开采量的 13.7%；适合建设大型（年产 10 万吨以上）矿泉水基地的就有 47 处，集中在白山、延边和通化地区。其中，靖宇县白浆泉、抚松县锦江泉、辉南县大泉眼等 10 余处矿泉流量均在每日万吨以上，单泉流量在全国实属罕见；适合建设中型（年产 5 万～ 10 万吨）矿泉水生产基地的水源有 34 处；适合建设小型（年产 5 万吨以下）生产基地的水源有 92 处。白山市天然矿泉水有 130 处水源地，允许开采量可达 23 万立方米 / 天。同时，长白山矿泉水资源分布比较集中，泉点之间距离较近，易于开发。各地市的矿泉水资源如表 4-3 所示。

表 4-3　长白山区域已勘查评价矿泉水资源汇总

县（市）	已经勘查评价水源地数 / 处	允许开采总量 /（立方米 / 天）	尚可利用水源地数 / 处	尚可利用水源地的允许开采量 /（立方米 / 天）
抚松县	18	57 177	6	8 240
靖宇县	17	72 395	1	1 889
长白县	6	9 250	3	8 000
临江市	3	3 660	2	3 240
辉南县	10	42 845	2	29 400
敦化市	3	1 360	0	0
安图县	19	87 178	7	19 489
和龙市	5	1 060	0	0
吉林省长白山保护开发区管理委员会	2	1 340	1	670

资料来源：《长白山区域矿泉水资源保护与开发利用规划》

（2）天然矿泉水资源类型多样。水资源类型多样，特征组分含量高，富含钙、镁等常量元素及锂、硒等多种微量元素，pH 为中性，不含大肠杆菌、细菌、挥发酚、氰化物、亚硝酸盐和硝酸盐等；化学类型较多，包括偏硅酸型、锶型及偏硅酸锶复合型。抚松县松山矿泉、碱厂沟矿泉等，其二氧化碳含量可达 1100 ～ 1986 毫克 / 升，可适合不同口味的人群消费。碳酸矿泉水主要分布在抚松县、抚松松山和安图头道白河；硅酸矿泉主要有抚松碱厂沟、抚松九龙口、安图二道白河、靖宇县等产地；硅质矿泉水主要有抚松漫江八公里泉、安图光明林场、安图园池等产地。

（3）天然矿泉水资源水质优良。长白山地区的天然矿泉水资源富含钙、镁等常量元素及硅、锶、锂、硒等 29 种微量元素，pH 多呈弱碱性，矿化度较低，口感极佳。长白山矿泉水偏硅酸含量高，品位高，矿泉水形成年龄为 50 年左右，各项指标符合德国和欧盟矿泉水标准，为世界稀有的高品质矿泉水，与阿尔卑斯山的世界著名品牌富

①现为国家市场监督管理局。

维克矿泉水水源极为相近，与欧洲阿尔卑斯山矿泉水和俄罗斯北高加索山矿泉水质量相媲美，水温常年保持在 6 ～ 9℃，pH 为中性。

（4）生态环境优越，无污染。长白山地区人口密度小，生态环境优良，植被发育，森林覆盖率达 50% ～ 70%，多数地区基本保持着原始生态环境。主要矿泉水源地远离居民和工农业生产活动区，周围地区虽然有林业生产活动和少量居民，但产业规模较小，水体无污染，具有较好的生态优势。

根据《吉林省人民政府办公厅关于成立吉林长白山天然矿泉水原产地域保护申请小组的复函》（吉政办函〔2003〕87 号），长白山天然矿泉水原产地地域范围包括安图县、敦化市、龙井市、和龙市、汪清县、抚松县、靖宇县、长白县、临江市、江源区、辉南县、柳河县、通化县、磐石市、桦甸市、蛟河市 16 个县（市）。各地市的矿泉水开发基地规模如表 4-4 所示。

表 4-4　长白山地区较大型矿泉水基地规模对比

规划期	矿泉水基地名称		地点	面积/平方公里	矿泉水资源/（立方米/天）	可建设产能/（万吨/年）
前期	靖宇矿泉水产业基地		靖宇县	423.25	93 620	94.2
	安图矿泉水产业基地		安图县二道镇	494.	67 195	187.7
	抚松矿泉水产业基地	头岔河基地	抚松县露水镇	153.15	20 250	50
		泉阳河基地	抚松县泉阳镇	127.16	22 000	70
		马鞍山基地	抚松县	121.72	6 700	60
		漫江基地	抚松县	49.76	31 900	230
后期	辉南矿泉水产业基地		辉南县金川镇	199.1	21 000	120
	长白矿泉水产业基地	十五道沟基地	长白县	152.98	22 900	70
		八道沟基地	长白县	189.67	12 900	50
合计				1 910.79	298 465	—

资料来源：王成志（2010）

专栏 4-1　黄金水源带

全球表面的 75% 是水，但只有 1% 是饮用水，天然矿泉水是重要的自然资源。全球天然矿泉水在地理分布上主要集中在北纬 36° ～ 46° 地带，被誉为世界“黄金水源带”。该纬度带的高海拔地区远离人类污染，自然环境和地质条件独特，常年冰雪覆盖，降水、冰雪融水历经多年的岩层天然过滤，造就了享誉世界的珍稀水源带。该地带分布了阿尔卑斯山、昆仑山、大云雾山等世界名山，法国依云、美国 Bling、中国昆仑山、意大利 Sole、瑞士 Swisseau 等珍稀矿泉水均产于这一带。阿尔卑斯山、北高加索地区、长白山被国际饮水资源保护组织列为全球三大天然矿泉水富集地。其中，阿尔卑斯山位于北纬 44.9° ～ 47.8°，北高加索地区位于北纬 45.2° ～ 46.9°，长白山地区位于北纬 41.35° ～ 42.25°。

3. 黑龙江与五大连池

黑龙江省已发现矿泉水产地200多处，多为饮用锶硅质、碳酸型、锌型、锂型、氡型和碘型等，以五大连池市、哈尔滨市、佳木斯市、牡丹江市、鸡西市为最多，特别是五大连池的矿泉水类型多，成分最为复杂、资源最丰富，具有神奇的医疗效果。锶硅质矿泉水约占黑龙江矿泉总量的94%，碳酸为主的复合型矿泉水主要分布在五大连池地区。此外，大庆市林甸发现了地热矿泉水田，三江平原发现了大面积矿泉水潜水盆地。多数矿泉分布在人口稀疏地区，没有污染，或深埋于平原深处，水质好，无色无味，浊度小于5度。

五大连池地区。该地区的矿泉水是世界三大著名低温（常年温度在2～4℃）冷矿泉水之一，是由火山喷发、喷溢时岩浆热液冷凝过程中的分异作用和地下水的溶滤作用形成的，泉水温度为3～5℃，最低可到1℃。矿泉水类型较多，但以碳酸为主的复合型矿泉水最多，主要有火烧山碳酸矿泉水区、尾山碳酸矿泉水、药泉山碳酸矿泉水区。这些矿泉水又分为深层、浅层矿泉。矿泉水中铁、镁、钾、钡、碘、硒、溴、钙、硅等14种元素与人体所需相符。五大连池矿泉水点有100多个，总流量3000～5000立方米/天，浅层和深层的矿泉水单井涌水量达到50～350立方米/天。此外，该地还分布着大面积的硅质矿泉水。五大连池矿泉水主要有药泉山、焦得布、尾山、火烧山等9处矿泉群，有南泉、北泉、翻花泉、二龙泉等300多个天然露头泉。20世纪70年代，中国科学院在五大连池研制成功了重碳酸含气矿泉水；80年代，五大连池矿泉水被指定为国家接待外宾专用水。2010年，原国家质检总局批准对“五大连池矿泉水”实施地理标志产品保护，范围包括五大连池风景名胜区、自然保护区、五大连池镇青泉村、龙泉村、邻泉村、焦得布林场等4个村、林场现辖行政区域。五大连池成为重要的国际矿泉医学研究基地，被称为“国家矿泉水之乡”和“中国矿泉城”。五大连池矿泉与法国维希矿泉和俄罗斯纳尔赞矿泉相似。

二、东北矿泉水发展基础

1. 发展基础

（1）具有一定的生产能力。东北地区的天然矿泉水产业发展迅速，生产规模逐年扩大，并进入了高速发展阶段。2004年经吉林省政府批准，建立了靖宇、抚松、安图三个大型矿泉水产业基地。目前，吉林省的矿泉水企业已超过70家，年产量近100万吨，每年创造价值达到十几亿元。长白山原产地域产品保护区内有34家生产企业，年产能超过10万吨以上的有5家。吉林省矿泉水企业达到80余家，矿泉水年产量近百万吨。黑龙江省已建厂近70家，其中已粗具规模的矿泉水厂有50余家。2012年，白山市有天然矿泉水及系列饮品企业14户，包括规模以上企业8户，产能达350万吨/年，产值完成10.2亿元，分别占全国的20%和15%。矿泉水产品市场占有率逐步提高，长白山矿泉水现已远销省外，逐步进入韩国、日本等市场（代海涛，2009；曹彩杰，2010）。

（2）具有地理标志性的品牌优势开始形成。五大连池在20多年前因“矿泉水”而闻名全国。2000年，靖宇县被中国矿业联合会天然矿泉水专业委员会命名为“中国长白山靖宇矿泉城”，成为世界三大矿泉城之一（崔广红，2009）。吉林长白山地区建立了中国第一个区域性天然矿泉水水源保护区，命名白山市为“中国·白山国际矿泉”。辽宁省辽阳市（弓长岭区）、吉林省安图县被称为“中国矿泉水之乡”，辽宁辽阳弓长岭区“八宝琉璃井”矿泉水水源被命名为“中国优质矿泉水水源”称号，申请注册了“靖宇矿泉城”等一批商标。在产品上，推出了“泉阳泉”中国品牌和“长白山泉”、“吉源”等知名品牌。

（3）集中了部分优势生产企业。在矿泉水资源丰富的地区，已吸引许多国内甚至国外的矿泉水生产企业投资建厂，形成了具有一定规模的产业集群。这些知名企业包括统一、娃哈哈、农夫山泉、康师傅、泉阳泉、吴太集团、韩国NAPIA、亚洲富恒等。长白山地区已设立了长白山天然矿泉水白山市保护开发园区，成为中国最大的矿泉水产业集群，并成为各大饮料生产企业“抢水”战争的主战场。辽宁省有50多家矿泉水生产企业，包括东北虎、天龙泉、八王寺等品牌。黑龙江比较著名的有五大连池、火山源、金帝泉、咕咚、东北王5个矿泉水品牌（尹喜霖等，2002）。

（4）矿泉水产业已成为部分地区的经济增长点。随着矿泉水资源的开发利用与产业化发展，产业规模效益开始形成，成为部分地区的主导产业，有力拉动了地方经济的发展。这在吉林省东部长白山地区尤为明显。尤其是靖宇县、安图县、辉南县已把矿泉水的开发作为县域经济的增长点，矿泉水产业成为地区主导产业。

（5）逐步形成了一系列的扶持政策。2001年，吉林省颁布了《长白山天然矿泉水靖宇饮用水源保护区划定方案》，建立了“中国长白山天然矿泉水靖宇水源保护区”，保护面积达423平方公里。2004年下发了《吉林省人民政府关于促进省内长白山天然矿泉水产业发展的意见》，2005年成立了长白山矿泉水资源开发利用推进工作组。2004年，靖宇县编制了《靖宇矿泉水开发利用总体规划》。2006年，吉林省成立长白山矿泉水资源开发利用工作推进组，出台《吉林省人民政府关于推进长白山矿泉水产业发展的意见》，并将其列入吉林省“十一五”规划。2006年发布了《地理标志产品：吉林长白山饮用天然矿泉水》，从地理标志与原产地角度对吉林长白山饮用天然矿泉水做了明确规范。2007年吉林省政府设立了额度为1000万元的长白山矿泉水产业发展专项资金，先后出台了《吉林省人民政府关于促进省内长白山天然矿泉水产业发展的意见》《吉林省饮用天然矿泉水资源开发保护条例》等系列文件，为大力发展矿泉水产业提供了政策保障。

2. 存在问题

目前，东北地区的矿泉水开发利用与产业发展仍处于初期阶段，矿泉水产品的质量、生产规模、技术含量及资源保护等均与发达国家尚存在较大的差距。

（1）有品牌无名牌。矿泉水企业较多，品牌众多，但杂乱无章。长白山地区比较出名的品牌有“泉阳泉”“峡谷泉”“世稀泉”“吉源”“白山池”，多是地方品牌。吉林省有80多家矿泉水企业，打着长白山旗号的企业有30多家，促使长白山矿泉水质量良莠不齐（代海涛，2009）。多数企业是年产数万吨的小型企业，多以瓶装矿泉水生产为主，市场占有率低，生产量达不到设计产能，利润微薄。多数企业不做广告宣传、新产品研发等，质量要求较低（曹彩杰，2010）。部分矿泉水产品未获得国家地理标志证明商标。这导致东北地区的矿泉水未能形成全国性品牌，更缺少国际知名品牌，市场竞争力较低。在白山市矿泉水产业集群内，企业“聚而不群”。

（2）宣传不够，销量不高。矿泉水富含多种常量元素和微量元素，口感、健康、营养等方面的优势与特色都比较突出，为高品质的天然优质矿泉水。但东北地区的矿泉水缺少宣传，市场知名度较低，产品销售能力较低，市场狭窄，多数企业的产品销售仅局限在各省内部。这导致生产能力远高于销售能力，许多企业形成产品积压。无污染、纯天然、高品质特性的资源优势未能转化为市场优势。

（3）产业链短，产品附加值低。东北地区的矿泉水生产仍处于起步阶段，未能利用矿泉水的独特资源优势开发附加值更高的产品。目前，矿泉水的开发仍处于粗放型阶段，大部分停留在仅仅依靠资源的层面，产品品种极为单一，产品附加值较低，不具备研发和营销能力；产业链短，对其他产业的辐射带动能力较低。包装、运输、酒类、食品、保健等关联产业和配套产业未能发展起来（曹彩杰，2010）。

（4）生产不稳定，技术水平落后。东北地区的各矿泉产地已建的矿泉水厂规模普遍较小，多是时产时停，无法形成规模生产，也无法适应市场竞争。目前，东北地区尚无设备先进、生产规模大、资金充足、稳步发展的龙头企业，生产工艺简单，缺少与国际接轨的生产技术，尚未形成专业化、规模化的生产线（尹喜霖等，2002）。产品质量及产品包装档次偏低，生产技术及生产管理水平低下。长白山地区共有矿泉水生产企业 80 余家，多数为年产数千吨的小型企业，而且以瓶装饮用水为主（代海涛，2009）。

（5）开发与保护不能并重。目前，东北地区的矿泉水资源未能得到充分开发与有效保护。水源地遭受不同程度的污染，矿泉上游居民的生活垃圾及农药化肥污染仍存在，部分地区的水质存在破坏。许多矿泉水企业生产能力有限，忽视了资源保护，出现了盲目的、无序的、破坏性的开发，资源利用率较低，部分地区存在超采现象。部分企业用矿泉水资源生产纯净水、天然水，优质资源未能得到合理利用，浪费严重；长白山矿泉水多为自涌泉，开发利用水平较低，生产量仅占可开采量的 1.5%（代海涛，2009）。矿泉水保护区内的大面积林木砍伐，导致植被人为破坏和水土流失，地质土壤的锁水能力不断削弱，影响了天然矿泉水资源的形成与储存，个别地区甚至形成矿泉水资源保护危机。矿泉水开发利用的配套法律保护机制尚未完善，部分条例过于粗化，缺少配套的实施细则。

三、东北矿泉水发展战略

为实现矿泉水资源的可持续开发利用，东北地区要坚持保护与开发并重，加强地质勘查工作，摸清资源底数，加大对矿泉水资源的规划与保护力度，各矿泉产地要“统一规划，重在保护，科学开发，永续利用”，坚持大品牌、上层次、扩总量、控资源，推动产业规模化升级，大力开发中高端系列化产品，把矿泉水产业打造为东北地区的特色产业和矿产地各县市的支柱产业。

1. 加强矿泉水资源保护

矿泉水是一种流体矿产，对水源即水质、水量的保护尤为重要。

（1）矿泉水资源的规模化开发与利用需要建立在资源储量的基础上。东北地区需要继续加大矿泉水资源的地质勘查，扩大资源储备规模，摸清资源底数（于明宽，2005）。加强探矿权和采矿权管理，按照水质、水量的不同，对各水源进行等级评估。探索实施矿泉水资源储备制度。

（2）依法管控资源，统筹经略资源。加强矿泉水资源的管理和保护，改善保护设施，严禁破坏原始植被和地貌，提高植被覆盖率，治理水土流失，清除产地污染源，保护水源地的生态环境，保证矿泉水质量。

（3）继续加强靖宇、安图、抚松、五大连池等矿泉水水源保护区的建设，合理扩大保护区的范围，并升级为国家级自然保护区，使集中分布和重要的矿泉水水源得到有效保护，保障矿泉水资源的永续利用。

（4）通过行政手段强化企业对水源的保护义务，对已开发利用的矿泉水水源建立严格的保护区，在矿泉水水源地补给区严格控制污染源（于明宽，2005）。保护区的核心区禁止一切生产生活活动；在保护区周边，在保持林权不变的前提下，不进行皆伐。

（5）加强对矿泉水产地居民、酒店及游客的宣传，提高居民企业保护意识，鼓励发展生态农业，关闭养殖场，减少农药化肥使用量，减少居民和宾馆饭店的废水废物排放。

（6）建立健全矿泉水资源开发利用的法律法规体系，及时修订相关条例，制定有关的实施细则，完善相关的监督机制。在法律法规基础上制定具体实施标准，如矿泉资源勘探标准、矿泉资源开发标准、矿泉饮品生产企业选址标准、企业开采标准、矿泉产品检验标准以及矿泉开采监督标准等（张猛，2015）。

（7）合理推进重要矿泉水水源地的生态移民，保护生态环境。

2. 有序推动矿泉水资源开采利用

依托长白山、五大连池等天然矿泉水资源优势，按照“因地而异，因质而异”的原则，有序推动矿泉水资源开发利用，优化布局，合理开发，节约用水。

（1）对某些区域或某些重要的泉点实行限制性开发，控制好优质天然矿泉水资源的开发，保证质优量丰的天然矿泉水资源优先用于规模开发。

（2）突出高端与长白山、五大连池特色，坚持总量控制与生态优先，禁止原生矿泉水的开采，次生矿泉水的开采也要控制总量，长白山地区的产能总量要控制在 5000 万吨 /年。

（3）注重规模开发，坚持“扶大限小”，提高项目建设门槛。在水流量大的矿泉产地，要优先审批年产 20 万吨特别是 50 万～ 150 万吨规模及生产高附加值产品的项目；对流量小或其他特殊类型的矿泉，开发规模限定在 5 万吨以上；稀有类型矿泉水年可开采规模不得低于1万吨，建立矿泉水HACCP体系。对开发条件较好且流量较大的矿泉，推行多家企业共同开发。

（4）对既有矿泉水生产企业加强整理和整顿，整改部分企业，提升技术水平，淘汰落后产能。

（5）长白山地区重点开发靖宇、抚松、安图、吉林省长白山保护开发区管理委员会等地区，推动辉南、长白、敦化、临江、和龙等地区开发，建成全球知名的长白山天然优质矿泉水产业基地。

（6）禁止人工揭露泉项目的开发，对各矿泉水水源地区别对待、分类开发，重点开发偏硅酸型、锶型及其复合型饮用天然矿泉水，逐步开发含重碳酸和游离二氧化碳矿泉水及含锂、碘、硒等稀有类型矿泉水，重点开发日允许开采资源量1100吨以上的天然矿泉水水源地。优先开发日允许开采资源量5000吨以上的天然矿泉水水源地；鼓励开发含重碳酸、游离二氧化碳、硒、锶、锂等稀有矿泉，年允许开采规模不得低于1万吨。

3. 加强矿泉水经营主体建设

（1）通过改组、改造或联合兼并中小型企业，扶持和培育骨干企业，尤其是培育具有国际竞争力的大企业集团，走规模化生产。

（2）鼓励矿泉水产业集群建立研发合作产业联盟、产业链合作产业联盟、市场合作产业联盟、技术标准产业联盟等多种联盟组织。

（3）抓好产业园区建设，推动企业集聚布局，完善园区资源管理制度，优化配置生产要素，将有开发价值的水源地输水管道铺设至园区，吸引企业集中布局，形成产业集群优势。围绕重点园区，加快铁路建设，解决宇辉线及抚松运力问题，研究建设铁路专用线，解决物流瓶颈。

（4）对小型企业进行集中规划，大小厂家可合并。对质量不合格的企业要坚决取缔。

4. 提高产品质量，规范产业市场

东北地区要坚持质量优势，积极扩大市场份额，塑造并培育市场优势。

（1）严把矿泉水产品质量关。各企业要健全全面质量管理制度，执法机关要加强矿泉水产品质量定期或不定期检验，实现矿泉水从源头、生产到最终产品及运输全过程的质量监管。

（2）加强矿泉水行业协会和科研咨询机构的作用，发挥对矿泉水生产及水源的监测、监督及行业自律、信息交流和技术咨询等方面的作用。支持白山国家饮用水监督检测中心制定天然矿泉水省级标准，研究高中低端天然矿泉水的分等标准。

（3）鼓励采用技术较高的生产工艺和生产设备，支持引进先进成套设备，不断改进工艺流程，提高生产管理水平。

（4）规范矿泉水生产市场，打击无证生产、经销假冒伪劣矿泉水。联合企业开展行业自律，严格执行许可证制度。

5. 积极推动矿泉水精深加工

矿泉水的功能不仅是饮用，而且具有其他价值较高的功能。东北地区要坚持精深加工理念，延长天然矿泉水的产业链。

（1）积极研制开发新产品、新工艺和先进适用技术，开发多品种矿泉水，重点开发中高端产品，提升饮用产品的附加值。

（2）鼓励和引导企业采用先进的生产技术，积极研发具有特色的系列饮料，提高附加值。

（3）加大开发五大连池冷矿泉水的药用功能，开发矿泉酒、矿泉鸭蛋、矿泉牛羊肉等产品。

（4）围绕五大连池矿泉，对现有疗养院（所）进行清理、整顿，积极改善疗养条件，完善医疗设施，配合理疗、体疗、磁疗、针灸疗法或辅以药物，扩大治病范围，扩建成矿泉水疗养中心（尹喜霖等，2002）。

6. 塑造名牌产品，提高产品知名度

东北矿泉水产业的规模化与产业化发展需要依托知名品牌，塑造具有国内外竞争力的矿泉水品牌，这是当前的重要任务。

（1）地理标志作为地方传统特色产品的法律保护形式，体现为对传统集体智慧成果的确认和维护，具有重要的经济意义和社会人文效益。东北地区要积极推广既有地理标志的使用，重点是“长白山矿泉水”“五大连池矿泉水”两个地理标志的使用。

（2）发挥地理标志的品牌优势，充分利用“天然、安全、营养、健康”的特色，积极培育具有高附加值的知名矿泉水品牌，扩大品牌影响，提高品牌的公信力，努力形成品牌文化与地域矿泉水文化。

（3）优先开发名特优产品，创立品牌。对既有品牌要认真筛选，优先开发名、特、优品种，重点突出碳酸为主复合型、锌型、碘、溴为主复合型、锂型等珍贵矿泉水（尹喜霖等，2002）。

（4）通过科普宣传、推介会等各种途径加大宣传，提高东北矿泉水的知名度。

第四节　林下经济发展路径

一、林下经济概念辨析

1. 概念界定

林下经济是有别于传统林业生产的参与式林业与农业经营方式，是协调森林保护与发展经济的有效模式。林下经济主要是指以林地资源和森林生态环境为依托，发展起来的林下种植业、养殖业、采集业和森林旅游业（张瑜，2019）。林下经济是中国

在集体林权制度改革之后出现的科学经营林地、发展关联产业的经济形态。狭义上，林下经济主要是指林下产业。广义上，林下经济既包括林下产业，也包括林中产业，还包括林上产业。

林下经济又称为林业高效复合经济，是充分利用林地资源和林内空间，充分利用林下土地资源和林荫优势，从事林下种植、养殖等立体复合生产经营，使农林牧各业实现资源共享、优势互补、循环相生、协调发展的生态农业模式。发展林下经济对缩短林业经济周期、增加林业附加值、促进林业可持续发展、开辟农民增收渠道具有积极的意义（郑颖等，2019）。

2. 特点与意义

发展林下经济是提高林地产出、增加农民收入的有效途径，是实施“农民不砍树也能致富”战略的有效途径，可以实现“生态保护”和“农民致富”双重目标。

林下经济投入少，从业门槛低，见效快，发展潜力大。

在兴林中富民，促进农业产业结构调整，扩大农民就业，增加林业附加值，开辟农民致富渠道，让农民增收，有利于建设美丽乡村。

在富民中兴林，让大地增绿，促进林业可持续发展，生物多样性更加丰富，巩固生态保护成果。

绿色生态，充分利用林地资源，形成循环经济模式。

实现了扶贫开发，扩大企业的经济效益，扩大地方的财政增源。

二、东北森林资源禀赋

1. 资源优势

东北地区发展林下经济有得天独厚的优势。东北地区自南向北跨中温带和寒温带，属于温带季风性气候，气候适宜，是中国森林资源最丰富的地区，以针阔混交林为主，森林面积大，森林蓄积量大，人均占有林地面积比重大，可利用的林地面积比较多。

林地是东北地区的重要用地类型。如表 4-5 所示，2017 年，东北地区林地面积达 50.4 万平方公里，占东北地区用地面积的 34.95%，占比较高。其中，有林地面积达 45.18 万平方公里，占林地总面积的 89.6%，灌木林面积达 2.83 万平方公里，占比达到 5.6%；疏林地面积为 2 万平方公里，占比达 4%；其他林地面积较少，仅为 0.4 万平方公里。

表 4-5　2017 年东北地区林地资源结构　　（单位：平方公里）

林地类型	蒙东	黑龙江	吉林	辽宁	东北地区
有林地	137 575	182 030	80 010	52 167	451 782
灌木林	15 129	6 496	2 187	4 504	28 316
疏林地	11 701	2 717	1 158	4 419	19 995
其他林地	1 410	539	796	1 241	3 986

森林资源相对集中于黑龙江和蒙东地区，前者占比为38.05%，后者占比为32.89%，两者合计达到70.94%，吉林和辽宁占比相对较低，分别为16.69%和12.37%。从各地市来看，呼伦贝尔林地资源最多，占比达23.86%。大兴安岭地区林地资源占比达到9.44%；延边州和黑河林地资源占比分别达6.93%和6.77%，伊春和牡丹江林地资源占比分别达5.34%和5.26%，哈尔滨林地资源占比为4.52%。赤峰、兴安盟、吉林和白山4个地区林地资源占比均介于3%～4%，通化林地资源占比为2.02%；丹东、抚顺、双鸭山、朝阳、通辽、本溪、鸡西、鹤岗、绥化和葫芦岛10个地区林地资源占比均介于1%～2%。

2. 森林林区

森林是林地资源的主体。东北地区的森林覆盖率很高，主要的森林有大兴安岭、小兴安岭和长白山。

大兴安岭地区纵贯东北西部，大致呈现东北—西南走向，并向南延伸到赤峰而与辽西北丘陵山地相连接，是东北地区面积最大的林区，面积达32.72万平方公里，动植物资源丰富。大兴安岭的林木蓄积量超过14亿立方米，约占全国林木蓄积总量的1/6。

小兴安岭是东北地区东北部的低山丘陵地区，是松花江以北的山地总称，呈现西北—东南走向，覆盖面积约7.8万平方公里，林区面积为1206万公顷，包括森林面积500多万公顷，林木蓄积量约为4.5亿立方米。

长白山主要分布在辽宁、吉林、黑龙江三省东部山地，呈现东北—西南走向，覆盖面积达到28万平方公里。

林区是主要的林业生产主体。在东北地区共有五个国有林区，分别为内蒙古森工集团、吉林森工集团、龙江森工集团、大兴安岭林业集团、长白山森工集团，共设有87个国有林业局。东北国有林区经营面积4.9亿亩，占全国国有林区经营面积的67%；森林面积达到3.9亿亩。内蒙古大兴安岭重点国有林区面积达10.7万平方公里，森林面积8.2万平方公里，活立木总蓄积量达8.9亿立方米。大兴安岭林业集团经营面积为802.8万公顷，有林地面积为709万公顷，活立木总蓄积量达6亿立方米，天然森林蓄积量达5亿立方米。龙江森工集团覆盖小兴安岭、完达山、张广才岭，总经营面积10万平方公里，有林地面积863.5万公顷，活立木蓄积量达6.3亿立方米。吉林森工集团位居长白山林区，经营面积达134.8万公顷，包括有林地面积122万公顷，活立木蓄积量达1.7亿立方米。长白山森工集团经营面积达406.6万公顷，有林地面积达326.3万公顷，森林蓄积量为4.1亿立方米。

三、东北林下产业发展基础

1. 发展现状

东北林区是中国著名国有林区。新中国以来，生产木材超过10亿立方米，约占全国商品材总产量的二分之一。在传统的林业经济中，木材收入是主要部分，但林农收入周期长，投入成本大。长期过度采伐造成资源枯竭、生态环境破坏。2017 年全面停止商业性采伐，东北林区面临保护生态和改善民生、传统产业衰退与接替产业培育的“双重”矛盾（李建安，2017）。

（1）为了促进林下经济的发展，东北地区的各国有林区相继出台了一系列相关的税收优惠政策。近年来，各地区大力发展林下种植、林下养殖、相关产品采集加工和森林景观利用，改变了单一的木材生产的经济格局，对转移农村富余劳动力和推动下岗职工再就业发挥了积极作用。

（2）一批具有地方特色和市场竞争力的林下产品开始涌现。这包括红松干果、林蛙、山野菜、中药材、食用菌。大量的林下产业基地得到培育，这包括国家级中国林蛙种苗繁育基地。2011 年末，舒兰市实现养蛙封沟 443 条，有效放养面积 9.2 万公顷，建成国家级中国林蛙种苗繁育基地 4 个，林蛙养殖基地示范村 16 个，养蛙户近 450 户。

（3）林下农业从林下采集业为主向以林下种植业为主进行转变。2003 年以来，东北地区重点国有林区的林下种植业和采集产品产量处于平稳上升状态，但生产结构有所改变。食用菌的产量增速较快，开始取代山野菜而位居林下种植和采集产品的首位，2005 年以来其产量超过了中药材和山野菜的总产量（尹晓宇等，2013）。

（4）林下养殖业的林禽养殖优于林畜养殖。林下养殖产品产量存在剧烈的波动，2003 年以来，东北重点国有林区林下养殖产品产量经历了先增加后减少再增加的过程。其中，林禽产量基本上处于上升状态，林畜产量则呈现相反的发展趋势。

（5）森林旅游发展速度快。2003 ～ 2017 年，东北地区重点国有林区森林旅游人数年均增长速度较高。2017 年，四省区的林业旅游与休闲产业人数达到 1.48 亿人次，旅游收入达到 543.2 亿元。

2. 存在问题

东北地区在发展林下经济上仍然存在一些问题。

（1）经济过度的依赖于现有资源，种养殖品种选择较少，种养殖模式单一，未能形成产业链，精深加工较少，产品附加值较低，资源未能得到充分的开发利用。林下产品往往具有较强的季节性和时效性，初级产品的深加工程度较低。

（2）生态化内涵和意义不强。放养不当，生态保护在林下经济发展过程中被淡化与漠视，对涵养水源、水土流失等问题未能给予充分关注，削弱了森林的生态功能。

（3）林下经济生产相对分散，规模较小，利益主体较多，管理比较粗放，销售网络渠道有限，不能有效地与市场进行直接对接，抵抗市场风险能力较低。

（4）林下产品品质较低，存在品质下降与品质安全隐患等问题，缺乏品牌效应，导致林下产品缺乏市场竞争力。

（5）重生产基地建设而轻市场建设。近年来，东北、内蒙古重点国有林区加大了对林下经济发展的财政投资力度，但多数投资建设生产基地，鲜有投资建设林下经济产品的专业市场，缺少林下产品交易平台与渠道。

四、东北林下产业发展战略

1. 总体思路

在“后木材经济”时代，在保护生态环境的前提下，发挥大小兴安岭、长白山和辽西北丘陵山地的资源优势，根据当地自然条件、林地资源状况、经济发展水平、市场需求情况等，把生态建设工程和林下经济发展相结合，因地制宜，以市场为导向，以“非木质林产品”为核心，坚持林农牧并重，突出特色，林上林下林地立体化推进，科学合理利用森林资源，科学确定林下经济的种类和规模，培育特色种养产业基地，拉长林业产业链，大力推进专业合作组织和市场流通体系建设，培育壮大一批林下产业基地，促进林下经济向集约化、规模化、标准化和产业化发展，推动东北地区的生态建设和国有林区的经济转型。

现阶段，东北地区的林下产业应重点发展林下种植、林下养殖、林下产品采集、森林旅游等产业，形成规模较大、特色突出、竞争力较强的林下经济。具体包括林禽、林畜、林粮、林药、林菌等产业。以此，将东北地区建设为高寒林区生态食品基地、北方林果生产加工基地、特色禽畜生产加工基地、食用菌生产加工基地、北药特色原料供应基地、木本粮油产业基地。

2. 巩固提升林下养殖业

充分利用林下空间发展立体养殖，以珍贵毛皮动物和特种经济动物为重点，大力发展林禽、林畜、林蜂、林蛙、林蚕等养殖业。

林禽模式主要是指利用林下资源丰富、空气流通性好、温湿度较低等环境特点，通过放羊、圈养和棚养等各种模式开展禽类饲养，与林木形成良性生物循环链。在东北地区，主要禽类包括柴鸡、鹅、天鹅、山鸡、鸭（罗家新，2018）。

林畜模式主要是指在林下适度放羊牲畜，能形成循环生物产业链。具体有两种模式。一是放牧，即林间种植牧草可发展养殖业；二是舍饲饲养家畜。但要控制养殖密度，维护生态平衡。在东北地区，适宜林下养殖的牲畜有牛、羊、兔、鹿、猪、袍子、虎、貂、狐等。在鄂伦春自治旗、额尔古纳市、鄂温克族自治旗、新林区、黑河市、五岔沟林区、白狼林区等地建设鹿、野猪、狐、貂等标准化养殖基地。

林蚕养殖业主要是指在森林中养殖传统柞蚕。东北地区的柞蚕茧产量占全国总量的 90% 以上。

林蛙养殖业主要是指在林区沟系和林区周边废弃的厂房、庭院养殖树蛙。林蛙养殖是东北发展林下经济的主要模式，全国 80% 的林蛙养殖分布在东北林区。重点将门德沟、杨树沟、乌兰大坝等林区作为林蛙养殖基地。

3. 加快壮大林下种植业

充分利用丰富的林下资源发展种植业，保护和开发野生林产品资源，因地制宜开发林粮、林油、林草、林菜、林菌、林药等模式（张飞，2015）。

林菜种植业模式主要是指利用林中空地、溪谷两岸等地块移栽或套种山野菜，实施林木与蔬菜间作种植。蔬菜主要包括菠菜、辣椒、甘蓝、洋葱、大蒜、刺老芽、老蕨菜、大叶芹、小叶芹、荠菜、辽东楤木、刺五加等。该模式的经济效益较高。近年来，东北地区的山野菜栽培面积逐年增加。在扎兰屯、牙克石、阿荣旗、阿尔山、伊春、黑河等地建设蕨菜、黄花菜、金针菜、卜留克等特色山野菜产品生产和加工基地。

林草模式主要是在退耕还林的速生林下种植牧草或保留自然生长的杂草，饲草收割后饲喂畜禽。

林菌模式主要是利用林下光强低、湿度大、氧气足、温差小的特点，以林地废弃物为部分营养来源，在林下种植食用菌的立体栽植模式。该模式可充分利用大面积闲置的林下土地，适宜东北林区栽培的食用菌种类主要有黑木耳、蘑菇、猴头、香菇、松杉灵芝、羊肚菌、鸡腿菇和滑子菇等（罗家新，2018）。该模式已在东北林区广泛推广。在大兴安岭地区、伊春、黑河市、呼伦贝尔市、阿尔山市和科尔沁右翼前旗、五岔沟林区、白狼林区建设以有机黑木耳、蘑菇等为主的食用菌种植基地。

林药模式充分利用森林资源和林地空间种植中药材野生资源和林下中药材人工仿野生栽培（罗家新，2018）。主要药材包括人参、细辛、玉竹、淫羊藿、平贝、龙胆草、小飞蓟、甘草、黄花、细辛、月见草、穿地龙、五味子、防风和蒲公英等耐阴药用植物，半野化间种栽培金银花、白芍、板蓝根等药材。近年来，该模式在东北地区中草药生产中扩大应用规模。

林油模式主要是指在林下种植油料作物。适宜种植的油料作物主要包括大豆、花生等。

林粮模式主要是指在树龄较小、树木较小、遮光少的速生林种植农作物。在东北地区，适宜种植的农作物包括棉花、小麦、绿豆、大豆、甘薯等。

4. 积极拓展森林旅游业

发挥山清水秀、空气清新、生态良好的优势，合理利用森林景观、自然环境和林下产品资源，发展旅游观光、休闲度假、康复疗养等产业，大力发展森林旅游（张飞，2015）。

农家乐旅游主要是指利用森林资源发展旅游。目前，东北林区的农家乐旅游业态主要包括乡村酒店、生态村、休闲农庄、山水人家、养生山吧、民族风苑等（罗家新，2018）。

观光采摘园主要是利用果林发展观光旅游。目前，观光采摘园在东北林区形成了一定的产业规模。东北林区适宜采摘的品类主要有蓝莓、草莓、葡萄、苹果、梨、桃、杏、小柿子等（罗家新，2018）。

5. 支撑体系建设

市场流通体系与物流网络是林下经济发展的重要保障。

（1）积极培育林下经济产品的专业市场，加快服务平台建设，建立销售网络。推动大城市连锁经营、物流配送、电子商务、农超对接等现代流通方式向东北地区林下经济产品延伸。建立东北地区林下经济生产销售电子商务平台，让用户的需求与林农的产品对接，减少中间流通环节。

（2）推动金融机构深入林区、办理林下经济贷款业务，发展林区职工小额信贷、林区职工联保贷款和林权抵押贷款并联合使用，丰富林业信贷模式。鼓励各省设立林下经济发展专项资金。

（3）引进和推广适宜林间种植、养殖的新品种、新技术，建立林下产品产前、产中和产后的技术服务体系。建立林下经济作物生长病虫害防治专家系统，推进病虫害专业化统防统治（张飞，2015）。

（4）培育龙头企业，大力推广“龙头企业 + 专业合作组织 + 基地 + 农户”运作模式，辐射带动农民积极发展林下经济。积极打造森林品牌产品，重点培育“黑森”“林都”“北奇神”等品牌。

第五节　文化创意产业发展路径

一、东北文化创意产业发展基础

1. 概念界定

文化创意产业（cultural and creative industries，CACI）是第三产业的新兴产业部门，是经济、文化、科学技术等相互融合的产物，是文化产业和创意产业的集成。文化创意产业主要是指强调主体文化或文化因素，通过创意 / 创新力的发挥，或借助高新科学技术手段，对某种文化资源、艺术、技巧、知识产权进行产业化开发的行业。文化创意产业是地区提高竞争力、改善发展环境的重要条件，有着较高的经济附加值，被称为“黄金产业”“朝阳产业”。

文化创意产业大致包括三部分，包括传统文化及相关产业、与通信网络相关的产业、与传统产业相关的设计咨询等产业。具体来说，文化创意产业主要包括广播影视、动漫、音像、传媒、艺术、视觉艺术、表演艺术、工艺与设计、雕塑、环境艺术、广告装潢、服装设计、软件和计算机服务、建筑艺术、出版业、交互式互动软件等方面的创意群体。其中，传统文化产业包括文化艺术、工艺和古董等产业；新经济产业则包括软件、游戏等数字内容的产业；影像类产业包括电视、广播、电影、出版、表演艺术等产业。总体来看，文化产业是文化创意产业的主题或核心。

2. 发展基础

文化资源、产业基础、产业发展政策等方面，为东北文化创意产业发展提供了基础和实现可能（崔丹，2014）。

（1）特色文化资源丰富

文化资源是地区的活化石。东北地区的文化资源丰富，底蕴深厚。

工业文化——东北地区是典型的老工业基地，有着深厚的工业文化底蕴，形成了大批的工业文化遗产，具备艰苦奋斗的工业精神。尤其是沈阳、鞍山、抚顺、本溪、大连、长春、吉林、哈尔滨、齐齐哈尔、大庆等城市有着大量的工业遗产。

冰雪文化——由于独特的地理条件，东北地区冬季相对漫长，拥有丰富的冰雪资源，在生产生活中形成了独具风格的冰雪文化。以雪雕、冰灯、冰雕、滑雪、滑冰、冬泳为主要内容的冰雪文化具备天然优势。

民族文化——有鄂伦春、赫哲、锡伯、朝鲜、蒙古族、鄂温克族、达斡尔族，拥有大量的蒙古族和满族人口，有多个满族自治县及自治乡，超过一半的朝鲜族居民生活在延边朝鲜族自治州，拥有众多的少数民族非物质文化遗产，形成了丰富多彩的民间艺术及创造力。

民俗文化——多民族集聚分布、农牧混杂生产方式、移民殖民历史共同造就了多样化的民俗文化。皮影、秧歌、“二人转”、东北大鼓等成为东北地区的典型民俗文化。

地缘文化——毗邻蒙古国和俄罗斯及朝鲜、韩国和日本的地缘区位，促使东北地区的地域文化融入了国际化符号。俄侨文化、犹太文化和建筑文化散发着异域色彩。

（2）文化创意产业基础

文化基础设施为文化产业的发展奠定了基础。2004 ～ 2015 年，东北地区博物馆由 135 个增加到 497 个；文化机构由 39 269 个减少到 21 066 个，演艺团体数由 215 个增加到了 363 个；艺术表演团体经营收入实现近 12 倍的增长，艺术表演团体表演收入实现了近 11 倍的增长。鲁迅美术学院、沈阳音乐学院等一批现代高等艺术院校和东北大学、吉林大学、东北师范大学、黑龙江大学等综合院校的艺术、设计、文传等专业已成为东北地区创意人才的集聚地。报业集团、长影集团、歌舞剧院、出版集团、东软集团等领导型企业成为现代东北文化创意产业的领军者。辽宁省发布了《辽宁省文化产业振兴规划纲要》，吉林省出台了《关于落实国务院文化产业振兴规划的意见》，大力扶持文化创意产业发展。

文化产业经过近几年的不断发展，实力有所增强，初步建立了门类比较齐全的产业体系。产业规模从小到大，综合实力由弱变强，经济贡献率明显提升，形成具有一定竞争力的文化产业体系。东北的新闻出版、广播影视、动漫产业、文化园区、文化旅游等产业发展趋升（崔丹，2014）。2016 年，东北地区规模以上文化及相关产业企业营业收入达到 943 亿元，占全国的 1.2%；辽宁省文化产业实现收入 205 亿元，演艺业、动漫游戏业、文化会展业、工艺美术业四大主导产业实现 20% 的增长，国家级文化产业示范园区、基地数量达到 18 家，省级文化产业示范基地 39 个。

（3）文化产业园区具备一定实力

为了大力发展文化创意产业，东北地区出台实施了一系列的扶持政策。经过几年的产业整合，东北地区文化产业已粗具规模，建设了一批文化产业园区。2010 年，辽宁省拥有 1 个国家级文化产业示范园区、8 个国家文化产业示范基地、1 个全国文化(美术)产业示范基地和 2 个国家级动漫游戏产业基地、1 个省级文化产业示范园区和

11个省级文化产业示范基地。2011年，吉林省已先后有吉林歌舞剧院集团有限公司等6家文化企业建成国家级文化产业示范基地，有东北亚文化创意科技园、吉林动漫游戏原创产业园等文化产业园区12个；有18家文化企业建成省级文化产业示范基地，4家企业建成省级文化产业示范园区，2家企业建成省级文化产业试验园区。2008年，黑龙江动漫产业（平房）发展基地和哈尔滨松雷集团音乐剧基地被文化部[①]命名为第三批国家文化产业示范基地（李俊和兰传海，2012）。

（4）新兴文化创意产业逐步兴起

随着东北地区文化资源的深度挖掘与现代技术的应用，新兴业态逐步兴起，丰富充实了东北地区的文化创意产业，带来了新的发展活力。

文艺演出市场活跃。各省尤其是省会城市和大城市的文艺演出市场稳步发展。“二人转”成为文化产业的一张名片，带动了传媒业、影视业、文艺表演、旅游业等服务业的发展。2010年辽宁省已有演出团体528家，演出场所45家，辽宁民间艺术团刘老根大舞台居全国演艺行业之首。吉林省全力打造特色演艺品牌，东北风“二人转”艺术团发展成为最著名的文艺演出团体之一，以东北风“二人转”剧场、和平大戏院、刘老根大舞台和关东剧院为龙头的演出市场体系已形成。黑龙江省的哈尔滨话剧院、海伦市人民艺术剧院、黑龙江省冰上杂技舞蹈团、哈尔滨多维卡通剧团等实现了经济效益和社会效益双丰收（李俊和兰传海，2012）。

动漫产业成为文化产业的生力军。2006年以来，辽宁省积极打造沈阳和大连国家级动漫产业基地，动漫游戏产业快速发展，2010年就有动漫游戏企业323家，形成了以沈北、浑南、大连文化产业园区为核心的动漫产业集群。2009年，吉林省组建动漫集团，具有超过3万分钟的年加工生产能力，形成以禹硕、风雷、知合、铭诺等为代表的动漫游戏产业。黑龙江省动漫产业基地有企业138家，年生产动画能力超过2万分钟（李俊和兰传海，2012）。

3. 存在问题

东北地区文化创意产业虽已有一定的发展，但整体还处于起步阶段，产业集群的竞争力尚未形成，仍存在不少的问题。

（1）文化创意产业规模小总量低

长期以来，东北地区重视重工业和农业的发展，忽视了轻工业和文化产业的发展。目前，东北地区的文化创意产业虽然发展较快，但规模体量较小，文化创意企业数量较少。与发达地区相比，东北文化创意产业占GDP的比例较小，约占3%左右，规模很小。如表4-6所示，吉林省的文化产业发展相对较快，产业增加值占GDP的5%左右，辽宁、黑龙江省的文化创意产业增加值占GDP分额则明显低于全国平均水平。除长春文化产业增加值达到420亿元，沈阳、大连和哈尔滨的增加值分别为290亿元、230亿元和138亿元，占全市GDP的比例分别为8%、5.6%和增长5.1%（刘金祥，2014）。文化创意产业主要集中在中心城市，辽宁省主要集中在沈阳、大连，吉林省、黑龙江省多集中于长春和哈尔滨。

①现为文化和旅游部。

表 4-6　2012 ～ 2016 年东北三省文化创意产业增加值

地区	项目	2016 年	2015 年	2014 年	2013 年	2012 年
全国	产业增加值 / 亿元	30 785	27 235	23 940	21 351	18 071
	占 GDP 比例 /%	4.14	3.97	3.72	3.66	3.58
辽宁省	产业增加值 / 亿元	—	390	388	340	262
	占 GDP 比例 /%	—	1.50	1.36	1.25	1.05
吉林省	产业增加值 / 亿元	—	162.29	514	422	352
	占 GDP 比例 /%	—	1.14	3.73	3.61	2.95
黑龙江省	产业增加值 / 亿元	587	481	478	432	399
	占 GDP 比例 /%	3.60	3.20	3.18	3.00	2.85

（2）文化创意产业层次较低

文化创意产业层次较低，产品主要集中在传统行业，新兴文化创意业态尚处于起步阶段，具有占领产业链高端能力的龙头企业少。创新能力不足，许多文化创意产品缺乏创意，缺乏具有自主知识产权的原创文化创意品牌；盲目跟风，低水平仿效，“一拥而上”的现象存在，同质性竞争明显。居民文化消费仍局限在报纸、书籍和光盘影音制品等传统文化消费品，音乐会、剧场演出等高档文化活动及一些新兴文化消费项目与普通百姓距离较远（李俊和兰传海，2012）。舞台艺术门类繁多，演艺市场却以二人转为主要内容，话剧、芭蕾、民族歌舞、民乐与西洋音乐等文艺形式占领演出市场的份额却很少。文化设计、广告策划、创意设计等文化产业与高科技产业及金融机构、制造业的融合较少。

（3）文化科技资源开发深度不够

东北地区虽然历史文化、民族文化和科技资源丰富，但对这些资源的整合保护与开发利用程度不高、普遍不足，没有充分利用资源优势进行资源开发及市场化运作。许多资源仍停留在“隐形”状态，能直接产生经济效益的较少。沈阳和长春的一些民俗文化资源如皮影戏、东北大鼓、剪纸等仅限于抢救，没有通过产业化将这些资源推向文化市场（刘金祥，2014）。许多与文化相关的装饰、服饰、纪念品、饮食、影音、书画、演出、娱乐等文化产品文化服务的生产经营严重匮乏。

（4）重复开发建设，同质化现象严重

文化创意产业存在明显的机械复制、模仿和移植。近几年，冰雪文化产业、民俗文化产业、动漫产业等在东北很多城市落地生根，成为这些城市旅游景区和文化园区的主打项目。同质化建设导致产品趋同，形成内部竞争。在冰雪文化产业方面，哈尔滨有冰雪大世界、沈阳有棋盘山、长春有净月潭，大同小异，竞相发展“冰雪文化”。很多城市紧锣密鼓地辟建动漫基地，大连在高新区旅顺南路建设了国家级动漫游产业走廊，哈尔滨在平房经开区发展起动漫产业园，沈阳在浑南打造了动漫产业集聚区，长春在净月经济开发区建设了国际动漫产业园，鞍山、抚顺、本溪、锦州、营口、大庆等城市均建有大小不等的动漫基地或园区。这些动漫基地缺乏统一规划和统筹布局，陷入新一轮低水平重复建设（刘金祥，2014）。

（5）文化创意产业园区的集聚效应较低

以文化产业为主题的产业园区、示范基地在数量上较多，但总体定位不突出。许多文化创意产业园区雷同，规模小，普遍存在着重复建设，缺乏特色，处于价值链低端。文化创意产业园区、示范基地的“集聚效应”不明显，集群孵化器作用缺失，园区内部“群而不聚”。企业间定位分工不明确，产品差异化不明显，产业链关联度不高，产业延伸能力较差，高技术、高附加值的文化创意、产品设计、信息咨询、广告传媒等行业发展较慢（李俊和兰传海，2012）。

二、东北文化创意产业发展战略

东北地区应充分利用独特的地域文化和科技资源优势，扬长避短，采用市场运作模式，加快各部门和各类的资源整合，不断注入新的元素，延伸产业链，促进各类创新产业多向交互融合，培育更多的新兴业态和特色产品，提升传统文化创意产业，塑造一批文化创意产品品牌，提供高质量的文化产品和服务，培育壮大龙头企业，巩固壮大文化产业园区，形成大东北文化创意产业集群，激活东北地区经济发展活力，打造为推动东北地区全面振兴全方位振兴的新增长点。

1. 整合文化科技资源，营造创意产业平台

发展文化创意产业是转变城市经济发展方式、优化城市经济结构、提升城市经济竞争力的重要途径，也是传承城市文化底蕴、增强城市软实力、建设特色文化城市的必要手段（刘金祥，2014）。

树立大文化观，加强东北地区文化资源的跨区域跨行业跨专业整合，合理开发利用传统产业，拓展新的发展业态，塑造“大东北”文化创意产业的统一品牌。

以提升产业附加值为导向，增强文化创意对各产业领域的渗透融合，推进文化软件服务、专业设计服务、广告服务等文化创意设计与装备制造、消费品工业、建筑业、信息业、旅游业、农业和体育产业等重点领域融合发展，形成新业态和产业链。

推动东北地区文化创意产业发展的统一规划，启动大东北文化创意产业发展战略，加强跨省跨地区协同对接，形成合理分工、发展合力，推动文化园区、产业基地与产业集群优化布局，形成协同的发展措施与路径，规避盲目跟随与同质竞争。

鼓励产学研用协同，坚持知识产权化、高科技化、高附加值化、高创意化，促进技术创新、业态创新、内容创新、模式创新和管理创新，催生新技术、新工艺、新产品，满足新需求。

建设高水准的文化创意产业平台、公共服务平台及文化创意产业协会，建立风险融资、中介服务、产学研合作、信息支撑等平台，为东北文化创意产业发展提供优质高效服务。打破行业分割、条块垄断，培育文化创意市场，促进行业自律。

支持各城市根据本地特色，承办好各类文化产业博览会，为国内外文化企业、文化产品搭建一个推介、交易、展示的平台（崔丹，2014）。

2. 提升优化传统文化创意产业

传统文化创意产业是由地区自然环境和社会资源经历长时间孕育出来的，带有显著的生活导向。东北地区的传统文化创意产业具有巨大的发展空间和广阔的发展前途，应坚持规范、做强和提升等理念，在原有基础上积极发掘新市场，提升发展层次，推动其转型升级，打造为具有东北地域特色的文化创意支柱产业。重点发展文化旅游业、出版印刷业、工艺美术业、会展展销业等产业。

文化旅游业，充分利用少数民族文化、历史文化、工业文化、革命文化、冰雪文化、民俗文化等各类文化资源，继续发展文化旅游业，优化景区布局，打造特色旅游品牌，合理组织精品旅游路线。

出版印刷业，推动出版印刷、报刊发行业的绿色化、数字化、智能化、融合化发展。运用高新技术改造传统出版、报刊发行方式，向数字出版业转型。重点发展包装装潢印刷，开发商务印刷，合理调整出版物印刷。鼓励跨区域资源联合重组，实施精品战略，打造出版印刷品牌。围绕重点园区，建设一批各具特色、技术先进的包装印刷产业基地。

专栏 4-2　辽宁省国家级印刷产业基地

2016 年，国家新闻出版广电总局公布了 15 个优秀基地（园区）名单，辽宁国家印刷产业基地榜上有名。2013 年，国家新闻出版广电总局批准设立辽宁国家印刷产业基地，批准沈抚新城出版印刷产业基地成为其中园区之一。辽宁国家印刷产业基地由沈阳园区、沈抚新城园区、营盘园区和丹桓园区组成，四大园区各有亮点，优势互补。

沈阳园区——以包装印刷生产制造为基础，是东北地区最大的包装印刷产业基地。2007 年开始建设，包装印刷企业有 128 家，规模以上企业达 73 家，目标是建成集设计研发、生产加工、检测认证、展示交易、教育培训于一体的包装印刷产业基地。

沈抚新城园区——出版创意与印刷有机结合，重点发展文化出版创意、现代高端印刷和印刷装备制造产业，涵盖了出版创意产业园和现代印刷产业园，前者有 10 家企业，后者有 30 家企业。

营盘园区——主要依托辽宁大族冠华印刷科技股份有限公司，是集印刷装备制造、印刷耗材、印刷附属配套、印刷包装于一体的综合性产业园区。

丹桓园区——由丹东绿色印刷产业园和本溪桓仁印刷产业园组成。丹东绿色印刷产业园以辽宁中科纳新金丸印刷公司为主体，主要生产研发绿色环保的纳米制版机。石头纸是本溪桓仁园区的重点项目。

工艺美术业，依托特色资源和非物质文化遗产，开发新技术、新工艺、新产品。扶植具有东北地域特色的工艺美术品牌，如鞍山岫玉、阜新玛瑙、朝阳紫砂等。挖掘民族文化元素，促进皮影、木偶、剪纸、刀画、松花砚、黑陶的产业化发展。依托鲁迅美术学院等名校资源，扶持各类艺术工作室，推动传统工艺美术技艺的传承创新和非物质文化遗产的现代转化。加强艺术衍生产品的开发生产，培育艺术创作、鉴定、交易等产业链（杨波和王晓萍，2018）。

会展展销业——促进会展展销业走上专业化、高端化、国际化道路，培育具有发展潜力的精品展会、具有国际影响力的博览会。以大连、沈阳、长春和哈尔滨为核心，发展一批以特色产业、特色资源为依托的知名会展品牌，如中国东北文化产业博览交易会、长春电影节等，打造国内一流的展会平台。挖掘传统节庆文化内涵，拓展衍生业态。创新会展业运作模式，加强会展交易功能。

3. 培育与发展新兴文化创意业态

以智能化、知识化、高附加值为导向，利用互联网、数字、人工智能等现代技术，以“创意创新”为龙头，加快传统文化产业的衍生拓展，培育新兴业态，充实丰富文化创意产业，形成新的经济增长点。大力发展影视制作、娱乐演艺、动漫游戏、数字媒体等新兴文化创意产业。

影视制作业，整合优质广电资源，推动数字化进程，加快数字影院建设，鼓励传统广播电视向多媒体和网络电视转变。运用高新技术改造传统娱乐设施和舞台技术，鼓励研发新型电影院、数字电影娱乐设备、便携式音响系统及多功能集成化音响产品。完善建设沈阳棋盘山、大连旅顺口、本溪南芬、朝阳龙城等影视拍摄基地，创作影视剧精品，提升制作、发行、播映和后产品开发水平。

数字媒体业，以互联网、高新数字技术为依托，促进传统媒体和新兴媒体融合发展，发展以提供和传播数字内容为主的数字媒体产业。重点发展数字出版、网络视频、手机出版、数字音乐、数字电影、移动多媒体广播电视、公共视听载体、网络出版、电子杂志、有声读物等新型业态，开发移动文化信息服务、数字娱乐产品等增值服务，打通从数字内容制作、出版印刷、传输发行到文化消费的全产业链条。推动“传统报纸出版商”向“现代传媒内容提供商”转变。

动漫游戏业，优化动漫产业结构，以原创动漫研发、制作为核心，创建集出版发行、外包加工和衍生产品、播放、交易等功能于一体的动漫产业链，打造国际化动漫形象和品牌，加强动漫平台建设。加快动漫衍生产品的开发与市场培育，生产制作与动漫形象有关的服装、图书、玩具等衍生产品，建设卡通体验、科幻体验、主题酒店等。提升建设沈阳浑南新区、大连高新园区、吉林东北亚文化创意科技园、哈尔滨平房、知和等动漫产业基地，加快丹东、阜新等动漫园区的发展。

娱乐演艺业，坚持品牌化、规范化和规模化，积极发展文化娱乐业。依托特色地域文化，加快发展大秧歌、二人转、满乡婚俗表演。夯实辽宁剧院联盟等建设，组建东北剧院联盟，引入先进技术，构建服务质量高、口碑好的演出院线。依托重要体育基地，发展体育赛事与体育表演。做大重点艺术院团、剧场、演出公司，打造名人、名团、名剧、名剧场联动品牌。

专栏 4-3　东北地区的重要影视基地

东北地区有着各种类型的影视城，拍摄了大批量的影视作品。

金兀术运粮河影视基地——位于哈尔滨的南部，按 1 ∶ 1 比例复制哈尔滨老建筑，拍摄电视剧包括《哈尔滨往事 - 风雷动》《让我为你靠点谱》《晒幸福》《大掌柜》《笑脸》《大瘟疫 1910》等。

长影世纪城——位于净月潭国家级森林公园，2003 年开始建设，成为中国第一家世界级电影主题公园，建成后被评为中国十大影视基地。拍摄影视作品包括《导火线》《机密行动》《重归杜鹃》等。

关东影视城——位于沈阳市浑南区棋盘山，因拍摄《关东大先生》而建设，以 20 世纪初期关东风貌文化为背景的仿古建筑群，扩建成为以影视拍摄服务为主，兼具观光旅游、文化娱乐、休闲度假等功能的综合性旅游区。拍摄影视剧包括《当铺》《闯关东 2》《开国岁月》《同龄子》《三十六计》《大掌柜》等。

闯关东影视城基地——位于旅顺口区的清风小镇，因拍摄电视剧《闯关东》而建设，由一组 20 世纪 30～40 年代风格的建筑群构成，拍摄影视剧包括《闯关东中篇》《小姨多鹤》《孟来财传奇》《钢铁年代》《雷锋》《婆婆来了》等。

4. 积极培育引领性龙头企业

东北各地区要根据特色文化科技资源，依托既有产业基础，积极培育引领性龙头企业，增强文化品牌意识，培育文化精品。积极培育一批实力雄厚、具有较强竞争力的文化企业和集团。造就一批能够产生品牌效应的知名文化产品和知名文化企业。依托龙头企业，加强配套服务企业发展，打造具有竞争力、特色突出的文化创意产业集群。通过重点和潜力产业门类的共同发展，打造领军品牌，带动东北地区文化创意产业大发展。

辽宁省重点发展辽宁民间艺术团、辽宁大剧院、大连大青集团、沈阳杂技演艺集团、大连海昌企业、大连圣亚旅游控股、葫芦岛葫芦山庄等龙头企业。

吉林省重点发展吉林省东北风二人转艺术团、吉林歌舞剧院集团、长春光明艺术学校、显顺琵琶学校、宇平工艺品制造公司、吉林禹硕动漫游戏科技、林田远达形象集团、长春知和动漫产业股份。

黑龙江省重点发展哈尔滨马迭尔集团、哈尔滨松雷股份、哈尔滨新媒体集团、黑龙江冰尚杂技舞蹈演艺制作、哈尔滨太阳岛风景区资产经营公司、同源文化发展公司、伊春市柏承工艺品公司。

5. 巩固壮大文化创意产业园区

产业园区是产业发展的重要依托，创建文化创意产业园区是发达国家发展文化创意产业的成功模式。依托各地区的特色资源和产业基础，整合各类资源，优化特色文化产业布局，积极发展文化创意产业载体，推进文化产业园区建设，创造集聚效应，不断提升文化产业竞争力。各地区要因地制宜，打造各具特色、符合自身优势的产业园区，园区功能要形成专业化分工、错位互补，规避重复建设与同质化竞争。根据发展基础和潜力，扶持一批示范性的文化产业园区与产业基地。重点打造一批影视产业园区、传媒产业园区、出版印刷基地、文化休闲旅游基地、动漫产业基地、会展基地和综合性文化主题公园等（李俊和兰传海，2012）。

辽宁省重点发展锦州辽西文化古玩商城、大连普利文化产业基地、盘锦辽河文化产业园区、沈阳三农博览园等国家级文化产业园区，积极发展大连金石滩文化产业园、旅顺口太阳沟文化产业园、沈阳沈北新区文化产业园、本溪南芬辽砚文化产业园、辽宁（营口）乐器产业园、锦州凌海石山石雕文化产业园等省级文化创意产业园区。

吉林省着力打造50个大型文化产业园区，建设长春、吉林、延吉、图们文化产业带，重点建设东北亚文化创意科技园、吉林动漫游戏原创产业园、吉林师范大学文化创意产业园、尚德森铭新媒体产业园、长春动漫和软件服务外包产业园、知和国际动漫产业园、关东文化园、长春文化印刷产业开发区、吉林市关东古玩书画城、吉林市动漫文化创意产业园、吉林市筑石128文化创意园、吉林圣鑫葡萄酒庄等园区。

黑龙江省突出哈尔滨，重视大庆、牡丹江、佳木斯，重点打造大庆文化创意产业园、平房新媒体动漫产业基地、马迭尔冰雪大世界、松雷音乐剧基地、冰尚杂技演艺基地、太阳岛风景区、“小笨熊”文化产业网、伊春柏成木制工艺品产业园，建设群力文化产业示范区、数字化绿色印刷园区、哈尔滨伏尔加庄园、哈尔滨广告产业园、齐齐哈尔中环文化艺术品广场、东宁宝玉石城、鹤岗“龙江三峡”文化旅游集合区、佳木斯敖其湾赫哲族民俗文化产业园等。

蒙东地区突出地域特色和国际化特色，重点加强赤峰文化产业园、通辽蒙古酒文化产业园、兴安盟文化产业园区、巴林石文化创意产业园、海拉尔文化创意产业园、呼伦贝尔中俄蒙文化创意产业园、科右中旗马文化产业基地等园区。

第六节　草原畜牧业发展路径

一、东北草原资源禀赋

1. 草地资源禀赋

草地资源是东北地区的重要资源，草地成为东北地区的重要用地类型，这是东北地区发展草原畜牧业的基础。如表4-7所示，2017年，东北地区共有草地面积34.26万平方公里，占东北地区土地总面积的23.76%，占比较高。草地资源具有较高的集中性，主要分布在蒙东地区，2017年占比达到90.2%，辽宁、吉林和黑龙江三省的面积较低。在东北四省区中，草地占比也存在较大的差异，蒙东地区有着最高占比，达到47.44%，东北三省的占比都比较低，均不超过5%。

高覆盖度草地主要是草地资源覆盖密度高的草地类型，该类草地主要分布在蒙东地区。2017年，该类草地面积为16.49万公顷，占比为48.13%。

中覆盖度草地主要是指草地资源覆盖密度较高的土地，主要分布在锡林郭勒盟的西部地区和乌珠穆沁草原。2017年，该类草地面积达到14.1万平方公里，占比为41.2%。

低覆盖度草地主要是指草资源覆盖密度较低的草地类型，主要分布在浑善达克沙地。2017 年该类草地面积为 3.7 万平方公里，占比为 10.8%。

表 4-7　2017 年东北地区草地类型结构

用地类型	蒙东	黑龙江	吉林	辽宁	东北地区
高覆盖度草地	144 399	15 923	3 466	1 099	164 887
中覆盖度草地	128 868	5 843	2 982	3 258	140 951
低覆盖度草地	35 745	276	450	305	36 776
草地小计	309 012	22 042	6 898	4 662	342 614

2. 主要草原分布

东北地区草原资源广阔优质，天然草场主要分布在西部的锡林郭勒草原、呼伦贝尔草原、科尔沁草原、乌拉盖草原、东部丘陵山区和中部平原的低洼盐碱地、河阶地和沼泽地等。其中，东北地区草原面积占全国的 2% 左右，植物种类多，野生牧草达 400 余种，优良牧草近百种。草质优良，适口性好，营养丰富，产草量高，亩产鲜草 300 ～ 400 千克。

呼伦贝尔草原位居大兴安岭以西，海拔介于 650 ～ 700 米，覆盖呼伦贝尔市。呼伦贝尔草原是中国保存完好的草原，总面积约 10 万平方公里，地跨森林草原、草甸草原和干旱草原，天然草场面积占 80%，是世界著名的三大草原之一。该草原属于温带大陆性气候和半干旱区，年降水量为 250 ～ 350mm，水草丰美，草原植物有 1000 余种，有碱草、针茅、苜蓿、冰草等 120 多种营养丰富的牧草，有"牧草王国"之称。该草原生产肉、奶、皮、毛、牧草等畜产品。

科尔沁草原分布在大兴安岭南段东侧的西辽河、霍林河、洮儿河流域，为温带南部半干旱草原，覆盖整个兴安盟和通辽、赤峰市的部分地区，面积约 45 万平方公里。该草原海拔为 250 ～ 650 米，年降水量约为 360 毫米。该草原主要植被有隐子草、芦苇、小黄柳、榆树、羊草、冰草、寸草苔、地榆等。该草原坨、甸并存。有较大面积的天然牧场，有近 2000 万头科尔沁红牛、兴安细毛羊和其他品种牛羊。科尔沁沙地为科尔沁草原的退化部分，分布在西拉木伦河和老哈河之间，面积约 4.23 万平方公里。

锡林郭勒草原覆盖面积为 18 万平方公里，优良牧草占 50%，海拔为 800 ～ 1200m，草原类型复杂，覆盖了草甸草原、典型草原、荒漠草原、沙地植被和其他草场类。生物多样性丰富，优良牧草有 116 种。草甸草原主要分布在锡林郭勒盟中部，是锡林郭勒草原的主体，荒漠草原分布在锡林郭勒盟西部，山地植被分布在锡林郭勒盟西部和中南部。锡林郭勒草原是距北京最近的草原牧区。优良品种有乌珠穆沁羊、苏尼特羊、乌珠穆沁白山羊和苏尼特双峰驼、乌珠穆沁马、西门塔尔肉牛等。

乌拉盖草原地处锡林郭勒盟、兴安盟和通辽市三盟市的交界处，覆盖哈拉盖图、乌拉盖、贺斯格乌拉等地区。动植物种类繁多，有"天边草原"的美誉。草原可利用面积达 4350 平方公里，草地质量优良，产量中高。该草原为温带大陆性气候，植物类型多样，有 501 种。平均鲜草产草量达到 259 千克 / 亩，植被平均盖度达到 80.5%。

二、东北草原牧业发展基础

1. 发展基础

近年来，东北各地区陆续出台了一系列扶持政策，加大基础设施投入，畜牧业转型升级加快，为保障国家畜产品特别是牛奶、牛羊肉供给做出了重要贡献。

（1）畜牧业综合生产能力持续增强。东北草原畜牧业的综合生产能力不断增强，逐步建立优势肉牛、奶牛、肉羊等草原畜牧业绿色品牌生产基地。2018 年，牲畜存栏达 8000 万头只，实现了“十一连增”。肉牛肉羊等主要畜产品综合生产能力稳步提升，细羊毛、山羊绒产量也呈现增长态势。2018 年末，兴安盟猪牛羊存栏 827.7 万头只，牛肉和肉羊产量分别达到 2.8 万吨和 10.4 万吨，牛奶产量 37.9 万吨。锡林郭勒盟存栏数达到 1365.8 万头只，羊肉和牛肉产量分别达到 16.1 万吨和 12.8 万吨，牛奶产量达到 61.2 万吨。呼伦贝尔市存栏达到 1023.5 万头只，牛奶产量达 55.9万吨。

（2）改变了牧业生产方式。改善牧区生产方式一直是东北地区尤其是蒙东地区的工作重点。在草畜平衡的前提下，建设基本草牧场，实施禁牧、休牧、划区轮牧工程。利用各类扶持资金，吸引社会资金参与，以畜禽标准化养殖示范创建为引领，发展标准化规模养殖，现代化家庭牧场和联户家庭牧场得到建设，牧区家庭牧场已发展上万个，参与家庭牧场经营户达 2 万户。培育了一大批养殖大县，产业集中度进一步提高。

（3）畜禽种业和饲草料保障取得成效。内蒙古实施了以提高百万头奶牛、百万头肉牛和千万只肉羊个体产出能力为核心的“双百千万高产创建工程”，牲畜良种繁育体系不断完善，种业基础进一步夯实。种羊场发展到 200 多个，具备了年提供种公羊 10 万只的生产能力，其中引进品种种羊供种能力突破 3 万只。地方品种选育得到提高，昭乌达肉羊、察哈尔羊新品种培育成功，牛羊良种补贴基本实现全覆盖，基本实现了种源自给（闫志辉等，2018）。饲草料保障体系进一步完善，优质紫花苜蓿种植面积不断扩大，饲料加工能力不断增强。

（4）畜牧基础设施条件明显改善。因地制宜建设牛、羊等标准化牧场，初步建立了以户储为主、苏木嘎查建设中型饲草料储备库为辅，旗县建设大型饲草料应急储备库为补充的饲草料储备体系。呼伦贝尔市、锡林郭勒盟大型牧草应急饲草储备库储备能力达 45 万吨，永久性暖棚增加，过冬畜畜棚羊单位占有面积达 1.1 平方米以上。加快健全完善疫病防控体系，狠抓作物灾害和非洲猪瘟、口蹄疫、高致病性禽流感等重大动物疫病防控。

（5）完善农牧民生产利益联结机制。各地区在长期的草原畜牧业发展过程中，努力探索多方融合发展的新模式。因地制宜探索实行“以科技引领企业，以企业带动基地，以基地推动农户”的新型生产经营体制，实施“企业 + 合作社 + 农牧户”经营模式。通过企业、专业合作社与牧民签订畜产品保底价购销合同，调动牧民养殖积极性。

2. 存在问题

东北草原畜牧业仍面临一些不容忽视的困难和问题。

（1）草原过牧仍然存在，资源环境压力较大。许多草原仍存在不同程度的退化现象，草原生产力持续下降。许多地区存在超载过牧，天然草场过度利用，重点天然草原平均牲畜超载率达 13.9%，这导致草原退化，草原植被稀疏低矮，植物群落的生产能力较低，逐步退化为半荒漠化甚至沙地和沙漠。在呼伦贝尔草原，已产生了呼伦贝尔沙地，面积达 1 万平方公里；在科尔沁草原，产生了科尔沁沙地，面积达 4.23 万平方公里；在锡林郭勒草原，退化草原面积近 64%，分布有浑善达克和乌珠穆沁沙地。

（2）畜牧业结构不合理，产业链条短。草原养殖结构不合理，畜牧业内部结构单一，“一羊独大”。肉牛产业发展不充分，肉牛存栏总量较少，每年仍有大量“架子牛”销往外地育肥加工。高附加值的优良畜种少，高端牛羊肉产品占比较低，同质化严重。畜产品加工产业链条较短，多数企业仍停留在初级加工阶段，重点是粗分割肉，精包装奶粉、半成品或熟食肉制品较少，产品附加值较低。

（3）草原牧业发展模式传统单一，增收空间不足。放牧养殖是畜牧业的核心，靠天吃饭仍是主要的特征，仍停留在草原利用的原始阶段。但农牧业与二三产业融合程度低、层次浅，牧业养殖、加工与物流、休闲、旅游及其他服务业未能有机融合、协同发展，融合链条短，附加值不高，草原牧业的其他价值未能得到挖掘。这导致牧民收入结构单一，经营性收入占 60%，增收空间不足。

（4）基础设施仍然薄弱，产业化水平较低。应对自然灾害的应急饲草料储备库和繁育母畜保暖棚圈等设施仍然短缺，建设标准较低，中小养殖场和家庭牧场较为落后，基础设施缺乏、不配套，大部分养殖场无配套饲草基地，粪便资源化利用率较低，牧区水利工程规模不足，抵御自然灾害的能力和水平有限，尤其是牲畜和牧民的饮水仍存在困难。畜牧业经营主体普遍存在资金不足、规模狭小、技术落后、风险承受能力弱等问题，养殖水平和饲养管理精细化、标准化程度较低，产加销一体化的发展模式尚未全面建立。

（5）养殖风险防控能力较低，产品缺少竞争力。畜牧业政策性保险尚不健全，牛羊价格性保险和气象指数灾害保险至今尚未建立，尚未建立养殖业风险分担机制。银行贷款贵、贷款难问题突出，金融信贷门槛高、程序多、额度小、周期短等问题显著（苏红梅和刘俊华，2020）。国外畜牧产品进口关税下降，东北畜产品受国外优质产品的冲击较大，竞争力不断被削弱，大宗畜产品卖难，出现“增产不增收”的怪象。虽然东北草原已形成了部分地理标志品牌，但品牌培育缓慢，知名度不高，牛羊肉无品牌销售量占总销售量的 60% 以上。部分地区和企业品牌商标相互竞争，难以形成合力，有品牌的畜产品管理也较为混乱，导致“优质不优价”。

三、东北草原牧业发展战略

1. 优化草原畜产品布局

根据各草原的资源禀赋、产业基础和养殖传统，突出区域特色，瞄准高端市场，优化牲畜品种布局，调整畜群、品种结构，实施“增牛稳羊 / 减羊”，积极发展肉牛养殖，稳定肉羊养殖，巩固发展奶牛，在资源环境压力较大的地区要减少肉羊养殖，提高单产水平，提高出栏率和商品率，建立优势肉羊肉牛生产基地，做大做优草原畜牧业。

（1）奶牛。重点支持嫩江、西辽河两大流域和呼伦贝尔岭西地区、锡林郭勒农牧交错地带、科尔沁草原等地区积极发展奶牛养殖，加快奶牛品种改良，稳定增加头数，主攻个体单产水平，提高奶牛生产水平和养殖效益。完善奶农与乳企的稳定紧密合作关系。

（2）肉牛。实施“增牛”战略，支持东北草原优质肉牛产区、农牧结合肉牛产区建设，做大肉牛产业。加大优质母牛扩群增量，完善良种繁育体系，推进标准化规模养殖。加大优势产业区域品牌培育力度，提升草原牧区繁育能力，做大做强做优肉牛产业。突出发展安格斯、西门塔尔牛、三河牛养殖，引进荷斯坦等肉牛扩繁。科尔沁草原、乌拉盖流域重点发展西门塔尔牛，呼伦贝尔重点发展三河牛。

（3）肉羊。巩固提升肉羊产业，存栏保持稳定，养殖增量由牧区向农区转移。牧区以质量为根本，发展高端精品肉羊，突出地方良种选育提高，提高肉羊个体产出，引导发展生态家庭牧场，加快畜群周转。呼伦贝尔草原重点发展呼伦贝尔羊和呼伦贝尔短尾羊，科尔沁草原、乌珠穆沁草原和乌拉盖流域重点发展乌珠穆沁羊，锡林郭勒草原西北部重点发展苏尼特羊，锡林郭勒南部草原重点养殖察哈尔羊，赤峰重点发展昭乌达羊，乌珠穆沁和浑善达克沙地实施“沙地禁羊”。合理发展杂种羊和土种羊，引进杜泊羊、澳洲白绵羊。

（4）绒毛用羊。以内蒙古白绒山羊优势旗县为重点，继续实施绒山羊“保种”工程，加强保种场和保护区建设，保护绒山羊优质资源。以内蒙古细毛羊、敖汉细毛羊等为主的优势产区，应提高细毛羊质量，扩大细型细毛羊种群规模。

（5）特色畜禽。坚持市场导向，因地制宜发展马、骆驼、驴等地方特色畜种，满足肉用、乳用、药用、骑乘等多层次消费需求。在陈旗、新左旗、新右旗、鄂温克旗重点发展三河马产业，在锡林浩特、阿巴嘎旗、西乌珠穆沁旗、东乌珠穆沁旗等发展蒙古马、锡林郭勒马、乌珠穆沁马等产业，建设中国马都；在苏尼特左旗、苏尼特右旗积极发展双峰驼，在呼伦贝尔东部积极发展大兴安岭马，推进优势特色区域发展。

2. 推进草原利用方式转变

把生态保护作为草原畜牧业发展的基础和前提，实现生态建设与产业培育的融合发展。要加强草原生态系统建设，保护天然草场，实现生态保护与绿色畜牧业双赢、美丽与发展双赢。

（1）坚持草原生态底线和草原面积红线，建立基本草原保护制度，加强天然草原保护，继续实施草原生态保护工程和草原生态补奖政策，推广“轮牧＋舍饲”养殖模式，构建草原休养生息长效机制，实施天然草场围栏封育，在水源条件好的地区增加节水灌溉面积，稳步提高草地生产能力和生态功能利用效率，草原植被盖度保持在 75% 以上，建设国家生态牧草牧业示范区。努力建设草原自然保护区。

（2）加强退化草原的综合治理。推动已垦草原的退耕还草，继续实施退牧还草，扩大草场面积，尤其是扩大优质牧草种植面积。加强生态系统修复治理，重点推动沙化、盐碱化、退化草地的治理，采取补播、飞播等技术进行改良，防治毒害草，促进沙化草原植被恢复，改善草原生态环境，提高草原自我恢复能力。

（3）根据各草原的资源环境承载力，采用分区轮牧、移场放牧和封育保护相结合的办法建设牧场，实施合理放牧，实施禁牧、休牧、轮牧制度，减轻草场压力，引导畜牧养殖向资源更丰富、环境容量大的草场进行转移。开展草原休牧、划区轮牧围栏建设。

（4）坚持草畜平衡制度，实施“以草定畜、以畜带草”。严格控制草原利用强度和牧草利用总量，执行天然草地冷暖适宜载畜量标准，力争草畜平衡牧户比例达到90%以上。

3. 积极发展优质畜产品加工

按照“创新产品、创响品牌、打造加工集群”的思路，立足特色，坚持做大规模、拓展品种、提升品质，以牧业产业化示范园为抓手，引导农畜产品加工从数量增长向质量提升、从分散布局向集群发展转变，打造成为辐射全国和东北亚的草原畜产品加工基地。

立足资源优势和产业特色，重点发展肉类、乳业、牧草等精深加工，提高加工冷藏能力。实现畜产品加工转化率达到70%，精细分割加工率达到60%以上，精深产品加工能力和市场竞争能力逐步提高。

（1）乳业加工。严格奶源基地、技术装备和环境控制要求，完善鲜奶、冷链储运硬件设施设备，严管冷链流程，优化乳制品产品结构，因地制宜发展常温奶、巴氏杀菌乳、酸奶等液态奶产品，适度发展干酪、乳清粉等产品，提高终端产品占比。

（2）肉类加工。重点发展肉牛、肉羊等畜产品冷鲜肉规模化加工、真空软包装熟肉制品和传统风味肉制品。鼓励、引导发展分割肉、精选肉、冷鲜肉等深加工产品，提高肉类精深加工水平，突出发展天然牧养有机高端牛肉品牌。

（3）副产品加工。做好肉类及骨血、脏器、油脂、肠衣、胎盘、肥尾、皮毛等副产品的精深加工，确保实现全产业链精深加工。

（4）饲草饲料加工。强化资源整合，集成创新饲草产品生产加工技术，利用秸秆、粮油加工副产品加工转化优质饲料。饲草产业形成草产业育种、生产、加工、销售为一体的产业链条。

培育畜产品加工龙头企业。加快培育产业关联度大、技术水平高、带动力强的畜产品加工龙头，重点扶持年精深加工肉牛能力10万头以上的加工企业，建设国际一流的加工生产线。培育上下游产业合作新型发展模，走龙头带基地、基地联农牧户的产业化发展之路，建立紧密的利益联结机制。

加强畜产品加工园区建设。以产业园区为依托，促进畜产品加工业集聚发展。引导畜产品加工企业集约集群发展，打造一批相互配套、功能互补、联系紧密的产业园区。围绕乳、肉、草等畜产品资源，培育一批企业，打造一批优势畜产品加工产业集群。

4. 推进种业和饲草产业发展

按照“天然饲草、人工种草、加工饲料”三位一体发展思路，坚持“为养而种、以种促养、以养增收”原则，构建生态草牧业体系，加强饲草料基地建设，发展饲草加工业，推动种源基地建设，保护地方优良品种。

合理开发利用饲草料资源。大力发展草牧业，加强饲草资源开发利用，培育优势饲草产业集聚区。坚持草畜平衡，采取补播、施肥、封育等改良措施，提高天然草场单产水平和牧草质量。加大人工种草，以奶牛饲料和牛羊育肥饲料为重点，因地制宜发展紫花苜蓿、杂花苜蓿、青贮玉米、羊草、燕麦等高产优质人工饲草料种植，推进优质饲草种子繁育基地和标准化优质人工饲草生产加工基地建设。

健全饲草加工储备体系。构建现代饲草饲料加工储备体系，建立以户储为主、苏木中型储备库为辅、旗县大型应急储备库为补充的饲草料储备体系。依托集中连片的打储草基地和牧草种植基地，完善饲草储存库、青贮窖、棚舍建设，健全牧草加工储备体系。推广牧草青贮和草捆、草块、草颗粒、草粉等草产品利用技术，实现牧草加工储备的推广应用，形成干草储备与加工后储备并行的格局，实现草产业化。调整优化饲草收储方式，推广牧草裹包青贮技术和玉米秸秆青贮发酵技术，提高饲草料转化利用率。以此，形成新的饲草订单种植、收购、加工、储备、销售等完整的草产业链条。

培育壮大牛羊种业。推动种牧场市场化改造，加大种畜站建设，建设全国最大的牛羊种源基地。推广优良种畜，重点引进安格斯、西门塔尔等国外优质种公牛羊、种牧牛羊，提高人工授精覆盖面和服务站点社会化服务水平，提升牲畜育种档次。以提高个体生产性能和畜产品品质为主攻方向，实施畜产品和牧草遗传改良计划。建设一批优质牧草原种和牲畜种源繁育基地、原种扩繁基地和野生草种改良基地，对杂花苜蓿、羊草、大麦等优质饲草种植扩繁。完善种子生产技术体系，提高牧草种子单产水平和供种能力。

强化牲畜遗传资源保护。继续建设国家级和省级牲畜遗传资源保种场、保护区和基因库，建立健全牧草种质资源库。加强察哈尔羊、乌珠穆沁羊、苏尼特羊、乌珠穆沁白绒山羊、蒙古马、兴安羊、苏尼特双峰驼等地方草畜品种资源保护与开发，建立牧草、优良地方畜种种质资源库（圃），建成一批品种测试站、良种场和基因库。淘汰生产性能较差的品种和单体，优化畜群畜种结构。

5. 加强畜产品质量品牌建设

品牌和质量是推动东北地区草原畜牧业转型发展的重要途径。突出“草原”和“生态”特色，以“天然、绿色、有机、全程可追溯”为主题，实施品牌发展战略，巩固提升并拓展优质牛羊肉品牌，提升畜产品质量，推动“做产品”向“做品牌”转变。

突出绿色品牌建设。如表 4-8 所示。依托区域性资源优势，以发展名优、特色品牌为重点，巩固做大现有品牌，做大做强“锡林郭勒”、“科尔沁”和“呼伦贝尔”牛羊肉品牌，塑造三大品牌文化，提高区域公用品牌的知名度和影响力。充分利用展示会、展销会、展览会、交易会等各种平台，加大品牌宣传推介。定期举办中国锡林郭勒国际牛羊肉博览会，在中国各大中心城市设立三大草原名优畜牧产品品牌展销窗口。

加大“三品一标”的认证力度。积极发展无公害农产品、绿色食品和有机农产品。坚持“名优特精”战略，大力开发地理标志性产品，通过质量认证、商标注册、名牌培育，推进品牌整合、品牌规划和宣传推广，保护好“乌珠穆沁”“苏尼特”等地方性畜产品品牌，推进品牌化营销。结合地方优良品种，积极创建特色畜产品优势区。

表 4-8　东北草原地理标志性产品

产品名称	产地	产品名称	产地
昭乌达肉羊	赤峰市	乌珠穆沁羊肉	锡林郭勒盟
巴林牛肉	赤峰市	苏尼特羊肉	锡林郭勒盟
巴林羊肉	赤峰市	阿巴嘎黑马	锡林郭勒盟
三河马	呼伦贝尔市	乌冉克羊	锡林郭勒盟
三河牛	呼伦贝尔市	兴安盟牛肉	兴安盟
科尔沁牛	通辽市	兴安盟羊肉	兴安盟

建立优势畜种及产品追溯体系，实现生产、加工、储运、销售等全产业链追溯，把草原牛羊肉推向高端消费市场。建立起“一个平台、诸追溯环节”的追溯体系网络，覆盖养殖、屠宰加工、精加工、物流配送、销售等环节，实现从牧场到餐桌全产业链的无缝监管。力争锡林郭勒、科尔沁、呼伦贝尔三大草原实现覆盖牧区的肉牛肉羊追溯体系网络。

6. 创新草原畜牧业发展模式

充分利用草原资源的生态优势、经济优势、休闲优势，推动草原畜牧业与其他产业融合发展，培育新业态，探索发展新模式，拓展农牧业产业链和价值链。

按照自主投资建设、专业化生产、机械化作业、规模化服务、产业化经营的要求，以农牧民家庭为基本单位，以承包草场为基础，发展现代化养殖示范家庭牧场。

谋划发展草原生态旅游和文化旅游，加快发展休闲畜牧业、会展创意牧业，推动休闲牧业旅游产品向生态观光、休闲度假、健康养生等复合型产品转变。

实施“互联网 + 草原畜牧业”战略，鼓励家庭牧场、龙头加工企业与大型电商平台开展合作，建设草原畜牧业大数据平台与畜产品市场信息平台，发展电子商务畜牧业。

鼓励发展新型草原畜牧业经营方式，培育产业关联度大、技术水平高、带动力强的畜产品加工龙头，紧密龙头和基地、企业和农牧户的联结度，通过订单签订、托管代养、联合育种等形式，走龙头带基地、基地联农牧户的产业化发展之路。

四、各草原牧业发展战略

1. 呼伦贝尔草原

依托良好的资源禀赋、优越的产地环境，加快天然草原保护和退化草原治理，坚持“稳羊增牛”，以高档肉牛肉羊生产为主，优化产业和品种结构，打造成为国家重要的乳业生产基地、国家级肉牛肉羊良种繁育输出基地。

（1）坚持草原生态底线、草原面积红线，加强优质草原建设，草原植被盖度达75%，基本草原面积保持在400万亩以上。严格执行禁牧、休牧、划区轮牧制度，实施休牧、划区轮牧围栏1000万亩。

（2）调整畜群结构，稳定牲畜头数，提高出栏率和商品率。坚持“增牛稳羊”，做强做优肉牛产业，巩固提高肉羊产业和奶业。肉牛重点布局在陈旗、鄂温克旗、新左旗、新右旗、阿荣旗、扎兰屯、莫旗；奶牛加快安格斯肉引进扩繁，扩大三河牛规模，重点布局海拉尔、陈旗、鄂温克旗、扎兰屯、额尔古纳；肉羊以呼伦贝尔羊和短尾羊为主；马重点对三河马进行改良，布局在陈旗、新左旗、新右旗、鄂温克旗。以鄂温克旗马产业示范园为带动，建设全产业链马产业基地。坚持“名优特”和“高精尖”方向，重点发展以呼伦贝尔羊为主的优质肉羊，支持呼伦贝尔市大兴安岭岭西区建设奶牛基地。做大做强“呼伦贝尔”草原肉牛、肉羊品牌。

（3）加强地方草畜品种资源保护与开发。加大呼伦贝尔杂花苜蓿和养草种子的繁育，在陈旗、鄂温克旗等地区建立牧草、优良地方畜种种质资源库（圃），建设牧草原种繁育基地、原种扩繁基地和野生草种改良基地。推动安格斯、荷斯坦、西门塔尔、杜泊、澳洲白等肉牛肉羊良种繁育基地建设，建立呼伦贝尔短尾羊、三河马等种源基地。

（4）按照“天然饲草、人工种草、加工饲料”三位一体的思路，构建生态草牧业体系，建立现代饲草料产业体系，加大紫花苜蓿、杂花苜蓿等人工草地建设，饲草生产能力达800万吨、饲料生产能力达到75万吨。

（5）发展畜牧产品加工。海拉尔、额尔古纳和阿荣旗重点发展乳品加工，因地制宜发展常温奶、巴氏杀菌乳、酸奶等业态奶产品，适度发展干酪、乳清粉等产品；新左旗、陈旗、阿荣旗、额尔古纳、莫旗、鄂温克旗重点发展肉牛肉羊等肉类加工，推动冷鲜肉规模化加工、真空软包装熟肉制品和风味肉制品加工。陈旗、阿荣旗、鄂温克旗和莫旗重点发展饲草饲料加工，发展“草原”品牌饲料生产。

2. 锡林郭勒草原

发挥临近北京的区位优势和资源优势，坚持规模化、标准化、产业化、良种化、品牌化，以少养精养、提质增效、品牌经营为手段，实施“减羊增牛”战略，以发展优质良种肉牛为突破口，推进优质良种肉牛肉羊产业化、肉牛肉羊育肥示范点建设、高产饲草种植基地等项目建设，打造为国家绿色畜产品生产加工输出基地、祖国北方绿色生态屏障。

（1）加大基本草原建设。高质量实施好京津风沙源治理二期等重点工程，实施围栏封育，治理沙化退化盐碱化草地，落实草原生态补奖政策和春季牧草返青期休牧制度。畜牧业逐步从乌珠穆沁和浑善达克“两大沙地”退出，实现“沙地禁羊”。力争可利用草原面积达到18万平方公里，草原植被平均盖度达到50%。

（2）建设天然打草场3900万亩，全年打贮天然牧草10亿公斤。依托集中连片的打储草基地和牧草种植基地，建立现代饲草饲料加工体系，培育优势饲草产业集聚区。

（3）综合考虑草场承载能力，实施“减羊增牛”战略，以发展优质良种肉牛为突破口，建设引种、育种、扩繁、育肥、加工、销售全产业链。建设安格斯和西门塔尔牛优质良种肉牛基地。立足肉羊地方品种，重点发展乌珠穆沁羊、苏尼特羊、察哈尔羊等优良品种。中东部东乌珠穆沁旗、西乌珠穆沁旗、锡林浩特市、阿巴嘎旗重点发展乌珠穆沁羊，西部苏尼特左旗、苏尼特右旗和二连浩特重点发展苏尼特羊，南部丘陵地区镶黄旗、正镶白旗、正蓝旗和太仆寺旗重点发展察哈尔羊。大力发展马产业，以锡林浩特为中心，辐射带动阿巴嘎旗、西乌珠穆沁旗、东乌珠穆沁旗。加强苏尼特双峰驼物种资源保护，以苏尼特左旗、右旗为主研发驼产品。做大做强“锡林郭勒”“乌珠穆沁”“苏尼特”牛羊肉品牌，加强新品系选育认定命名。

（4）锡林郭勒草原有乌珠穆沁羊、苏尼特羊、察哈尔羊等蒙古羊优良品种。建设国家级优质良种肉牛繁育示范基地，包括安格斯和西门塔尔牛优质良种肉牛核心育种基地。立足肉羊地方品种，在镶黄旗、正镶白旗、正蓝旗、太仆寺旗等南部牧区建立察哈尔羊主产区种羊繁育基地，在苏尼特左旗、苏尼特右旗、阿巴嘎旗、锡林浩特市、西乌珠穆沁旗、东乌珠穆沁旗等北部牧区建立乌珠穆沁羊和苏尼特羊主产区高标准地方良种繁育基地，以东乌珠穆沁旗为主建立白绒羊保种场。

（5）发展优质绿色畜产品加工。以锡林浩特、东乌珠穆沁、西乌珠穆沁、乌拉盖、太仆寺、多伦等地区为重点，发展肉牛肉羊产品加工，肉类加工企业冷藏能力达15万吨，肉羊精深加工率达90%。重点扶持年精深加工肉牛能力10万头以上的加工企业。依据国际公认标准制定锡盟中高端牛肉分级标准，健全锡林郭勒中高端肉牛标准化生产体系。

3. 科尔沁草原

科尔沁草原存在突出的沙化问题。未来，该草原的畜牧业发展必须坚持修复治理与转变生产方式并重，建成全国重要的绿色畜牧产品生产输出基地。

（1）治理沙化草原。加强草原生态保护，推进科尔沁等沙地与流沙综合治理，建立以自然恢复为主的修复机制。收缩转移农牧业活动，严格禁牧休牧轮牧和草畜平衡制度，严禁滥放牧、滥开垦、滥樵采。对科尔沁等已沙化的天然草地加强改良和建设，进行人工改造，封沙育草，种植优质牧草，封育禁牧，开展沙漠锁边防护林、防风固沙林建设，建立沙化土地封禁保护区，逐步恢复沙地林草植被。力争科尔沁草原植被盖度达到62%以上。

（2）优化调整生产结构。坚持“增牛减羊”，改变“一羊独大”种养结构，减少肉羊饲养量，实施“小畜换大畜”，打造肉牛、肉羊、肉驴生产基地。突出肉牛产业发展，引进优质西门塔尔、安格斯、夏洛莱肉牛，在科左后旗、扎鲁特旗、科左中旗、扎赉特旗、科右中旗、科右前旗、突泉县建设“百万头”肉牛养殖基地。稳定发展以昭乌达羊、兴安肉羊为主的优质肉羊，引进杜泊、萨福克等优良肉羊品种，在科左前旗、扎赉特旗、科左中旗、突泉县等地区形成千万只肉羊养殖基地。

（3）地方品种保护与品牌建设。保护昭乌达肉羊、科尔沁奶牛、科尔沁肉牛、兴安肉羊、兴安细毛羊等地方品牌，加强扩群工作，加强牲畜品种改良和优良品种保护，加大品质选育力度，强化肉牛肉羊种源基地建设，推进母牛母羊扩繁。做强做大“科尔沁”牛羊肉、“兴安”肉羊品牌，加强“三品一标”与原产地产品的认证工作。

（4）发展饲草产业。加强饲草料基地建设和秸秆饲料加工，在扎鲁特旗、科左中旗、科左后旗等地区建成青贮饲料基地和紫花苜蓿优质饲草基地。积极推进“粮改饲”，推广优质全株青贮玉米品种。

第五章 东北地区粮食生产基地布局与建设

在发展农业生产上，东北地区具有综合性的优势与条件。长期以来，东北地区一直是中国粮食生产和农业发展格局中的重要部分，优势突出，战略地位明显，对保障国家粮食安全具有重要意义。尤其是在国家社会经济分工深度分化的背景下，加强东北地区粮食生产基地建设更具有战略意义。本章主要是从粮食安全的视角，分析东北地区粮食生产基地布局与建设。重点阐释了东北地区近年来粮食种植与粮食生产的基本态势与格局，剖析了东北地区开展粮食生产的主要优势与存在问题，提出了东北地区粮食基地建设路径，包括粮食生产、粮食分布、粮食基地分布与建设保障，同时分析了黑龙江农垦的生产优势与引领战略。

本专题主要得出以下结论。

（1）东北从事粮食生产与建设国家性粮食生产基地有其独特的优势，土地资源丰富，土地类型多样，气候条件好，发展潜力大，技术优势突出，粮食生产的区位优势突出，适宜建设综合农业生产基地。但东北地区粮食基地建设仍面临一些问题，农业生态环境退化，粮食收储流通能力较低，农业基础设施落后，农民增收困难，农业推广体系不健全。

（2）未来，东北地区坚持以粮为纲，以成为全国“大粮仓”和“粮食市场稳压器”为目标，转变农业发展方式，壮大优质粮食生产基地建设，提高粮食物流组织能力，积极发展农产品加工业，完善农业支撑体系。因地制宜，重点建设水稻、玉米、大豆、畜牧和林下产业带。以粮食生产大县为主，建设粮食基地。要拓宽融资渠道，调动农民粮食生产积极性，完善粮食体制机制，加强基本粮田保护。以此，把东北地区建设成为维护国家粮食安全的战略基地、中国的“天下粮仓”和农业现代化示范区。

（3）农垦系统和国有农场是东北粮食生产基地建设的主力军。充分发挥黑龙江农垦集团优质耕地资源、农业机械化水平、粮食生产能力、农业科技贡献、农业产业化、农产品品质等方面的优势，突出发展方向与主导产业，稳定并提高粮食生产，加快农产品品牌建设，推进农业经营制度创新，加强农业基础设施建设，在东北地区发挥引领和辐射带动作用。

第一节 东北地区粮食生产特征

东北地区是中国重要的粮食主产区和商品粮基地，被誉为中国的“粮食市场稳压器”

和“中国最大的商品粮战略后备基地”。东北地区的粮食产量占全国的13.3%，人均粮食产量是全国平均水平的1.58倍，年商品粮调出量占全国总量的1/3，为支援国家建设和保持社会稳定做出了重要贡献，在国家粮食安全战略中发挥着重大作用。但20世纪90年代后期，东北地区作为全国重要的粮食主产区却出现了以“农业生产连年下滑、农民收入不增反降”为特征的“新东北现象”（刘彦随等，2005）。

一、东北地区的粮食种植

1. 粮食播种面积

东北地区的传统种植业主要集中在东北三省地区，有着较高的粮食综合生产能力，是国家重要的粮食主产区。如图5-1所示，从农作物播种面积看，东北三省呈现增长的过程，从2003年的1824万公顷增长到2017年的2503万公顷。在全国的占比也呈现增长态势，从2003年的11.97%持续增长到2007年的13.39%，2007～2016年保持平稳状态，2017年迅速提高到15.05%。粮食作物是最为重要的农作物，东北三省的粮食作物播种面积呈现总体增长的态势，如图5-2所示。2003年，东北三省粮食作物播种面积达到14 871千公顷，2017年达到23 166千公顷，增长了55.8%。

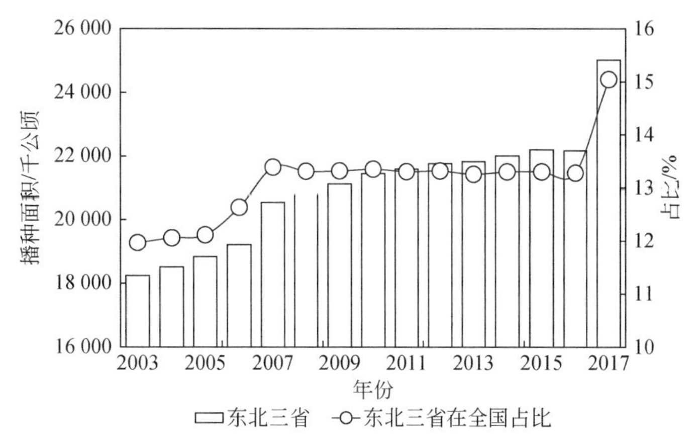

图5-1　东北农作物播种面积及全国占比

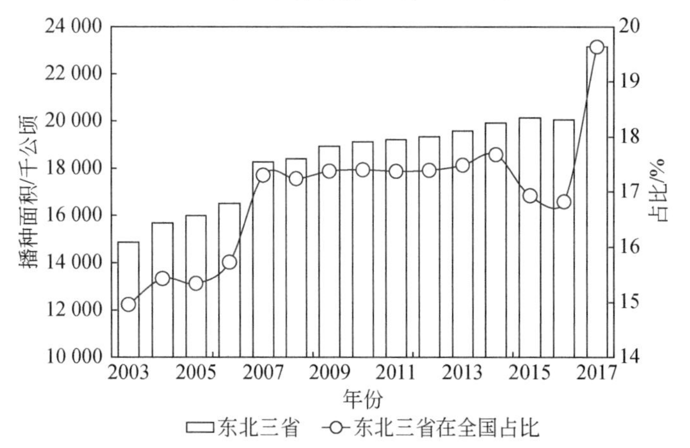

图5-2　东北粮食作物播种面积及在全国占比

2. 各地市粮食播种面积

从东北地区内部来看，各地市之间的粮食播种面积存在很大的差异，这取决于各地市的农业结构、市域面积及气候水热条件。粮食作物播种面积主要集中在黑龙江地区，尤其是齐齐哈尔和黑河，占比分别达到17%和16.4%，绥化市也达到10.44%，上述三个地市就合计占43.84%；哈尔滨和佳木斯均占6.52%，牡丹江和双鸭山分别达到4.16%和3.04%；伊春、大庆、呼伦贝尔、大兴安岭、鸡西、长春6个地区的占比均为2%～3%；通辽、松原、赤峰、四平、吉林、鹤岗、白城、沈阳8个地区介于1%～2%，其他20个地区均低于1%。

3. 种植业

东北地区农业发展趋势良好，粮食生产地位突出。粮食作物主要包括稻谷类、豆类和薯类。东北地区粮食播种面积占耕地总面积的75%以上。

谷物类农作物主要包括水稻类、小麦类、玉米、高粱、谷子等。东北三省的谷物类作物种植面积呈现不断增长的态势。如图5-3所示，2003年，谷物类作物播种面积大约为9436千公顷，2017年达到18 451千公顷，增长了95.5%。如图5-4所示，稻谷类农作物的播种面积呈现增长的态势，从2003年的2332千公顷增长到2017年的5261

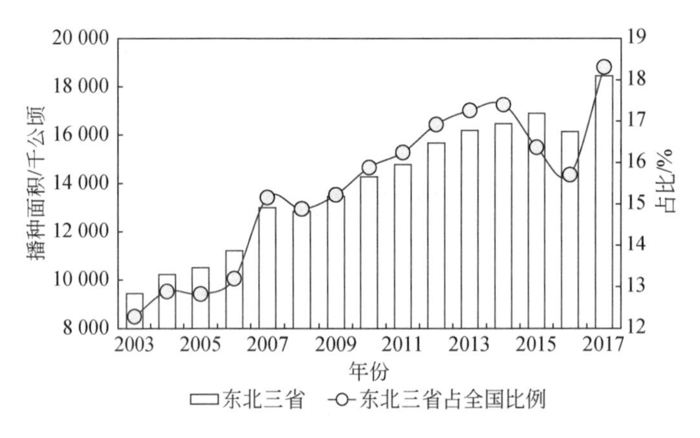

图5-3　东北三省谷物类作物种植面积及占全国比例

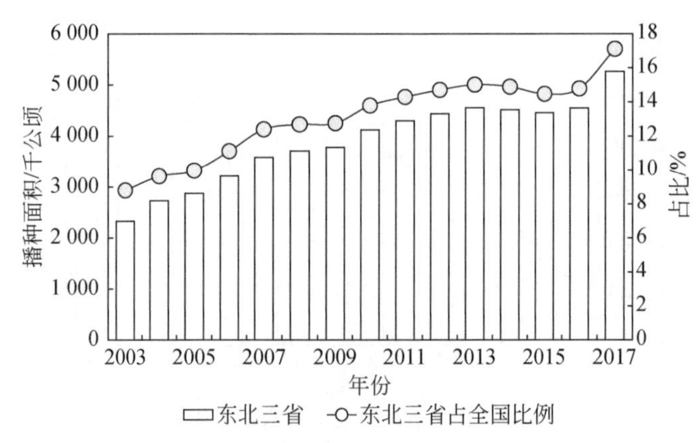

图5-4　东北三省稻谷类作物种植面积及占全国比例

千公顷，增长了 1.26 倍，在全国的占比也从 2003 年的 8.8% 增长到 2017 年的 17.1%，增长了 8.6 个百分点。

从各地区来看，豆类作物播种面积呈现不平衡的格局，主要集中在黑龙江西部和北部地区。

4. 林业

东北地区共有五个国有林区，分别为内蒙古森工集团（内蒙古大兴安岭森林工业总局）、吉林森工集团、龙江森工集团（黑龙江森林工业总局）、大兴安岭林业集团（大兴安岭林业管理局）、长白山森工集团，共设有 87 个国有林业局，如表 5-1 所示。东北国有林区经营面积达到 4.9 亿亩，占全国国有林区经营面积的 67%；森林面积达到 3.9 亿亩，森林覆盖率达到 80%，森林蓄积量达到 23.8 亿立方米，占全国森林蓄积量的 17.4%。

表 5-1　东北地区国有林区构成

林区名称	覆盖林业局	未开发林业局	森林管护局
内蒙古大兴安岭国有林区 / 内蒙古森工集团	阿尔山、绰尔、绰源、乌尔旗汉、库都尔、图里河、伊图里河、克一、甘河、吉文、阿里河、根河、金河、阿龙、满归、得耳布尔、莫尔道嘎、大杨树、毕拉河	奇乾、乌玛、永安山、吉拉、杜博威、北大河	北部原始林区
吉林森工集团	临江、三岔子、湾沟、松江河、泉阳、露水、白石山、红石		
长白山森工集团	黄泥河、敦化、大石头、八家子、和龙、汪清、大兴沟、天桥岭、白河、珲春		
龙江森工集团	大海林、柴河、东京城、穆棱、绥阳、海林、林口、八面通、桦南、双鸭山、鹤立、鹤北、东方红、迎春、清河、双丰、铁力、桃山、朗乡、南岔、金山屯、美溪林、乌马河、翠峦、友好、上甘岭、五营、红星、新青、汤旺河、乌伊岭、山河屯、苇河、亚布力、方正、兴隆、绥棱、通北、沾河、带岭、松岭、新林、塔河、呼中、阿木尔、图强、西林吉、十八站、韩家园、加格达奇		

二、东北地区粮食生产

1. 粮食产量

东北地区粮食生产的商品率高，对国家粮食安全贡献突出。近年来，东北地区每年向国家提供的商品粮占全国商品粮的 1/3。东北振兴以来的 14 年间，东北粮食产量除 2009 年、2014 年和 2016 年等个别年份出现小幅回落外，其他年份均保持不断增长。2010 年，东北三省粮食产量达到 2349 亿斤，占全国粮食产量的 19%，其中粳稻、玉米和豆类产量分别占全国总量的 45%、30% 和 38%，商品粮占全国的 40% 左右。2017 年，东北三省粮食产量达到 2375 亿斤，约占全国粮食产量的 19.2%。粮食生产大户、专业户、商品粮基地县越来越多，在粮食生产的基础上，涌现出了许多粮食加工企业。

2. 种植业

东北地区的农业发展趋势良好，粮食生产地位突出。东北地区是中国重要的商品粮和农牧业生产基地，也是农业资源禀赋最好、粮食增产潜力最大的地区。粮食作物主要包括稻谷类、豆类和薯类。东北各地根据各自的资源环境条件、生产规模、市场开拓、产业化基础，已逐步形成具有比较优势的专用玉米、高油大豆、优质水稻、杂粮杂豆、马铃薯、优质苹果、肉牛、牛奶、生猪和海珍品养殖产业带（刘春燕等，2007）。东北地区的农产品产量如表 5-2 所示。

表 5-2　2016 年东北地区农产品产量及占全国比例

农产品类别 产量		辽宁省		吉林省		黑龙江省		东北三省	
		产量 / 万吨	占比 /%	产量 / 万吨	占比 /%	产量 / 万吨	占比 /%	产量 / 万吨	占比 /%
粮食	稻谷	484.6	2.3	654.1	3.2	2 255.3	10.9	3 394	16.4
	小麦	2.2	0	0.1	0	29	0.2	31.3	0.2
	玉米	1 465.6	6.7	2 833	12.9	3 127.4	14.2	7 426	33.8
	大豆	28.2	2.2	39.9	3.1	503.6	38.9	571.7	44.2
	薯类	52.8	1.6	53.1	1.6	100.8	3	206.7	6.2
粮食合计		2 033.4	3.4	3 580.2	5.9	6 016.1	10	11 629.7	19.3
油料		81.3	2.2	82.5	2.3	21.7	0.6	185.6	5.1
棉花		0.012 6	0.002	0	0	0	0	0.012 6	0.002
麻类		0.996 8	3.8	0.001	0	7.0436	26.9	8.04	30.7
甜菜		9.4	0.98	1.4	0.15	11.4	1.19	22.2	2.32
烟叶		2.7	1.0	3.97	1.46	5.3	1.95	12.0	4.4
蔬菜		2 257.5	2.8	852.4	1.1	936.8	1.2	4 046.8	5.1

稻谷——哈尔滨的稻谷产量最高，占比达到 13.4%，佳木斯和绥化占比分别为 10.44% 和 9.45%，齐齐哈尔、长春和白城占比分别为 7.87%、6.08% 和 5.27%，松原、鸡西和吉林占比均为 4% ～ 5%，沈阳和盘锦占比分别为 3.76% 和 3.69%，大庆、通化、双鸭山、鹤岗占比均为 2% ～ 3%，四平、营口、丹东、兴安盟、辽阳、铁岭、锦州、伊春等地区占比均为 1% ～ 2%，其他地区占比均低于 1%。

小麦——呼伦贝尔的小麦产量最高，占比达到 62.4%，黑河占比为 15.04%，赤峰和兴安盟占比分别为 6.58% 和 6.53%，大兴安岭地区、锡林郭勒占比分别为 2.66% 和 2.59%，通辽占比达到 1.9%，其他地区占比均低于 1%。

玉米——东北地区玉米出口占全国玉米总出口的 90% 以上。长春和哈尔滨有着最高的玉米产量，占比分别达到 8.45% 和 8.25%，绥化和四平占比分别为 7.42% 和 7.33%，松原、齐齐哈尔、通辽占比均高于 6%，赤峰、兴安盟、铁岭、吉林、呼伦贝尔、大庆占比均为 3% ～ 4%，沈阳、佳木斯、白城、朝阳、锦州占比均为 2% ～ 3%，阜新、牡丹江、辽源、通化、双鸭山、鞍山、鸡西和大连占比均为 1% ～ 2%，其他地区占比均低于 1%。

谷子——赤峰的谷子产量最高，占比达到 58.43%，朝阳占比为 20.25%，通辽占比为 8.38%，齐齐哈尔占比为 3.79%，阜新、大庆和长春占比均为 1% ～ 2%。

高粱——赤峰和朝阳的高粱产量最高，占比均超过 20%，分别为 24.4% 和 21%，通辽占比也高达 19.87%；长春和齐齐哈尔占比分别为 10.4% 和 8%，大庆占比为 6.86%，锦州、阜新、哈尔滨和沈阳占比均为 1% ～ 2%。

在东北地区，大豆产量占全国总产量的 50% 以上。从大豆产业来看，黑河有着最高的产量，占比达到 20.7%，超过 1/5，呼伦贝尔、齐齐哈尔和绥化占比分别达到 14.16%、12.75% 和 10.74%；佳木斯占比达到 6.48%，牡丹江占比达到 4.22%，哈尔滨、双鸭山、伊春、延边州占比均为 3% ～ 4%，大兴安岭地区和鸡西占比分别介于 2% ～ 3%，吉林、赤峰、鹤岗占比均为 1% ～ 2%。

3. 畜牧业与林业

东北地区的草原畜牧业发展态势良好。该区域覆盖呼伦贝尔草原、科尔沁草原、锡林郭勒草原，其中呼伦贝尔草原面积达 10 万平方公里，锡林郭勒草原面积达到 1.08 万平方公里，天然草场占比高达 80%。蒙东地区作为东北地区最主要的草原牧业地区，在东北振兴战略实施以来取得了快速发展。

区域森林覆盖率很高，大兴安岭纵贯东北西部地区，向南延伸到赤峰，是面积最大的林区，面积达 32.72 万平方公里，动植物资源丰富，林木蓄积量超过 14 亿立方米，约占全国总蓄积量的 1/6。东北地区的林业经济与生产主要集中在大小兴安岭、长白山地区及辽西北丘陵山地。

第二节　东北粮食生产优势与问题

一、资源优势

1. 土地资源

东北地区发展农业有着特殊的资源优势。

（1）耕地广大。该地区平原面积大，有着广阔的土地资源，人均耕地面积高。户均经营规模可在 1.5 公顷以上，是全国平均水平的 3 倍，而黑龙江的人均耕地面积更大，尤其是三江农场人均占用耕地面积达 2.33hm^2。耕地主要集中分布于松嫩平原、辽河平原和三江平原。东北地区开发历史较短，宜农可垦荒地较多，有全国最多的耕地后备资源。

（2）土壤肥沃。东北平原的土壤肥力较高，分布有有机质含量很高的黑土、黑钙土，生产力较高。黑土带占东北地区耕地总面积的 32.5%，粮食产量占东北地区粮食总产量的 44.4%（李刘艳，2007）。土壤有机质含量为 2 ～ 120g/kg，由北向南递减。拥有亚洲最大和世界最丰沃的黑土地带，总面积达 20 多万平方公里，松嫩平原的东部和北部、三江平原西部是黑土的主要分布区，松嫩平原中西部是黑钙土的主要分布区。

（3）森林资源丰富。森林资源统计面积达到3175万hm^2，森林覆盖率达40.24%，活立木蓄积量达到25.2亿m^3，素有“林海”之称，曾为国家提供52%的木材生产量（刘春燕等，2007）。

（4）天然草地面积大。各类天然草地资源总面积达到1676万hm^2，其中可利用面积达1370万hm^2，天然草地牧草种类丰富，以禾本科、豆科、菊科占多数，品质优良，科尔沁草原和呼伦贝尔草原是欧亚大陆保持较好的草原。生物资源是全国平均值的3倍，作物资源高出全国平均49%，为畜牧业发展提供了丰富的饲料基础（刘春燕等，2007）。

东北地区不仅具有自然资源优势，而且具有资源要素搭配的区位优势。东北水土搭配最为理想，最适合大农业发展。农林牧渔配置优势显著，西部地区是草原牧区，南部是海洋渔业，东部是山地果园，北部是平原粮仓，东北地区不是单一优势的农业种植区，而是多种产业并行发展的优势综合性农业区。

2. 气候优势

东北地区地域广阔，自然条件优越，属于温带季风气候，横跨寒温带、中温带和暖温带。平均气温为3～10℃，由北向南逐渐增高，大于10℃有效积温在1500～3000℃，无霜期在100～180天，冬冷夏热，夏季高温多雨，雨热同期，比世界同纬度地区的热量充足，温差较大，有利于作物生长（刘春燕等，2007）。太阳辐射资源丰富，多数地区的光热条件能满足玉米、水稻、谷子、马铃薯、春小麦、大豆等主要农作物一年一熟的生长要求，大部分地区可满足喜热作物中晚熟品种的需要，尤其是水稻和玉米成为特别优质品种（郭淑敏等，2006）。

纬度高，气温低，寒冷发挥天然防治作用，病虫害少。江河众多，湖沼密布，水资源丰富，降雨量为350～550mm，灌溉水源充足，春季积雪融水，有利于植物春季复苏增加。气候条件适于农业和畜牧业生产的发展。

东北地区农业开发较晚，大面积的耕地是解放后才陆续开垦的，生态环境未遭破坏，水、土和大气都维持良好的自然水平，农业生产环境清洁，80%的水域排污与径流量比值为0.03～0.11，属Ⅱ级水平，淡水生态质量属全国优良区域（刘春燕等，2007）。

3. 发展潜力

东北地区的自然资源优势尚未得到充分发挥。由于农业综合性开发利用的水平较低，目前粮食单产水平仍不高，尚有部分适垦荒地尚未开发利用，农业生产潜力仍然巨大。东北地区的土地垦殖率仅为21.3%，宜农荒地约为230万公顷，集中在三江平原，其中一级宜农荒地占53.9%，开垦潜力大。三江平原的气候生产力可达8.25吨/公顷，气候-土壤生产力可达6.3吨/公顷，目前粮食平均单产只有2.55吨/公顷，仅利用了气候生产力的30.9%和气候-土壤生产力的40.5%。松辽平原的气候生产力为9.45吨/公顷，气候-土壤生产力为7.5吨/公顷，而目前农业生产水平为4.28吨/公顷。从区域耕地质量来看，0.16亿公顷的耕地为中低产田，占耕地总面积的74.5%，其中，中产田占 27.6%，低产田占 46.9%。只要采取适当的改良措施，增产潜势就能转化为现实生产力（王玉娟，2006）。

4. 技术优势

东北地区地势平坦，平原广阔，耕地集中连片，适于机械化作业，长期以来的农业生产也促使该地区形成了较高的农业生产技术优势。在全国范围内，东北地区有着最高的农业机械化水平，这是东北农业基地的重要资源基础。黑龙江垦区拥有大中型拖拉机 2 万多台，联合收割机 7000 多台，播种和大部分田间收割总体实现了大型机械化生产。

5. 区位优势

世界北纬和南纬 41° ～ 45° 的区域有着较为丰富的水资源，生态条件好，适合农业发展。这包括北美五大湖地区、日本北海道地区、欧洲南部地中海地区、中国东北地区等。该纬度区域集中了出口粮食的国家，如加拿大、美国、法国、阿根廷、澳大利亚等。东北地区地处东北亚的腹地，光、热、水资源和生态环境等综合条件最为齐备，周边国家和地区的农业发展条件均受到一定制约。俄罗斯气候寒冷，制约了农业生长条件，朝鲜、韩国和日本均因国土小、山多、平原少而限制了农业发展空间，蒙古国戈壁沙漠多，农业条件不足，东北是东北亚地区最优势的中心农业区（王淑华等，2008）。尤其是，玉米、大豆和水稻等粮食作物种植优势最为显著。

二、存在问题

东北地区农业基础设施和科技支撑能力仍然薄弱，农业生产效率效益依然不高，农业资源可持续利用也面临一系列的挑战，农民增收缓慢，种粮积极性较低。

1. 农业生态环境退化与自然灾害

随着工业、农业和人口对生态环境压力的加大，东北农业生态环境呈现退化的态势。东北地区成为人地关系高强度作用的典型地区。

近半个多世纪以来，东北地区的黑土基本被充分开垦。黑土地区多为漫岗地形，耕地多为 2° ～ 5° 的坡耕地，坡面长，汇水面大，径流冲刷力强。目前，东北地区有 2/3 的耕地存在较为严重的水土流失；黑土流失严重，土壤肥力下降，黑土流失面积占黑土区的 37.9%，开垦 60 ～ 70 年的坡耕地黑土层已由原来的 60 ～ 70 厘米减到 30 厘米左右。约有 1/4 的耕地由于黑土层被侵蚀而露出黄土。坡耕地年土壤侵蚀量高达 50 ～ 70 吨 / 公顷，年流失表土层平均为 0.5 ～ 0.8 厘米，年流失土壤总量约 1.5 亿吨（李刘艳，2007）。西部地区土地盐碱化、沙漠化、草地退化加剧，“三化”面积占西部平原面积的 63%，分布有 200 万公顷的风沙土，突出集中在科尔沁沙地，并存在向东北平原中部扩展的趋势；还有多达 300 万公顷的盐碱化土地，吉林西部优质耕地仍以每年 1.2% ～ 1.4% 的速度退化为盐碱荒漠（程叶青和张平宇，2005）。该地区共有320万公顷草场，已有80%以上严重退化，成为中国草场退化最严重的地区（李刘艳，2007）。部分地区水土污染严重，尤其东北中南部地区，许多有害污染物在土壤中长期累积，水环境质量变差，土地质量下降。盲目追求生产量，有机肥投入减少，耕作方式落后，土壤有机质含量逐年下降，土壤养分含量降低。

低温冷害、霜冻害、旱涝、大风等灾害发生频发，促使粮食生产存在波动性。东北地区降水时空、年际分布不均，水资源时空分布与粮食生产需水在季节和地域上存在错位，地区常年缺水约为 25×10^8 立方米，农业抗灾减灾能力弱。受灾面积年均波动幅度为 $144 \times 10^4 \sim 574 \times 10^4$ 公顷，其中旱灾年均占 78.2%；成灾面积年均波动幅度为 $73 \times 10^4 \sim 440 \times 10^4$ 公顷，其中旱灾年均占 76.2%（程叶青和张平宇，2005）。成灾面积占受灾面积的比例逐年上升，1996 年为 42.13%，2001 年达 70.8%。

2. 粮食收购储存流通能力较低

东北地区在商品粮基地建设方面取得了显著成绩，但在粮食流通领域存在较大的问题，现代粮食物流能力较低，物流成本高。中国粮食特别是玉米的主销区多分布在长江以南，东北地区距离主销区的流通半径超过 2000 公里，流通成本高，多年来受铁路运输瓶颈的制约，粮食外运难，销售压力大。长期以来，东北地区面临着较为突出的卖粮难的问题。粮食仓容能力不足，储粮条件落后。东北地区形成粮食收购量和库存量“双高并存”的态势。2003 年吉林省的粮食积压量曾达到 450 亿公斤，相当于吉林省两年的产量（郭庆海，2005）。

3. 农业基础设施落后，抵御自然风险能力弱

东北地区属于典型的大陆性季风气候区，无霜期短，春季干旱少雨。冷害、旱涝灾害影响大，严重制约了粮食的稳产高产。农业基础设施薄弱，突出反映在以水利为中心的农田基础设施薄弱。截至目前，农业水利基础设施仍较为落后，具备灌溉条件的耕地面积(包括水田)不足 1/3，除水稻外的其他作物为旱作。大量水库为病险库，许多大型灌区无配套工程，水旱灾害成为制约东北农业发展的重要因素，形成“十年九旱”，持续时间长，波及范围广，粮食减产效应显著。同时，夏季低温冷害较为明显。根据气象部门的研究，灾害性天气已比 20 世纪增加了 20% ～ 30%，灾害频率增大，特别是东北西部地区（郭淑敏等，2006）。这导致旱灾影响面大，个别年份受灾面积占比竟然高达 40%。低温冷害对东北地区的水稻种植影响较大。受水土资源时空配置不均、土地退化、农田水利基础设施落后等不利因素的影响，粮食单产水平相对较低且表现出较大的不稳定性。

4. 农业增收困难，种粮积极性较低

东北地区粮食生产的优势主要体现在数量上，在品质上尚未具备比较优势，不适应市场对农产品品质化、专业化的要求（郭淑敏等，2006）。农业结构单一，粮食作物占绝对优势，经济作物、饲料作物占比小，导致农业发展慢，农业经济效益低，农业自我发展能力差(程叶青和张平宇，2005)。多数商品粮基地县出现了“增产不增收”“产

粮大县、工业小县、财政穷县”的现象。

东北地区农民收入的 60% ～ 70% 来自粮食生产，收入结构单一。由于流通不畅，卖粮难，粮食积压严重，粮食价格连续走低，农民收入减少（程叶青和张平宇，2005）。农业增收缓慢，扣除生活费用，收益很小，粮食种植效益较低，导致农村经济发展落后，农民收入不高，损害了东北农民的种粮积极性。受经济利益的驱动，农民资金流向非农部门和住房建设，对粮食生产缺乏积极性，农业生产投资不足。

5. 农业科技推广体系不健全，农产品品质较低

东北地区粮食生产的基层技术推广体系仍然薄弱，大批粮食生产的先进实用技术得不到及时推广，导致东北地区的粮食单位面积产量低、品质差、市场竞争力不强。

粮食品质差产量低，比较效益差。东北地区一熟种植，单产与发达国家有很大差距，玉米单产低于美国 1500 千克 / 公顷左右。种植规模化程度远低于发达国家水平，阻碍了优良品种的大范围种植。东北地区商品粮的国际竞争力不强，粮食产品外观品质差，杂质含量高，颗粒色泽不均一；内在品质差，玉米水分含量高达 25% ～ 32%；种植品种混杂，不能实现专一品种的加工，商品价值低。由于只重视育种创新工作，忽视栽培技术创新，优良品种的高产潜力不能有效发挥，粮食生产科技水平较低（李刘艳，2007）。

第三节　东北粮食基地建设路径

把建设现代农业作为全面振兴东北老工业基地的基础支撑，加快转变农业发展方式，夯实农业发展基础，优化农业产业结构，发挥国有农场引领示范作用，把东北地区建设成为维护国家粮食安全的战略基地、中国的“天下粮仓”和农业现代化示范区。

一、东北地区粮食生产路径

1. 壮大优质粮食生产基地

加大三江平原、松嫩平原、辽河平原等粮食主产区的建设力度，粮食综合生产能力稳定在 1 亿吨以上，继续发挥“大粮仓”和“粮食市场稳压器”的作用。适度调减玉米、大豆等作物种植面积，重点发展优质水稻、优质专用玉米、专用大豆、特色杂粮杂豆。玉米种植以松嫩平原黑土区为建设重点，同时覆盖松嫩平原西部、辽河平原北部及三江平原南部，提高玉米单产水平和产品质量。优质粳稻种植以三江平原为重点，覆盖辽河平原及松嫩平原中部，并在其他水土资源条件较好的地区适当发展水稻种植。合理扩大高淀粉马铃薯种植，推进脱毒种薯、加工专用薯和鲜食商品薯“三薯”协调发展。稳定高油大豆生产，扩大高蛋白大豆、芽豆、豆浆豆、豆腐豆等品种种植面积，建设优质大豆生产基地。在长白山、辽西北、大兴安岭等丘陵山地地区，积极发展杂

粮杂豆等特色农业。以此，巩固和保持国家优质商品粮生产基地的战略地位。

2. 加强粮食物流能力建设

完善农产品市场体系，支持建设一批集市场、物流、检验、信息于一体的特色农产品集散地，全面推进农产品批发市场升级改造工程、“双百”市场工程和“农超对接”，建设农产品直销采购基地。优化粮食仓储设施布局，探索建立政府储备和社会储备相结合的分梯级粮食储备新机制，继续建设标准化仓储设施和一批散粮物流设施，维修改造仓容危仓老库，支持地方储备粮承储粮库建设，支持国有粮食企业、农业产业化龙头企业仓储设施建设和承储国家政策性粮食，支持粮食企业扩大仓储能力，鼓励农户科学储粮，推进粮库智能化升级，提高粮食仓储设施与收储能力、接收发运能力、烘干能力。加快农产品运输能力建设，畅通“北粮南运”通道，完善运粮通道及物流基础设施，在粮食产量、调储量的地区推进大型粮食收储点、战略装车点建设，推进散粮“入关”铁路直达，提高散粮铁水联运比例。完善哈尔滨、长春、通辽等国家粮食交易中心功能，在大连商品交易所推出东北优势农产品期货新品种。

3. 积极发展农产品加工

把农产品加工作为发展县域经济和增加农民收入的重要途径，按照“大基地、大品牌、大产业”的思路，坚持绿色健康和精深加工方向，聚焦初加工、主食加工、精深加工、副产物综合利用四个领域，拓展产业链，推进精深加工，建设成为全国重要的绿色农产品加工基地。2025 年农产品加工率达到 80%，重点支持粮食、肉类、牛奶、水产品生产大县（市、区、场）发展农产品加工业。粮油加工重点发展主食加工业，推动向精深加工方向发展，大力发展以玉米、大米等为原料的主食品、方便食品、休闲食品、功能性食品。积极推动非转基因大豆加工和杂粮杂豆深加工，加快发展瓜果蔬菜加工。依托牧区和农区畜牧业发展畜牧产品深加工，推动由传统冻肉向精细分割、冰鲜、熟制品半熟制品方向转变，鼓励辽宁沿海各地区发展海洋鱼产品加工。推动玉米深加工产业改造升级，发展高档主食、休闲食品、方便食品，延长产品链。在林区扶持发展森林食品、林特产品等加工业。壮大一批粮食加工园区和产业化龙头企业，促进“专、新、特、精”发展。

4. 完善农业支撑体系建设

首先要优化东北地区的农机装备结构，突出加强玉米收获、水稻插秧等薄弱环节建设，重点推广大马力、高性能、节能环保和复式作业机械，将田间作业综合机械化程度提高到 95%。完善农田水利设施，推动中西部水源工程和东部罐区工程建设，扩大有效灌溉面积，提高防洪除涝能力，继续实施罐区续建配套节水改造和灌排泵站更新改造。实施“藏粮于技”战略，扶持高校、科研院所与龙头企业建立紧密联结型科技创新联合体，在良种培育、绿色储粮、丰产栽培、农业节水、动植物疫病防控、粮食收储快速检测技术等方面加强科技研发与应用。完善省、市、县、乡四级农产品质检中心（站）建设。聚焦品牌宣传推介、“三品一标”建设，培育一批绿色农产品区域品牌。发展数字农业、精准农业、智能农业和智能粮库，推进种养业生产过程、农产品加工和粮食流通信息化。培育一批大型龙头企业。

二、东北粮食产业分布格局

1. 水稻产业带

丰富的自然资源和良好的生态环境为东北水稻种植业发展提供有力的支撑。东北地区要重点种植优质粳米，扩大种植面积，提高产量与品质，推动高档大米外调和出口，巩固提升优质大米品牌。水稻种植重点分布在东北地区的西北部、中部和南部的平原地区，主要分布在河流周围。这些地区水资源充足，地势平坦，适合机械化作业，有利于水稻集中化种植，形成了"连片式"的种植模式。尤其是，三江平原、松嫩平原和辽河平原成为东北水稻的主要生产区域，包括鹤岗市、佳木斯市、鸡西市、双鸭山市、齐齐哈尔市、绥化市、大庆市、哈尔滨市、白城市、扶余市、长春市、锦州市、盘锦市、营口市、鞍山市、辽阳市和沈阳市（丁妍，2019）。

辽宁省水稻种植主要沿辽河和鸭绿江分布，重点分布在辽河中下游平原、东南沿海、辽东冷凉山区和辽西低山丘陵地区，沿海地区的水稻种植面积呈现扩大的趋势。

吉林省水稻种植主要分布在东部山间盆地和松花江、辉发河、饮马河、洮儿河、嫩江、鸭绿江、图们江等流域。

黑龙江省水稻种植主要分布在牡丹江半山区谷地平原及三江平原等地，包括佳木斯、鹤岗、双鸭山和鸡西等地区。松嫩平原也出现规模化的水稻种植区域，包括大庆市、齐齐哈尔市。

2. 玉米产业带

东北地区是中国的黄金玉米带。东北地区土壤肥沃，土壤有机质含量多在2.5%以上，有效积温为1600～3300℃，昼夜温差大，有利于玉米高产；降水为450～800毫米且集中在4～9月，与玉米生育期吻合。目前，东北地区是中国玉米的重要种植地区，如图5-5所示。玉米种植以稳定和微调为主。因地制宜，合理调减玉米种植面积和普通玉米种植面积，尤其是在水资源缺乏的东北西部地区要压减玉米种植面积。把玉米视为粮食、饲料和工业原料三位一体的作物，由单纯的原料型生产转变为种、养、加综合型生产。改善玉米品种，推动青贮玉米和粮饲兼用型玉米同步发展，扩大优质玉米和专用型玉米种植和生产，增加高产、抗逆的杂交种。在饲料工业和玉米加工业发达的地区扩大"三高"玉米（高油、高淀粉、高赖氨酸）种植，建立"三高"玉米生产加工基地。依靠科技进步，提高玉米单产水平，提高玉米产品的营养品质、商业品质和加工品质。调整农作物种植结构，建立玉米与豆科作物的合理轮作体系。加大玉米加工，推行以饲料企业为龙头，饲养、饲料、加工一体化的发展模式，实现就地转化。在东北地区，玉米种植主要集中在三江平原、松嫩平原及辽河平原，但种植具有普遍性。

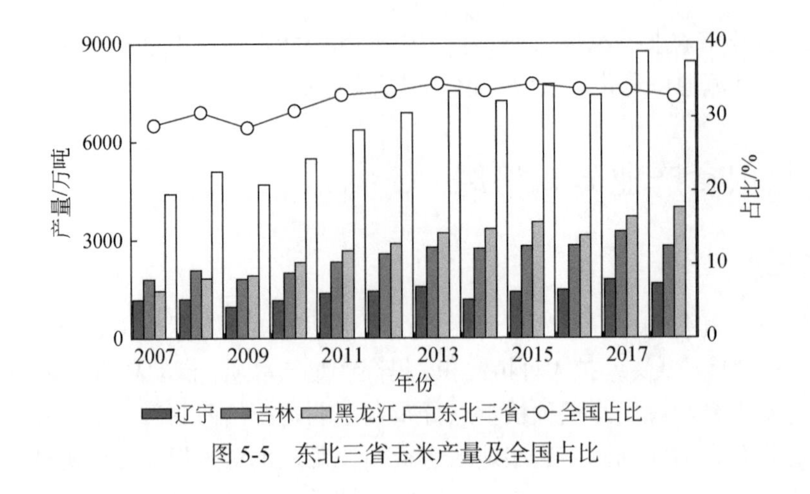

图 5-5　东北三省玉米产量及全国占比

黑龙江省 2018 年玉米产量达到 3982 万吨，占全国玉米产量的 15.5%。吉林省 2018 年玉米产量为 2800 万吨，占全国玉米产量的 10.9%。辽宁省 2018 年玉米产量为 1663 万吨，占全国玉米产量的 6.5%。

3. 大豆产业带

大豆是对自然条件适应性很强的作物，主要受土地、温度、水分和光照等影响。东北地区水分充足，雨热同期，年降水量 500 ～ 1000 毫米，土壤有机质丰富，有效磷和有效钾含量较高。除了黑龙江省北部的高纬寒冷地区、内蒙古东北部和吉林省长白山地区外，其余大部分地区都适合高油大豆的生长，如图 5-6 所示。辽河平原和松嫩平原最适合高油大豆生长。稳定东北地区大豆种植面积，至少不能低于 400 万公顷，引导农民扩大种植，重点扩大黑龙江和蒙东地区的种植面积；提高大豆的单产水平。科学选择大豆品种，加大高产、高油、高蛋白、多抗广适的大豆品种选育，加大推广播种力度，提高大豆出苗率和固氮能力。加大先进技术应用，提高大豆种植的机械化水平，科学用药，提高除草防虫效果，病虫草害发生严重地区适时开展喷防作业。培育大豆

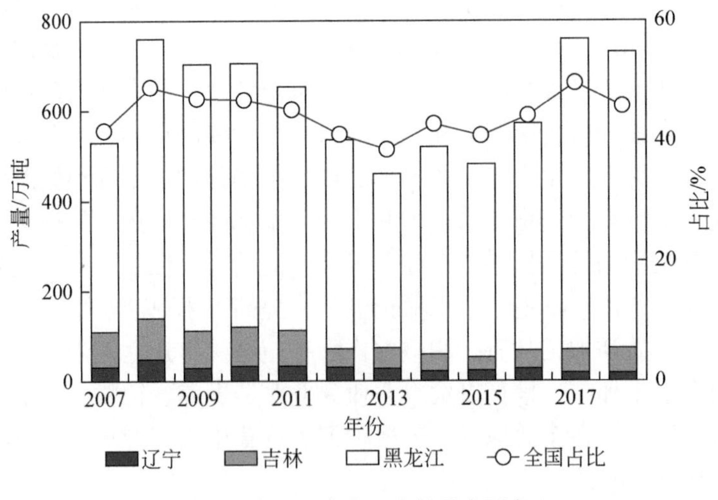

图 5-6　东北三省大豆产量及全国占比

企业、合作组织，提高大豆生产经营的组织化程度。合理安排作物布局，优化种植结构，大力推广大豆与玉米、马铃薯及小麦隔年轮作。优化补贴政策，调动农民种植大豆积极性。

黑龙江省大豆生产覆盖全省，但重点分布在齐齐哈尔、佳木斯、黑河、绥化、哈尔滨。2018年，大豆产量达到657.8万吨，占东北三省大豆产量的90%。

蒙东地区大豆生产覆盖全区，重点分布在呼伦贝尔。

4. 畜牧产业带

东北地区尤其是西部地区草原资源广阔优质，有大片的林草地，植物种类多，野生牧草达400余种，优良牧草近百种，草质优良，适口性好，产草量高，营养丰富。发挥草原优势，积极发展绿色草原畜牧业，建立具有全国意义的绿色优质畜牧业基地。采用分区轮牧、移场放牧和封育保护相结合的办法建设牧场，立足少养精养，提高单产，实现草畜平衡，大力实施肉羊和肉牛生产繁育基地建设，调整畜群、品种结构，建立优势肉羊和肉牛生产基地。继续推行粮改饲，加强种源基地、饲草料基地建设，大力发展牧草和饲草料产业，以畜定需、以养定种，加大紫花苜蓿、杂花苜蓿等饲草种植，推进青贮玉米、作物秸秆等优质饲料开发利用，建立饲草饲料加工体系，完善饲草料储备制度。

（1）呼伦贝尔草原。坚持优质草原建设，草原植被盖度达74%。稳定牲畜头数，提高出栏率和商品率。坚持“增牛稳羊”，做强做优肉牛产业，巩固提高肉羊产业和奶业。呼伦贝尔草原重点发展以呼伦贝尔羊为主的优质肉羊，支持大兴安岭岭西区建设奶牛基地。做大做强“呼伦贝尔”等牛羊肉品牌。建立现代饲草料产业体系，以奶牛饲料和牛羊育肥饲料为重点，加大紫花苜蓿、杂花苜蓿等人工草地建设，推进青贮玉米、作物秸秆等优质饲料开发利用，饲草生产能力达800万吨，饲料生产能力达75万吨。草原牧业年度牲畜总头数稳定在500万头只。

（2）锡林郭勒草原。加大草原建设，草原植被平均盖度达50%。实施“减羊增牛”战略，以发展优质良种肉牛为突破口，建设引种、育种、扩繁、育肥、加工、销售全产业链，建设国家级优质良种肉牛繁育示范基地，包括安格斯和西门塔尔牛优质良种肉牛核心育种基地。重点保护好乌珠穆沁羊、苏尼特羊、察哈尔羊等地方优良品种，建设国家级肉羊核心育种基地，重点在镶黄旗、正镶白旗、正蓝旗、太仆寺旗等察哈尔羊主产区种羊繁育基地，苏尼特左旗、苏尼特右旗、阿巴嘎旗、锡林浩特市、西乌珠穆沁旗、东乌珠穆沁旗、乌拉盖管理区等乌珠穆沁羊和苏尼特羊主产区高标准建设良种繁育基地，以东乌珠穆沁旗为主建立白绒羊保种场。推动马产业发展壮大，以锡林浩特为中心，辐射带动阿巴嘎旗、西乌珠穆沁旗、东乌珠穆沁旗。加强苏尼特双峰驼物种资源保护，以苏尼特左旗和右旗为主，突出研发驼产品。做大做强“锡林郭勒”牛羊肉品牌。力争牲畜存栏稳定在1000万头以内，牲畜良种率达到99%。

（3）科尔沁草原。加快沙化草原治理，草原植被盖度达62%以上。坚持“增牛稳羊”，打造肉牛、肉羊、肉驴及禽类特色畜禽生产基地。突出肉牛产业发展，在科左后旗、扎鲁特旗和科左中旗建设3个“百万头”肉牛养殖基地，建设科尔沁肉牛生产加工基地。积极发展以昭乌达羊为主的优质肉羊，支持科尔沁草原建设奶牛基地，做大做强“科尔沁”牛羊肉品牌。加强饲草料基地建设和秸秆饲料加工，建成青贮饲料基地 500 万亩、紫花苜蓿优质饲草基地 100 万亩。牧业年度牲畜存栏头数稳定在 2300 万头只（口），其中牛存栏 400 万头、羊 1220 万只、马驴骡 45 万匹（头）。

5. 林下产业带

东北地区有着丰富的森林生物资源，共有森林面积 6.8 亿亩，占全国森林面积总量的 37%，木材蓄积量达 32 亿立方米，占全国木材蓄积总量的 1/3，是中国最重要的森林基地。东北地区要坚持以生态建设和资源培育为发展方向，建设中国北方重要生态屏障和国家木材战略储备基地。加强东北地区森林生态保护，大幅调减森林采伐量，巩固退耕还林成果，加强育林和管护。重视林下经济发展，发展绿色食品、林木精深加工、林业生物质能源等接产业，积极发展林苗、林粮、林药、林菌、林禽、林畜产业，培育特色种养产业基地。做优做深林木深加工产业，拓展发展人造板、家具等木制品加工产业。森林经济主要集中在大兴安岭地区、小兴安岭地区、长白山地区和辽西北丘陵地区。

大兴安岭林区积极发展寒温带针叶林和温带针阔混交林，突出发展落叶松。全面停止天然林商业性采伐，加强森林经营管护。在发展木本油料、林木种苗花卉、特种野生动物繁育等重点产业的基础上，突出抓好经济林建设。加快山野菜、食用菌等林下经济发展，壮大林下采集业和特色养殖业。在大兴安岭地区、呼伦贝尔市、阿尔山市和科尔沁右翼前旗建设以有机黑木耳、蘑菇等为主的食用菌种植基地，在大兴安岭地区、呼伦贝尔市建设野生蓝莓、红豆产地保护基地，在扎兰屯、牙克石、阿荣旗、阿尔山等地建设蕨菜、黄花菜、金针菜、卜留克等特色山野菜产品生产和加工基地，在鄂伦春自治旗、额尔古纳市、鄂温克旗等地建设鹿、野猪、狐、貂等标准化养殖基地。在加格达奇、海拉尔、牙克石、阿尔山、漠河等地区扶持大型木材精深加工企业（李炜，2012）。

小兴安岭林区建设寒温带针叶林和温带针阔混交林基地，重点发展红松种植。突出林下种养殖、森林绿色食品、北药、木材加工等林业经济发展，加快发展食用菌、山野菜、林果、北药、花卉、苗木、森林动物驯养等产业，建设成为国内最大的食用菌生产基地、北方最大的林果生产加工基地和国内最具规模的道地北药种植加工基地。在伊春、黑河等地区积极发展有机食用菌，在伊春和瑷珲等地区建设野生蓝莓、红豆产地保护地；在伊春和黑河建设蕨菜、黄花菜、金针菜等特色山野菜产品生产加工基地；在黑河建设欧洲花楸、俄罗斯无刺大果沙棘、穗醋栗等基地；在黑河市等地建设鹿、野猪、狐、貂等标准化养殖基地。加快发展林木加工业，重点在黑河、伊春等地区扶持木材精深加工企业（李炜，2012）。

长白山林区重点发展温带针阔叶混交林，包括红松、落叶松、云杉、冷杉、赤松等。停止天然林商业性采伐，加强森林管护。做大做强人参健康产业、绿色产业和现代中药等优势产业。改造提升木材精深加工产业，在珲春、白山等地区扶持大型木材精深加工企业。

三、东北地区粮食基地分布

1. 总体思路

东北地区是中国农业资源禀赋最好的地区之一，是中国农业生态环境和水土资源配置最优越的地区之一，是中国重要的粮食主产区和农产品生产加工基地，也是粮食增产最具有潜力的地区。21 世纪以来，东北四省区纷纷制定了粮食生产规划。2008 年，黑龙江省制定了《黑龙江省千亿斤粮食生产能力建设规划》；2009 年，内蒙古出台了《内蒙古增产百亿斤商品粮生产能力规划》，吉林省出台了《吉林省增产百亿斤商品粮能力建设总体规划》，2013 年哈尔滨市出台了《哈尔滨市“两大平原”现代农业综合配套改革试验总体实施方案》。

东北地区要立足自然资源禀赋和农业地位及发展基础，坚持以粮为纲，以全国“大粮仓”和“粮食市场稳压器”为目标，立足粮食生产，依靠科技进步，加大农业资源开发力度，兼顾资源和环境的可持续利用，稳定提高粮食综合生产能力和粮食商品化水平，建立适应市场经济要求的农业技术体系和经营管理体系，推动养殖业和农产品加工业的转化增值。农业结构调整必须遵守以粮食生产为主，根据经济发展和产业转型适当发展其他产业为辅的发展战略（李刘艳，2007）。特别是，抓好优质水稻、专用玉米和高油大豆等主要粮食作物，促进优质粮食作物向优势产区集中。

2. 粮食生产基地分布

东北地区粮食可持续生产能力区域差异性显著，粮食可持续生产能力较低的基地县占全部基地县的 52.73%，且主要分布在松嫩平原西部、三江平原东北部、辽西低山丘陵区。而粮食可持续生产能力较高的基地县集中分布于松嫩平原黑土区、辽河平原中部区和辽东半岛沿海区（程叶青等，2007）。

东北商品粮基地县建设始于 1981 年。1981 ～ 2000 年，东北地区共建设了 110 个商品粮基地县。根据 2009 年《全国新增 1000 亿斤粮食生产能力规划（2009—2020 年）》，全国共筛选出 800 个粮食生产大县，其中东北地区有 149 个县区。其中，蒙东地区涉及 23 个县区，辽宁省涉及 36 个县区，吉林省涉及 30 个县区，黑龙江省涉及 60 个县并包括了 55 个农场。这些县区在种植粮食方面既具有规模优势，也具有效率优势，是东北粮食生产基地的核心地区。

辽宁省共涉及 13 个地级政区的 36 个县级政区，具体包括辽中县、康平县、法库县、新民市、瓦房店市、普兰店市、庄河市、台安县、岫岩县、海城市、东港市、凤城市、黑山县、义县、凌海市、北镇市、阜新蒙古族自治县、彰武县、辽阳县、灯塔市、大洼区、盘山县、铁岭县、西丰县、昌图县、开原市、朝阳县、建平县、喀左县、北票市、兴城市、绥中县、大石桥市、抚顺县、清原满族自治县、新宾满族自治县。

吉林省共涉及 8 个地级政区的 30 个县级政区，包括双阳区、农安县、九台区、榆树市、德惠市、永吉县、蛟河市、桦甸市、舒兰市、磐石市、梨树县、伊通满族自治县、公主岭市、双辽市、东丰县、东辽县、辉南县、柳河县、梅河口市、通化县、前郭尔罗斯蒙古族自治县、长岭县、乾安县、扶余市、洮北区、镇赉县、洮南市、大安市、敦化市、龙井市。

黑龙江省共覆盖11个地级政区的66个县区和55个农场。县区具体为呼兰区、依兰县、方正县、宾县、巴彦县、木兰县、通河县、延寿县、阿城区、双城区、尚志市、五常市、龙江县、依安县、泰来县、甘南县、富裕县、克山县、克东县、拜泉县、讷河市、鸡东县、虎林市、密山市、集贤县、宝清县、友谊县、饶河县、肇州县、肇源县、林甸县、杜尔伯特蒙古族自治县、桦南县、桦川县、汤原县、抚远市、同江市、富锦市、林口县、海林市、宁安市、穆棱市、嫩江县、北安市、五大连池市、逊克县、北林区、望奎县、兰西县、青冈县、庆安县、明水县、绥棱县、安达市、肇东市、海伦市、绥滨县、萝北县、东山区、勃利县等。

蒙东地区共涉及5个地级行政区的23个县级政区，具体包括松山区、巴林左旗、宁城县、敖汉旗、林西县、翁牛特旗、科尔沁区、科尔沁左翼中旗、科尔沁左翼后旗、开鲁县、库伦旗、奈曼旗、扎鲁特旗、阿荣旗、莫力达瓦旗、鄂伦春自治旗、扎兰屯市、海拉尔农牧场、额尔古纳市、科尔沁右翼前旗、科尔沁右翼中旗、扎赉特旗、突泉县。

四、东北粮食基地建设保障

1. 加大投入，拓宽融资渠道

中央各类农业投入要继续向粮食主产区倾斜，加大农业“四项补贴”（粮食直补、农资综合补贴、良种补贴、农机具购置补贴）力度，继续完善稻谷最低收购价政策和玉米、大豆临时收储政策。探索政府财政性强农惠农资金与银行信贷资金相互结合的有效途径，采取贷款贴息、投资补助、以奖代补、费用补贴等方式，引导社会力量投资现代农业建设。鼓励各类金融机构拓展农村金融市场，针对东北地区农业作业特点和农民需求，合理确定农民生产性贷款期限，建立政策性农业投资公司和农业产业发展基金，探索建立财政扶持农业灾害保险的机制，逐步扩大农业保险品种，完善理赔制度。在条件成熟的县（市）组织开展农业综合开发项目“民办公助、先建后补”试点，中央财政根据地方项目规划、资金安排、农民筹资筹劳以及开发任务完成等情况，制订补助标准并拨付补助资金。

2.调动粮食种植积极性

保障种粮农民收益，逐步调整完善粮食价格形成机制和农业支持保护政策，通过实施耕地地力保护补贴和农机具购置补贴等措施，保障种粮基本收益，保护农民种粮积极性。完善生产经营方式，巩固农村基本经营制度，坚持以家庭承包经营为基础、统分结合的双层经营体制，调动农民粮食生产积极性。着力培育新型农业经营主体和社会化服务组织，突出抓好家庭农场和农民合作社两类农业经营主体发展，促进适度规模经营，把小农户引入现代农业发展轨道。

3. 完善粮食体制机制

健全粮食主产区利益补偿制度，在黑龙江、吉林等粮食主产省（区）建立商品粮调销机制。取消粮食主产区粮食风险基金地方配套，稳妥做好粮食政策性财务挂账消化处理工作。积极开展现代农业发展综合试点，在推进土地适度规模经营、统筹整合强农惠农资金、发展农业专业合作组织、推动农业综合机械化、完善金融手段、创新农业产业化经营机制、发挥农垦引领示范作用等方面，探索实践行之有效的措施和方法并及时总结经验。加强对大豆、大米、玉米等大宗粮食进出口的调控。

4. 加强基本粮田保护

继续加强基本粮田保护，进一步完善相关法律法规，禁止侵占基本粮田的行为，确保粮田面积长期保持稳定。对基本农田要采取逐村落实、地块落实，防止土地的抛荒、撂荒。以治水改土为中心实施综合治理，推进松嫩平原西部盐碱地、辽河平原中北部棕壤区渍涝盐碱土地和辽西北干旱丘陵中低产田改造治理，推动坡耕地水土流失治理。开展退化草原治理，通过禁牧、休牧、轮牧及生态移民等措施，增强草原的自我修复能力。

第四节　东北农垦集团引领示范

一、黑龙江农垦集团基本情况

农垦指农业垦殖，也指开垦荒地以便进行农业生产，更准确的界定是国家通过组织农民在国有土地上利用现代化的机械设备和科技力量，大规模大范围地进行以农业为基础的生产建设活动。农垦制度是中华人民共和国成立前后实行的一种屯田制度，是共和国农垦的开端。在部分地区，农垦制度与屯垦、生产建设兵团相互交叉叠合。黑龙江垦区属于粮食供给型垦区。

1. 黑龙江农垦集团

黑龙江北大荒集团的前身是黑龙江农垦系统，创立于 1948 年。1947 年中共中央东北局财经委员会决定试办国营农场。1954 年，国家把苏联引进的先进设备与中国农场形式相结合，1955 年虎林地区建设国营农场。1956 年黑龙江建立起国营农场 96 个，实现可耕种面积 305 千公顷，粮食产量达到 22.7 万吨，北大荒的开发工作初步完成。1958 年，十万官兵进军三江平原，坚持“边开荒、边生产、边建设、边积累、边扩大”的方针，当年开荒土地达 200 多千公顷，相当于 1956 年以前开荒的总和，“北大荒”变成“北大仓”。1968 年，黑龙江生产建设兵团成立，共接收国营农、牧、渔场 93 个，合编为 5 个师（辖 58 个团）、3 个独立团，兵团司令部设在佳木斯市。1976 年，黑龙江生产建设兵团撤销，改编为黑龙江国营农场总局。1998 年，成立黑龙江北大荒农垦集团总公司，组建北大荒集团。

目前，黑龙江农垦集团归农业农村部和黑龙江省政府双重领导，并组建了北大荒集团上市公司。目前，集团总部设在哈尔滨市，下属 9 个分公司、113 个农牧场、136

家工商运建服企业、16 家科研开发机构、7 所高等学校、2 所普通中等专业学校、138 所普通中学、140 所小学、126 家医院、90 个卫生防疫站、70 个妇幼保健站、111 个有线电视台、1 个日报社。农垦集团总人口达到 157.9 万人，土地面积达 543.9 万公顷，占黑龙江省面积的 12.6%；包括耕地 21.24 万公顷，人均耕地面积达 20.2 亩，是中国人均水平的 16.4 倍，尚有可垦荒地 47.6 万公顷、森林面积 89.1 万公顷，木材蓄积量达 4932 万立方米。农垦集团涉及的行业主要有成品油、农业生产资料、农产品经营、大型农业机械等，主要农产品有粮食、油料、甜菜、牛奶等。2010 年，垦区被农业部命名为“国家级现代化大农业示范区”。2019 中国企业 500 强发布，北大荒农垦集团总公司位列第 161位。

2. 农垦区网络

黑龙江垦区分布在东北部的小兴安岭南麓、松嫩平原和三江平原地区，下辖 9 个管理局，共有 113 个农牧场，分布在黑龙江省的各个地市 / 地区[①]。具体如表 5-3 所示。

宝泉岭管理局驻地为鹤岗市萝北县，分布有 13 个农场，覆盖哈尔滨市、佳木斯市、鹤岗市、绥滨县、萝北县、汤原县、依兰县，拥有耕地 476 万亩、林地 118 万亩、草原 35 万亩，适宜水稻、小麦、玉米和大豆等农作物种植。

红兴隆管理局驻地为双鸭山友谊县，分布有 12 个农场，覆盖佳木斯、双鸭山、富锦、七台河、宝清、集贤、友谊、桦川、桦南、饶河、勃利等县市，拥有耕地 40 万公顷、牧地草原 2 万公顷和林地 16 万公顷，生产大豆、玉米、水稻、小麦、大麦。

建三江管理局驻地为佳木斯富锦市，分布有 15 个农场，覆盖富锦、同江、抚远、饶河等地区，拥有耕地 1100 万亩、林地 249 万亩和牧地草原 35 万亩，建有 1 个省级开发区和 8 个工业园区，拥有中储粮直属库等 9 个粮库，固定仓储能力达到 192 万吨。

牡丹江管理局驻地为牡丹江市区，拥有 15 个农场和 334 个农林牧渔生产连队，分布在牡丹江、鸡西、七台河、密山、虎林、海林、宁安、鸡东和宝清等县市，拥有耕地 30.7 万公顷、林地 14.4 万公顷和草原 4.8 万公顷。

北安管理局驻地为黑河北安市，分布有 15 个农场，覆盖黑河、伊春、北安、五大连池、嫩江、孙吴、逊克 7 个市县，拥有耕地 500 万亩，土壤有机质含量达 6% ～ 8%，有林地面积达到 195.7 万亩，草原面积为 122.4 万亩。

九三管理局驻地为黑河嫩江市，分布有 11 个农场和 70 个农业管理区，覆盖嫩江县、讷河市、五大连池市，拥有耕地 402 万亩、草原 143 万亩和林地 132 万亩，黑土占耕地面积的 70% 以上，主要种植大豆、玉米、小麦、马铃薯、杂粮、亚麻和中草药等作物，非转基因大豆成为品牌产品。

齐齐哈尔管理局驻地为齐齐哈尔市区，下辖 11 个农场，覆盖耕地 13.6 万公顷，有 7 个专业牧场，拥有国内规模最大、现代化程度最高的北大荒马铃薯产业集团。工业发展能力较强，形成以马铃薯产业为主，以稻米、饲料、肉类、乳品、制糖等农副产品精深加工业为辅的产业格局。

①部分资料引自：https://baike.baidu.com/item/%E9%BB%91%E9%BE%99%E6%B1%9F%E7%9C%81%E5%86%9C%E5%9E%A6%E6%80%BB%E5%B1%80/10723633?fr=aladdin。

绥化管理局驻地为绥化市区，分布有10个农场，拥有耕地8.4万公顷、林地6万公顷、草原2万公顷，覆盖绥化、大庆、伊春等地区，目前已形成杂粮、浆果、食用菌、中草药、瓜菜等主导产业，种植面积占耕地面积的40%以上，家庭农场组织化率达到75%。

哈尔滨管理局驻地为哈尔滨市区，下辖11个农场，拥有耕地38.9万亩，黑土占耕地面积的60%以上，厚度为30～70厘米，有机质含量为5%～7%；林地15.1万亩，牧草地面积为13.4万亩，绿色和有机食品认证面积达20万亩以上。

表5-3 黑龙江垦区分布网络

管理局	农场	数量
宝泉岭	二九〇、绥滨、江滨、军川、名山、延军、共青、宝泉岭、新华、普阳、汤原、梧桐河、依兰	13
红兴隆	友谊、二九一、五九七、八五二、八五三、饶河、红旗岭、双鸭山、江川、宝山、曙光、北兴	12
建三江	八五九、胜利、红卫、七星、大兴、创业、勤得利、青龙山、前进、洪河、鸭绿河、浓江、前哨、前锋、二道河	15
牡丹江	八五〇、八五四、八五五、八五六、八五七、八五八、八五一〇、八五一一、庆丰、云山、兴凯湖、海林、宁安、双峰、山市	15
北安	锦河、红色边疆、逊克、龙门、襄河、二龙山、龙镇、引龙河、尾山、格球山、长水河、赵光、红星、建设、五大连池	15
九三	鹤山、大西江、尖山、荣军、红五月、七星泡、嫩江、嫩北、山河、建边、哈拉海	11
齐齐哈尔	查哈阳、克山、依安、繁荣、富裕、绿色草原、巨浪、泰来、大山、红旗、齐齐哈尔	11
绥化	嘉荫、铁力、海伦、红光、绥棱、和平、肇源、柳河、安达、涝洲	10
哈尔滨	阿城、青年、小岭、香坊、红旗、闫家岗、庆阳、岔林河、松花江、沙河、四方山	11

二、黑龙江农垦集团生产优势

作为中国农业先进生产力的代表，黑龙江农垦集团发展现代化大农业具有得天独厚的优势。具体优势如下所述[①]。

优质土地资源丰富。土地资源丰富，地处世界三大黑土带之一，黑土和草甸土占耕地面积的50%，土地平坦连片，有机质含量高，土壤肥沃，土壤有机质含量平均在3%～5%，有的地区高达10%以上，适合粮食作物生产。人均耕地面积达20亩，第一产业从业人员人均占有耕地97亩。山地和丘陵地带森林密布，面积达到80.5万公顷，天然林达35.7万公顷，林木蓄积量达2622万立方米；有草原549万亩。在境外开发土地达304万亩。

农业机械化程度高。耕地集中连片，适宜大型机械化作业。基础设施完备，基本

① 部分数据引自：http://www.huaxia.com/lthq/ljzl/bdhwh/2008/12/1253100.html、https://baike.baidu.com/item/%E9%BB%91%E9%BE%99%E6%B1%9F%E7%9C%81%E5%86%9C%E5%9E%A6%E6%80%BB%E5%B1%80/10723633?fr=aladdin、https://baike.baidu.com/item/%E5%8C%97%E5%A4%A7%E8%8D%92%E5%86%9C%E5%9E%A6%E9%9B%86%E5%9B%A2%E6%9C%89%E9%99%90%E5%85%AC%E5%8F%B8?fromtitle=%E5%8C%97%E5%A4%A7%E8%8D%92%E9%9B%86%E5%9B%A2&fromid=5176439。

建成防洪、除涝、灌溉和水土保持四大水利工程体系，有效灌溉面积达到2784万亩，占耕地面积的64%。建成生态高产标准农田2182.5万亩，占耕地面积的51%。目前，农业机械装备先进，粮食生产的机械化程度高，农机总动力已达1045.1万千瓦，有耕作机械16.83万台（套）、排灌机械9.37万台（套）、收获机械3.34万台、植保机械0.14万台、农用飞机98架、农用运输机械1.83万辆（台），水利工程机械704台，粮食处理中心167座，基本实现了粮食生产全过程机械化。拥有世界最先进的大马力拖拉机，收获机、农用飞机安装卫星定位系统，农业综合机械化程度达99.4%（麦子，2020）。农田水利设施配套，大江大河防洪能力为20年一遇标准，人工林面积达57.5万公顷，已实现农田林网化。

粮食生产能力高。形成了具有垦区特色的粮食生产核心专长、核心技术和核心生产能力，粮食综合生产能力不断增强，拥有440亿斤的粮食综合生产能力和400亿斤的商品粮保障能力。粮食生产能力达180亿斤，年提供商品粮150亿斤，商品率高达85%，高于全国平均水平40个百分点。粮食生产从业人员人均经营耕地100余亩、劳均生产粮食6.5万斤，生产能力达到了中等发达国家水平。大豆单产连续两年超过美国生产水平。

生产组织化程度较高。家庭农场土地规模经营面积超过55%，粮食直接成本低，劳动生产率水平高。人均生产粮食6公斤，农业职均生产粮食3万公斤，高油高产大豆等许多作物单产已达世界先进水平。围绕粮食生产形成农业产前、产中、产后服务网络体系，为粮食生产提供健全的良种繁育供应、技术指导、农机服务、加工、营销和质量安全检验检测等服务保障功能。农垦对所在地区的反哺和牵动作用强，104个农牧场、22万个家庭农场、2.3万个市县农户直接从产业化经营中获益。

农业科技贡献率高。形成了农业科研院所、部级检验中心、农业技术推广中心、基层农业技术推广站、专业育种单位、品种试验网点等较为完整的粮食生产科研、开发和推广体系，拥有16个科研院所、3所高等院校、9个技术推广中心、105个农业技术推广站，农业科技成果转化率达82%，农业从业人员素质较高。农业科技贡献率达65%，比全国平均水平高出20个百分点，粮食作物良种化率达98.5%。垦区在良种繁育、模式化栽培、病虫害防治、农业航化作业等新技术应用和实行保护性耕作等方面居国内领先水平。

农业产业化程度高。粮食处理工厂化，种子加工产业化，粮食加工能力达800万吨/年，包括大豆250万吨、水稻240万吨、小麦80万吨、大麦30万吨。形成年处理鲜奶能力51万吨、屠宰生猪200万头、大鹅500万只。围绕大豆、水稻、鲜奶、小麦、大麦、良种、肉类、北药加工等领域，一批产业化龙头企业迅速发展，各类产业化龙头企业达100余户，培育了“北大荒”“完达山”等一批知名品牌。九三油脂、完达山乳业、北大荒米业、九三丰缘麦业等5家企业跨入国家级产业化重点龙头企业行列。

农产品品质好。农垦区开发时间短，工业污染少，生态环境好。进行安全农产品认证198个，安全农产品生产基地认定17个。建立4个国家级绿色食品基地，占黑龙江省的47.6%，同比增长29.9%；绿色食品面积扩大到650万亩，其中绿色食品基地检测面积400万亩。有些企业已通过国际机构的有机食品认证面积已近百万亩。

三、黑龙江农垦引领发展战略

要更好发挥农垦在现代农业建设中的骨干作用，建设大基地，塑造大企业，发展大产业，打造成为全国领先的粮食生产商和农地运营服务商，发展成为具备国际化生产经营能力的新型粮商。

1. 突出发展方向与主导产业

以市场需求为导向，坚持粮经饲统筹，优化品种结构、品质结构、品牌结构，稳稻玉、扩大豆、发展特色经济作物和果蔬及饲草饲料作物，积极扩大优质水稻生产。严格落实国家耕地休耕轮作补贴项目，构建科学合理的轮作制度，着力打造优势产业带。以国内外市场需求为导向，坚持粮糖乳肉四大主导产业和主导产品，重点构建十大主导产业链，打造成为农业领域“航母”。健全完善生产体系，建设现代农业大基地，粮食作物播种面积稳定在4200万亩以上，粮食综合产能稳定在400亿斤以上，肉、蛋、奶产量分别达到30万吨、3.2万吨和40万吨，努力建成稳定可靠的高品质农产品生产基地。加快建设稻米、大豆、乳品、种子等产业化龙头企业，打造米业“白金名片”、大豆产业“黄金名片”。大力发展中高端特色产业，提高绿色有机蔬菜、浆果、坚果、食用菌、鲜食薯、山野菜、中草药生产规模和加工能力，开发速冻薯条、鲜食薯块、杂粮杂豆有机食品、营养食品、保健食品、休闲食品，延伸食品深加工产业链条。以“两牛一猪一禽”为重点，加快发展现代畜牧业（王守聪，2019）。

2. 加快农产品品牌建设

充分利用北大荒集团的各类优势，积极推动农产品无公害、绿色水平，提高有机农产品的精深加工，建设有机农产品生产基地。推进完达山乳业、九三粮油工业、垦丰种业等优势企业加快上市。围绕“粮头食尾”和“农头工尾”，建设全过程标准化、全生命周期可追溯的绿色循环生产体系和种养加销一体化、产品品牌国际化的全产业链。建立统一的品牌管理体系，科学定位核心品牌，统筹管理所属品牌，加强品牌认知、培育、延伸和保护，采取有效措施提高各品牌的知名度、美誉度、崇信度，提高北大荒、完达山、九三的品牌价值（王守聪，2019）。以此，打造为“中华大厨房”。

3. 推进农业经营制度创新

继续鼓励农垦企业推进农业经营制度创新，完善以“四到户、两自理”为主体的大农场套小农场、统分结合的双层经营模式（刘小宁和高常思，2008）。突出加强农民专业合作社建设，积极扶持家庭农场、农民合作社等新型农业经营主体。继续实行适度规模经营，严格规范“两田制”。加快农业科技创新，提高农产品的科技含量和附加值。鼓励进行工业嫁接改造，提高农畜产品加工业的技术装备和工艺水平，推进农业产业化，提高农业综合生产能力。加快建设出口农产品基地建设，积极发展外向性农业。争取设立国家级农业特区，获得更为优惠灵活的政策支持。以此，打造新型粮商。

推进现代化农业园区建设。以宝泉岭管理局国家现代农业产业园项目建设为契机，推进垦区现代农业园区建设。在规模化种养的基础上，实施“生产 + 加工 + 科技”资源整合，聚集现代生产要素，创新体制机制，建设水平领先的现代农业发展平台，促进农业生产、加工、物流、研发、示范、服务等相互融合，激发产业链、价值链的重构和功能升级，促进产业转型、产品创新、品质提升，提高农业供给质量和效益（王守聪，2019）。

4. 加强农业基础设施建设

实施“藏粮于地、藏粮于技”战略，巩固提升农业综合生产能力。推进水利工程建设，重点推动三江平原灌区田间配套工程建设，加强小型农田水利设施建设，深入推进河长制工作，落实最严格水资源管理制度，扩大水稻节水控灌技术推广面积（王守聪，2019）。加快农机更新，推动更新各类农业机械，主要农作物耕种收综合机械化水平继续保持在 99% 以上，扩大航化作业面积（胡兆民，2020）。提高推动机械化生产，形成组织化程度高、规模化特征突出、产业体系健全的独特优势。打造更加完备的粮食和重要农产品产业体系。

5. 鼓励垦区加强引领辐射

深化垦地合作，鼓励各农场、管理局与所在地区开展战略合作，扩大合作领域与范围。发挥垦区机械化水平高的优势，扩大农机服务范围，探索土地代耕制、承包租赁制和托管制等多元化的经营形式，由代耕作业向全程生产作业、由个别农户向整村（屯）推进发展，发展土地集约经营。拓宽垦区农业科技服务领域，加快把农垦的现代生产方式推广到周边农村。推进场县合作共建，不断扩大共建范围和领域，共建现代农业示范区和产业园区。

第六章

东北地区旅游资源评价与发展路径

旅游业被称为绿色产业和“朝阳产业”，是当前中国各地竞相发展的新兴产业之一，对完善区域产业结构与活化区域环境具有重要的支撑作用。东北地区有着得天独厚的旅游资源禀赋与历史积累，资源优势与特色突出，组合性好、品质高，部分资源具有较高的垄断性与独特性，具备开发组织综合性旅游活动与发展大旅游业的巨大潜力。但旅游资源与旅游吸引力有着较为明显的空间分布差异。近些年来，东北地区的旅游业呈现较快的发展态势，接待游客数量与旅游收入持续快速增长，旅游资源呈现综合性开发态势，但仍存在总体滞后、产品雷同、合作交流少等不少问题。本章立足大旅游产业的理念，以旅游资源开发与、游业及衍生产业为研究对象，分析东北地区大旅游产业的总体思路与发展路径。重点阐释了东北地区的旅游资源禀赋与特点，科学评价了各地区的旅游资源与旅游吸引力，分析了当前旅游业发展的基本特点与存在问题，提出东北地区旅游业发展的总体思路，从生态旅游、冰雪旅游、文化旅游、滨海旅游、工业旅游、边境旅游、红色旅游等角度提出了旅游业的发展路径，分析了特色文化、体育运动、养老健康等产业的发展路径，并分析支撑能力与对外合作的基本路径。

本专题主要得出以下结论。

（1）东北地区旅游资源丰富，种类齐全，包括A级景区、地质公园、风景名胜区、水利风景区、湿地公园、世界遗产等。旅游资源综合性与组合性好，部分旅游资源具有原始性，在全国具有一定的垄断性。各类资源交相辉映，资源品质及独特性高，优势突出。这为东北地区旅游业的发展奠定了坚实的物质基础。

（2）东北地区的旅游资源与旅游吸引力具有明显的空间分布差异。旅游资源数量分布形成自然景观为主、休闲服务类为辅的格局，4A景区、3A景区、国家文物保护单位有着最高的旅游吸引力。松嫩平原、辽中南和蒙东地区的旅游资源数量较多，尤其是哈尔滨、沈阳、呼伦贝尔、赤峰、大连、牡丹江和吉林等地区有着较高的旅游吸引力。这决定了各地区发展旅游业的潜力基础。

（3）东北地区已经形成了综合性的旅游资源开发态势，旅游知名度逐步提高，旅游市场规模日益扩大，接待游客数量与旅游收入持续扩大，旅游市场的空间差异显著，形成了较好的旅游设施体系。但仍面临不少的问题，旅游业发展总体仍然滞后，各地区旅游产品开发雷同，区域旅游合作交流较少，旅游经营观念仍然落后，营商环境较差。

（4）东北地区要坚持一体化旅游开发，积极发展生态旅游、冰雪旅游、文化旅游、滨海旅游、工业旅游、边境旅游、红色旅游等旅游活动，培育优势旅游产品，打造特色旅游品牌，延伸发展文化产业和健康养生产业，加强支撑能力建设，创新区域合作机制，打造特色鲜明、吸引力强的旅游目的地。

第一节　东北地区旅游资源禀赋

一、旅游资源

1. 基本概念

旅游是为了满足生活和文化及商务的需求或各种愿望，离开常住地而外出的旅行和在外逗留活动。按旅游性质和出游目的地，旅游活动大致分为休闲娱乐和度假类、探求访友类、商务和专业访问类、健康医疗类、宗教朝圣类、其他类型（如探险旅游）等。

旅游业是一种产业，是指凭借某种或多种旅游资源和旅游设施，专业或主要从事招揽、接待游客，并为其提供交通、游览观光、住宿、餐饮、购物、休闲娱乐等服务的综合性行业。旅游业具体包括景点经营、旅行社和旅馆服务业、餐饮服务业、交通业、娱乐业和其他关联行业，大致分为旅游资源、旅游服务与旅游设施三大部分。大旅游产业是为满足游客不断增长、多样化、多层次的旅游需求，沿旅游产业链上下游延伸和扩展而形成的具有高度关联性和多重综合效益的综合性旅游产业。旅游业是一种绿色产业，是世界发展最快的新兴产业之一，被誉为“朝阳产业”。20 世纪 90 年代以来，中国大力扶持旅游业发展，鼓励发展旅游、文化、体育和休闲娱乐等面向民生的服务业，由此旅游业成为各地区竞相发展的热点产业。目前，中国旅游业增加值占 GDP 的比例达 4.8%，占服务业增加值的比例为 11%。

2. 旅游资源类型

旅游资源是旅游业发展和组织旅游活动的前提与基础，是指自然界和人类社会中能对游客产生吸引力、能为旅游活动组织所利用的事物和条件，包括自然存在和历史文化遗产以及人工创造物。旅游资源种类较多，数量丰富，大致分为自然风景旅游资源和人文景观旅游资源。

自然风景旅游资源主要是指天然赋存的具有游览观光、休闲休息、娱乐体育功能的地理要素，包括气候、高山冰川、沙漠戈壁、溶洞、峡谷、森林草原、江河瀑布、湖泊湿地、海滩、温泉火山、野生动植物等，进一步可归纳为地貌、水文、气候、生物四大类。

人文景观旅游资源主要是指能吸引人们进行旅游活动的古今人类创造的物质实体或以其为载体的非物质文化，包括历史文化古迹、古城聚落、民族风情、革命遗址、节日庆典、饮食菜肴、文化艺术和体育娱乐、生产设施与工艺等，进一步可归纳为人文景物、文化传统、民情风俗、体育娱乐四大类。

二、东北地区旅游资源

东北地区旅游资源丰富，优势突出，既有优美的自然景观，又有绚丽的人文景观，草原森林、气象气候、历史文化、民族民俗、工业遗迹等各类资源交相辉映。而且，旅游资源具有很强的互补性，组合性好，资源品质及独特性高。

东北地区囊括了8个大类、33个亚类和155种基本类型的旅游资源。截至2018年，东北地区共有A级景区1097处，其中5A级景区有21家，4A级景区有325家，3A级景区有416家，2A级和A级景区分别有295家和40家；国家地质公园有19处，国家级风景名胜区有11处，国家级森林公园有125处，国家级水利风景区有81处，国家级自然保护区有102处，国家湿地公园有135处，世界文化遗产有8处，国家级文物保护单位有387处。这些景区有107处重叠景区，其中93处具有双重属性，14处具有三重属性。这为东北地区旅游业的发展提供了坚实的物质基础。

1. 气候资源

东北地区位居北纬38°43' ～ 53°33'，纬度较高。地理区位决定了该地区属于寒温带，属于大陆性季风气候，冬季漫长，夏季短促。气候资源有着明显的优势，并成为东北地区重要的垄断性资源。依托自然气候资源，可以积极开发休闲度假、养生康健、冰雪运动等各类旅游活动。

东北地区兼具高山高原、滨海地区、高纬度等自然特性，夏季气温比国内其他地区尤其是南方地区低，气候凉爽宜人。同时，风速较小，辐射不强，湿度适中，有着海滨、海岛、山地、森林、湿地、草原等优质避暑资源。夏季避暑的综合条件相对优越，是中国避暑消夏的好去处。

东北地区有着丰富的冰雪资源，是战略性旅游资源。冬季时间长，气温较低，平均气温在 -10℃以下，天然雪资源丰富，是中国初雪最早、终雪最迟的区域，积雪期长达4 ～ 6个月，而且雪量大、雪质好，积雪厚，最大深度为58 ～ 80厘米。同时，东北地区多山，山地坡度平缓，高度适中，适合开展滑雪旅游。东北地区有全球闻名的亚布力滑雪场、世界四大冰雪节之一的哈尔滨冰雪节、绵延千里的林海雪原。此外，东北地区的河流冰封期较长，适宜开展滑冰、冰球、冰帆、捕鱼等各种体育旅游活动。

2. 自然景观

东北地区的生态环境十分优越，拥有大森林、大湿地、大平原、大草原、大界江，这些自然生态资源在全国均具有战略意义。其中，吉林省、黑龙江省是国家批准通过的生态省建设试点地区。依托原始森林、天然草原、湖泊湿地、山地岛屿等自然资源，开发生态旅游具有巨大潜力。

东北地区有着丰富的森林资源，共有森林面积6.8亿亩，占全国森林面积总量的37%。大兴安岭、小兴安岭和长白山是中国最大的森林区，是中国唯一的大面积落叶松林地区。大兴安岭是落叶松的故乡，小兴安岭是红松的故乡。这些森林是开展野外生存、定向越野、森林探险、漂流运动的优良场所，是天然大氧吧。著名的旅游名山有长白山、棋盘山、笔架山、千山、凤凰山等，雄、奇、险、秀等特点突出。

草原资源广阔优质。天然草场主要分布在呼伦贝尔草原、科尔沁草原、锡林郭勒草原。呼伦贝尔草原有“牧草王国”之称，是世界著名的天然牧场，总面积约 10 万平方公里，天然草场面积占 80%。科尔沁草原面积约 4.23 万平方公里，锡林郭勒草原约为 18 万平方公里。

河流湖泊湿地众多。河流分为松花江和辽河流域两个一级区，主要有黑龙江、乌苏里江、松花江、东辽河、西辽河、鸭绿江、图们江等河流。南部有辽阔的海域，海岸线漫长，达 2017 公里。分布有大量的湿地，有 50 多个湿地自然保护区，尤以三江平原和松嫩平原分布最为集中。2013 年，湿地面积为 10.4 万平方公里，天然湿地占湿地面积的 92.2%，沼泽湿地占天然湿地面积的 81.1%。扎龙湿地、呼伦湖、龙湾湿地全国出名。东北地区有大量的湖泊，2010 年湖泊面积为 1.13 万平方公里，10 ～ 50 平方公里的湖泊有 90 个，50 ～ 100 平方公里和 >100 平方公里的湖泊有 11 个和 12 个。著名湖泊有长白山天池、松花湖、镜泊湖、五大连池、兴凯湖。

3. 历史文化

东北地区发展历史悠久，文化特色鲜明，包括辽金文化、宗教文化、工业文化、关东文化等，积累了大量的历史文化遗存（师瑞娟，2005）。沈阳市、吉林市、集安市、长春市、哈尔滨市、齐齐哈尔市均为国家级历史文化名城。这为东北地区发展文化旅游提供了强大的资源基础。

（1）辽金清文化。东北地区是历史上少数民族的发祥地，包括契丹、女真族、满族、蒙古族，也是中国金、辽、清王朝的发源地。历史上的夫余国、高句丽国、渤海国均分布在东北地区。这形成了大量的遗迹遗存。著名历史古迹有宁古塔城遗址、渤海国上京龙泉府遗址、阿城完颜阿骨打陵园、上京会宁府遗址、沈阳故宫、福陵、北陵、永陵、昭陵等。

（2）宗教文化。东北地区因少数民族构成复杂而有各种信仰，在历史上也形成了各种宗教遗存，包括寺庙、道观等。现有的宗教有佛教、道教、伊斯兰教等。著名旅游资源有齐齐哈尔万寿寺、海云寺、辽代白塔、朝阳双塔等。

（3）民族文化。少数民族众多，保留了独特的民族民俗文化，包括满族农耕文化、蒙古族游牧文化、鄂伦春族和达斡尔族的狩猎文化与赫哲族的渔猎文化等。

（4）外来文化。在近代随外国势力和外国移民流入过程中，东北地区形成了特色突出的外来文化，在建筑景观、宗教信仰、生活方式等方面有着明显的不同。著名旅游资源有斯大林大街、哈尔滨圣索菲亚教堂等。

（5）知青文化。20 世纪 50 年代的北大荒原垦荒和 60 年代的知识青年扎根东北边疆，形成了浓郁的知青文化、垦区文化、林区文化。

（6）工业文化。20 世纪 50 年代开始的工业化建设与苏联援建“156 项目”的布局，促使东北地区形成了浓厚的工业文化，造就了“铁人”精神。长春为著名的汽车城，大庆为油城，抚顺为煤都，鞍山为钢都。著名旅游资源有长春电影城、大庆铁人纪念馆、阜新海州露天矿国家矿山公园、赤峰巴林石国家矿山公园。

4. 民俗民族

东北地区是少数民族集聚的地区，居住着满族、蒙古族、朝鲜族、鄂伦春族等 46 个少数民族，人口数量较多的少数民族有十几个。黑龙江北部、吉林东部、辽宁西部和东部是少数民族分布较为集中的地区。朝鲜族和满族是人口数量较多的少数民族，达斡尔族、赫哲族、鄂伦春族是中国人口最少的少数民族。同时，东北地区与朝鲜、俄罗斯、蒙古国为邻，异域文化特色突出。各民族传统文化浓郁，风俗习惯不同，构成了独特的人文资源。这都成为重要的民族民俗旅游资源。

部分少数民族仍保留着本族人原有的生活方式和文化信仰，满族、朝鲜族以农耕为主，赫哲族以捕鱼为主，鄂伦春族以狩猎为主，蒙古族和达斡尔族以游牧为主，北方少数民族的特有民俗风情依然浓厚。部分民族仍保留着传统的生存方式，如杀生鱼、独木舡、桦树皮衣等。少数民族节庆活动内容丰富，形式多样，有蒙古族那达慕和祭敖包节、赫哲族乌日贡节、鄂伦春篝火节、鄂温克瑟宾节、满族药香节和颁金节、朝鲜族回甲节和回婚节等。

东北地区有很多地域文化。如满族的民间祭祀、皮影戏、木偶戏、民间工艺（赫哲族鱼皮制作技艺、桦树皮制作技艺）、朝鲜族农乐舞、鄂伦春族古伦木沓节、达斡尔族鲁日格勒舞、民间曲艺（东北大鼓、达斡尔族乌钦、赫哲族伊玛堪）、杂技与竞技（朝鲜族跳板、秋千）等。东北最具民俗风情的地方是刘老根大舞台、本山快乐营、榕城大剧院、和平大戏院等（国英男和关吉臣，2013）。

少数民族有着独具特色的传统体育项目。具有代表性的有满族的马术、骑射、双飞舞、溜冰车、赛马、抽冰猴及雪地走和冰嬉，朝鲜族的荡秋千、压跳板、跷跷板，蒙古族的赛马、摔跤，鄂温克族和鄂伦春族的滑雪、赛狗爬犁、猎狗熊及斗熊，赫哲族的叉草球、打爬犁、赛狗爬犁、冰磨、快马子赛，锡伯族的蹬冰滑子、撑冰车，达斡尔族的打冰哧溜等（徐金庆和高洪杰，2010）。

5. 工业旅游

工业遗产是由生产场所、生活场所、交通系统等构成的产业遗存，是具有历史、技术、社会、建筑或科学价值的工业文化遗迹，如机械、厂房、仓库货栈、交通运输及基础设施等和工业相关的社会活动场所，是反映工业文明的主要载体。东北地区是中国著名的老工业基地，是新中国工业成长的摇篮，曾集中了 1/3 的“156”项目，工业遗产保存较为完好，类型齐全丰富，开发利用工业遗产、开展工业旅游具有得天独厚的先决条件和良好基础。重要的工业城市有中国的钢都鞍山、煤都抚顺、汽车城长春、林都伊春、最大的油田大庆、“动力之乡”哈尔滨、“重型机械之乡”齐齐哈尔。重要工业遗产有大庆的第一口油井、抚顺的西露天煤矿、中东铁路的建筑群、中国第一座近代金矿夹皮沟金矿、中国最古老的啤酒厂和面包房（哈尔滨）、松基三井。国家级工业遗产清单有鞍山钢铁厂、旅顺船坞、本溪湖煤铁公司、沈阳铸造厂、国营庆阳化工厂、铁人一口井、龙江森工桦南森林铁路、抚顺西露天煤矿、营口造纸厂、大连冷冻机厂铸造工厂、一种富拉尔基厂区。2009年，阜新海州露天矿国家矿山公园被批准为全国首个工业遗产旅游示范区。

还有重要的工业博物馆，如一汽红旗文化馆、大庆铁人王进喜纪念馆、沈阳铸造博物馆。东北各城市的工业建筑遗产较多，有些已经被各城市列入重点保护建筑名单，其中以沈阳、大连、长春、哈尔滨四个城市最为突出。具体如表6-1所示。东北地区还拥有一批历史悠久、技术先进、实力雄厚的大型或特大型的工业企业，包括鞍钢集团、哈电集团、大庆油田、沈阳机床、金杯汽车、大连造船、沈飞集团、一汽集团、哈飞集团。先进的生产工艺与现代化的技术设备是重要的工业旅游资源。

这些得天独厚的产业资源是东北工业基地发展工业旅游的根本保障。

表6-1　东北地区具有代表性的工业遗产博物馆

省份	名称	主要特征
辽宁省	沈阳铸造博物馆	国内最大铸造博物馆，3A级文化景点
	沈阳铁西工人村生活馆	国内首个以工人生活为题材的原生态博物馆，2A级景点
	沈飞航空博览园	全国工业旅游示范点，4A级景点
	大连长兴酒文化博物馆	国内首家酒庄式酒文化博物馆，全国工业旅游示范点
吉林省	中国长春汽车博物馆	首批工业旅游示范点
	吉林市丰满水电博物馆	国内首座展示水电历史的主题博物馆
黑龙江省	中国铝镁加工业历史展览馆	国内以铝镁加工业为题材的企业博物馆
	大庆油田历史陈列馆	全国首个以石油工业为题材的原址性纪念馆，4A级景区
	大庆铁人王进喜纪念馆	中国首座工业纪念馆，全国工业旅游示范点，4A级景区

6. 红色旅游

东北地区是中国12个重点建设红色旅游区之一，拥有丰富的红色旅游资源。抗日战争和解放战争遗留了许多纪念地和革命遗址，在全国100百个红色旅游经典景区、重点爱国主义教育基地和30条红色旅游精品线路中，东北地区所占比例较高，具体如表6-2所示。辽宁省拥有国家级爱国主义教育示范基地10个、省级35个；黑龙江省拥有12个革命老区，240余处烈士陵园、纪念碑、抗联遗址，47个爱国主义教育基地；吉林省拥有1个红色旅游区、3个红色旅游景区、6个“红色旅游经典景区”（罗方迪，2017）。其中，“九一八”事变博物馆、杨靖宇烈士陵园、侵华日军第七三一部队罪证陈列馆、抗美援朝纪念馆等红色景点知名度较高。

表6-2　东北重点红色旅游景点分布

省份	100个红色经典景区	30条红色旅游精品线路
辽宁	“九一八”历史博物馆、沈阳抗美援朝烈士陵园、平顶山惨案遗址纪念馆、战犯管理所旧址、丹东市抗美援朝纪念馆、鸭绿江断桥景区、辽沈战役纪念馆、黑山阻击战纪念馆、塔山阻击战纪念馆、大连市关向应故居纪念馆	沈阳－锦州－葫芦岛－秦皇岛线

续表

省份	100 个红色经典景区	30 条红色旅游精品线路
吉林	四平战役纪念馆、四平革命烈士陵园、四平烈士纪念塔、白山市郊七道江遗址、“四保临江”烈士陵园、陈云旧居、靖宇县杨靖宇将军殉难地、通化市杨靖宇烈士陵园	四平－吉林－敦化－延吉－白山－临江－通化－集安线
黑龙江	东北烈士纪念馆、东北抗联博物馆、哈尔滨烈士陵园、侵华日军第七三一部队罪证陈列馆、尚志市革命烈士陵园、赵一曼被捕地、牡丹江市八女投江革命烈士陵园、海林市杨子荣烈士墓及剿匪遗址、宁安市马骏故居和纪念馆	哈尔滨－阿城－尚志－海林－牡丹江线
蒙东地区	满洲里红色国际秘密交通线教育基地	

7. 国际资源

东北地区拥有沿海、沿江、沿边的地缘优势，是东北亚地区的核心，与俄罗斯、朝鲜、蒙古国等国家山水相依。边境口岸众多，一类口岸和二类口岸达 50 个，代表性口岸有绥芬河、满洲里、图们、丹东、阿尔山、东宁等，形成东北沿边口岸群。拥有黑龙江、乌苏里江、图们江、鸭绿江等界江，黑龙江省与俄罗斯接壤的边境线就有 3000 多公里，界江就有 2300 公里。东北地区、俄罗斯远东地区和蒙古国东部交界的国际区域存在多样的自然资源和人文资源，形成良好的区域旅游资源组合。

俄罗斯远东地区有丰富的森林、草原资源，有贝加尔湖，有浓郁的传统文化和建筑艺术等人文资源，旅游潜力巨大。尤其是滨海边疆区气候宜人，有自然保护区、渔猎采集旅游区、洞穴和瀑布等自然景观，以及以考古和历史遗迹为主的旅游观光区，还有众多的海滨浴场和季节新疗养度假区。俄罗斯远东地区适合发展自然生态探险与科考。

蒙古国东部有丰富的自然生态资源，分布有大面积的原始草原，有戈壁、江河湖泊，有悠久的游牧文化，民族生活方式和传统风俗浓厚，适合自由行和探险旅游。著名的景区有冈嘎湖和锡林博格多平原洞穴风景区、成吉思汗故乡、门纳恩平原和贝尔湖风景区。

朝鲜有着丰富的自然资源、悠久的历史文化和淳朴的民风民俗，有漫长的海岸线和众多河流山川，有高品质的海滨、岛屿与森林，素誉“三千里锦绣江山”。重点旅游景区有金刚山、元山、白头山、妙香山、七宝山、大同江，旅游城市有平壤、开城。

三、东北旅游资源特点

旅游特色是一个地区发展旅游活动的最重要因素。综合张奎燕（2002）等学者的研究，东北地区的旅游资源特色主要有如下几点。

（1）原始性。旅游资源开发较晚，许多自然旅游资源仍处于未开发和初步开发阶段，针叶林、阔叶林、针阔混交林保存着原始面貌，有着朴实、和谐的自然美。自然保护区的分布密度较大，有 14 个；长白山自然保护区是国际生物圈保护区之一。

（2）垄断性。冰雪、森林、草原、民族习俗等旅游资源有着较强的垄断性，具有较高的竞争力，不易被其他地区所替代。长白山的苔原带有着极美的景观，在地球上温带大陆东岸仅此一块；镜泊湖是中国最大的熔岩堰塞湖。

（3）综合性。旅游资源具有明显的综合性，既有自然旅游资源，也有悠久的人文景观资源；既有地质资源、草原资源、森林资源，也有民族风情、冰雪运动、风俗习惯等资源。

（4）丰富性。旅游资源极为丰富，数量多，种类齐全，品种多样，囊括了 8 个大类、33 个亚类和 155 种基本类型。特别是冰雪资源丰富，森林、湿地、边境、民俗等资源独具特色。

第二节　东北地区旅游吸引力评价

一、研究数据

本研究的数据主要来自国家旅游局、辽宁省旅游局、吉林省旅游局、黑龙江旅游局、内蒙古旅游局官方网站公布的国家景区名单以及旅游网站。本研究按照旅游资源的科学属性，划分为地文景观类、自然综合类、水域风光类、生物景观类、天象气候类、景观建筑类、人文综合类、文化场所类、遗产遗迹类、保健疗养类、产业休闲类、公共游憩类、购物休闲类、体育健身类、娱乐休闲类。

本书采用的旅游资源数据主要包括如下种类：国家 A 级景区、世界文化遗产、世界自然遗产、国家地质公园、国家森林公园、国家水利风景区、国家湿地公园、国家文物保护单位、国家风景名胜区、国家自然保护区。

二、资源数量结构

1. 区域概况

经过梳理，东北地区的旅游资源共计 1832 处。旅游资源的数量分布形成自然景观与人文景观为主、休闲服务类为辅的格局。自然景观类与人文景观类旅游资源数量多，分布广。如表 6-3 所示，自然景观类数量 826 处，占比为 45.1%；人文景观类 810 处，占比为 44.2%。两类旅游资源的数量占比达到 89.3%。休闲服务类，仅有 194 处，占比 10.6%。在亚类型中，自然综合类 687 处，占比为 37.6%；其次是遗产遗迹类 472 处，占比为 25.8%。另外，人文综合类和文化场所类，分别有 143 处和 134 处，占比分别为 7.8% 和 7.3%。其余地文景观类、水域风光类、生物景观类等 11 种旅游资源类型均低于 100 处，数量较少的分别是公共游憩类、购物休闲类和天象景观类，占比分别为 0.6%、0.4% 和 0.1%。

表 6-3　东北地区旅游资源单体的结构类型

大类	子类	数量 / 处	占比 /%	大类	子类	数量 / 处	占比 /%
人文景观类	小计	810	44.21	休闲服务类	购物休闲类	8	0.44
	景观建筑类	61	3.33		体育健身类	21	1.15
	人文综合类	143	7.81		娱乐休闲类	64	3.49
	文化场所类	134	7.31	自然景观类	小计	826	45.09
	遗产遗迹类	472	25.76		地文景观类	35	1.91
休闲服务类	小计	194	10.59		生物景观类	18	0.98
	保健疗养类	24	1.31		水域风光类	84	4.59
	产业休闲类	67	3.66		天象景观类	2	0.11
	公共游憩类	10	0.55		自然综合类	687	37.6

东北地区共有 A 级景区 1053 处，占比为 57.4%。其中，5A 级景区共有 23 处；4A 级景区有 322 处，数量较多；3A 级景区有 388 处，数量最多；2A 级景区有 280 处，而 A 级景区有 40 处。国家湿地公园和国家森林公园分别有 117 处和 103 处，占比分别为 6.4% 和 5.6%；国家自然保护区有 86 处，国家水利风景区有 60 处；国家地质公园有 18 处，国家风景名胜区和世界文化遗产分别有 7 处和 3 处。国家文物保护单位较多，共有 385 处。

2. 省区分布

从旅游资源数量来看，东北四省区分布不均衡，如表 6-4 所示。黑龙江省的旅游资源数量较多，达到 663 处，占比为 36.2%；辽宁省的旅游资源数量有 530 处，占比为 28.9%；吉林省和蒙东地区相对较少，分别为 334 处和 306 处，占比分别为 18.2% 和 16.7%。

表 6-4　东北地区旅游资源的省区分布结构

省区	黑龙江省	吉林省	辽宁省	蒙东地区	东北地区
A 级景区	21	8	9	2	40
2A 级景区	138	36	53	53	280
3A 级景区	157	36	159	36	388
4A 级景区	120	58	108	36	322
5A 级景区	8	6	7	2	23
国家森林公园	54	30	0	19	103
国家水利风景区	18	23	7	12	60
国家湿地公园	50	19	15	33	117

续表

省区	黑龙江省	吉林省	辽宁省	蒙东地区	东北地区
国家地质公园	0	6	7	5	18
国家自然保护区	35	17	16	18	86
国家风景名胜区	0	0	5	2	7
世界文化遗产	0	1	1	1	3
国家文物保护单位	61	94	143	87	385
数量合计	663	334	530	306	1833

从重要的旅游资源来看，各省有着不同的禀赋水平。

世界文化遗产，东北地区共有 3 处，其中吉林、辽宁和蒙东地区各有 1 处世界文化遗产。

国家地质公园，辽宁和吉林分别有 7 处和 6 处，蒙东地区有 5 处。

国家湿地公园，黑龙江最多，数量达到 50 处，占比为 42.7%；其次，蒙东地区有 33 处，占比为 28.2%；吉林和辽宁分别有 19 处和 15 处，占比分别为 16.2% 和 12.8%。

国家森林公园，黑龙江最多，数量达到 54 处，占比为 52.4%；吉林有 30 处，蒙东地区有 19 处。

国家水利风景区，吉林省的国家水利风景区最多，达到 23 处；黑龙江和蒙东地区分别有 18 处和 12 处，辽宁省有 7 处。

国家风景名胜区，辽宁和蒙东地区分别有 5 处和 2 处。

4A 级景区，黑龙江最多，达到 120 处，占比为 37.3%；辽宁有 108 处，占比为 33.5%；吉林和蒙东地区分别有 58 处和 36 处，占比分别为 18% 和 11.2%。

5A 级景区，黑龙江省和辽宁、吉林较多，分别有 8 处、7 处和 6 处，蒙东地区有 2 处。

3. 市域分布

旅游资源的空间分布差异大。各地区有着不同的资源禀赋水平，这是决定旅游吸引力存在差异的基础。松嫩平原、辽中南和蒙东地区的旅游资源量较多，这种富集水平是由不同的基础所塑造的。在松嫩平原地区，以哈尔滨为中心向四周呈现衰减的格局。辽东北地区、吉林西部地区和三江平原地区的旅游资源数量较少。

从具体地区来看，哈尔滨和沈阳旅游资源总量较多，均高于 100 处，分别有 152 处和 122 处，占比分别为 8.29% 和 6.66%。呼伦贝尔和赤峰的旅游资源数量较多，分别有 99 处和 94 处，占比分别为 5.4% 和 5.13%；大连市有 81 处。上述 5 个地市共集中了东北地区 29.9% 的旅游资源数量。牡丹江、吉林市、齐齐哈尔市的旅游资源数量均超过 60 处，伊春、延边州、绥化市均超过 50 处。长春、朝阳、黑河、鞍山、通化、锡林郭勒盟、白山、大庆、大兴安岭地区、鸡西 10 个地区的旅游资源数量均超过 40 处。双鸭山、佳木斯、通辽、葫芦岛、兴安盟、锦州、四平、抚顺 8 个地区的旅游资源数量均超过 30 处。本溪、丹东、鹤岗、松原、白城、辽阳和铁岭 7 个地区均的旅游资源数量超过 20 处。营口、阜新、辽源、盘锦 4 个地区的旅游资源数量均超过 10 处，七台河的旅游资源数量最少，仅有 7 处。

从高等级的旅游资源来看，各地区有着不同的富集水平。

世界文化遗产，主要分布在沈阳、通化和锡林郭勒盟，分别为盛京三陵、高句丽古城和元上都遗址。

国家地质公园，白山市的国家地质公园数量最多，达到 3 处；赤峰、大连均有 2 处；沈阳、呼伦贝尔、朝阳、通化、锡林郭勒、葫芦岛、兴安盟、锦州、四平、本溪、松原 11 个地区均有 1 处国家地质公园。

5A 级景区，长春市的 5A 级景区最多，达到 4 处；大连、牡丹江、伊春、延边州、黑河和葫芦岛均有 2 处；哈尔滨、沈阳、呼伦贝尔、鞍山、大兴安岭地区、兴安盟、本溪 7 个地区均有 1 处。

4. 县域分布

东北地区共有 237 个县区单位，但有旅游资源禀赋的县区有 228 个，覆盖率达到 96.2%。从空间来看，旅游资源数量较多的县区主要分布在长白山地区、辽中南地区、大兴安岭地区、辽西北地区。其中，沈阳市辖区的旅游资源数量最多，达到 94 处。哈尔滨市辖区较多，达到 54 处；大连市辖区、伊春市辖区、齐齐哈尔市辖区、长春市辖区均超过 40 处，伊春市和齐齐哈尔市之所以数量多是因为囊括了许多孤立的城市区；而吉林市达到 34 处。上述县区数量达到 7 处，占东北县区数量的 3.1%。有 5 个县区的旅游资源数量为 16 ～ 20 处，占比为 2.2%，有 44 个县区的旅游资源数量为 10 ～ 15 处，占比为 19.3%。有 76 个县区的旅游资源数量为 6 ～ 10 处，占比达到 33.3%，即 1/3。有 95 个县区的旅游资源数量低于 6 处，占比达到 41.7%。

重要旅游资源类型及其分布如下。

世界文化遗产，分别分布在集安市、新宾县和正蓝旗。

国家地质公园，大连市辖区、阿尔山、本溪县、朝阳市辖区、庄河市、巴林左旗、鄂伦春自治旗、宁城、四平市辖区、长白县、康平、义县、建昌、锡林浩特、抚松、辉南、靖宇和乾安等县区各有 1 个国家地质公园。

5A 级景区，长春市辖区的 5A 级景区最多，达到 4 处；大连市辖区、伊春市辖区、宁安市、五大连池市、绥中县均有 2 处；沈阳市辖区、哈尔滨市辖区、鞍山市辖区、漠河市、敦化市、满洲里市、阿尔山市、安图县和本溪县均有 1 处 5A 级景区。

4A 级景区，4A 级景区的县区覆盖数量达到 133 处，覆盖率达到 56.1%。其中，哈尔滨市辖区的 4A 级景区数量最多，达到 21 处，沈阳市辖区、长春市辖区分别有 17 处和 15 处，大连市辖区和吉林市辖区分别有 14 处和 10 处。海林市有 8 处，盖州市、齐齐哈尔市辖区、伊春市辖区分别有 6 处，大庆市辖区、锦州市辖区、林甸县分别有 5 处；杜尔伯特县、宁安市、尚志市、绥中县和瓦房店市分别有 4 处。有 14 个县区有 3 处 4A 级景区，有 40 个县区均有 2 处 4A 级景区，有 62 个县区有 1 个 4A 级景区。

三、资源质量分异

1. 总体结构

东北地区旅游资源吸引力总得分为5681.8。如图6-1所示，不同的资源类型，有着不同的旅游吸引力。4A级景区、3A级景区、国家文物保护单位有着较高的旅游吸引力，得分分别为1288、1164和1117，分别占东北地区旅游资源吸引力总得分的22.67%、20.49%和19.65%。其次是2A级景区、国家湿地公园、国家森林公园和国家自然保护区，得分分别为560、409.5、350.2和318.2，占比分别为9.86%、7.21%、6.16%和5.6%。再次是国家水利风景区和5A级景区，得分分别为204分和115分，占比分别为3.59%和2.02%。国家地质公园、1A级景区、国家风景名胜区和世界文化遗产的得分较低，分别为64.8、40、30.1和21，占比分别为1.14%、0.7%、0.53%和0.37%。

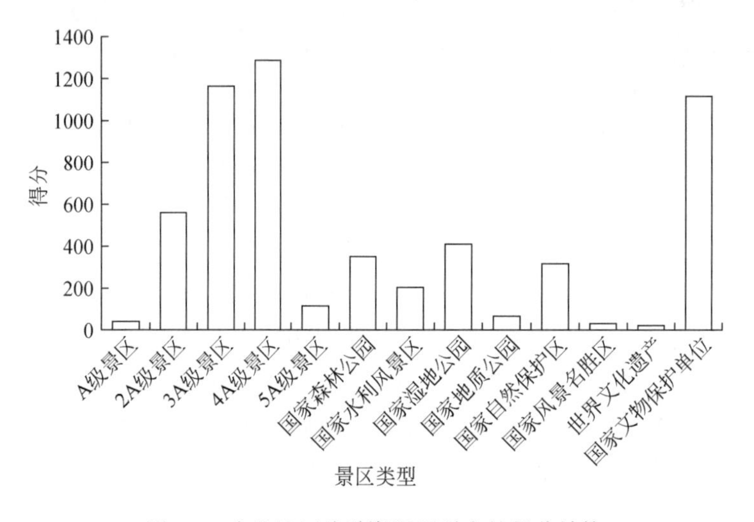

图6-1　东北地区旅游资源吸引力的得分结构

2.省区分布

如表6-5所示，从各省区来看，黑龙江的旅游吸引力最高，得分为2014.8，占比为35.46%。其次是辽宁省有较高的旅游吸引力，达到1662.8，占比为29.27%；吉林省和蒙东地区的吸引力分别为1060.8和943.4，占比分别为18.67%和16.6%。

表6-5　东北地区旅游资源吸引力的省区结构

省区	黑龙江		吉林		辽宁		蒙东	
	得分	占比/%	得分	占比/%	得分	占比/%	得分	占比/%
1A级景区	21.0	1.0	8.0	0.8	9.0	0.5	2.0	0.2
2A级景区	276.0	13.7	72.0	6.8	106.0	6.4	106.0	11.2
3A级景区	471.0	23.4	108.0	10.2	477.0	28.7	108.0	11.4
4A级景区	480.0	23.8	232.0	21.9	432.0	26.0	144.0	15.3
5A级景区	40.0	2.0	30.0	2.8	35.0	2.1	10.0	1.1
国家森林公园	183.6	9.1	102.0	9.6	0.0	0.0	64.6	6.8

续表

省区	黑龙江		吉林		辽宁		蒙东	
	得分	占比 /%	得分	占比 /%	得分	占比 /%	得分	占比 /%
国家水利风景区	61.2	3.0	78.2	7.4	23.8	1.4	40.8	4.3
国家湿地公园	175.0	8.7	66.5	6.3	52.5	3.2	115.5	12.2
国家地质公园	0.0	0.0	21.6	2.0	25.2	1.5	18.0	1.9
国家自然保护区	129.5	6.4	62.9	5.9	59.2	3.6	66.6	7.1
国家风景名胜区	0.0	0.0	0.0	0.0	21.5	1.3	8.6	0.9
世界文化遗产	0.0	0.0	7.0	0.7	7.0	0.4	7.0	0.7
国家文物保护单位	176.9	8.8	272.6	25.7	414.7	24.9	252.3	26.7

（1）辽宁省。3A 级景区、4A 级景区和国家文物保护单位的旅游吸引力最高，分别为 477、432 和 414.7，占比分别为 28.7%、26% 和 24.9%，合计占 79.6%。此外，2A 级景区的旅游吸引力较高，得分达到 106，占比为 6.4%。

（2）吉林省。国家文物保护单位和 4A 级景区的旅游吸引力较高，得分分别为 272.6 和 232，占比分别为 25.7% 和 21.9%；其次是 3A 级景区和国家森林公园，得分分别为 108 和 102，占比分别为 10.2% 和 9.6%；其他类型旅游资源的得分较低。

（3）黑龙江省。4A 级景区和 3A 级景区的旅游吸引力较高，分别为 480 和 471，比重分别为 23.8% 和 23.4%；其次是 2A 级景区，达到 276，占比为 13.7%；国家森林公园、国家文物保护单位、国家湿地公园和国家自然保护区的得分均超过 100；国家水利风景区、5A 级景区和 1A 级景区的得分较低。

（4）蒙东地区。国家文物保护单位的得分最高，达到 252.3，占比为 26.7%；4A 级景区、国家湿地公园、3A 级景区和 2A 级景区得分均超过 100；国家自然保护区、国家森林公园的旅游资源吸引力得分分别为 66.6 和 64.6，国家水利风景区为 40.8；其他类型资源的旅游资源吸引力得分较低。

3. 地市分布

根据 41 个地市的量化评价，可以发现东北地区地市旅游资源吸引力形成了 20.2 ～ 474.3 的得分跨度，均值水平为 138，高于均值水平的地市仅有 14 个，占比为 34.1%，这些地市的旅游资源吸引力占东北地区的 57.8%。65.9% 的地市旅游资源吸引力仅占东北地区的 42.2%。

旅游资源吸引力等级具有梯度分布规律，且呈现出中等水平地市数量多，高、低水平数量少的梭形结构。将不同地区的旅游资源吸引力划分为五个不同的梯度。

（1）梯度Ⅰ。旅游资源吸引力得分超过 400 的地市，仅有哈尔滨市，达到 474.3，占东北地区旅游吸引力总量的 8.3%，成为东北地区最具旅游吸引力的城市。

（2）梯度Ⅱ。旅游资源吸引力得分为 300 ～ 400 的地市，主要包括沈阳市和呼伦贝尔市，得分分别为 368.1 和 311.5，分别占东北地区旅游资源总吸引力的 6.66% 和 5.4%，合计占 12.06%。

（3）梯度Ⅲ。旅游资源吸引力得分为 200 ～ 300 的地市，主要包括赤峰市、大连市、牡丹江市、吉林市4个地区，得分分别为288、265.3、219.8和201.1。地区数量占地级政区数量的9.8%，旅游资源吸引力合计占比为16.8%。

（4）梯度Ⅳ。旅游资源吸引力得分为100～200的地市，主要包括齐齐哈尔市、伊春市、延边州、绥化市、长春市、朝阳市、黑河市、鞍山市、通化市、锡林郭勒盟、白山市、大庆市、大兴安岭地区、鸡西市、双鸭山市、佳木斯市、通辽市、葫芦岛市、锦州市、四平市和抚顺市。地区数量达到22个，占东北地级政区数量的53.6%；旅游资源吸引力得分共计2875.2，占东北地区旅游资源总吸引力的50.9%。

（5）梯度Ⅴ。旅游资源吸引力得分低于100的地区，包括本溪市、丹东市、鹤岗市、松原市、白城市、辽阳市、铁岭市、营口市、阜新市、辽源市、盘锦市和七台河市。地区数量达到12个，占东北地级政区总量的29.3%，旅游资源吸引力合计为678.5，占东北旅游资源总吸引力的12%。

市域旅游资源吸引力具有明显的空间分异格局。自然景观类资源形成了以自然综合类为主的结构，质量指数均值水平为66.2，高于均值的地市有伊春、呼伦贝尔、牡丹江等16个，占比为39%，最高的为哈尔滨（250.7），主要分布在大小兴安岭、长白山地区。均值以下的地市有长春、鞍山、铁岭等25个，占比为61%，七台河最低（15.3），这部分地市主要集中在东北中部平原地区。人文景观类的旅游资源内部结构相对多样，但遗产遗迹类的质量指数居高，其次为文化场所类、人文综合类。人文景观类质量指数均值水平为57.4，高于均值的地市包括大连、哈尔滨、赤峰等18个，占比为43.9%，最高为沈阳（197），低于均值的有鸡西、白山、丹东等23个，占比为56.1%，七台河（2.9）最低。该类型的旅游资源吸引力与自然景观类存在相反的空间分异格局，较高的地区集中在东北中部平原，而东北与北部及西部山区较低。休闲服务类旅游资源吸引力仅有赤峰、长春、沈阳中较高，全部地市的质量指数均值水平仅为14.4，68.3%的地市低于均值水平，而本溪、伊春、鸡西缺少该类旅游资源。

4. 县区分布

县区单位之间的旅游资源吸引力得分呈现出较大的差异。东北地区旅游资源总吸引力为5681.8，共有237个县区单位，县区平均得分为24；其中，有76个县区的旅游吸引高于平均分，占比为32.1%，不足1/3；有152个县区的旅游资源吸引力低于平均分，占比为64.1%；有9个县区未能形成旅游资源吸引力。旅游资源吸引力的县区分布呈现明显的不平衡，多数县区得分较低，仅有少数县区得分较高。总体来看，长白山、三江平原、大兴安岭、呼伦贝尔草原、辽西北、辽东等地区旅游资源吸引力较高，而松嫩平原、辽中南、吉林中部、科尔沁草原和锡林郭勒草原等地区旅游资源吸引力较低。

县区旅游吸引力的大致分为五个等级。

（1）等级Ⅰ。旅游资源吸引力得分为160～200，仅覆盖沈阳市辖区，得分为287.7，占东北地区旅游总吸引力的5.06%。

（2）等级Ⅱ。旅游资源吸引力得分为120～160，覆盖4个地区，包括哈尔滨市辖区、大连市辖区、伊春市辖区、长春市辖区，得分分别为183.6、156.7、141.6和140.3，合计占东北地区旅游资源总吸引力的12%。

（3）等级Ⅲ。旅游资源吸引力得分为 80 ～ 120，主要覆盖 2 个地区，分别为齐齐哈尔市辖区和吉林市辖区，得分分别为 117.4 和 107.3，合计占东北地区旅游资源总吸引力的 3.96%。

（4）等级Ⅳ。旅游资源吸引力得分为 40 ～ 80，覆盖 19 个县区，占东北县区总量的 8%，得分为 883，占东北地区旅游资源总得分的 15.5%。

（5）等级Ⅴ。数量多，得分总计高。旅游资源吸引力得分为 1 ～ 40，覆盖 201 个县区，占东北县区总量的 84.8%，得分为 3664.2，占东北地区旅游资源总吸引力的 64.5%。

第三节　东北地区旅游业现状与问题

一、旅游业发展特征

1. 综合性旅游资源开发态势形成，旅游知名度日渐提高

东北地区囊括了 8 个大类、33 个亚类和 155 种基本类型旅游资源，资源种类齐全，禀赋丰富。经过长期的开发与建设，东北地区基本形成了综合性的旅游开发态势，各种类型的旅游形式与类型基本具备，但发展水平不一。这些旅游类型包括生态旅游、历史文化旅游、民族民俗旅游、冰雪旅游、都市旅游、边境旅游、红色旅游、工业旅游等。部分旅游活动类型，如生态旅游、文化旅游、都市旅游等，进入了深度开发的发展阶段；部分旅游活动进入了快速发展阶段，如冰雪旅游、边境旅游等。

东北地区有着丰富的旅游资源，冬季的冰雪资源、原始森林、草原、北大荒等自然资源以及东北独特的民俗文化资源，让旅行者有着独特的认知。哈尔滨、长春、沈阳、大连的旅游知名度较高，是最具有吸引力的旅游地；鞍山、丹东、吉林、延边、呼伦贝尔等地区的旅游知名度也不断提高。部分景区资源的知名度日渐提高，成为东北旅游的名片。辽宁省有着著名的大连老虎滩海洋公园、盘锦红海滩、沈阳故宫，吉林省有长春国际雪博会、长白山天池，黑龙江省有哈尔滨冰雪大世界、哈尔滨冰雪节、查干湖、漠河北极村。东北地区的旅游形象逐渐形成，丹东被称为“最美的边境城市”，牡丹江素有北国“小九寨”之称，佳木斯为祖国“东端明珠”，珲春是“一眼望三国”。

2. 旅游市场规模日益扩大

东北地区旅游市场逐步扩大，并成为区域发展的亮点。2018 年 12 月，马蜂窝旅游网和中国旅游研究院的共同研究发现，东北地区的旅游业经历了一轮显著增长，其中黑龙江旅游热度涨幅最高，达到 152%，辽宁和吉林等旅游热度涨幅也分别达到 139% 和 133%（李晓红，2018）。

接待游客数量逐年上升。如图 6-2 和表 6-6 所示，2003 年，东北三省共接待国内外游客数量达到 1.24 亿人次，2010 年增长至 5.1 亿人次，2019 年提高到 11.1 亿人次，

与2003年相比增长了约8倍。其中，辽宁省的接待游客最多，2019年达到6.4亿人次，占东北三省总量的57.8%；吉林省和黑龙江省的接待游客规模相当，分别为2.48亿人次和2.2亿人次，占比分别为22.4%和19.8%。东北三省接待游客数量占全国的比例也呈现不断增长的趋势，2003年为12.88%，2010年一度提高到22.83%，2019年提高到18.03%，比2003年提高了5.15个百分点。东北主要客源地为本地，区外市场主要是华北和华东地区，尤其是周边的北京、天津、内蒙古和河北等市场。在入境旅游市场中，多数是外国游客，其次是港澳台游客，入境国家覆盖数量众多。日本、韩国、俄罗斯是主要的境外客源市场，而且互为客源地与目的地，三国的入境游客量占东北全部入境游客量的78%。其中，俄罗斯入境游客增长显著，主要来自远东地区。

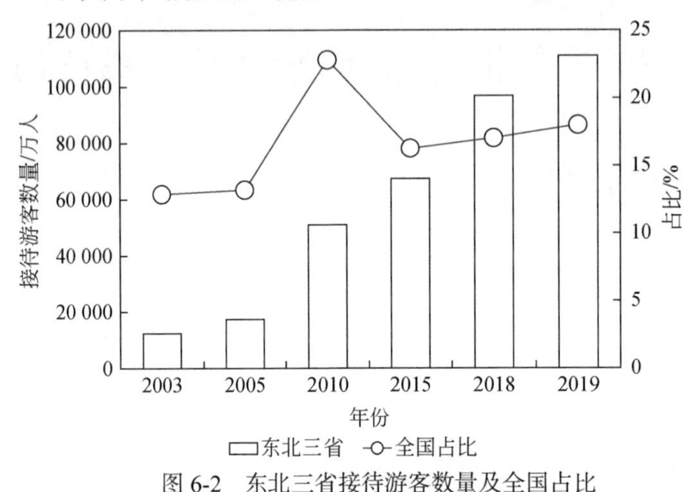

图6-2　东北三省接待游客数量及全国占比

表6-6　东北三省接待游客数量及占全国比重

年份	辽宁省/万人次	吉林省/万人次	黑龙江省/万人次	东北三省/万人次	全国/万人次	全国占比/%
2003	6 380.5	2 352.33	3 648.7	12 381.5	96 166	12.88
2005	9 990.2	2 888	4 548	17 426.2	132 029	13.20
2010	28 639.3	6 490.9	15 874	51 004.2	223 376	22.83
2015	39 974.7	14 130.9	13 157.2	67 262.8	413 382	16.27
2018	56 499.1	22 156.4	18 209	96 864.5	568 120	17.05
2019	64 169.7	24 833	22 000	111 002.7	615 531	18.03

21世纪以来，东北地区的旅游总收入增速连续五年超过全国平均水平。如图6-3所示，2003年，东北三省的旅游总收入达到802.13亿元，2010年提高至4303.13亿元，2019年达1.38万亿元，比2003年增长了16倍。东北三省旅游收入占全国的比例呈现不断提高的态势，2003年占比为17.34%，比游客占比高出4.46个百分点，2010年一度提高到27.42%，2019年旅游收入占比达20.89%，比2003年提高了3.55个百分点。

入境旅游是东北地区旅游业的重要组成部分，入境旅游收入也呈现出不断增长的态势。如表6-7所示，2003年，东北三省的国际旅游收入达7.64亿美元，2019年提高到29.66亿美元，增长了2.9倍。但国际旅游收入占全国的比例很低，而且呈现不断下降的态势，2003年占比仅为4.39%，2018年降至2.33%。2018年，国际旅游收入占比

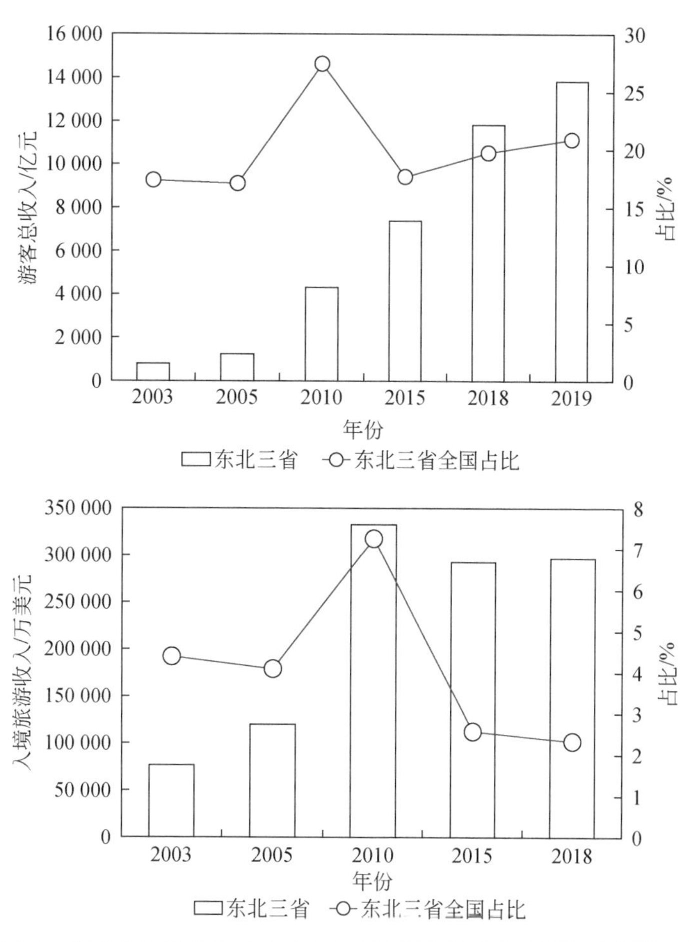

图 6-3　东北地区游客总收入（上）与国际旅游收入（下）及全国占比

比接待游客占比低 14.48 个百分点，比游客总收入占比低 17.4 个百分点。这说明东北地区的旅游市场主要是境内市场。

表 6-7　东北三省的旅游总收入及占全国比例

类型	年份	辽宁省	吉林省	黑龙江省	东北三省	全国	全国占比 /%
游客总收入 / 亿元	2003	438.1	141.73	222.3	802.13	4 625	17.34
	2005	734.6	227.5	280.3	1 242.4	7 278	17.07
	2010	2 686.9	732.83	883.4	4 303.13	15 694	27.42
	2015	3 722.7	2 315.2	1 361.4	7 399.3	41 926	17.65
	2018	5 369.8	4 210.9	2244	11 824.7	59 920	19.73
	2019	6 222.8	4 920.4	2684	13 827.2	66 179	20.89
国际旅游收入 / 亿美元	2003	4.54	0.66	2.44	7.64	174	4.39
	2005	7.38	1.20	3.40	11.98	293	4.09
	2010	22.6	3.05	7.60	33.25	458	7.26
	2015	16.4	7.24	5.60	29.24	1 137	2.57
	2018	17.4	6.86	5.40	29.66	1 271	2.33
	2019	17.4	6.15			1 313	

3. 旅游市场的空间差异显著

东北地区共有 41 个地级行政单位，这些地区有着不同的旅游资源禀赋和发展基础，由此决定了不同的发展水平，呈现出较为明显的差异。

从接待游客数量来看，中心城市有着显著的集聚优势，辽中南地区和哈大铁路沿线有明显的集中度。2018 年大连市的接待游客数量最多，达到 9398.4 万人次，占东北地区接待游客总量的 9.31%；长春、哈尔滨、沈阳均高于 8000 万人次，分别为 8988.5 万人次、8567.6 万人次和 8257.5 万人次，占比分别为 8.9%、8.48% 和 8.18%。上述 4 个城市合计占 34.87%，超过 1/3。吉林、鞍山均超过 5000 万人次，本溪超过 4000 万人次，抚顺和盘锦均超过 3000 万人次；锦州、营口、齐齐哈尔、辽阳、大庆、延边、葫芦岛、牡丹江、铁岭 9 个地区均超过 2000 万人次。呼伦贝尔、赤峰、伊春、锡林郭勒、阜新、通化、白山、黑河、鸡西、兴安盟 10 个地区超过 1000 万人次。松原、通辽、佳木斯、大兴安岭地区、绥化 5 个地区均超过 500 万人次，白城、四平、双鸭山、鹤岗、辽源 5 个地区均高于 300 万人次。

旅游收入的地区分布呈现类似的特征，但又存在一些差异。中心城市的集聚格局仍然存在，但沈阳的集中度明显下降；辽中南集聚格局弱化，边境地区的优势凸显。其中，2018 年长春市的旅游收入最高，达到 1903.5 亿元，占东北地区旅游总收入的比例为 14.04%，大连市和哈尔滨市及吉林市均高于 1000 亿元，占比分别为 10.6%、10.2% 及 7.4%。沈阳市达到 759 亿元，占比为 5.6%。呼伦贝尔市、白山市均超过 500 亿元，延边州、鞍山市均超过 400 亿元，锡林郭勒、本溪、抚顺、赤峰 4 个地区均超过 300 亿元。营口、盘锦、通化、辽阳、锦州和葫芦岛 6 个地区均超过 200 亿元，通辽、朝阳、牡丹江、大庆、铁岭、松原、伊春、齐齐哈尔、兴安盟、阜新、黑河 11 个地区均超过 100 亿元。其他地区均低于 100 亿元。

4. 旅游设施较为完善

经过长期的开发和建设，东北地区旅游业发展的基础设施与配套环境基本形成，为旅游业的发展提供了较好的支撑能力。

接待能力基本形成。服务设施比较完善，餐饮住宿设施，尤其是中心城市的旅游接待设施非常完备，旅游景区的接待水平也在不断提高。例如，大连市已有五星级酒店 5 家、四星级酒店 16 家。

配套设施基本形成。旅游商店、娱乐场所等公共设施基本配套，基本实现了移动热点、电子化导游、网上订票、旅游景观线上推荐等智能化服务的全覆盖，实现了旅游景区的智能化建设。2015 年，旅行社数量达 2576 个，旅游星级饭店为 752 个。

交通比较方便。交通网络发达，铁路网络较为完善，高速公路网密集，多数公路达到一级或二级标准，沈阳、大连、哈尔滨和长春四大国际机场直达全国各地，支线机场较多，可进入性强。

二、旅游业存在问题

1. 旅游业发展总体仍然滞后

东北地区作为老工业基地，旅游产业一直未受到足够的重视，这影响了产业发展的水平与质量。截至目前，东北地区的旅游业发展仍处于初级阶段，综合性的旅游体系尚未形成，旅游产业体量较小，生态旅游和历史文化旅游等传统旅游活动仍是主流，大部分旅游资源的优势尚未得到充分挖掘和利用，旅游产业带动作用较小，对区域发展的支撑作用不够。旅游资源的季节性明显。部分旅游活动的发展缺少方向与措施，如工业遗产旅游、红色文化旅游等，工业旅游重视生产游而忽视遗产游。部分旅游活动竞争激烈，尤其是冰雪旅游竞争突出。部分旅游形式尚未起步，如体育旅游与健康养生业，市场规模很小。景区经营管理不规范的现象仍然存在。客源以本地为主，区外境外客源相对较少。缺乏特色旅游商品和商品销售场所，缺少大型的龙头企业与连锁企业。

2. 各地区旅游产品开发雷同

东北地区有着优质而齐全的旅游资源，但旅游产品开发缺乏深度和广度，各地区产品相似度较高。除冰雪旅游产品外，其他产品缺乏吸引力，具有国内外知名度和美誉度的旅游景区相对较少，尚未形成显著的品牌效应，在全国的竞争力较低。旅游开发内容比较单一，以观光为主，专项旅游和特色旅游较少，精品路线较少，关联产业和产品未能得到发展。旅游产品同质化明显，主题雷同，尤其是冰雪旅游产品具有高度的相似性，造成各地区的同质化竞争。大草原、大森林、大湿地、大冰雪的资源优势未能得到充分挖掘利用。

各地区和企业对发展旅游缺乏科学认识，重视程度不够，市场宣传不够，仍然处于被动宣传的阶段。除少数景区做了一定水平的宣传外，多数景区没有做过宣传，缺少营销策划与形象策划，与媒体的联系松散。既有宣传手段过于传统，新兴宣传途径利用不够，缺少广泛的宣传渠道，尤其是利用互联网的市场宣传不够。许多景区缺少媒体报道，甚至连景区网站都没有，专业化宣传平台、网站、微信号更少，缺少景区的基本介绍和宣传。这影响了竞争力与旅游形象树立。

3. 区域旅游合作交流较弱

虽然东北地区是一个完整的经济区，但行政区划与地方保护主义导致各地区的旅游发展各自为战，缺少交流与合作，地区之间以竞争为主。虽然各级政府建立了合作协议，但并未建立高效畅通的合作机制。目前，旅游合作主要是线路组合、政府间的政策协调，尚未进入区域旅游资源的系统整合开发，更缺少旅游品牌的统一打造等深层次合作。景区、旅行社、地方政府等合作主体缺少协作，在整体形象构建、旅游产品开发、旅游市场开拓和对外宣传等诸多方面都没有形成合力。旅游企业并未形成规模效应，企业联盟并未建立，多数旅行社仍散兵作战。区域旅游合作仍存在很多障碍。东北亚地区的国家旅游合作刚刚起步，发展水平参差不齐影响了国家旅游合作的深度和广度；通关烦琐，手续繁杂，尤其是蒙俄朝口岸建设落后，查验速度慢，工作效率低。

4. 旅游经营观念仍然落后

东北各地区的旅游经营普遍存在观念较差的现象。景区低标准重复建设多，旅游服务质量较低，“不合理低价游”仍存在。

东北地区旅游业的快速发展伴随着生态环境的牺牲与旅游资源的破坏，“重开发利用，轻保护维护”，生态环保与集约开发的理念未能持续贯彻落实。部分旅游资源开发和建设不当甚至存在失误，导致旅游资源浪费，并对生态环境产生了破坏与污染，干扰了原始生态系统平衡。长白山自然保护区山顶冻原地带因游客猛增而导致部分珍稀品种濒临灭绝。部分游客存在不文明行为，对历史文化遗迹等实物造成破坏。

旅游基础设施依然建设滞后。景区道路、景区宾馆、供电供水、卫生厕所、旅游咨询服务中心、停车场等基础设施建设普遍落后，“住宿”和“交通”问题突出。部分景区偏远，缺少必要的基础设施，更谈不上档次与品质。例如，盘锦红海滩景区仅有一个度假村酒店，仅能容纳 150 人住宿。许多景区缺少高速公路、快速路等快速交通连接。热点景区旺季经常存在“进不去，出不来”的运力紧张现象。

第四节　东北地区大旅游产业发展路径

一、总体思路

1. 基本思路

东北地区旅游资源丰富，特色突出，品位高，“储量”大，开发潜力大。坚持东北旅游一体化开发，突出自然环境与地域文化特色，突破行政边界，统筹推进文化遗产、地质公园、旅游景区、文化园区、美丽乡村及特色小镇建设，重点发展生态旅游、边境旅游、冰雪旅游，加快发展红色旅游、工业旅游、滨海旅游等专项旅游，培育优势旅游产品，打造特色旅游品牌，延伸发展文化产业和健康养生产业，提高产品档次和吸引力，创新区域合作机制，开展联合促销，推进旅游配套功能整体升级、旅游产品供给提档升级、旅游服务质量全面升级，打造为特色鲜明、吸引力强的国际国内旅游目的地。以此，将旅游业打造为推动东北老工业基地振兴发展的新动能，活化东北地区的发展环境与活力。

2. 基本原则

综合开发，集中突破。针对各类旅游资源，实施综合性开发，积极发展各类旅游活动与旅游形式，加快全域旅游发展。集中力量开发优势资源，建设一批精品旅游景区，提升服务水平，打造东北特色旅游品牌。

协同发展，突出优势。加强各省市在旅游资源开发、旅游产品体系建设、旅游市场推介、旅游公共服务等方面的合作，消除行政壁垒，促进东北区域旅游一体化发展，构建无障碍大东北旅游。各地区因地制宜，突出优势资源，打造经典景区和特色旅游精品。

延伸发展，优势互补。坚持产业链理念，实施“旅游+”战略，围绕旅游活动，积极拓展上下游产业，发展大旅游产业。充分发挥东北地区与国内其他地区的季节互补效应，推动东北各地区之间的空间优势互补。

二、精品旅游带

突破行政边界，坚持自然地理差异、主导资源等主体属性，依托重点旅游景区与旅游交通线路，针对不同旅游细分市场，推出一批有吸引力的精品旅游线路，串联重点旅游城市和核心旅游资源，形成跨区域旅游流组织。

南部滨海休闲旅游带主要覆盖辽宁海岸带，以大连市为龙头，扶持和带动锦州、葫芦岛、营口、丹东和盘锦等滨海城市，积极发展滨海度假、娱乐、避暑、会展、商务、文化等旅游项目，拓展发展养老、疗养等产业，建设宜居宜业宜游的沿海旅游带。

东部山林民族风情旅游带以长白山为核心，以延边州为龙头，串联鸡西、牡丹江、白山、通化、抚顺、本溪、辽源地区，突出山地、森林等生态旅游、高句丽历史文化旅游、女真历史文化旅游、东北抗联红色旅游等资源，打造东部山林民族风情旅游带。

北部森林冰雪边境旅游带分布在东北北部地区，主要依托大小兴安岭，串联大兴安岭地区、黑河、伊春、鹤岗等地区，形成以森林、少数民族文化、边疆文化、火山地貌、温泉养生为特色的旅游带，发展“千里冰封、万里雪飘”的北部森林冰雪边境旅游带。

西部草原景观与蒙古族风情旅游带依托呼伦贝尔草原、科尔沁草原、锡林郭勒草原，主要串联蒙东地区、大兴安岭以西的呼伦贝尔、兴安盟、通辽市和锡林郭勒盟，突出草原和民族特色，挖掘蒙古族历史、文化与民俗，打造西部草原景观与蒙古族风情旅游带。

中部哈大沿线都市文化与工业基地旅游带以哈大铁路、哈大高铁和哈大高速公路为纽带，发挥哈尔滨、长春、沈阳和大连等中心城市的辐射带动作用，连接沿线的城市、景点和资源，打造东北中部哈大沿线都市文化与工业基地旅游带。

三、积极发展旅游业

1. 生态旅游

依托草原、森林、湿地等生态景观资源，突出大草原、大森林、大湖泊、大湿地，重点发展以森林、草原、湿地为代表的生态旅游业，培育长白山、大小兴安岭、北国鹤乡、林海雪原、北大荒、五大连池、呼伦贝尔草原、锡林郭勒草原、辽东山水、盘锦湿地等生态旅游品牌，提升旅游产品档次，打造国际知名的生态休闲旅游目的地（焦爱丽，

2016）。

突出发展草原旅游。加强草原草地保护，推动退化草原的治理。充分整合各类草原资源，积极发展草原生态旅游、蒙古族风情旅游、蒙元文化旅游，重点建设呼伦贝尔、锡林郭勒、科尔沁三大草原生态旅游目的地，打造成为全国重要的草原生态旅游目的地。

呼伦贝尔草原结合多样化的自然景观，积极发展草原避暑度假，深度挖掘少数民族和民俗资源，配合特有的少数民族节庆活动，积极发展草原农家乐、草原文化旅游产品，与大森林、大湖泊、大冰雪共同组成呼伦贝尔多样性生态旅游区。

锡林郭勒草原在保护草原生态系统的基础上，结合地质奇观、历史人文遗迹等各类旅游资源，重点发展草原观光、文化旅游、草原度假等旅游产品，将锡林浩特建设为草原避暑之城。

巩固森林生态旅游。加强森林资源保护，积极推动天然林保护与抚育，继续实施封山育林。推动森林资源的合理开发利用，依托各国家森林公园及自然保护区，加快整合森林景观、健康养生、森林探险、林俗体验、民族文化等旅游形式，合理开设旅游路线，重点打造大兴安岭、小兴安岭、长白山、辽东山地四大森林生态旅游目的地（焦爱丽，2016）。

长白山重点发展山岳型森林观光、避暑度假、温泉康疗、科考等多元化旅游产品，建设成为集生态游、风光游、边境游、民俗游和佛教文化游于一体的国际山岳旅游胜地。重点建设以长白山天池为代表的旅游景区群、边境风情旅游区和敦化金鼎大佛佛教文化旅游区。

大小兴安岭重点发展生态观光、森林养生、避暑度假、科学考察等各种旅游业态，加强旅游设施建设，完善旅游服务功能，建设成为国内知名的森林生态旅游区。积极建设神州北极——漠河、天然森林氧吧——伊春、新兴森林生态旅游城市——阿尔山、扎兰屯、牙克石、根河、额尔古纳河、加格达奇和鄂伦春自治旗，将其培育成为具有特色的旅游城市。

辽东山地注重区域文化挖掘，加强山水生态保护建设，重点开发凤凰山、鸭绿江、五龙山、本溪水洞、铁刹山、关门山、抗美援朝纪念馆、高句丽遗址等自然人文旅游景区。

林海雪原地区积极发展生态观光度假、红色文化、历史遗迹旅游、边境体验等旅游产品，串联“雪、虎、山”开展户外生态旅游，重点开发北国雪乡、镜泊湖、渤海国文化遗址等旅游景区。

合理发展湿地旅游。充分利用湖泊湿地的资源优势，加强湿地生态系统的保护、恢复与建设，积极发展湿地生态旅游、科考等旅游形式，重点建设扎龙、莫莫格、向海、三江等湿地旅游。依托呼伦湖、兴凯湖、五大连池、镜泊湖、查干湖等湖泊，积极发展湖泊旅游。充分利用黑龙江、鸭绿江、松花江、额尔古纳河等界江，积极开展界江旅游。围绕辽河和鸭绿江入海口，积极建设红海滩湿地，发展河口湿地旅游。完善三江平原、松嫩平原和辽河下游三大平原湿地生态旅游目的地（焦爱丽，2016）。

北国鹤乡在保护生态的前提下，积极发展湿地观光、国际观鸟、生态科考、科普教育等旅游活动，重点建设扎龙、向海和莫莫格3个湿地景区，打造特色鹤乡之城——齐齐哈尔市和白城市。

盘锦充分利用湿地资源，积极发展生态科考、探秘探险旅游、生态休闲观光等旅游活动，提高亚洲最大苇田和天下奇观“红海滩”的知名度，加强与周边旅游资源的联动开发，建设独具魅力的滨海生态旅游城市。

五大连池立足特色深度挖掘世界地质公园、世界生物圈保护区和世界三大冷泉的综合开发利用价值，重点发展生态观光、养生保健、火山地质科考等综合性旅游产品，建设地质奇观、养生胜地。

2. 冰雪旅游

树立“大冰雪旅游产业”观，充分利用东北地区的冰雪资源优势，以冰雪文化为灵魂、以冰雪体验为目的、以运动类为主体、以观赏类为补充，突出发展冰雪旅游业，鼓励按照国际标准发展冰雪旅游产品，建设世界一流的冰雪休闲度假目的地，变“白雪”为“白银”，推动“冷资源”向“热经济”转变。

大力培育精品旅游项目、旅游景区、旅游线路，创立“北国冰雪”国际旅游品牌。大力实施“冰雪+”战略，开展冰雪+民族风情、冰雪+温泉、冰雪+节庆、冰雪+渔猎等各类冰雪活动，形成以赏雪、玩雪、滑雪等为主的冰雪体验活动。鼓励各城市的冰雪运动场馆开发大众化的冰雪项目，并积极开发四季休闲体育项目，建设一批集滑雪、登山、露营等多种健身运动于一体的休闲体育基地。同时，加快发展冰灯、冰雕、雪雕等冰雪文化旅游精品，完善各大滑雪场的竞技、旅游功能。

通过节庆赛事，放大冰雪旅游品牌。巩固提升“哈尔滨国际冰雪节”、“长春净月潭瓦萨国际滑雪节”、“吉林雾凇节”、“黑龙江国际冰雪节”和“沈阳国际冰雪节”的影响力。鼓励各地区举办特色冰雪旅游文化节，丰富冰雪文化。积极开展以冰雪为主的体育赛事，申办高水平的冰雪体育赛事，以品牌化的体育赛事提高东北地区在全国乃至世界的品牌影响力。

突出区域差异，实施差别化的冰雪旅游发展战略。各地区根据资源优势，科学定位旅游品牌，黑龙江重视“冰”；吉林重视“雪”，吉林市突出雾凇，长春应“冰雪结合，以雪为主”；辽宁省重视“冰雪温泉”，沈阳打造“东北冰雪旅游第一站”。以亚布力滑雪、吉林雾凇等重点冰雪旅游项目为核心，打破行政界限，整合推出“大东北冰雪旅游线路”。推动东北地区与蒙俄两国建立冰雪旅游国际合作机制，协作开发界山、界河、界湖、界江，共同培育冰雪旅游线路，促成多目的地跨境冰雪旅游合作，探索冰雪旅游延伸到北极，形成国际化的旅游圈。

突出打造哈尔滨、长春、吉林、长白山等重点城市的冰雪旅游城市形象，同时因地制宜建设一批冰雪小镇、冰雪村屯。建设集滑雪、登山、露营、探险等多元化休闲运动于一体的冰雪旅游度假区，优先提升亚布力、莲花山、哈尔滨冰雪大世界等重点冰雪旅游基地。积极建设哈尔滨、长春–吉林、长白山、柴河–阿尔山等冰雪运动休闲旅游目的地（王立国，2010）。

（1）哈尔滨冰雪文化旅游目的地。重点发展冰灯、冰雕、雪雕等冰雪文化旅游精品，提高“哈尔滨国际冰雪节”的影响力与引领作用，打造以亚布力滑雪度假区为主的滑雪旅游度假景区体系，不断扩大国际影响力。

（2）长春 – 吉林冰雪运动休闲旅游目的地。完善北大壶滑雪度假区的基础设施与服务设施，发展与自然风光结合的冰雪观光项目，提高净月潭瓦萨国际滑雪节的国际知名度，发展面向大众化的冰雪休闲产品，依托莲花山竞技滑雪场开发高端冰雪运动产品。

（3）长白山冰雪休闲竞技旅游目的地。重点扩大野雪滑雪体验与观光的影响力，结合温泉休闲、文化旅游产品开发，将长白山打造成“亚洲的阿尔卑斯山”。

（4）阿尔山 – 柴河滑雪度假旅游目的地。发挥草原、林海、雪山、天池和温泉共存的资源优势，重点发展集滑雪度假、温泉养生和专项训练于一体的综合性旅游目的地。

坚持冰雪形象与地域文化、民族文化相结合，挖掘和打造具有民族地域风情和历史文化底蕴的特色冰雪文化。充分发挥少数民族文化的优势，探索推动赏冰、冰帆、滑雪等体育项目同满族的溜冰车和雪地走、鄂伦春族的赛狗爬犁、赫哲族的冰磨、锡伯族的蹬冰滑子和撑冰车相结合，开发特色冰雪文化产品。

3. 文化旅游

整合历史古迹、宗教艺术、民俗风情、民族风情、特色文化等各类资源，积极发展文化旅游，构筑富有特色的文化旅游产品体系，彰显东北地区的文化底蕴。

积极发展高品质民族民俗风情旅游，深入挖掘蒙古族、满族、朝鲜族等少数民族文化内涵，保护性开发鄂温克族、鄂伦春族、达斡尔族、赫哲族等少数民族文化，深入挖掘服饰、饮食、工艺品、节事等生产生活特色资源，加强少数民族传统节庆与少数民族主题博物馆建设，保护传统民族村落与小镇。

突出地域文化特色，整合现有演艺资源，创新演出形式，不断提升“二人转”“东北大秧歌”等特色民间艺术的品质和品牌，打造优秀旅游演出节目，充分利用各种传统节日，积极发展民俗旅游，彰显关东民俗风情。利用非物质文化遗产资源优势，加快发展文化体验、文化休闲等创新性旅游产品。

整合佛教、道教、萨满教等各类宗教的代表性建筑与遗迹遗存资源，依托沈阳长安寺、沈阳大清宫、吉林天主教堂、哈尔滨圣索菲亚教堂等重点景区，深挖文化内涵与旅游价值，积极发展宗教文化旅游。

依托红山文化、夫余国文化、高句丽文化以及历史遗址遗存遗迹，设计精品线路，发展历史文化旅游。

继续推进“北大荒知青”主题，挖掘知青文化，组织知青文化旅游，建设风情浓郁的旅游农庄，建设中国独一无二的知青故乡与大农业生态旅游区。

依托大连“达沃斯论坛”和“哈尔滨服装服饰博览会”等大型平台，积极拓展会展旅游内涵。依托大连赏槐会、抚顺民族风情节、本溪枫叶节、营口望儿山母亲节、松花湖江鱼美食节、长春世界风景园梨花节、哈尔滨之夏音乐会等节庆日，积极发展具有东北特色的节庆旅游。

专栏 6-1　东北地区历史文化资源

历史文化名城——重点建设集安市、沈阳市、齐齐哈尔市、长春市、哈尔滨市、吉林市等城市。

历史文化街区——吉林省长春市第一汽车制造厂历史文化街区、黑龙江省齐齐哈尔市昂昂溪区罗西亚大街历史文化街区。

历史文化名镇名村——东港市孤山镇、海城市牛庄镇、绥中县前所镇、新宾满族自治县永陵镇、沈阳市沈北新区石佛寺街道石佛一村、吉林市龙潭区乌拉街镇、四平市铁东区叶赫镇、图们市月晴镇白龙村、海林市横道河子镇、黑河市爱辉镇、多伦县多伦淖尔镇、喀喇沁旗王爷府镇、库伦旗库伦镇、牙克石市博克图镇。

依托优秀旅游城市、文化旅游示范县、名街名镇，建设文化旅游特色产业聚集区。重点建设沈阳前清史迹旅游区、长春伪满殖民遗迹旅游区、集安高句丽文化旅游区、延边朝鲜族文化旅游区、金辽文化区、欧亚文化旅游区、北方少数民族旅游区。重点打造两条线路，即以怀古为主题的关东文化旅游线路和以民族采风为主题的民俗观光旅游线路。

4. 滨海旅游

依托优质海滨、群岛世界、海洋生态等综合优势，聚焦辽宁沿海地区，坚持提升的理念，统筹海岸线、沿海城市及内陆毗邻地区，整合各类旅游资源，创新开发模式，积极发展滨海旅游，重点发展都市休闲、湿地观赏、海岛度假、滨海景观、温泉疗养等各种旅游活动，建设高品质的滨海休闲旅游带和北方海洋旅游新高地。

整合资源，突出特色，以东戴河、长山群岛、红海滩－辽河湿地为突破口，做强做大辽宁海洋旅游。以串联沿线 130 多个旅游景点的辽宁滨海大通道为主轴，沿海各地区要围绕各自重点，突出各自特色，实现错位发展，建设无障碍“北方滨海旅游黄金带”。

面向新兴海洋旅游需求，创新开发新产品、新业态，重点发展邮轮游艇、海岛度假、休闲渔港、海上运动、海洋牧场等新业态。坚持错位开发，探索尝试开发非旺季的海洋旅游产品，重点发展海鲜美食、海洋牧场、海事体验、海洋文化。

加快跨区域资源整合和精品线路建设，以浪漫之都、红海滩、鸭绿江等为核心吸引，以自驾车、邮轮为主要旅游方式，培育长山群岛国家海洋旅游改革创新发展试验区、国家北方海岸、全国海滨自驾车旅游示范线等品牌建设。尤其是以环渤海自驾车风景廊道为突破口，整合海洋旅游资源和产品，推进一体化发展。

积极推进邮轮旅游业发展，加快建设大连邮轮母港，在营口港、丹东港、锦州港、长山群岛、旅顺新港、庄河港、盘锦港、葫芦岛港、金石滩港等港口建设邮轮停靠码头，组织连通日韩的国际邮轮旅游网络。

丹东鸭绿江旅游区以跨国水上观光、中朝旅游、边境自驾游、河口湿地观光为发展方向，建设中朝旅游合作试验区、鸭绿江自驾车旅游精品线、鸭绿江断桥景区、江心三岛、鸭绿江口湿地观鸟园。

丹东大孤山—北黄海温泉—大鹿岛旅游区以海岛休闲、海洋观光、宗教旅游、温泉养生、海鲜美食、历史文化体验为方向，重点建设大鹿岛景区、大孤山风景名胜区、獐岛景区、孤山镇甲午海战古战场。

大连金石滩—长山群岛避暑旅游区创建长山群岛国家海洋旅游改革创新发展试验区，推动长山群岛与金石滩国家旅游度假区联动发展，推动独岛式、群岛式、岛链式开发，创新开发海岛渔夫古镇，重点开发邮轮游艇、水上水下娱乐、休闲海洋牧场等新产品，推动金石滩向国际海滨度假卫星城转变，发展大型休闲娱乐综合体、名品折扣店、文化创意工坊等业态，建设为中国海岛避暑第一品牌、东北亚海洋旅游新高地。

大连滨海度假旅游区发挥“浪漫之都·时尚大连”的品牌优势，以海洋娱乐、海滨度假、海洋观光、时尚购物、邮轮旅游为方向，重点建设东港钻石港湾、夏季达沃斯、邮轮母港、棒棰岛等景区，打造都市型滨海旅游城市。

营口滨海温泉旅游区以滨海度假、温泉养生、海洋娱乐、休闲垂钓为发展方向，重点建设鲅鱼圈西部海滨、熊岳望儿山温泉小镇、团山海洋公园、仙人岛滨海度假区、白沙湾黄金海岸等景区。

辽河口红海滩湿地休闲区发挥海水、温泉、冷泉、沙滩、泥滩、湿地资源组合优势，积极开发观光、休闲、养生等旅游产品，重点建设红海滩、营口老街、二界沟渔村、辽河口苇海湿地等景区，积极发展湿地观光、休闲度假、避暑养生、休闲农业、风情小镇、海鲜美食和休闲垂钓，打造“中国最美湿地”和东北亚最大的湿地海滨旅游度假区。

锦州滨海旅游区以海滨度假、温泉衍生度假、湿地休闲、商务会议、海洋娱乐为发展方向，重点建设龙海馨港、锦州国际旅游岛、龙栖湾欢乐海洋世界、锦州世博园、笔架山景区、苇海湿地度假区、湿地温泉群落。

葫芦岛海滨旅游区以避暑度假、海岛禅修、古城休闲、温泉养生、演艺为方向，重点建设东戴河海滨旅游度假区、山海同湾旅游综合开发、宁远古城、兴城温泉－觉华岛、九门口－永安长城等景区。

葫芦岛觉华岛旅游区以心灵禅修、海岛度假、文化体验、海洋娱乐、特色运动、健康疗养、休闲垂钓为方向，建设文化主题公园、海洋度假主题公园、游艇俱乐部、龙脖子古城景区、明代古营城景区。

5. 工业旅游

工业旅游包括工业遗产旅游和工业生产旅游。东北地区聚焦“共和国工业的摇篮，民族工业的脊梁”的工业旅游形象，坚持工业遗产旅游和工业生产旅游并重，整合各类资源，联动其他旅游形式，扩大产业发展链。各城市根据其工业特点，树立工业旅游形象，长春市为“中国汽车工业的摇篮”，哈尔滨为“动力之源，腾飞从这里开始”，还有钢都鞍山、煤都抚顺、东方鲁尔沈阳、船舶制造基地大连。推动工业旅游从学生市场向全民市场拓展，积极发展家庭工业游、老人工业游等旅游形式。

做好各城市的工业遗产资源普查摸底工作，准确掌握数量、类型和保存状况等基本信息，建立基础数据库。鼓励东北地区成立工业遗产保护基金，通过各种渠道筹集资金。重视工业遗产保护的完整性和真实性，深入挖掘工业遗产的文化内涵。结合重大遗产保护，建设主题公园、创意产业园、现代艺术区、文化广场。有条件的地区，进行工业遗产的整体性保护，打造辽宁沿海工业遗产带、哈大铁路沿线遗产带、绥满铁路沿线遗产带。重点依托骨干工业企业、矿山遗址和工业遗产，打造一批工业旅游示范点。

专栏 6-2　东北地区工业遗产名录

辽宁省：旅顺船坞、东清铁路机车制造所、大连造船厂、大连甘井子煤码头、大连港、老铁山灯塔、大连都市交通株式会社、国营 523 厂（大连建新公司）、龙引泉、大连化学工业公司、东三省兵工厂、奉天机器局（沈阳造币厂）、沈阳铸造厂、抚顺煤矿、本溪湖煤铁公司、阜新煤矿、鞍山钢铁公司、水丰电站。

吉林省：第一汽车制造厂、通化葡萄酒厂、丰满电站。

黑龙江省：大庆油田、阿城糖厂、老巴夺父子烟草股份公司、中东铁路。

整合利用工业旅游资源，积极开发工业旅游，鼓励具备条件的大型企业建设主题性工业博物馆和旅游场所，重点建设阜新海州露天矿国家矿山公园、大庆铁人纪念馆及地质博物馆、鞍山钢铁集团、沈阳金融博物馆、抚顺西露天煤矿、长春一汽集团、吉林夹皮沟金矿等工业旅游示范点，塑造重化工业史迹、北大荒拓荒史迹、电影发展史迹、沈阳铁西区等“共和国史迹游”。鼓励各地区建设工业博物馆，增强展品的感知性、趣味性、参与性与互动性。加快打造一批工业遗产品牌。

聚焦大型企业和特大型企业，积极发展工业生产旅游。东北地区的主要工业遗产旅游示范点和重点保护工业建筑如表 6-8 和表 6-9 所示。利用现有的工业生产设施、生产过程、成果成就、工厂风貌、企业文化等资源，尤其是结合重要的生产工艺，积极开展工业企业一日游。积极面向中小学生，开展工业科普教育。鼓励知名企业挖掘具有闪光点和亮点的旅游资源，培育一批示范企业，鼓励企业建设模拟生产车间，探索参与式生产旅游。鼓励企业与高等学校联合，建立学生实践学习基地，开展修学旅游。

表 6-8　东北三省主要工业遗产旅游示范点

省区	工业门类	工业遗产旅游示范点
辽宁省	装备制造	沈阳铸造厂博物馆、铁西装备制造业发展示范区及沈阳机床、北方重工、沈鼓、沈变等重点企业
	造船工业	大连船舶重工集团
	钢铁产业	鞍山钢铁集团、本溪钢铁集团
	煤炭、石化	阜新海州露天矿国家矿山公园、抚顺西露天煤矿、抚顺石油化工公司
	飞机制造	沈阳飞机制造公司

续表

省区	工业门类	工业遗产旅游示范点
吉林省	汽车制造	中国一汽集团、长客集团
	有色金属	夹皮沟金矿
	发电	吉林丰满发电厂
黑龙江	飞机发电设备	哈飞集团、哈电集团
	重型机械	一重集团、齐重数控、齐二机床
	石油化工	大庆油田、铁人纪念馆、地质博物馆
	有色金属	东北轻合金公司

资料来源：焦爱丽（2016）

综合焦爱丽（2016）等的研究，工业旅游可以细分为如下要点。

（1）煤炭工业旅游以阜新市、鸡西市、鹤岗市为代表的煤炭资源型城市，依托现有地上、地下采矿设备资源，发展煤矿观光、科普教育、井下探秘及体验、煤矿生活体验等旅游产品。

（2）石油工业旅游重点围绕大庆市、盘锦市、松原市、吉林市、辽阳市、锦州市，依托油田景观与石油炼化工艺，加快发展油田景观、石油文化体验、主题乐园等旅游产品。

（3）钢铁工业旅游重点围绕鞍山市、本溪市、鲅鱼圈、朝阳市，依托鞍钢、鞍凌钢等企业，合理开发钢铁工业旅游。

（4）制造工业旅游以大连市、齐齐哈尔市、四平市、沈阳市等城市为主，积极发展重型工业制造业旅游。

表 6-9　沈阳、大连、长春、哈尔滨重点保护工业建筑

城市	重点保护建筑
沈阳市	奉天驿旧址、东三省官银号旧址、辽宁总站旧址、汇丰银行奉天支行旧址、中山广场及建筑群、肇新窑业公司办公楼、奉海铁路局旧址、南满铁道株式会社旧址、奉天邮便局旧址、万泉公园水塔、大亨铁工厂办公楼、浑河大铁桥
大连市	大连中山广场近代建筑群、老铁山灯塔、东清轮船会社旧址、大连火车站、南满洲铁道株式会社本部、大连市埠头事务所旧址、俄清银行旧址、大连护路事务所、满洲电业株式会社旧址、大连汽船株式会社旧址、原沙河口净水厂过滤室旧址
长春市	伪满中央银行旧址、宽城子沙俄火车站俱乐部旧址、西广场水塔、伪满映画协会株式会社旧址、满洲碳矿株式会社旧址、满铁综合事务所旧址、伪满铁路俱乐部旧址、伪满电信电话株式会社旧址、伪满放送局旧址、伪满洲重工业株式会社旧址
哈尔滨市	中东铁路管理局旧址、哈尔滨邮政管理局旧址、华俄道胜银行哈尔滨分行旧址、中东铁路哈尔滨总工厂俱乐部旧址、霁虹桥、香坊火车站、日本横滨正金银行哈尔滨分行旧址、哈尔滨铁路车辆文化宫、哈尔滨卷烟厂库房、东兴火磨办公楼

资料来源：佟玉权等（2012）

6. 边境旅游

东北边境地区和俄罗斯远东、朝鲜及蒙古国东部有着丰富的旅游资源。面向东北亚地区，聚焦边境地区，依托绥芬河、满洲里、丹东等重点口岸，整合异域风情、民族风俗、自然景观、历史遗迹等旅游资源，积极发展特色鲜明的边境旅游和跨境旅游。积极寻求边境旅游与其他旅游形式的整合融合。

加强与周边国家政府及通关联检等部门的协调和合作，努力改善通关条件，扩大边境旅游异地办证试点的范围，积极组织与俄朝蒙三国的进出境旅游，探索开辟与俄韩日三国海上跨国旅游。办好图们江区域旅游厅（局）长圆桌会议、“大图们倡议”东北亚旅游论坛、东北亚区域旅游论坛等国际会议。

依托界河资源优势，大力开发额尔古纳河、黑龙江、乌苏里江、图们江、兴凯湖、鸭绿江等中朝、中俄界江界河（湖）旅游，开展探险科考、观光、红色旅游、异域风情、民族观光、江上渔猎等旅游活动。重点建设满洲里、额尔古纳、黑河、绥芬河、同江、二连浩特、丹东、图们等旅游口岸城市，同时加强建设漠河、抚远、珲春等具有特殊地理意义和边境风情的旅游小镇，建设恩和和室韦俄罗斯民族乡、漠河北极小镇、同江赫哲民族村等建设一批特色村落，建设成为具有一定影响力的边境风情旅游城镇。

探索建设跨境旅游合作区、边境旅游试验区和国际旅游合作区。依托绥芬河、丹东、满洲里等边境大口岸城市构建中俄、中朝、中蒙三大跨境旅游合作圈。以图们江流域为核心，建设图们江三角洲国际旅游合作区。以满洲里、黑河、绥芬河、珲春、丹东5个边境旅游城市为核心，发展内蒙古满洲里边（跨）境旅游合作区、黑龙江黑河边（跨）境旅游合作区、黑龙江绥芬河—东宁边（跨）境旅游合作区、吉林珲春边（跨）境旅游合作区、辽宁丹东边（跨）境旅游合作区（王丽丽和明庆忠，2018）。

积极利用边境公路、铁路口岸等资源，简化出入境手续，争取开发系列公路自驾、铁路专列等旅游产品，加强中俄、中蒙自驾游，联合开发珲春—符拉迪沃斯托克（海参崴）、长春—东方省的自驾游线路，完善组织“跨境自驾三日游”等旅游活动。

依托兴凯湖、黑瞎子岛等边境旅游资源，探索建立两国跨境合作、共同管理的跨国国家公园，打造自由跨越式的旅游景区（王丽丽和明庆忠，2018）。以跨国精品旅游为纽带，共同开发和推销跨国旅游线路，重点以沈阳、大连、哈尔滨、长春、平壤、符拉迪沃斯托克（海参崴）等城市为重要节点，积极开发“中俄友谊之旅”、“东方之欢”、“万里茶道”、东北亚冰雪旅游等国际旅游路线，加快开发“环日本海”旅游环线、“满洲里—阿金斯科耶—乔巴山—满洲里”中俄蒙旅游环线、“符拉迪沃斯托克（海参崴）—哈尔滨—哈乌尔达格”俄中蒙特色游，共同打造冰雪旅游等国际品牌。

专栏 6-3　国家全域旅游示范单位

内蒙古自治区：宁城县、二连浩特市、阿尔山市、克什克腾旗、满洲里市、额尔古纳市、乌兰浩特市、多伦县。

辽宁省：盘锦市、沈阳沈北新区、瓦房店市、抚顺沈抚新城、桓仁县、凤城市、宽甸县、北镇市、兴城市、绥中县、喀左县、本溪市、锦州市、沈阳浑南区、庄河市、岫岩县、营口鲅鱼圈区、阜蒙县、辽阳弓长岭区、凌源市。

吉林省：吉林市、长白山、长春净月国家高新技术产业开发区、长春九台区、长春双阳区、辉南县、柳河县、集安市、通化县、临江市、抚松县、敦化市、延吉市、珲春市、梅河口市、伊通县、通化东昌区、和龙市、安图县。

黑龙江省：伊春市、哈尔滨阿城区、宾县、杜尔伯特蒙古族自治县、五大连池市、漠河县、黑河市、绥芬河市、大兴安岭地区、齐齐哈尔碾子山区、虎林市、抚远市、东宁市。

7. 红色旅游

红色旅游是以革命纪念地、标志物为载体，以其所承载的革命历史、革命事迹和革命精神为内涵，组织和接待旅游者进行缅怀学习、参观游览的主题性旅游活动（李斌，2020）。东北地区要以松花江、鸭绿江和长白山区为重点，依托满洲里和乌兰浩特等城市，建设东北红色旅游区，培育红色旅游精品，积极打造“抗联英雄，林海雪原”，传承红色文化基因。

坚持政府引导，加强革命遗址、纪念物的建设和保护，积极开发东北红色旅游资源。重点建设侵华日军731部队罪证陈列馆、哈尔滨市东北烈士纪念馆、东北抗联博物馆、长春市东北沦陷史陈列馆、沈阳“九一八”历史博物馆、抚顺战犯管理所旧址陈列馆、旅顺日俄监狱旧址、通化市杨靖宇烈士陵园、丹东市抗美援朝纪念馆、辽沈战役博物馆、鸭绿江断桥景区、牡丹江八女投江革命烈士陵园、满洲里红色国际秘密交通线等重点红色景区景点。

以哈大轴线为纽带，加强各地区红色旅游景点的协同建设与多元化组合。深入挖掘红色旅游文化内涵，根据各地区独有特色对红色旅游资源进行深层次开发，重点发展红色教育、观光游览、采风怀旧等主题游，合理开发体验式红色旅游产品。

积极开发红色旅游路线。重点组织哈尔滨—长春—沈阳、沈阳—抚顺—本溪、沈阳—锦州—黑山—葫芦岛—秦皇岛、长春—靖宇—白山—通化、长春—四平、四平—吉林—敦化—延吉—白山—临江—通化—集安、哈尔滨—阿城—尚志—海林—牡丹江等旅游路线。

四、发展特色文化

依托民族特色和地域特色（北大荒精深、大庆精神），坚持保护和利用并重、传承和创新并举，推动文化资源整合，优化资源配置和产业布局，建设一批特色文化产业集群，推动文化产业与旅游产业互促发展。重点培育演艺娱乐、工艺美术、节庆会展等特色行业。

挖掘少数民族、森林林区、草原牧区、平原垦区、游牧狩猎等特色地域文化。积极发展世界文化遗产与非物质文化遗产，推进赫哲族等文化生态保护试验区建设，以伊玛堪、望奎皮影等为重点，实施非物质文化遗产项目抢救性、生产性保护，建设非物质文化遗产展示场馆。

依托各类特色资源和非物质文化遗产，扶植具有东北地域特色的工艺品，如鞍山岫玉、阜新玛瑙、朝阳紫砂等，彰显东北地域文化。深入挖掘民族文化元素，促进皮影、木偶、满族刺绣的产业化发展，努力塑造经济优势。积极发展手工艺品、服饰等民族用品产业，开发具有地域特色的民俗文化产品，建设一批国家级文化产业示范基地。

促进节庆会展业发展。培育扶持具有发展潜力的精品展会、具有国际影响力的博览会；以大连、沈阳、长春和哈尔滨为核心，发展一批以特色产业、特色资源为依托的知名会展品牌，如中国东北文化产业博览交易会、东北亚文化艺术周、长春电影节、中国动漫电玩节、长春动漫艺术博览会等。挖掘传统节庆文化内涵，拓展衍生业态。培育文化节、艺术节、冰雪节、旅游节等区域性节庆文化活动品牌。

积极发展演艺娱乐业。依托特色地域文化，加快发展大秧歌、二人转、满乡婚俗表演。扩大“东北秧歌”“花棍舞”等民族民间舞蹈演出，继续开展“迷人夏都”等演出，提升冰上杂技等特色演艺。继续夯实辽宁剧院联盟等建设，组建东北剧院联盟，引入 VR（虚拟现实）、AR（增强现实）和 MR（介导现实）等技术，构建优质演出院线。结合资源优势和发展基础，做强做大重点艺术院团、剧院，培育名人、名团、名剧、名剧场联动品牌。

发展特色餐饮业。深入挖掘特色餐饮文化，提升“东北菜”等地域性餐饮品牌和“蒙餐”“满餐”等少数民族餐饮品牌。结合旅游资源开发，建设风味饮食特色街区。

五、体育运动产业

充分利用特色资源，整合利用各类资源，加快发展体育运动产业，突出冰雪运动，兼顾其他体育产业，重点发展冰雪休闲健身、冰雪运动、冰雪竞赛、冰雪表演，构建体育节事产品体系，完善冰雪运动产业体系，培育形成具有生命力的新兴产业。

东北地区应以普及冰雪运动为目标，组织各类群众化的冰雪活动，积极发展冰雪休闲产业。组织开展欢乐冰雪等大众系列品牌活动，开发适合冰车、抽冰嘎、冰上龙舟、冰蹴球、转龙射球等形式多样、喜闻乐见、反映民族文化的冰雪健身项目，培育适合群众参与的冰雪建设项目。

大力发展冰雪竞技体育，组织举办冰雪体育赛事活动，引进国外先进的品牌赛事，承接和组织国际国内重大赛事和专业赛事。以花样滑冰、冰球、冰壶、攀冰和单板滑雪等为重点，优化冰雪竞技项目布局。扶持建设一批具有国内外影响力的冰雪体育竞赛基地。

借势冬奥会，大力拓展冰雪表演市场，丰富冰雪表演类型、项目和内容，加快开发冰雪杂技、冰雪舞蹈等表演类型，培育壮大冰雪表演市场。培育冰雪商业表演项目，推进冰雪表演市场化运作。积极举办速度滑冰、轮滑转滑冰（雪）等青少年冰雪表演活动。鼓励各地依托本地特色自然、民族民俗和人文资源，努力打造“一地一品，一地多品”。

依托江河、森林和山地等自然资源，大力组织马拉松、森林穿越、山地自行车、摩托艇、赛艇、冰泳、登山、户外拓展训练、攀岩、探险等专业赛事和群众性体育活动。

六、养老康健产业

东北地区地域辽阔，有着独特的生态、温泉、生物、滨海等各类资源，夏季避暑条件好。发挥整体生态资源优势，坚持高端发展，综合集成医疗、养生、疗养、旅游、健康等资源，推动“候鸟式”养老健康产业发展，将东北地区打造为优良的医疗健康和康体养生目的地。

加强康健服务设施建设，按照实用、方便的原则，兼顾旅游、健康及生态食品供给的组合，加强健康设施、医疗设施、疗养设施、养生设施建设，形成相对完善的服务设施体系。各类康健服务设施与森林、湿地、草原要保持合理的距离。

促进“候鸟式”养老健康产业发展。突出森林氧吧、绿色生态食品配餐、老年病防治、消夏避暑等特色，提升“夏季养老在东北”的独特品牌。积极发展中医药健康旅游，依托森林公园、湿地公园和自然保护区等发展康养产业，建设特色康养基地。

积极引进知名医疗与康健机构，改善医疗康健条件。推进“医养结合”康体养生服务模式，扶持具备条件的养老机构内设医疗机构，推进闲置医疗资源转型为“医养结合”养老机构，鼓励社会力量兴办“医养结合”型养老机构。加强健康养生综合服务体系建设，注重开发养生旅游。推介特色康复疗养产品，退出中药疗养、温泉疗养等特色产品。

注重建设符合东北地域特点的养生康健基地，积极建设通化市、延边州、长白山保护开发区等养生养老健康旅游基地，打造一批示范城市。

七、支撑能力建设

1. 基础设施建设

加快基础设施建设与完善，破解基础设施的瓶颈制约，优化旅游发展的软硬环境，形成便捷高效安全的旅游服务体系。

第一，完善旅游公共服务网络。按照统一标准、规范、高质量的原则，在高铁站、重要铁路车站、公路客运站和机场建设综合性旅游服务中心和咨询中心，在重要交通沿线、交叉口、高速公路出口建设小型游客服务中心，在主要旅游景区建立游客信息中心，形成游客服务中心网络。

第二，完善立体化旅游交通体系。统筹建设干支线机场，完善大连、沈阳、长春、哈尔滨等航空枢纽机场的集散功能，合理建设部分旅游机场，拓展航线网络，在旅游旺季积极发展客源地旅游包机、加开旅游专列班次，开辟通往东北亚主要客源地和目的地的国际航线。研究建设一批客运专线和快速铁路，在重要景区和中心城市研究建设铁路支线，在旅游旺季和热点地区加开旅游专列班次。合理开辟水运旅游航线，建设一批旅游码头，开辟至韩国、日本、朝鲜、俄罗斯的海上旅游航线，建设具有独特旅游功能的水运网络，提高景区景点的公路通达性。

第三，完善旅游配套设施。配套完善旅游交通枢纽中心、旅游厕所、停车场、旅游交通标识、新业态基地等基础设施和公共服务设施，建立统一的旅游交通指示系统，建设交通信息调度中心，推进交通智能化建设。

第四，完善旅游信息平台。以构建统一的大东北旅游信息平台为目标，在东北地区建设统一的旅游数据库、旅游门户网站、旅游电子政务和电子商务平台，推动各地区、各景区的旅游服务中心联网，实现信息共享。

2. 提高接待能力

提高宾馆饭店接待能力。以旅游中心城市、边境口岸城市、重点景区为焦点，加强星级宾馆建设，提高接待能力。大力发展经济型酒店。针对自驾车旅游需求，因地制宜建设一批汽车旅馆、自驾营地。以此，形成星级宾馆、经济型酒店、景区接待设施、家庭宾馆等多种形式互补的住宿接待体系。

提升旅行社素质。扶持大型旅行社加快发展，通过并购、重组、参股等各种途径，培育具有国际竞争力的大型旅行社，支持国内外大型旅行社在东北地区设立分支机构。规范市场秩序，鼓励公平竞争。大型旅行社要向集团化提质，中型旅行社要向专业化升级，小型旅行社要向网络化方向发展。

3. 加强市场宣传

（1）鼓励通过传统媒体与网络新媒体结合，积极发展“互联网＋旅游”，加快旅游信息化建设。推动主流媒体与行业媒体相融合，支持景区宣传与社区户外宣传相结合，面向社会公众宣传旅游，提高公众对景区、旅游路线等基本信息的认知水平。

（2）加强旅游形象宣传，对东北地区旅游资源进行整体包装和对外宣传，塑造清晰的东北旅游形象。采取多样化的宣传手段，充分利用网络、新闻媒体、报纸、杂志、旅游博览会、旅游交易会、各种展会等途径，开展宣传促销，举办各类新闻发布会、产品推介会、服务说明会，扩大宣传面与宣传力度。

专栏 6-4　东北地区旅游形象

根据东北地区“文脉、地脉、商脉、人脉”，突出地域特征及其所代表的文化内涵，考虑“白山黑水”“冰雪消夏”“满族文化”“北国风光”等传统形象，东北旅游总体形象定位——豪情大东北 酷爽新天地，中国最大最好的避暑旅游目的地。

豪情大东北——充分体现东北人民豪爽质朴、热情好客的性格品质，彰显东北大平原、大森林、大草原、大冰雪给人的豪迈壮美之感。

酷爽新天地——反映东北地区夏季气候凉爽、冬天银装素裹的生态避暑休闲旅游特色，向人宣示白山黑水、草原湿地、林海雪原是回归自然、放飞心灵的全新天地。

（3）继续举办长白山冰雪嘉年华、查干湖渔猎文化节等一批具有市场影响力的节事活动品牌。充分利用少数民族文化，举办各类民族节庆活动。

（4）积极壮大东北旅游景区联盟。继续发挥长影世纪城、大连老虎滩海洋公园等主体景区的引领作用，整合东北地区的各类旅游资源，将更多的旅游景区纳入联盟中，增强统筹协调的能力。联合重要景区，共同打造大东北旅游线路，推出精品旅游线路和成熟线路。各景区之间资源共享、客源互补，形成宣传合力，联盟景区实施“一卡通”。

八、区域国际合作

1. 东北亚国际合作

近些年来，东北亚已成为全球旅游的热点地区，旅游产业也成为深化东北亚区域合作的新突破口。东北亚各国山水相连，人口数量众多，互为客源国与目的地。

利用东北亚的优越地理区位优势，东北地区应与俄罗斯远东地区、蒙古国东部地区、朝鲜、韩国及日本，在旅游目的地建设、旅游产品和项目开发、客源市场开发、企业经营等方面开展合作，实现共赢。

初期阶段要充分发挥政府的主导作用，企业积极参与；随着合作市场的壮大稳定，企业要发挥主导作用。

积极开发和拓展边境旅游、过境旅游等特色旅游项目，共同策划东北亚精品旅游线路，联合在全球开展市场推广。

共建区域旅游网络营销系统和商务服务平台，共同开展跨国宣传促销，东北地区与俄蒙毗邻地区以统一的国际旅游形象参与国际旅游展销活动，共同编印中蒙俄等多种语言的旅游宣传资料。

完善交通体系，重点是提高蒙古国对接口岸的公路技术等级，改善通关条件，简化出入境手续。

成立区域性的国际旅游管理机构，监督旅游规划的实施与旅游市场。鼓励有实力的旅游企业通过参股、并购等形式进行跨国投资或设立分支机构。

2. 东北地区内部合作

优化东北区域的合作机制，打破行政壁垒，规范行业发展，协调旅游行业各部门之间的关系，共同打造“大东北无障碍旅游区”。

在“4+1”城市旅游联合体的基础上，扩大合作范围，设立“旅游业发展一体化领导小组”。建议东北各省市旅游主管部门组成东北区域旅游合作发展理事会，统一开发东北地区的旅游资源，统一组织旅游路线和旅游宣传。

四省区旅游部门统一行动，采取联合营销战略参加国内外重要的旅游展销会、交易会和洽谈会。建设旅游信息共享网络，完善旅游信息咨询、旅游电子商务等系统。

坚持“以合作谋发展，以特色求互补”，聚焦冰雪、湿地、草原、森林等旅游资源，坚持错位发展，避免重复建设、无序开发和恶性竞争。加强跨省区交通设施建设，提高区域景区的可进入性。

坚决取消歧视性、排他性的行政法规、制度和政策。推动各地区加强资源共享、信息互通、客源交流。

引导企业通过战略联盟、连锁经营等多种方式加强合作。东北地区实施导游资质互认，鼓励区域内旅行社异地收购、兼并、重组。

第七章

东北地区科教资源基础和创新路径

创新是国之利器，是区域产业结构转型的主要技术支撑，是区域发展的重要动力。东北地区有着丰富的科技资源与大量的大型国有企业，有着较高的科技创新产出能力，但目前仍存在不少的问题，这需要大力实施创新驱动发展战略，进一步发挥科技创新的作用，培育成东北地区内生发展动力的主要生长点和全面振兴的重要引擎。本章主要是从创新驱动的视角，以推动产业转型升级为目标，分析东北地区创新发展的路径与任务。重点分析了东北地区的科教资源基础，包括科技资源、创新主体、转化平台、科技投入和科技产出；剖析了东北地区创新发展的问题，包括科技要素投入、成果产出转化和产业创新动力；考察国际发展形势，包括智能工业革命与工业4.0、技术创新与产业技术创新；深入设计了东北地区创新发展的路径，包括区域创新体系、成果转移转化、知识产权保护、重点引领区域、区际国际合作和产业技术中心。

本专题主要得出以下结论。

（1）东北地区有着丰富的科技资源，包括高等院校、科研院所、研发机构；有着较为丰富的创新主体，包括人才队伍、创新企业和资源整合；建设了一批科技转化平台，包括产业园区、大学科技城和创新平台；有着较多的科技投入，包括科技财政支出和经费投入；有着较高的科技产出，包括创新产出、技术应用和产出效率。

（2）东北地区的创新发展仍存在不少问题，科技要素投入力度较低，技术研发投入不足，科技人才流失严重，企业驱动主体薄弱；成果产出转化能力有限，技术创新成果少，创新转化能力不足，科技创新成果外流，科技产出效率较低，企业技术转移能力低；产业创新动力薄弱，产业发展的技术创新需求不足，政策保障有待完善。

（3）东北地区的创新发展要加强区域创新体系建设，构建产学研区域创新系统，加强高校院所的引领作用，巩固企业创新主体地位，建设区域创新基地，强化创新体系对接；积极推动科技创新成果转移转化，建设区域技术转移联盟和技术转移服务体系；加强知识产权保护，加强试点示范城市；加强资金和人才及教育等科技要素投入；加强重点引领区域建设，聚焦高新区建设，推动自主创新示范区和国家大学科技城建设。

第一节　东北地区科教资源基础

东北地区是中国最早、最为重要的老工业基地，拥有大量的国防军工企业、中央企业与国有集体企业，科研院所和高校众多，拥有全国近 8% 的研究人员、12% 的研发机构和 11% 的高等学校，科研资源优势突出，科技创新成果丰富，塑造了较好的产业科技研发基础。

一、科技资源

科技资源是人类社会财富的源泉，指科技活动中的各项软、硬要素的总称，包括科技财力资源、科技人力资源、科技物力资源、科技信息资源和科技组织资源等方面。这是科技活动过程必不可少的基本要素，其数量和质量决定科技发展水平。

1. 高校

大学是新知识、新技术的创造者，具有知识研究、技术创新、人才培养等方面的优势，是区域重要的创新主体。长期以来，高等教育资源一直是东北地区的优势资源，东北地区建立了众多与石油、化工、煤炭、钢铁等产业相关联的高校，其教育普及水平远高于其他地区。东北地区的高等院校数量一直呈现缓慢的增长态势。2005 年东北地区共有高等学校 182 所，2010 年增长到 247 所，增长了 65 所，2017 年进一步增长到 258 所，又增长了 11 所，占全国比例接近 10%，如图 7-1 所示。高等学院在校学生数量也一直呈现增长，2005 年为 160.75 万人，2015 年增长到 237 万人，2017 年略微降至 235.9 万人，如图 7-2 所示。大连理工大学、吉林大学、哈尔滨工业大学为“双一流”大学。高等院校有较强的科研能力。

图 7-1　东北地区普通高校数量及占全国比例

从地区分布来看，东北地区的高等教育资源有严重的集聚性与地区不平衡。高等院校集中在中心城市，尤其是集中在沈阳、大连、哈尔滨和长春，其他地市的学校数量较少。其中，哈尔滨的高校数量最多，2017 年达到 51 所，占东北地区高校总量的 19.03%，沈阳和长春分别有 47 所和 40 所，大连有 30 所，上述四个城市合计占 62.7%。锦州有 9 所高校，吉林有 8 所高校，牡丹江有 7 所，大庆和齐齐哈尔分别有 6

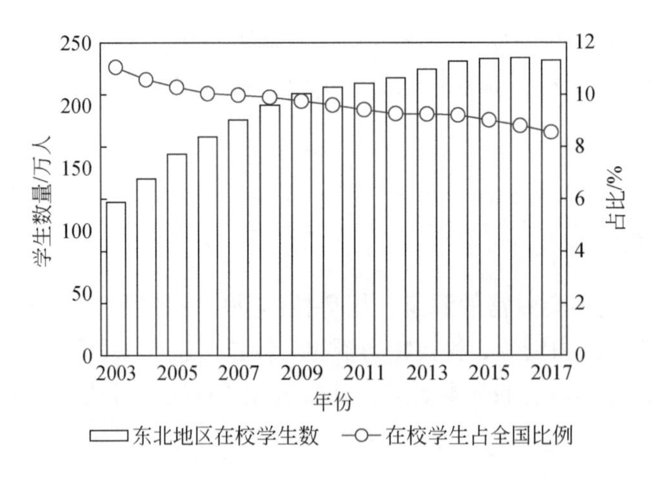

图 7-2　东北地区高校在校学生数量及占全国比例

所，抚顺和佳木斯分别有 5 所，赤峰、呼伦贝尔、四平、铁岭分别有 4 所。从高校教师资源来看，哈尔滨市集中了 21%，长春和沈阳的占比分别为 17.8% 和 17.3%，大连为 11.8%，合计占 67.8%。

2. 科研院所

科研院所也是区域新知识、新技术的重要创造者和区域创新系统的重要主体，是新兴产业培育的重要技术来源。东北地区科研院所密集，拥有高校属研发机构 411 个，原中央部委所属科研机构和转制企业 376 个，省属科技开发机构和转制企业 980 个，如表 7-1 所示。国家级科研机构在东北地区的布局比较密集，中科院下属 65 家京外研究单位中，东北地区占有 7 家，优势领域遍布化学、物理、材料、机械、环境等。拥有长春光机所、应化所等创新实力较强的研究机构，尤其是辽宁和黑龙江省拥有的研发机构数仅次于北京市、山东省、广东省等地区。

表 7-1　东北三省的国家级科研院所

省区	国家级科研院所
辽宁省	沈阳火化设备研究所、铁法矿务局煤炭科学研究所、国家海洋环境监测中心、铁岭选矿药剂厂研究所、锦州石油化工公司研究所、锦西炼油化工总厂研究院、本溪钢铁公司钢铁研究所、化学工业部锦西化工研究院、煤炭科学研究总院抚顺分院、中国科学院沈阳应用生态研究所、大连化学物理研究所、金属研究所、沈阳应用生态研究所、沈阳自动化研究所
吉林省	中国科学院长春光学精密机械与物理研究所、中国科学院东北地理与农业生态研究所、中国科学院长春应用化学研究所、吉林省油田管理局钻采工艺研究所、卫生部长春生物制品研究所、东北内蒙古煤炭工业联合公司、长春煤炭科学研究所、中国科学院国家天文台长春人造卫星观测站
黑龙江省	大庆石油管理局采油技术服务公司工艺研究所、国家测绘局测绘经济与管理科学研究所、哈尔滨发动机制造公司设计研究所、牡丹江煤矿机械厂煤矿研究所

3. 研发机构

依托重点高校及科研院所，东北地区已建立了大量科研机构，包括国家工程研究中心、国家重点实验室和国家工程技术中心，分布于农业、材料、能源与交通、制造业、轻纺医药卫生等多个领域。

国家工程研究中心是国家科技创新体系的重要组成部分。功能包括：开发产业技术进步和结构调整急需的关键共性技术；开展具有重要市场价值的科技成果的工程化和系统集成；为规模化生产提供成熟的先进技术、工艺；引进技术消化吸收再创新。东北地区有16家国家工程研究中心，占全国总量的12.6%。其中，辽宁有10家国家工程研究中心；吉林省有2家，黑龙江有4家，如表7-2所示。

表7-2 东北地区的国家工程研究中心

国家工程研究中心	国家工程研究中心
动物用生物制品国家工程研究中心	中国农业科学院、哈尔滨兽医所等
机器人技术国家工程研究中心	中国科学院沈阳自动化研究所
高档数控国家工程研究中心	中国科学院沈阳计算技术研究所
膜技术国家工程研究中心	天邦膜技术国家工程研究中心有限责任公司
传感器国家工程研究中心	沈阳仪表科学研究院有限公司
染料国家工程研究中心	沈阳化工研究院有限公司
农药沈阳国家工程研究中心	沈阳化工研究院有限公司
玉米深加工国家工程研究中心	中粮吉林华润生化玉米深加工科技开发有限责任公司
大豆国家工程研究中心	吉林东创大豆科技发展公司
高效焊接新技术国家工程研究中心	哈尔滨焊接研究院有限公司
城市水资源开发利用北方国家工程研究中心	哈尔滨工业大学水资源国家工程研究中心有限公司
发电设备国家工程研究中心	哈电发电设备国家工程研究中心有限公司
计算机软件国家工程研究中心	东北大学
燃料电池及氢源技术国家工程研究中心	大连新源动力股份有限公司
船舶制造国家工程研究中心	大连船舶重工集团有限公司
船舶导航系统国家工程研究中心	大连船舶导航系统有限公司

国家重点实验室是国家组织高水平基础研究和应用基础研究、聚集和培养优秀科学家、开展高层次学术交流的重要基地。2003年科技部设立了“省部共建国家重点实验室培育基地”计划，作为培育基础研究“国家队”的“预备队”。东北地区比较重要的国家重点实验室有26个，其中辽宁省有10个，吉林省有11个，黑龙江省有5个。企业国家重点实验室是各类重点央企、企事业单位、企业等研发中心的重点实验室，东北地区有4家。

企业工程技术研究中心拥有国内一流的工程技术研究开发、设计和试验的专业人才队伍，具有较完备的工程技术综合配套试验条件，能提供多种综合性服务，是与相关企业紧密联系的科研开发实体。经过20年的建设与发展，国家工程中心总数达到346个，涵盖了农业、电子与信息通信、制造业、材料、节能与新能源、生物与医药、资源开发、环境保护、海洋等领域。东北地区拥有国家大豆工程技术研究中心、国家催化工程技术研究中心、国家反应注射成型工程技术研究中心和国家电站燃烧工程技术研究中心等一批企业工程技术研究中心。

国家工程实验室围绕重大工程建设和产业发展的迫切需求，开展重点产业核心技术的攻关和关键工艺的试验研究、重大装备样机及其关键部件的研制、高技术产业的产业化技术开发、产业结构优化升级的战略性前瞻性技术研发。截至目前，全国共有 81 个国家工程实验室。东北地区拥有真空技术装备国家工程实验室、甲醇制烯烃国家工程实验室、特高压变电技术国家工程实验室、艾滋病疫苗国家工程实验室、燃煤污染物减排国家工程实验室、药物基因和蛋白筛选国家工程实验室等一批国家工程实验室。

二、创新主体

1. 人才队伍

科技人才是开展各项科研活动的主体，是区域发展的重要动力。东北地区振兴战略实施以来，东北地区的科技人力资源规模稳步增长，2013 年辽宁、吉林和黑龙江省的科技从业人员规模分别为 16.9 万人、7.6 万人、10.9 万人，其中辽宁省一直占东北三省的 50% 左右。从事自然科学和工程技术的科技人员占地区专业技术人员总数的比例持续提升，参与创建、领办企业和科技成果推广转化的人员逐年增加。在科技人力资源方面，辽宁和吉林整体稳步上升，2010 年开始黑龙江持续下降且低于吉林省。科技从业人员增长率变化较大，甚至某些年份负增长，尤其是黑龙江近 10 年的平均增率仅为 1.87%；沈阳、大庆、长春、哈尔滨、鞍山、大连、丹东的科技从业人员数高于地级市的平均值，齐齐哈尔、四平和鹤岗的科技人力资源近十年来已呈现负增长，佳木斯、绥化等市的年均增长率较低，人力资源的空间配置极不均衡（盛彦文，2017）。

东北地区一直有着较好的教育基础。2017 年，高中在读学生达到 2460 万人，普及率达到 153.1 人 / 万人，低于全国平均水平（170.8 人 / 万人），尤其是兴安盟的普及率达到 506.5 人 / 万人，双鸭山、呼伦贝尔、辽源、盘锦、大庆、锡林郭勒均超过 200 人 / 万人，松原、朝阳、鹤岗、七台河、佳木斯等地区均高于全国平均水平。职业中专在读学生达到 1277.9 万人，普及率达到 62.7 人 / 万人，低于全国平均水平（90.2 人 / 万人）。其中，沈阳、大连、哈尔滨、大兴安岭均高于 100 人 / 万人，盘锦也高于全国平均水平。

2. 创新企业

企业是区域产学研创新系统的实施主体，企业的科技资源投入、研发活动的开展及创新发展水平直接影响着区域创新水平提升。2013 年，辽吉黑三省的企业研发投入强度为 0.65%、0.32%、0.69%，远低于北京、天津、上海等发达省市高于 1% 的投入强度，辽宁和吉林更低于 0.69% 的全国平均水平。工业企业发展的重心是生产，应逐步提高技术开发和创新能力的投入。而辽吉黑三省有开展研发活动的企业比例分别为 7.7%、

5.1% 和 7.4%，均远低于全国 14.1% 的平均值，三省企业拥有研发机构数与其他省份相比处于中下游水平，均反映出东北三省企业创新需求不强、对创新的重视远远不够。2012 ～ 2016 年，中科院在东北地区的 7 个研究机构来自企业的技术性收入占各自研究所总收入的 60% ～ 91%，尤其是中科院大连化学物理研究所、金属研究所、沈阳自动化研究所来自企业的技术性收入多数年份高于 90% 以上（盛彦文，2017；李振国等，2019）。

3. 资源整合

在东北地区，以企业为主体的技术创新体系、以高等院校和科研机构为主力的知识创新体系和社会化、网络化的科技中介服务体系快速发展，建立了一批国家大学科技园、国家级示范生产力促进中心。科技创新创业环境明显优化，出台了《东北老工业基地中长期科技发展规划纲要（2006 ～ 2020 年）若干配套政策》《政府引导基金管理办法（试行）》《大型仪器设备共享补贴及奖励办法（试行）》。吉林、辽宁、黑龙江开始注重互惠互利、相互促进、共同发展的科技合作关系。2004 年，长春、沈阳、大连、哈尔滨联合签署了《东北四城市协同合作全面推动东北老工业基地振兴意见》，提出共建共享重大基础设施、加强分工协作。2005 年，以“联合互动、共建共享、协调发展”为准则，签订了《东北三省联合建立区域科学技术创新体系协议书》，开始联合建立区域科技创新体系，区域科技合作进入更高层次的联合发展阶段。随后，东北三省的科技工作者在科研方面的合作越发紧密。三地企业间的技术合作与交流迅速增加，2004 年大连、抚顺、齐齐哈尔的 3 个大型特殊钢企业重组为东北特钢集团，企业间各类合作迅速展开。

三、转化平台

1. 产业园区

高新技术产业以高新技术为基础，从事一种或多种高新技术及其产品的研究、开发、生产和技术服务的企业集合，是知识密集和技术密集型产业。该类产业主要覆盖信息技术、人工智能、生物、新材料、航空航天、海洋工程、新能源与高效节能、节能环保等技术领域。

高新技术产业开发区（简称高新区）是指中国改革开放后在一些知识密集、技术密集的大中城市和沿海地区建立的发展高新技术的产业开发区。2018 年，国家级高新区达 168 家；东北地区共有国家级高新区 16 家，占全国总量的 10% 左右，如表 7-3 所示。其中，黑龙江省有哈尔滨、大庆、齐齐哈尔 3 家国家级高新区和七台河、牡丹江、佳木斯 3 家省级高新区。吉林省有长春、吉林丰满、延吉、通化医药 4 家国家级高新区和辽源、梅河口、四平红嘴、松原农业等省级高新区。辽宁省有沈阳、大连、鞍山、本溪、锦州、营口、阜新、辽阳 8 个国家级高新区和抚顺、丹东、铁岭、朝阳、盘锦、葫芦岛、绥中 7 个省级高新区。蒙东地区拥有通辽等省级高新区。

表 7-3 东北地区的国家级高新区名单

省区	名称
黑龙江省	哈尔滨高新技术产业开发区、齐齐哈尔高新技术产业开发区、大庆高新技术产业开发区
吉林省	长春高新技术产业开发区、吉林高新技术产业开发区、延吉高新技术产业开发区、通化医药高新技术产业开发区、长春净月高新技术产业开发区
辽宁省	沈阳高新技术产业开发区、大连高新技术产业开发区、鞍山高新技术产业开发区、本溪高新技术产开发区、锦州高新技术产业开发区、辽阳高新技术产业开发区、营口高新技术产业开发区、阜新高新技术产业开发区

2. 大学科技城

国家大学科技园是指以具有科研优势特色的大学为依托，将高校科教智力资源与市场优势创新资源紧密结合，推动创新资源集成、科技成果转化、科技创业孵化、创新人才培养和开放协同发展。截至目前，全国共有 115 家国家大学科技园。东北地区共有 13 个国家级大学科技园，2002 年东北大学和哈尔滨工业大学成立大学科技园；2003 年，哈尔滨工程大学、吉林大学成立大学科技园；2004 年和 2006 年大连理工大学和沈阳工业大学分别成立大学科技园；2008 ～ 2010 年，哈尔滨理工大学、东北石油大学和辽宁科技大学成立大学科技园；2012 年，长春理工大学、东北电力大学和大连交通大学成立大学科技园，2014 年东北农业大学成立大学科技园。

3. 创新平台

东北地区拥有了一批技术创新平台，包括公共创新平台和专业化创新平台。以中国科学院相关科研平台举例说明。中国科学院在东北地区建设了沈阳材料科学国家研究中心、机器人与智能制造创新研究院、沈阳材料创新研究院、洁净能源创新研究院、机器人学院、材料学院及国家光电子产业重大创新基地、吉林省化工新材料重大创新基地等一批创新载体。中国科学院在东北地区培育了一批具有创新示范和带动作用的技术平台，如辽宁省材料研发共性技术创新平台、辽宁省装备智能化共性技术创新平台、辽宁省催化产业共性技术创新平台等省级产业共性技术平台等。依托中国科学院沈阳国家技术转移中心，中国科学院与鞍山、丹东、营口、阜新、铁岭、沈阳、辽阳、锦州和大连共建了 9 个分中心，建立中国科学院沈阳国家技术转移中心成果转化基地。中国科学院长春分院与吉林省共建了长春中俄科技园、长春技术转移中心北湖孵化园等四大平台，建立了中国科学院哈尔滨产业技术创新与育成中心等。目前，中国科学院形成了遍布沈阳、长春、哈尔滨、大连等 17 个东北主要城市的转移转化网络。中国科学院沈阳分院和中国科学院长春分院组织各类展会和对接会，推动科技成果转移转化、促进产学研合作（李振国等，2019）。

四、科技投入

1. 科技财政

财政科技支出不仅是区域进行创新活动的前提和基础，也是区域综合实力的重要体现。随着建设创新型国家战略和创新驱动的实施，东北三省十年来财政科技支出的绝对值均呈现稳定的上升趋势，从 2004 年的 13.4 亿元增加到 2013 年的 64.9 亿元，2013 年辽吉黑三省的财政科技支出的总额分别为 118.99 亿元、37.2 亿元和 38.6 亿元。从财政科技支出占财政支出的比重来看，东北三省的财政科技投入强度从 2004 年的 1.73% 下降至 2013 年的 1.6%，科技财力资源投入的绝对值不断加大但投入强度持续降低。辽宁省的科技经费投入总量、均值和投入强度均处于三省的首位，而且与其余两省的差距较大。黑龙江省的财政科技支出一直高于吉林省，但两省差距不断缩小。大连、沈阳、哈尔滨、长春、通化、吉林的财政科技支出高于平均值，是科技财力资源较为丰裕的地级市；大连、沈阳、通化的财政科技投入强度超过 3% 水平，哈尔滨、长春等 14 个地级市的强度超过 1% 水平（盛彦文，2017）。

近年来，东北地区的科技创新能力建设取得了较大进展。2015 年，科技专项经费达 9.02 亿元；共争取到国家科技重大专项 8 个项目，获国拨经费 3.53 亿元；哈电动力装备承担的“CAP1400 屏蔽电机主泵研制”项目获国拨经费 2.29 亿元。2015 年，东北地区共争取国家重点新产品项目 22 项，项目经费 750 万元，包括战略性创新产品项目 6 项和重点新产品计划项目 16 项。获国家火炬计划项目立项数为 30 项，其中产业化示范项目 14 项和环境建设项目 18 项，获得国拨经费 850 万元（孙浩进等，2016）。

2. 经费投入

科技经费作为科技财力资源，主要来自政府和企业。东北地区科技经费筹集总额逐年大幅度上升。其中，辽宁省科技经费筹集总额占东北三省的 50% 左右，企业筹集经费占东北三省企业筹集经费总额的 50% 左右。企业成为科技活动经费筹集的主要来源，在科技投入中所占的比例逐年增大。政府是科技投入的另一个重要主体，地方财政科技投入保持持续增长。高校研发经费投入在全国处于中上游水平，2015 年东北地区高校从各种渠道共获得科技经费 90.09 亿元，各高校获得的科技经费平均到科技活动人员约每人 2.19 万元。在研发经费的内部支出中，业务费所占比例增长较快，固定资产购建费的增长趋于平缓。

五、科技产出

1. 创新产出

专利授权数是衡量区域科技资源投入产出水平的重要指标，也是区域创新水平的直接反映。2004 ～ 2013 年，东北三省的专利授权数从 12 933 件增长为 65 298 件，平均增长率近 20%（17.58%）。创新产出质量不断提高，发明专利授权数从 2004 年的 117 件增长到 2013 年的 32 981 件，发明专利授权数占全部专利授权数的比例从 31.8% 上升到 50.5%。2013 年辽吉黑三省专利数分别为 21 656 件、6219 件、19 819 件，辽宁和黑龙江处于中游水平，而吉林省相对落后。2017 年，东北地区共拥有发明专利 6.9 万件，技术合同成交额 766.8 亿元，成交约 2.5 万项。三省高校平均发表科技论文数和专利申请数均处于中上游水平（盛彦文，2017）。

东北三省形成了组团分布的创新极化带，强强联合的趋势明显，以沈阳 – 大连为核心的辽中南城市群、以长春 – 哈尔滨为核心的哈长城市群已成为东北地区的创新极化带。辽中南和哈长城市群的专利数占东北三省总数的近 90%，其中沈阳、大连、长春和哈尔滨是东北地区创新的核心区和增长极，4 个核心城市的专利数占东北三省总数的 71.9%（盛彦文，2017）。

2. 技术应用

科技成果的本地转化率不断提升。2017 年中国科学院在辽科研机构成果的本地转换率就比 2016 年提高了 10 个百分点。东北地区加快培育新兴产业，中国科学院在机器人与自动化成套装备、先进材料、光电子、生物医药等战略性新兴产业领域培育出近百家高技术企业，推动了东北地区产业结构转型发展。助推传统产业升级改造，中国科学院科研机构将新一代信息技术、新材料技术和生物技术等新兴技术应用于钢铁、装备制造、石化和农业等传统产业。例如，甲醇制取低碳烯烃技术在世界上首次实现工业生产，“热加工过程可视化及其成套技术”带动装备制造热加工升级。中科院与长春轨道客车及配套企业合作，在转向架材料、半导体激光加工装备等方面开展了核心技术联合攻关，实现了中国高速列车核心技术突破和产业化，系统性提升了产业链的创新能力（李振国等，2019）。

辽宁省：技术创新水平高于全国同行业平均水平的有 4 个，包括石油和天然气开采、橡胶制品、黑色金属冶炼及加工、交通设备制造。高端装备制造业发明专利授权数位居全国第 6 位，占全部高端装备制造业专利数的 3.86%，新能源产业位列全国第 9 位，新材料产业位列全国第 7 位，节能环保产业专利授权数占全国比例近 4%（盛彦文，2017），如表 7-4 所示。

表 7-4　2013 年东北三省战略性新兴产业专利授权数与占全国比例情况

省份	辽宁省		吉林省		黑龙江省	
	专利授权数 / 件	占比 /%	专利授权数 / 件	占比 /%	专利授权数 / 件	占比 /%
节能环保	617	3.9	155	0.98	243	1.5
新一代信息技术	139	1.0	87	0.6	120	0.9
生物技术	526	2.5	335	1.6	454	2.1
高端装备制造	139	3.9	35	0.9	102	2.8
新能源	114	2.7	37	0.9	50	1.2
新材料	320	3.5	110	1.2	151	1.6
新能源汽车	20	2.7	13	1.7	12	1.6

吉林省：技术创新水平高于全国同行业平均水平的有 2 个，即医药制造业和化学纤维制造业。生物技术、装备制造、汽车制造等传统优势产业的创新能力比较薄弱。

黑龙江省：在生物技术、高端装备制造业上具有一定的相对优势。

3. 产出效率

以沈阳－大连为核心的辽中南城市群和以长春－哈尔滨为核心的哈长城市群是东北三省科技资源投入、创新产出的集中区，形成了科技资源投入和产出效率的两大集群高地，科技人力或科技财力资源投入对经济发展的拉动作用显著，是东北三省科技资源投入较多、创新发展较好、科技资源配置效率较高的地区。

地市科技投入产出效率形成了“高效率地市形成两大集群、中低效率地市连片分布、低效率地市零散分布”的空间格局。辽宁的大连、沈阳、鞍山、盘锦和吉林的长春、黑龙江的哈尔滨是东北地区科技投入产出效率相对较高的两大区域，阜新、大庆、齐齐哈尔等中高效率城市则分布在高效率核心城市周围，共同构成以辽中南和哈长城市群为核心的东北地区科技产出效率的两大高地。辽阳、伊春、牡丹江等中等效率地级市和铁岭、四平等中低效率地级市在空间上呈现出连片环绕分布在高效率地级市周围的特征，主要集中分布在与吉林省相邻的辽宁省东北部地区、吉林省的西南和黑龙江省西部等边境地区；而黑河、白城、白山 4 个低效率地级市零散分布在边界地区（盛彦文，2017）。

第二节　东北地区创新发展问题

改革开放以来，东北地区因各种原因，科技创新存在一定程度的科技成果“孤岛化”、研发活动空心化、创新资源碎片化等现象，成果转化流出严重，科技创新对经济结构优化和新兴产业培育的驱动作用较小，经济发展的内生动力较低。

一、科技要素投入

1. 技术研发投入不足

人员与资金始终是科技研发的投入基础。东北地区产业结构偏重，国有企业比例过高，自身创新动力不强，缺乏科研合作意愿。如表 7-5 所示，2017 年，东北地区工业企业的 R&D 人员仅占全国总量的 3.78%，研发机构仅为 1.11%，人力资源投入很低。东北地区有研发机构的规模以上工业企业仅占全国总量的 1.02%，有 R&D 活动的企业仅占全国总量的 2.17%。2017 年，东北三省的 R&D 内部经费支出为 704.48 亿元，仅占全国总量的 4%，比例很低。其中，辽宁省所占比例为 2.44%，吉林省和黑龙江省仅分别为 0.73% 和 0.83%，均不足 1 个百分点。吉林省企业研发投入不足，2015 年规模以上工业企业 R&D 经费支出为 78.9 亿元，占主营业务收入的 0.34%，仅为全国平均水平的 40%，居全国第 30 位。

表 7-5　2017 年东北地区规模以上工业企业 R&D 人员与研发机构

指标		辽宁	吉林	黑龙江	东北三省	东北三省占全国比例 /%
企业 R&D 人员	R&D 人员 / 万人	7.9	3.8	3.5	15.2	3.78
	R&D 人员全时当量 / 人年	4.95	2.11	2.40	9.46	3.46
企业研发机构	机构数 / 个	581	180	159	920	1.11
	机构人员 / 万人	4.5	1.74	1.74	7.98	2.45
	仪器设备原价 / 亿元	234.7	70.4	40.3	345.4	3.89
企业	有研发机构的企业数	452	142	127	721	1.02
	有 R&D 活动的企业数	1420	386	410	2216	2.17

如图 7-3 所示，从 R&D 的投入强度来看，东北三省一直低于全国平均水平，2010 ～ 2017 年大致呈现出逐年下降的趋势。2017 年，全国 R&D 投入强度为 2.13，而辽宁省为 1.8，吉林省仅为 0.84，黑龙江省为 0.9，后两省均不足全国平均水平的一半。部分发达国家和地区基础研究、应用研究、试验发展在研发经费投入中的分配结构为 1 ： 1.6 ～ 1.7 ： 4.8 ～ 5，而 2013 年东北三省的配置结构为 1 ： 2.7 ： 13，基础研究和应用研究的比例过低（盛彦文，2017）。

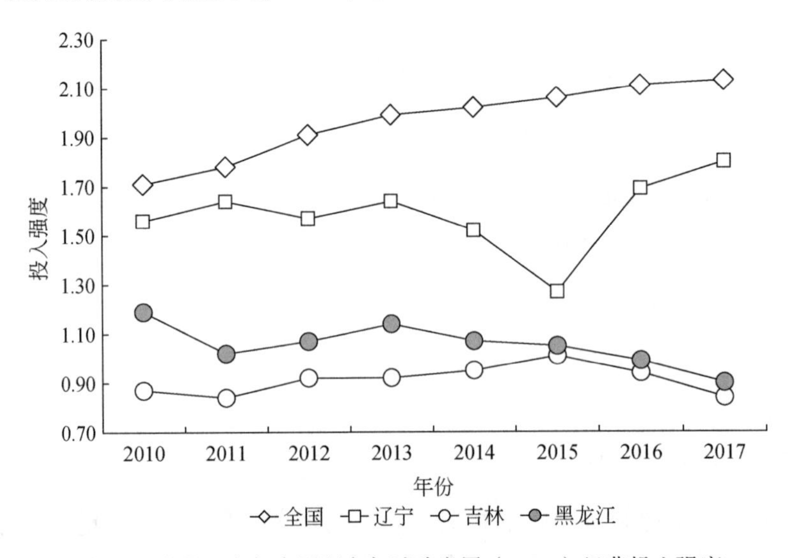

图 7-3　东北三省与全国研究与试验发展（R&D）经费投入强度

2. 科技人才流失严重

人才是技术创新和技术资源整合利用的基础。改革开放以来，因其他地区的更多发展机会，东北地区的技术人才开始流失。部分地级城市因高校和国有企业搬迁，大量科研人员、技术人员、企业管理人才流失。高校毕业生人才不愿留在东北地区而选择“东南飞”，大量毕业生、专业技术人员和熟练工人流向“北上广”，降低了东北地区的人力资本水平。1996 年，东北三省大专以上人口占 15 岁及以上人口的比例远高于全国平均水平，是广东、浙江的 2 ～ 3 倍；2002 年，辽、吉、黑分别是 6.24%、7.41%、5.58%，与广东、浙江基本持平，东北的人才潜力已弱化。东北地区科技人力资源存量虽然呈现持续积累，但增速缓慢，远落后于全国平均水平。这说明东北地区传统的技术人才优势逐步丧失。

东北地区科技人才资源结构失衡。其中，基础性学科人才多，应用型人才少；生产管理型人才多，经营营销类人才少；文科人才较多，企业家与工程师少，尤其生产一线人才过少；传统产业的人才较多，新兴产业的人才较少，特别是信息、高新技术等高级人才短缺。高层次人才和优秀科技人才缺乏，高学历、高职称人员的比例偏小，尤其是缺乏高精尖制造业、信息产业和新材料等方面的专业人才（孙浩进等，2016）。吉林省制造业占工业比例为 89%，但制造业人才只占工业人才的 24%，吉林省 88% 的专业技术人才集中在教育、卫生等行业，农业、生物化学、医药等优势或支柱产业的专业技术人才不足 5%（林莉和谢富纪，2010）。人才结构与经济结构“错位”，导致东北地区的技术创新资源优势不断被削弱，创新能力不断降低。

3. 企业驱动主体作用薄弱

企业是区域创新系统的主体，是区域创新发展的主要推动力。长期以来，东北地区科技资源配置偏向国有企业，但行政成本较高和供给老化引致创新动力缺失，大量专业人士从事非创新性活动造成人才浪费。

东北地区国有大中型企业虽然集中，但企业自主创新能力较弱。企业发展仍以要素投入驱动为主，企业的研发投入强度、有研发活动的企业比例、新产品销售收入占主营业务收入比等指标反映出东北企业对技术创新的需求不强，对创新投入的强度低于或稍高于全国平均水平，企业面向市场的创新能力薄弱。多数企业对技术创新的研发投入仍然较少，发展中心为生产，创新意识淡薄，没有设立专门的研发机构或企业技术中心，没有自主知识产权新产品。东北企业拥有专利数只占地区专利数的 16.88%，低于高校的 20.09%。黑龙江省高校专利占本省全部专利的 20.08%，是企业（9.28%）的 2 倍之多，这反映出东北地区企业作为创新主体的地位不突出（盛彦文，2017）。

由于科技资源整合不够，东北地区虽然科技基础较好，但产学研合作的优势没有充分发挥出来。科技工作条块分割，科技活动存在断裂，企业间、企业与院校及科研机构之间缺乏有效的协作，重复开发，科研、生产、市场互为脱节，形成不了合力和。吉林省高校研发经费中来自企业的比例仅为 16.75%，低于 27.13% 的全国平均水平，吉林和黑龙江科研机构研发经费中来自企业的比例仅为 1.25% 和 0.63%，远低于 4.93% 的全国平均水平。三省的科技市场成交额也远低于全国水平（盛彦文，2017）。

二、成果产出转化

1. 技术创新成果少

东北地区的科技创新成果较少，主要表现为专利和新兴产品开发等方面，这影响了新产业的培育发展。

拥有专利的数量比较少。如表 7-6 所示，2017 年工业企业专利申请数、拥有有效发明专利数分别为 2370 件和 1884 件，仅占全国总量的 0.37% 和 0.4%。2017 年，东北地区申请商标 19.9 万件，占全国总量的 3.59%，核准注册占比为 3.7%。从工业企业的专利来看，东北地区申请的专利申请数量达 1.8 万件，包括 8000 件发明专利，有效发明专利达 2.9 万件，分别占全国总量的 2.19%、2.46% 和 3.03%，比例很低。这导致东北的科研成果“墙里开花墙外香”，地区的创新活力降低。如表 7-7 所示，2017 年各地区规模以上工业企业新产品开发和销售情况，东北三省占比均较低。

表 7-6　2017 年东北地区商标注册与工业专利

类型		辽宁	吉林	黑龙江	东北三省	东北占全国比例 /%
商标注册申请与注册	申请数 / 万件	8.6	5.3	6.0	19.9	3.59
	核准注册 / 万件	4.5	2.3	3.2	10.0	3.74
	1991 ～ 2017 年核准注册商标 / 万件	25.6	12.8	16.8	55.2	3.99
	截至 2017 年底有效注册量 / 万件	25.0	12.5	16.5	54.0	3.97
规上工业企业专利	专利申请数 / 万件	1.1	0.3	0.4	1.8	2.19
	发明专利 / 件	0.5	0.1	0.2	0.8	2.46
	有效发明专利数 / 万件	1.9	0.4	0.6	2.9	3.03

表 7-7　2017 年各地区规模以上工业企业新产品开发和销售

地区	新产品开发项目数 / 项	新产品开发经费支出 / 亿元	新产品销售收入 / 亿元	出口
全国	477 861	13 497.8	191 569	34 944.7
辽宁	8 228	305.8	3 696.2	401.2
吉林	2 791	117.1	2 774.7	51.1
黑龙江	3 252	66.9	682.5	78.1
东北三省	14 271	489.8	7 153.4	530.4
东北三省占比 /%	2.99	3.63	3.73	1.52

2. 创新转化能力不足

表 7-8　东北地区与全国国家级科技企业孵化器孵化企业比较

类别	2014 年		2017 年	
	全国平均	东北平均	全国平均	东北平均
在孵企业数 / 个	87	81	89	86
当年新增在孵企业数 / 个	24	16	24	22
当年毕业企业数 / 个	9	7	10	9
当年获得投融资企业数 / 个	5	2	6	5
当年获风险投资金额 / 万元	1570.7	730.3	3314.4	1063.6

资料来源：李振国等（2019）

科研成果能否及时就地转化取决于地方转化渠道是否通畅。东北地区的科技创新的资源优势多停留在初始阶段，成果转化率偏低，尚未转化为现实生产力（表 7-8）。尤其是一些“国家队”科研院所的科技创新成果就地转化更少，部分专利未能及时落地。其主要因素是围绕创新链的服务链不够完善，尤其是关键环节仍存在“梗阻”，导致转化渠道不通畅。东北地区科技中介服务机构建设尚处于起步阶段，社会化、市场化的科技中介机构和服务体系不健全，多数机构服务种类单一、服务方式及内容缺乏创新。尤其是科技成果转化在试验—中试阶段等创新链前端环节不确定性很大，在东北地区很难找到资金，孵化基金、种子基金、风险资本等缺乏，风投、私募等机构不发达（杨威，2016）。如表 7-9 所示，2017 年，东北地区孵化器内企业总数仅占全国总量的 6.1%，在孵化企业从业人员占比仅为 6.5%。中国科学院在辽宁有 6 个国家级研究所，其成果在本省与在其他省区市的转移转化的比例为 1 ∶ 6。

东北地区技术转移机构、孵化器等中介机构的服务能力较弱（表 7-9）。从国家级技术转移示范机构来看，2014 年全国平均每家机构促成项目成交 252 项，促成成交金额 4.1 亿元，服务企业 742 家；而东北地区平均每家机构促成项目成交仅为 134 项，促成成交金额 1.2 亿元，服务企业仅为 187 家。2017 年，尽管情况有较大提升，平均每家促成项目成交达到 166 项，促成成交金额 1.7 亿元，服务企业达 232 家，但仍与全国平均水平有较大差距（李振国等，2019）。

表 7-9　2017 年东北三省企业孵化器指标比较

地区	在统孵化器数量 / 个	孵化器内企业总数 / 个	在孵化企业 / 个	在孵化企业从业人员 / 万人	当年获得风险投资 / 亿元
全国	4 063	223 046	177 542	259.6	473.3
辽宁	72	4 721	3 953	6.6	3.9
吉林	94	3 527	3 214	6.0	3.3
黑龙江	158	5 411	4 649	4.2	4.4
东北三省	324	13 659	11 816	16.8	11.6
东北三省占全国比例 /%	8.0	6.1	6.7	6.5	2.5

3. 科技创新成果外流

尽管东北地区科技资源密集，科技创新成果丰富，但 70% ～ 80% 的成果却不在东北当地转化。一些“国家队”科研院在东北地区产生的技术反而输出到其他地区，形成“墙内开花墙外香”。中国科学院大连化学物理研究所主持的“甲醇制取低碳烯烃技术”，获得了国家技术发明一等奖，但该技术于 2011 年就在省外实现商业化运营，在辽宁却迟迟未能落地。目前，中国科学院沈阳分院在东北三省共建了 15 个转化平台，而在全国其他 13 个省市区共建了 39 个。这造成了东北地区大学和研究机构往往选择在南方地区落地转化创新成果。2011 ～ 2013 年，在东北三省外的转移转化科技创新成果项目数和科技合同额分别为 829 项和 14.3 亿元，占比分别为 78.7% 和 83.7%，而在本地仅为 21.3% 和 16.3%（杨威，2016）。科研成果转化率低，2015 年技术市场成交的 2891

项合同中，买方单位属于吉林省的有 1747 项，占 60.4%，有近 40% 的技术成果流到域外。2011 年，东北地区输出的技术合同额约为 248 亿元，此后逐年上升，2015 年达到 421.1 亿元。科技成果外流导致本地高新技术产业和新兴产业新产品开发较少，影响了产业结构的优化调整。

4. 科技产出效率较低

东北地区科技开发人力投入与实际收效反差较大。东北地区教育与科研人员占全国的比例为 14.5%，但高校科技专利、成果转让合同数、成果转让当年实际收入占全国的比例分别为 9.39%、4.44%、3.58%，成果占比大幅低于人力占比。模型计算分析发现（表 7-10），东北地区的科技创新效率比较低，总平均技术效率为 0.937，存在 6.3% 的投入资源浪费。尤其是，规模效率较低。其中，辽宁省年均规模效率只为 0.892，处于相对无效率状态，存在相对较大的投入资源浪费，影响了整体效率；黑龙江省在纯技术效率方面弱有效，多个年份出现投入冗余的现象。东北地区的全要素生产率的平均增长率为 7.9%，上升幅度较小；技术效率增长率为 0.5%，规模效率增长率为 0.8%，而纯技术效率却下降了 0.2%，这说明东北地区总体科技投入的全要素生产率增长率不高，技术效率增幅不明显，其中纯技术效率呈负增长。2003 ～ 2014 年，多数年份的资源配置效率处于无效率状态或临界状态，资源配置的优化水平较低，科技产业的市场化水平较低，不能将投入资源转化为应有的产出，资源浪费明显（姜国庆和居润林，2017）。

表 7-10　东北三省科技投入产出情况

年份	技术效率	纯技术效率	规模效率
2002	0.913	1.000	0.913
2006	0.890	1.000	0.890
2010	0.935	0.936	0.998
2014	0.941	0.966	0.974
辽宁均值	0.892	1.000	0.892
吉林均值	1.000	1.000	1.000
黑龙江均值	0.919	0.958	0.960
东北三省均值	0.937	0.986	0.951

资料来源：姜国庆和居润林（2017）

5. 企业技术转移能力低

东北地区的多数企业研发投入意愿不强，尤其是国有企业缺乏生产机制的灵活性和自主性，创新意识薄弱等，而民营企业风险承受能力低。如表 7-11 所示。这导致企业不愿意接纳外部技术，即使企业获取外部技术但本身并不具备消化和运用的能力，也无法完成技术转化。这造成技术吸收能力较弱，影响了科技成果转化和吸纳。

多数企业的技术对外依存度较高。从研发情况看（图 7-4），东北地区规模以上工业企业中有 R&D 活动的企业比例较低，虽然近几年已从 2012 年的 5% 提升到 2017 年的 13.6%，但仍远低于全国水平。而且，东北地区规模以上工业企业 R&D 经费内部支出占全国的比例持续下降，从 2012 年的 6.1% 下降到 2017 年的 3.6%（李振国等，2019）。企业主动性不足，导致科研与设计、生产脱节，原创性科研成果与产业化生产之间缺乏工程技术开发环节。

表 7-11　东北地区与全国国家级技术转移示范机构成果转移转化比较

年份	类别	促进项目成交总数 / 项	促进项目成交金额 / 亿元	服务企业数量 / 家
2014	全国平均	252	4.1	742
	东北平均	134	1.2	187
2015	全国平均	281	3.9	709
	东北平均	134	1.4	218
2016	全国平均	289	5.8	852
	东北平均	122	1.2	221
2017	全国平均	259	3.9	820
	东北平均	166	1.7	232

资料来源：李振国等（2019）

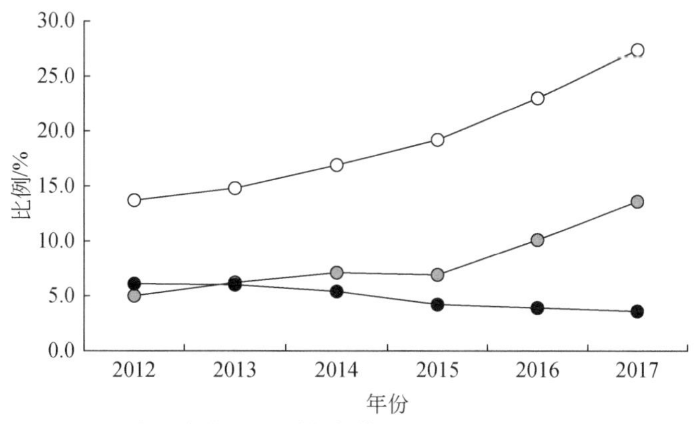

图 7-4　东北地区规模以上工业企业研发情况

资料来源：李振国等（2019）

东北地区许多高新技术企业仅是组装车间，主要关键技术需从国外进口，名牌产品不多。技术改造中技术创新活动开展不够，产业技术水平提高不快。技术引进的消化吸收不足，技术引进与自主开发严重脱节，形成技术引进依赖症，而且技术引进方式尚处于低级阶段，生产使用为第一目的，在消化吸收基础上再创新的企业较少。

三、产业创新动力

1. 产业发展需求不足

东北地区科技创新与其产业发展活力不强、新兴产业发展缓慢等因素有关。东北地区产业结构偏重，是最早建设装备制造、原材料、能源基地的地区，主导产业是钢铁、化工、能源等，传统产业占比较大，处于新一轮经济周期的外围，这制约了创新活动和科技成果转化（杨威，2016）。经济发展长期依靠资源投入或简单的技术引进、模仿，传统产业创新能力不足。创新要素配置明显集中在资源型密集产业，既有知识产权呈现明显的重化工业特征，创新成果聚集在传统优势产业。战略性新兴产业发展不足，市场活力不够，创新成果较少。国有企业比例过高，自身创新动力不强，缺乏科研合作意愿。占全国医药制造业 5.83% 的吉林省却仅拥有全国不足 2% 的医药产业专利（盛彦文，2017）。民营经济发展落后，普遍弱小，尤其是中小型企业发展水平参差不齐，技术消化能力较低，经济实力与融资能力较低，难以承接科技成果，未能形成对科技创新成果的有效需求。这促使科技进步对东北地区经济增长的贡献份额偏低，远低于国内发达省区。

2. 政策保障有待完善

近年来，东北地区各级地方政府为了促进科技创新成果转化，出台制定了一系列政策措施，但与南方一些省市相比，措施仍有待完善（杨威，2016）。受计划经济思维影响较重，服务意识薄弱，政府在科技创新中还存在缺位和越位的问题，公平竞争的市场环境和规则建设仍需改进（郑雪梅，2017）。从监管方面来看，2013 年东北三省共查处假冒专利行为结案 541 件，反映了东北地区知识产权保护工作的不足。从提供服务的能力来看，地方政府负责的评估、备案、审批等工作环节过多，流程复杂，时间较长，导致一些政策在实际执行中未能有力提高高校或企业科技创新成果转化的积极性。缺乏知识共享和信息交流平台，科技资源流动不畅，尤其是科技中介机构的缺位使得科技信息、咨询、法律、金融和市场中介等服务水平低下，使科技资源配置缺乏市场配置的手段和载体（李晓刚等，2007）。科技成果的产权不明，只强调国有而不考虑利益分享。科技资源多头管理，协同能力弱。法律法规政策执行力度不够，管理存在重立项轻跟踪、重项目轻管理、重微观轻宏观现象，各部门各自为政。

东北地区科技创新成果交易市场体系不够完善，成果转化过程中各方面的利益难以得到保障，没有一套适应现实科技工作和市场的机制，奖励不到位、落实不到位等现象经常出现，难以起到对科技人员的激励作用。从政府层面来看，科技创新成果在东北地区转化后，缺少奖励及后续资助，直接影响了科技人员成果就地转化的热情（杨威，2016）。东北地区的经济结构表现为以国企主导的格局，其市场化行为的灵活性较低，不能提供优厚的待遇吸引科技成果。

第三节　智能工业革命与创新驱动

一、智能工业革命

1. 工业革命代际

截至目前，人类工业革命的发展大致经历了四次，每次工业革命的能源动力、主导产业、发展特征均明显不同，并主导了各国家的产业发展路径与发展水平，如图 7-5 所示。

工业 1.0——18 世纪 60 年代至 19 世纪中期，为机械化制造时代，即 18 世纪引入的机械设备制造时代。该时期主要通过水力和蒸汽机实现工厂机械化，主要产业开始从传统农业、手工业转型到轻工纺织、机械制造等产业。

工业 2.0——19 世纪后半期至 20 世纪初，为电气化与自动化时代。该时期主要采用电力推动工厂大规模生产。

工业 3.0——从 20 世纪 70 年代开始并延续至现在，是电子信息化时代。该时期广泛应用电子与信息技术，制造自动化水平大幅提高。

工业 4.0——近些年来，部分发达国家提出了工业 4.0 的概念，是实体物理世界与虚拟网络世界融合的时代。推动工业 4.0 的代表性国家有德国、美国等。

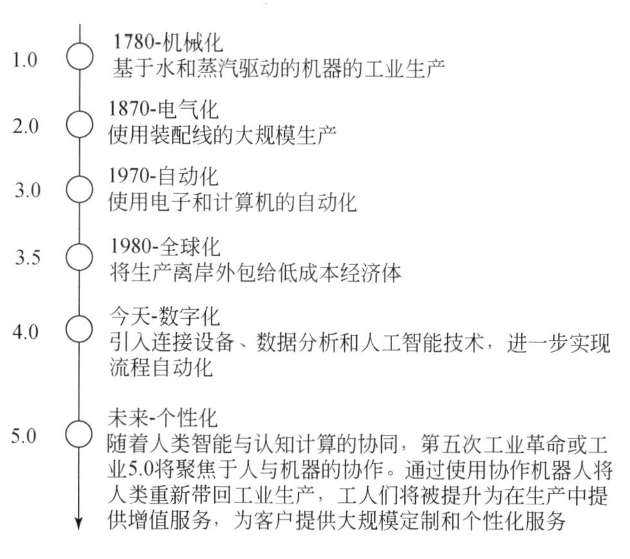

图 7-5　人类社会工业革命的历史

2. 工业 4.0

“工业 4.0”是以智能制造为主导的第四次工业革命。其概念是德国在 2013 年提出的，并列为《德国 2020 高技术战略》十大未来项目之一。“工业 4.0”支持工业领域开展新一代革命性技术的研发与创新，推动人类步入以智能制造为主导的第四次工业革命。“工业4.0”是利用物联信息系统将生产中的供应、制造、销售等信息数据化、智慧化，最后实现快速、有效、个人化的产品供应，将机器人、互联设备和快速的数据网络集中在工厂环境中，建立高度灵活的个性化、数字化的产品与服务的生产模式。核心环节是智能工厂、智能生产和智能物流。

为了应对去工业化，许多发达国家将物联网和智能服务引入制造业。尽管各国家的提法有所不同，但基本内容类似，如美国的“先进制造业国家战略计划”、日本的“科技工业联盟”、英国的“工业2050战略”等。2015年，中国颁布了《中国制造2025》，部署全面推进实施制造强国战略。

二、科技创新驱动

1. 创新驱动

创新涵盖众多领域，包括政治、军事、经济、社会、文化、科技等各领域的创新。1912年，熊彼特在《经济发展理论》中指出，创新是指把一种从来没有过的关于生产要素的“新组合”引入生产体系。这种新组合包括：引进新产品；引用新技术或新生产方法；开辟新的市场；控制原材料新的来源；实现任何一种工业新的组织。技术创新是从产生新产品或新工艺的设想到企业规模化生产、再到市场消费应用的完整过程，包括新设想的产生、研究、开发、商业化生产到扩散等系列活动。

改革开放40多年来，中国经济快速发展主要源于劳动力和资源环境的低成本优势。进入新发展阶段后，中国在国际上的低成本优势逐渐消失，很多产业处于国际产业链的中低端，消耗大、利润低，产业转型升级的核心支撑技术受制于人。2012年，十八大明确提出“实施创新驱动发展战略”“科技创新是提高社会生产力和综合国力的战略支撑，必须摆在国家发展全局的核心位置”。2015年3月，《中共中央 国务院关于深化体制机制改革加快实施创新驱动发展战略的若干意见》提出，创新驱动战略是指未来发展要依靠创新驱动，而不是传统的劳动力和能源资源驱动，创新的目的是服务于“发展”，降低资源能源消耗，改善生态环境。

2. 技术创新

技术是产业之源。技术创新是企业或产业竞争优势的重要来源和企业或产业可持续发展的重要保障。技术创新是指生产技术的创新，包括开发新技术或将已有的技术进行应用创新。1999年中国技术创新大会后，党中央、国务院发布的《中共中央 国务院关于加强技术创新，发展高科技，实现产业化的决定》中提出，技术创新，是指企业应用创新的知识和新技术、新工艺，采用新的生产方式和经营管理模式，提高产品质量，开发生产新的产品，提供新的服务，占据市场并实现市场价值。

技术创新活动过程可分为研究与开发、中试、批量生产、技术推广与普及等不同阶段。成果通过技术和经济上可行性的多方面测试才能正式投产，然后在市场上销售，进入商业化阶段。技术创新需要构建以企业为主体、市场为导向、产学研相结合的技术创新体系。首先，确立企业的主体地位，让企业成为技术需求选择、技术项目确定、技术创新投入和成果产业化的主体；其次，高校、研发机构、中介机构及政府、金融机构等与企业一起构建分工协作、有机结合的创新链。

自主创新是指通过拥有自主知识产权的独特的核心技术以及在此基础上实现新产品的价值的过程。自主创新包括原始创新、集成创新和引进消化吸收再创新。自主创新可以推动技术发展由过多依赖国外技术逐步转移到主要依靠自主创新。

3. 产业技术创新

产业技术创新是指以市场为导向，以企业技术创新为基础，以提高产业竞争力为目标，以技术创新在企业与企业、产业与产业之间的扩散为重点过程，从新产品或新工艺设想的产生，经过技术的开发（或引进、消化吸收）、生产、商业化到产业化整个过程一系列活动的总和。产业技术创新可以实现如下三个方面：①推动传统产业转型升级，促进新技术与传统产业融合，尤其是加快人工智能技术的应用，让传统产业焕发新动力、释放新动能。②加快战略性新兴产业培育，发展人工智能、节能环保、新一代信息技术等新兴产业，催生新技术、新动能、新活力。③促进前沿科技成果落地转化，畅通技术成果与市场对接，健全科研资源开放共享机制，实现科技创新与企业创新创业深度融合。

第四节　东北地区创新发展路径

创新是国之利器。把创新作为培育东北地区内生发展动力的主要生长点和全面振兴的重要引擎，充分发挥科技在东北振兴中的先导和带动作用，大力实施创新驱动发展战略，整合各类资源，建设各类支撑服务平台，加强人才培养和团队建设，提升区域科技创新能力，增强自主创新能力，实施重大产业科技创新工程，加强知识产权保护，完善服务体系，提高科技成果就地转化水平，推进产业结构调整与升级，转变东北地区的经济增长模式，为东北地区的振兴发展提供新动力。

一、区域创新体系

1. 产学研区域创新系统

东北地区具有较为丰富的科教资源。要充分利用这些资源，通过企业、高校和科研机构等创新主体间的分工合作，形成以企业为核心，科研机构、高校、中介服务机构和政府机构之间联动、产学研耦合协调的区域创新系统。高校侧重于基础知识和技术的研究，以及承担教育和培训的任务，科研机构略重于发展技术，而企业则重于实用技术的研究。加强各类资源的整合，实现科技资源的统一优化配置；促进政府转变职能，加强维护科技创新成果转化的市场环境。加强各类科技平台建设，尤其是推动区域公共平台建设；完善东北地区的国家工程中心、重点实验室布局，突出优势产业和领域，建立和完善符合市场经济规律的研发体系。统筹规划和布局，整合东北地区科技资源，以建立共享机制为核心，重点建设大型科学仪器协作共用体系、分析测试体系、自然科技资源共享体系、信息资源共享网络体系。筛选和组织一批东北地区的重大科技创新项目和工程，打通从基础研究、应用研究、工程化到产业化等创新环节。重点支持东北地区科技系统信息网络建设，提升各级科技管理部门的信息化管理水平，增强科技服务的能力（王莹，2006）。

2. 加强高校、科研院所引领作用

高校和科研院所是区域新知识、新技术的创造者，具有知识研究、技术创新、人才培养等方面的优势。地处东北地区的高校和科研院所，在推动东北地区创新发展中发挥人才基地、研究基地、创新基地和创业基地的作用，激活传统发展动能，培育新的发展动能。鼓励高校各学科之间开展交叉研究和综合性研究。综合实力较强的高校，应坚持“教学”和“科研”双管齐下，积极参加经济建设；实力一般的高校要根据自身重点培养的人才优势、学科建设特色参与经济建设，开展力所能及的科研活动。支持东北高校和科研院所充分发挥仪器设备和科研人员优势，面向社会开放科研和检测平台，为中小企业创新创业活动提供仪器设备和人才支撑（杨威，2016）。

3. 巩固企业创新主体地位

企业是区域产学研创新系统的重要组成部分，也是产业与技术的交汇点，具有研发资金、市场信息获取、技术产业化、创新资源整合等方面的优势（盛彦文和马延吉，2016）。加强企业在科技资源配置中的作用，让企业家在技术创新活动中担任主角。增强企业的创新意识和创新需求，鼓励企业加大技术研发活动的投入、队伍建设，鼓励与高校、科研院所共建研发中心、检测中心、设计中心、中试基地等各类研发机构，提高企业创新能力。引导企业按照产业规划和市场需求先行投入开展项目研发。各级政府应当充分利用财政税收等手段，给予企业创新研发支持。提高国有企业科技资源配置效率，鼓励民营中小企业创新发展，在资金、政策上给予倾斜，培育一批核心技术能力突出、集成创新能力强的创新型领军企业。通过推行管理人才年薪制，实现由企业家向科技企业家的转换。

4. 区域创新基地建设

结合东北地区的各类资源，打造一批区域性创新基地。发挥特色资源优势，在农产品精深加工、中医药研发、高性能纤维及高端石墨技术研发、应用化学、汽车技术、先进装备制造技术等领域建立一批各种形式的创新基地。争取建设若干高水平的国家科学中心和技术创新中心，组建一批行业性和区域性的科技创新中心。东北三省建设科技军民融合类协同创新平台，推动军工和民口科技资源互动共享，支持军民融合成果在当地转化。依托高校、科研院所和高新技术产业开发区及各类科技园区、省级以上重点实验室、工程技术研究中心，建设高层次创新基地（孙浩进等，2016）。依托辽宁省中德（沈阳）高端装备制造产业园，推进国家国际科技合作基

地建设。重点支持生产力促进中心、技术市场以及大学科技园的建设，塑造完善科技转化平台。

5. 加强创新体系对接

进一步梳理科技创新的战略思路。实施区域创新重大项目和产业项目“对接”，配合有产业带动作用的大项目开工建设。实施区域内核心技术和区域品牌产品“对接”，使“东北制造”成为中国工业领域中的著名品牌。实施区域内名牌企业和院校的“对接”，推动产研一体化。实施区域内产业链和创新链的“对接”，重点围绕主导产业发展领域中的关键性、共性和前瞻性的技术问题，开展技术攻关。逐步改变以工艺创新为主的发展思路，积极发展产品创新（郑文范，2004）。

二、成果转移转化

1. 科技创新成果转化

推动科技成果转化与产业化是创新驱动战略的核心，东北地区必须要完善科技创新成果转化服务体系。在东北地区高校和科研院所建立健全专业化、市场化的成果转移转化机构和成果转移基地。支持东北地区国有企业、科技型中小企业与高校、科研院所联合设立技术转移机构，建立区域性技术交易平台，共同开展研究开发、成果应用与推广、标准研究与制定等。加快建设各类孵化器，鼓励高新区、产业园区、示范基地等产业集聚区开展科技成果转化活动。创新科研与企业生产融合模式，建立“需求—研发—试验—孵化—产品—产业”的创新链，使科技成果直接融入产业化中（郑雪梅，2017）。组织实施“科技成果转化落地专项行动”。加强引进技术的学习、吸收和消化，规避纯粹的技术引进，摆脱单一的技术依赖症，在深入利用的基础上要充分熟悉引进技术的关键要点。对重要的关键技术必须加强消化和再创新，尤其是加强自主创新，延伸科技引进链。

2. 区域技术转移联盟

为提升东北地区科技成果转化能力和服务水平，实施优势资源集成和各类技术转让主体联动。2005 年，东北区域性技术转移联盟在哈尔滨成立，坚持“服务多样化、功能集成化、组织一体化、资源网络化”，整合资源，建设集技术、成果、人才、投融资、项目咨询、成果对接、市场预测、技术培训等于一体的综合性服务平台。通过该平台，有效开展信息交流、技术评估和交易、投资和融资、企业孵化、人才流动与人才结构优化、知识产权利用和保护、法律咨询等配套服务，实现科技资源的优化配置，链接一流创新资源要素、集成一群技术转移服务机构、创新一批新型技术交易模式、建立一个公共研发联盟体系、带动一体化创新创业活动。以此，发挥该技术联盟的中坚作用。

在此联盟下，东北地区应巩固并新建一批具体或部门化的产业技术创新战略联盟，开展国家技术转移试点工作，构建技术与资本相结合的区域性产权交易联盟。这些重要的产业联盟重点覆盖机器人、轨道交通装备、数控机床高速精密化、半导体装备、航空装备、燃气轮机、农牧业机械装备、石墨、新能源、生物制药、人参及北药蒙药、马铃薯、大豆和乳业等产业领域。依托各种联盟，实施一批行动计划，谋划一批重点产业创新项目。

专栏 7-1　东北地区重要产业联盟

机器人产业联盟。依托沈阳、长春、哈尔滨等城市产业优势和已创建的联盟资源，加大工业机器人本体、系统集成、试验检测等关键技术的突破。

轨道交通装备产业技术创新联盟。依托长春、大连、齐齐哈尔等城市，完善研发设计、生产制造、实验验证和产品标准体系，提升整车集成和后端服务能力。

数控机床高速精密化技术创新战略联盟。依托沈阳、大连、齐齐哈尔等地，突破智能数控系统、在线检测、可靠性等关键技术。

半导体装备产业技术创新战略联盟。依托沈阳、大连、哈尔滨等，整合研发资源和供应链，攻克集成电路装备关键技术、光电晶体材料高端装备技术，形成紧密的产业配套。

航空装备产业技术创新联盟。依托沈阳、哈尔滨等地，加强干支线飞机、直升机、无人机、通用飞机、航空发动机等研制，突破相应设计、集成和试验测试等关键技术。加强国内航空铝材技术研发和工程化。

现代农牧业机械装备技术创新战略联盟。依托佳木斯、齐齐哈尔、赤峰等地产业优势组建联盟，加快研发和检验检测平台建设，突破大马力动力、高效收获、精密播种、田间管理、饲草料机械及配套零部件关键技术。

石墨产业技术创新战略联盟。依托鸡西、鹤岗等地产业优势，壮大已有联盟，引进高端人才和技术，提升研发、试验测试和产业化水平。

新能源产业技术创新联盟。依托中国科学院大连化学物理研究所、大连理工大学研发优势，突破液流电池、锂电池和质子交换膜燃料电池、核电装备、风电装备等关键技术。

生物制药技术创新战略联盟。依托长春、哈尔滨、本溪、赤峰、通辽等地，构建基因工程、新型疫苗、现代中蒙药等共性技术平台。

人参及北药、蒙药产业技术创新战略联盟。依托长白山林区、大小兴安岭林区等地，深入挖掘人参、刺五加、五味子等中药材的药用和食用价值。

马铃薯产业技术创新战略联盟。依托黑龙江、内蒙古等地，构建育种、生产、加工、质控、设备研发和产业化平台，促进马铃薯主食产品开发。

大豆产业技术创新战略联盟。围绕大豆新酶创制与生物制油、蛋白柔性化加工、功能化油脂制备、副产物高效利用等共性关键技术，开展协同创新。

乳业产业技术创新战略联盟。加强乳制品新工艺、新产品、加工设备、质量控制和安全检测技术研发。

3. 技术转移服务体系

东北地区要注重完善科技创新成果转化服务体系。尽快完善科技成果转化的政策和环境，精简行政审批程度。研究在东北重要城市设立知识产权法院，加强科技成果转化司法保护，探索建设东北地区科技成果转化保险体系。推动国家技术转移东北中心（长春）、东北科技大市场、哈尔滨育成中心建设，提升科技成果转化服务功能。建立健全东北省、市、县三级技术转移工作网络，鼓励高校及科研院所在东北地区设立技术转移机构。总结和推广成功的生产促进中心、企业孵化器、工程技术研究中心经验，大力发展技术、人才信息服务、市场营销、管理咨询、技术产权产量，无形资产和科技项目评估等方面的科技中介服务机构（傅毓维和姜钰，2007）。引导社会力量创办各类技术转化服务机构，提供科技成果转化和产业化的中介服务，包括技术信息咨询、资金、设备、场所等服务。加强成果转化的孵化体系建设，引导企业孵化器、大学科技园、中试基地等向专业化、市场化发展。引导创业风险投资机构、科技小额贷款公司、担保公司和“天使基金”为成果转化提供融资服务（杨威，2016）。

三、知识产权保护与试点示范城市建设

1. 知识产权保护

健全知识产权保护的相关制度，提升知识产权服务机构的业务能力，使知识产权保护制度的执行落实更到位，提升知识产权创造运用水平（郑雪梅，2017）。鼓励东北地区开展知识产权综合改革，建立专利、商标、版权“三合一”的知识产权综合管理体制，提高知识产权创造、运用、保护、管理及服务的综合水平和整体效能。加强知识产权公共服务（运营）平台制定，鼓励开展“互联网＋知识产权”服务，积极发展知识产权服务业集聚区。以此，提升东北地区知识产权创造和运用能力，促进东北地区重点产业转型升级。

2. 试点示范城市建设

推进东北地区国家知识产权试点示范城市建设，并给予适度的政策倾斜。2011年，国家知识产权局颁布了《国家知识产权试点和示范城市（城区）评定办法》，引导发挥知识产权在驱动城市创新发展中的重要作用。东北地区重点围绕哈尔滨、大连、长春、沈阳四个城市，推进知识产权建设。着重加强智能制造、民用航空航天、海洋工程、轨道交通、新能源装备等高端装备制造业知识产权工作，加强对通用设备制造业知识产权创造的支持。加强节能环保、生物、新能源汽车等产业知识产权布局。开展智能机器人、集成电路装备、光电子、生物医药等特色优势产业知识产权集群管理。加强核电、石化冶金、高档机床、食品工业等传统优势产业的知识产权创造和转化水平。

四、科技要素投入

1. 资金投入支撑

发展科技创新建设，离不开政府对科技创新研究的资金投入。以财政投入为引导，

建立多元化的科技创新财政投入机制。调整和改进政府对科技活动的资助力度和方式，提升科技经费占财政支出的比例。巩固完善中央预算内东北振兴新动能培育平台及设施建设专项资金。继续实施高新技术产业转向资助计划，设立专项资金扶持技术创新发展，引导研发资金向关键性、战略性、基础性和先导性领域倾斜。国家有关部门、国家开发银行等金融机构联合筹资设立支持振兴东北科技成果转化引导基金，鼓励东北四省区与国家自然科学基金委员会设立联合基金。加大对自主创新的支持力度，特别是用于自主创新、重大领域、关键环节或共性技术创新的导向性补助。鼓励国家有关基金和振兴东北科技成果转化引导基金加大倾斜，引导社会资本加大对技术转移早期项目和科技型中小微企业的投融资支持；开发信用担保基金帮助中小科技企业获得贷款。

积极吸引科技小额贷款、融资租赁、融资担保等金融服务机构和信用评级、资产评估等中介机构，搭建科技金融公共服务平台。鼓励各类创投机构建立和完善天使资本、创业资本筹集机制及市场化运作机制，发展科技型中小企业债券融资市场（郑雪梅，2017）。研究推动沈大国家自主创新示范区及符合条件的区域开展科创企业投贷联动等金融改革试点，为科技型企业提供融资支持。开展知识产权证券化融资试点，鼓励商业银行开展知识产权质押贷款业务，探索设立知识产权质押融资担保基金。

2. 人才教育培养

基于人才培养和经济结构调整的契合度的提高，东北地区的高校需要建立完善的创新教育体系。加快创新师资队伍建设，构建以创新教育为核心的人才培养改革试验区。各类教育合理调整学科结构和教学内容。依托国省科学基金项目、重大人才工程、重大科技攻关项目和工程及产业化项目，培养造就一批产业技术创新人才，加强对东北地区领军人才和创新团队的培养。利用东北地区的高校资源以及科研机构，引导高校、科研院所和高新技术企业、企业集团紧密携手，推动产业与教学模式相结合。

科技创新最关键的因素是人才。制定优惠政策，重点引进学科领域的学术带头人、有突出贡献的专家、各类高级管理人才和各类留学回国人员，特别要引进与老工业基地高新技术产业相关领域的人才。组织实施高层次人才援助计划，通过建设科技领军人才创新驱动中心等方式，带动技术、智力、管理、信息等创新要素流向东北地区等老工业基地（王莹，2006）。分层次、有计划地引进海外高层次科学技术人才，加大国家重大人才计划对东北地区的支持力度。支持吉林省中乌高层次人才引进基地、哈尔滨中俄中乌中白科技创新与高端人才培养及引智基地建设。完善人才发展模式，结合人才的不同特点，建立有效的人才激励机制，积极探索知识、技术、专利、管理等要素参与收益分配的有效办法，健全产权保护机制。

3. 优化资源布局

对沈阳、大连、长春和哈尔滨等城市推动创新型城市试点建设，为东北地区的创新发展积累经验、发挥示范带动作用。注意科技资源在空间上的合理配置，促使地级市间的协调发展。对于鞍山、辽阳、抚顺、吉林、佳木斯、大庆、齐齐哈尔等科技资源相对丰富、创新基础条件相对较好的地级市，加大倾斜力度，强化科技资源的集聚效应，形成区域的创新次级中心。对黑河、白城、白山、绥化、七台河等科技资源稀缺的地级市，在科技基础设施建设、高校和科研院所建立、人才培养和引进给予资金、政策支持，优化创新环境，为地区的创新发展积蓄力量（盛彦文，2017）。

五、重点引领区域

1. 聚焦高新区建设

继续推动高新技术产业开发区建设，形成区域性技术创新的汇聚点和扩散源。巩固提升国家级高新区，发挥自主示范作用，推动省级高新区晋档升级。优化东北高新技术产业开发区布局，推动盘锦、丹东、抚顺、朝阳、牡丹江、七台河等省级高新区以升促建。推动佳木斯创建以农业为特色的国家级高新区。加快本溪制药、鞍山激光、大连信息技术及服务、长春汽车电子、通化医药、大庆高端石化、齐齐哈尔重型数控机床等创新型产业集群建设，培育一批具有较强影响力和竞争力的创新型产业集群。

重点国家级高新区的基本情况如下所述。

哈尔滨高新区始建于 1988 年，已建成 3 个国家级孵化基地、1 个二级孵化场地和 8 个社会化共建孵化器，总孵化面积达 14 万平方米，设立了科技孵化种子资金、中俄科技合作项目资金和高新技术风险投资引导资金。

齐齐哈尔高新区是哈大齐工业走廊的重要节点，已入驻企业 126 家，被授予国家火炬计划齐齐哈尔重型机械装备特色产业基地和国家新型工业化产业示范基地，重点围绕装备制造、亚麻纺织、绿色食品、新材料、新生物等领域推进技术研发和产业化发展。

大庆高新区以石油化工产业为特色，引进建设了 7 个科研院所和 8 个研究中心，拥有专业化智能孵化单元 860 个和高新技术企业 364 家，重点在石油化工、汽车制造、新材料等领域推动技术研发和产业化发展。

长春高新区是国内著名的高智力密集区，拥有 39 所国省（部）属科研机构、12 所设计院、8 个计算测试中心和 11 个重点开放实验室，专业技术人才近 5 万人，入驻企业达到 2275 家，高新技术企业达到 792 家。重点在生物与医药、光电、先进制造、信息、新材料等领域推进技术研发和产业化发展。

吉林高新区建有软件外包产业基地和创新孵化基地，同国内一流科研院所和高校建立产学研联合体。重点在装备制造、电力电子、汽车及零部件、生物医药、新材料等领域推进技术研发和产业化培育。

长春净月高新区聚集了 15 所高校，拥有 70 余个重点科研机构，建成了国家光学馆等 17 个省重点科技文化设施，聚集了 8 个国省级重点科研机构、12 个国家科技研发平台、147 个省部级研发服务平台，各类一线科研人员近 4 万人，重点在软件、信息、汽车电子、现代农业、生命科学等领域进行产业技术研发和产业化发展。

沈阳高新区是科学技术部和国务院经济体制改革办公室确定的五个综合改革试验区之一，重点支持电子与信息、光机电一体化、新材料、生物工程、节能与环保等高新技术领域的产业化发展。

大连高新区是东北高新技术产业集聚的高地和自主创新的平台，注册企业 5000 余家，高新技术企业超过 900 家，拥有近百个国家级研发中心和企业研发中心，8 个公共服务平台，软件人才已达 16 万余人；截至 2014 年底，累计申请发明专利量 8865 件，有效发明专利拥有量 2230 件。重点以软件和信息技术服务外包为主导，发展以网络及电子商务、动漫游及文化创意、生命科学、新材料和新能源、智能制造、科技金融为特色的现代服务业。

鞍山高新区 2018 年生产总值达 71 亿元，拥有各级工程中心、研发中心及检测中心 126 家，入驻企业 380 家，重点在激光、电子信息、自动化及系统控制、新一代信息技术、新能源等领域进行产业技术研发和产业化培育。

锦州高新区拥有认定高新技术企业达 53 家，组建省市级工程技术研究中心达 53 家，省级重点实验室达 14 个，建立院士工作站 4 家，实施国省科技计划项目 138 项，重点进行石油化工、新型材料、电子、医药、精细化工等产业的技术研发和产业化培育。

辽阳高新区 2018 年生产总值达 108 亿元，有工业企业 90 家，高新技术企业达 19 家，设有芳烃基地，建成了省级芳（烯）烃精细化工产品质量检验中心、忠旺和奥克国家级技术中心等研发平台和试验基地，拥有有效发明专利已达 148 项。

阜新高新区成立于 1992 年，入驻企业 1000 余家，2018 年生产总值达到 19.85 亿元，建有“阜新国家液压装备高新技术产业化基地”，大力发展液压装备、装备制造、电子和新能源等产业领域的技术研发与产业化。

2. 自主创新示范区

2016 年，国务院发布《国务院关于同意沈大国家高新区建设国家自主创新示范区的批复》。该批复同意沈阳、大连 2 个国家高新区技术产业开发区建设国家自主创新示范区，发挥重大平台优势，优化配置创新资源，建设东北亚开放合作先导区。该示范区要建设“辽宁制造业创新中心”，打造装备制造业技术发展的战略智库、共性关键技术的策源地、高水平研发机构的共同体、高科技企业的孵化中心、专业技术人才的聚集高地。发展“互联网+”协同制造，加速制造业服务化转型。依托沈阳新松机器人、沈阳自动化所等企业和科研院所的技术优势，建设全国最大的机器人研发和制造基地。培育一批新材料战略新兴产业集群和区域特色产业。建设一批产业技术创新平台，重点推进重型成套装备、高端轴承、核电起重设备等平台建设，实现高端数控机床、新一代飞机、高性能压缩机组等重大装备核心共性技术突破。加强中德、中以合作，深化环渤海地区合作，建设东北亚开放合作的先导区。建设一批重点央地合作项目，发展军民两用技术和军民结合产业。

3. 国家大学科技城

国家大学科技城是东北地区推进产学研的重要集聚载体。东北地区主要大学科技城的重点发展领域如下所述。

哈尔滨工业大学国家大学科技园主要围绕电子信息、生物医药、新材料、材料设备、光电一体化、节能环保等领域，推进技术研发和产业化发展。

东北大学国家大学科技园重点推动IT产业、智能电器、电动汽车、数控专机、精细化工、风力发电、永磁电机等领域的技术研发和产业化。

哈尔滨工程大学国家大学科技园重点围绕海洋科技设备、流体机械、能源设备、船舶工业、海洋工程等领域推进技术研发和产业化发展。

吉林大学国家大学科技园重点在计算机及信息技术、现代农业和生物及制药技术、光机电一体化技术、新材料和汽车等领域推动技术研发和产业化发展。

大连理工大学国家大学科技园重点围绕电子信息、新材料、生物制药、环保节能、海洋水产、石油化工、先进制造等领域推进技术研发和产业化发展。

沈阳工业大学国家大学科技园重点发展装备制造、新材料、精细化工等领域的技术研发和产业化，将铁西新区建设为装备制造业集聚区和科技创新前沿区。

哈尔滨理工大学国家大学科技园重点围绕机电、电子信息、软件、化工、生物医药等领域推进技术研发和产业化发展。

东北石油大学国家大学科技园主要围绕石油勘探开发、石油装备、石化等领域推进技术研发和产业化发展，大力发展石油石化专业孵化器、石油石化特色中试基地，打造成全国石油石化产业科技成果孵化转化的重要基地。

东北农业大学国家大学科技园围绕生物农业推进技术研发和产业化发展，重点聚焦生物肥料及饲料、生物医药及制剂、食品制造、种子苗木、农用机械及仪器。

六、区际国际合作

1. 区域合作

东北地区必须坚持与国家重大区域战略相结合，基于比较优势，促进区域科技创新深度合作，加强创新要素合理有序流动。推进东北地区与东部地区开放共享“双创”资源，对接京津冀协同发展和长江经济带建设，争取中关村高新区、张江高新区异地共建园区落地东北地区。支持与江苏、浙江、广东、北京、上海、天津、深圳建立科技创新合作机制，鼓励东部国家自主创新示范区、高新技术产业开发区在东北地区设立分园区，引进先进经验、管理团队，围绕关联性和互补性强的产业开展务实的科技创新合作，探索跨地区利益分享机制，合作发展“飞地经济”。加强科技园区合作共建，在重要创新领域组建重点实验室、工程技术研究中心，推动其他地区的科技成果在东北地区实现产业化。促进跨区域科研合作和成果转化，定期与东部和优秀创新团队组织开展科技对接交流等活动。

2. 国际合作

围绕东北地区的重大科技需求和战略部署，谋划一批具有重大意义的国际科技合作项目。以高新科技产业开发区、科技创新城、各类科技园区及高校、科研院所为依托，建设若干影响力强的国际科技合作示范基地（孙浩进等，2016）。引进产业发展急需的关键技术，提高消化吸收和再创新能力建设，实现优势互补、互利共赢。依托自贸试验区的开放优势，鼓励开展国际科技合作交流项目，参与国际科技合作项目，重点推进对俄、日、韩等周边国家及欧美等发达国家的科技交流与合作，加强与全球知名企业、研究机构、风投机构的深度交流与合作。引进国外高水平科研院所在东北地区建设研发基地，鼓励有实力的外资研发机构承担东北地区的重大科技攻关项目，鼓励外资研发中心与东北国有企事业单位共建研发公共服务平台、重点实验室和人才培养基地，联合开展产业链核心技术攻关。围绕中蒙俄经济走廊建设，推动东北地区先进适用技术走出去，融入东北亚创新网络。鼓励东北孵化器参与国际合作，探索通过并购、技术转移、合作参股等多种方式建立海外孵化基地，鼓励整合国外高校、科研院所、企业等各方面的创新资源（郑雪梅，2017）。

七、产业技术重点

根据孙浩进等（2016）等学者的研究，各产业领域的技术创新应聚焦如下方向。

（1）装备制造。重点开展基础设计理论、数字化制造、智能制造、绿色制造、极端制造、现代集成制造、微机械及超精密加工应用、装备制造业关键设备、部件制造、汽车、飞机制造关键器件等应用基础研究。

（2）新能源。重点开展煤炭洁净高效利用、北方风能大规模开发利用、核电站与常规岛连接基本技术、新型高效、低成本光伏电池等太阳能利用、生物质能大规模开发利等应用基础研究。

（3）新材料。重点开展新型轻质高性能金属材料、石墨烯材料、稀有贵重材料、生物医用材料制备、新型催化材料、纳米材料、信息功能薄膜材料的基础科学研究。

专栏 7-2 国家级军民结合产业基地

为推动军民结合产业集聚化、规模化发展，工业和信息化部自 2009 年起，依托国家新型工业化产业示范基地创建工作，分批次开展了国家级军民结合产业基地的培育和认定工作，7 个批次、共计 32 个的国家级军民结合产业基地，其中东北地区有 3 个。

2012 年——哈尔滨经济开发区。构建“3+2+X”的现代产业体系，发展高端装备制造、绿色食品、电子信息技术三大主导产业，以及文化创意等战略新兴产业，先后辟建 17 个国家级产业基地。

2013 年——辽宁铁岭经济技术开发区。始建于 1992 年，2013 年被批准认定为第四批国家新型工业化产业示范基地（军民结合），形成了军民两用特种车研发生产、机电设备制造、橡塑制品等主导产业集群。

2016 年——大连登沙河产业区。成立于 2006 年，是大连通用航空产业核心区，2016 年获工业和信息化部授牌“国家新型工业化军民结合示范基地”，主要发展新材料、航空及军工产业，军民结合企业产品产值 198 亿元，占 70.7%。

生物医药——重点开展中药、抗生素、化学原料药及制剂的研究，基于重大疾病的发生、发展和转归机制及疾病治疗新靶点，针对性地开展创新性药物的研究。

（4）新一代信息技术。重大开展物联网行业应用关键技术、光电子器件和集成微系统、信息系统、信息安全、制造业信息化标准、多媒体服务及处理、传感器网络、基于网络计算等研究。

（5）现代农业。实施种业自主创新工程、第二粮仓科技创新工程、蓝色粮仓科技创新工程，重点开展种业科技创新，选育玉米、水稻、大豆、马铃薯等作物新品种，加强主要农作物新品种的培育；开展海洋牧场、农机装备、森林特产、智慧农业、黑土地保护等关键技术攻关。研究建设农机知识产权转移转化示范基地，构建农机专利池。

（6）农产品精深加工。围绕粮油、乳品加工、果蔬饮料、冰葡萄、山参、中药材等特色农产品，延长创新链，研发新产品、推广应用新技术，提高农产品附加值。

第八章

东北亚形势与东北地区对外开放

对外开放一直是中国各地区可持续发展的重要内容，也是各区域塑造发展新动能的重要领域。东北地区有着独特的区位优势与地缘条件，位居东北亚的核心位置，周边国家有着丰富的资源，相互之间存在很强的互补性。开展以东北亚为核心的国际交流与开放合作一直是东北地区振兴发展的重要方向，由此构成中国对外开放网络中的重要组成部分。近些年来，东北地区对外开放合作虽取得了一些成绩与进展，但仍存在不少的问题。本章立足东北亚地区，聚焦东北地区，分析东北亚区域的基本情况，考察东北亚合作的基本特征，尤其是深入分析了东北地区的对外开放格局，剖析了东北亚各国的发展战略及对接，从国际合作平台、对外贸易、国际交流、商贸物流、资源开发、互联互通和开放门户等角度分析了东北地区对外开放的基本路径，尤其是分析了当前东北亚开展国际合作的重点区域与重点领域。

本专题主要得出以下结论。

（1）东北亚各国之间在资源、经济产业、人口、市场、技术、资金等方面有着很强的互补性，地缘关系也趋向良性发展，国际贸易和对外投资发展态势良好，东北地区在东北亚国际合作中的地位和影响日渐扩大。尤其是近些年来，俄罗斯、蒙古国、韩国和中国等国家所推行的中长期国际合作战略存在着较好的一致性，可以实现对接合作，东北亚国际合作发展的潜力巨大。

（2）未来一段时间，东北地区要从七个方面继续推动对外开放与国际交流。重点构建国际交流合作平台，提高对外贸易发展水平，推动生态环境保护、文化教育、民族体育和科技创新等国际多边交流合作，完善口岸和跨境电商等商贸物流服务平台，推进蒙俄境外资源开发和进口资源落地加工，从东北亚大通道、东北亚国际航空网络、国际物流运输网络和大连东北亚航运中心等领域加强运输网络互联互通，从沿海门户、沿边门户和内陆开放门户等方面突出加强对外开放门户建设。

（3）在空间上，东北亚地区形成了部分重要的合作区域与领域，成为东北地区对外开放的重要切入点。这些重点区域与领域包括图们蒋区域合作开发、海赤乔次区域金三角合作、东北亚能源（石油、天然气）合作开发与统一市场、东北亚旅游圈构建、俄罗斯远东超前发展区建设、符拉迪沃斯托克自由港建设。这些是当前及未来一段时间东北地区在境外可以积极开展国际合作的重点。

第一节 东北亚国际合作现状

东北亚是一个地理概念，为东亚所属的次区域。东北亚的地理范围存在广义和狭义的界定。东北亚包括日本、韩国、朝鲜、蒙古国、中国的东北地区和华北地区，以及俄罗斯的远东联邦管区。陆地面积有1600多万平方公里，占亚洲总面积的40%以上。中国文化对该地区的影响深远，尤其是对日本和朝鲜半岛地区的影响较大。

一、东北亚区域情况

1. 地理环境

东北亚总体上地形向北敞开，地貌特征相对简单，森林和草原面积广，多山地高原。俄罗斯远东山地占总面积的80%以上，朝鲜半岛与日本列岛的山地丘陵较多，局部地区地理环境复杂，日本山地和丘陵占国土面积的75%。朝鲜半岛两国地势相同，山地面积在70%～80%（张秀杰，2003）。北冰洋和太平洋分别从北面和东面围绕东北亚，海岸线漫长。沿海地区的自然地理环境相对较好。俄罗斯远东联邦管区多为高原台地和山地，地势向北降低，平原较少，有200多万平方公里深入到北极圈。东北亚纬度较高，临近北极地区，为大陆性气候，部分地区为极地长寒气候和亚寒带大陆气候，冬季漫长寒冷，在7～8个月以上，最冷月1月的平均气温在–20℃以下，太阳辐射较少，热量条件较差，年辐射量多在110千卡/平方厘米以下，降水量从西部向东北部依次递增。黑钙土和褐钙土分布广，草原广阔，重点集中在中国东北地区、蒙古国和俄罗斯远东地区。有星罗棋布的湖泊和数以千计的河流。

2. 能源矿产

东北亚有着丰富的能源和矿产资源禀赋，被国际学术界和经济界誉为尚未开发、地大物博的“自然资源库”。但各国家和地区的资源禀赋差异较大，俄罗斯远东地区、蒙古国和中国东北地区为矿产资源富集地区，日本、韩国和朝鲜则为矿产资源贫乏地区（张秀杰，2003）。

俄罗斯远东地区已发现和探明储量的矿物有70多种，拥有俄罗斯84.1%的金刚石、95%的锡矿、24%的钨矿、8%～10%的铁矿石、40%的煤、88%的锑，为“世界上唯一的尚未很好开发的自然资源宝库”。共有116处油气田，包括11处油田、37处天然气田、23处油气田、36处凝析液田，石油远景预测资源量为60亿吨，天然气远景预测资源量为12万亿立方米。金、银、金刚石、钨、锡和硼等矿产是优势矿产；有3636处金矿床，远景预测资源量为1.76万吨，银矿床有172处，远景预测资源量达17万吨；有103处锡矿床，远景预测资源量达158万吨；钨远景预测资源量达112万吨，铜远景预测资源量达3000万吨；探明煤炭储量达298亿吨，南萨哈煤田是俄罗斯远东最重要的焦煤煤田。

蒙古国已发现 80 多种矿产，建有 800 多个矿区和 8000 多个采矿点，铁、铜、煤、锌、金、铅、石油和油页岩等资源丰富。煤炭储量达 3000 亿吨，铜矿储量为 20 多亿吨，石油达 80 亿桶，铁矿为 20 多亿吨，黄金达 3400 吨，钼矿为 24 万吨，锌矿为 6 万吨。

韩国矿产资源禀赋有限，拥有 220 个矿种，有用矿种达 120 种，能自给自足的矿产有钨、铅、土状石墨、蜡石、石灰石、石英、蛇纹石等，其他矿产资源和能源依赖于进口。

日本矿产资源资源贫乏，虽然种类齐全，但蕴藏量均很小，仅煤、石灰石、硫磺及铜、铋等矿产资源的蕴藏量相对较大。其中，煤炭蕴藏量为 86 亿吨，铁矿为 417.5 万吨，铜为 96.1 万吨；基本自给自足的矿产资源有硫化铁、硫磺、石灰石和石膏，铅、锌、铜和煤实现部分自给，其他依赖于进口。

朝鲜有丰富的金属矿物和能源资源，80% 的国土分布有矿物资源，已确认的天然矿物有 360 多种，有经济性的矿物达 200 多种；菱镁矿蕴藏量居世界第一，达 30 亿～40 亿吨；钨、钼、石墨、重晶石、萤石等资源储量比较丰富，煤炭探明储量达 147 亿吨，茂山铁矿蕴藏量达 10 亿吨。

中国东北地区矿产资源丰富，品种齐全。主要有铁、锰、铜、钼、铅、锌、金、煤、石油、油母页岩、石墨、菱镁矿、白云石、滑石等，铁矿储量约占全国的 1/4，石油探明储量占全国的 50%，煤炭保有储量约 723 亿吨（张秀杰，2003）。

东北亚原始天然气资源总量超过 $220\times10^{12}m^3$，集中在俄罗斯远东地区和中国东北地区。日本在海上约有 $3\times10^{10}m^3$ 的天然气储量，而韩国、朝鲜和蒙古国天然气资源稀少。俄罗斯远东地区的天然气资源总量达到 $31.36\times10^{12}m^3$，探明及预测储量 $0.94\times10^{12}m^3$。

3. 森林草原

东北亚是森林资源分布丰富的地区，集中在俄罗斯远东西伯利亚地区，中国东北、日本、韩国、朝鲜和蒙古国等国家和地区的森林蓄积量也很大。其中，俄罗斯远东地区森林面积达 3.16 亿公顷，木材蓄积量达 223.1 亿立方米，森林覆盖率达 45%。蒙古国森林面积达 23.5 万平方公里，木材蓄积量达 12 亿立方米。中国东北地区森林面积达 4 亿亩，木材蓄积量达 30.55 亿立方米。日本、韩国、朝鲜的森林覆盖率很高，日本达 66.8%，木材蓄积量达 24.8 亿立方米，韩国山林面积达 643.6 万公顷，木材蓄积量达 3.6 亿立方米；朝鲜森林面积为 985 万公顷，木材蓄积量达 1.6 亿立方米（张秀杰，2003）。总体上，森林资源开发利用程度较低。

东北地区有着丰富的草原资源。其中，中国东北地区草原面积为 4.4 亿亩；蒙古国的天然草原面积达到 1.33 亿公顷。

俄罗斯远东联邦区农业用地面积超过 5500 万公顷，耕地面积为 3084 万公顷，人均可耕地面积达到 1.2 公顷，这些地区的耕地肥沃，日照时间长，适合种植；另外还有 1200 万公顷尚未开发但适于农业用的土地。蒙古国仅有耕地面积 100 多万公顷。中国东北地区有耕地 1740.46 万公顷，人均耕地面积为 16.63 亩，并拥有宜垦荒地约为 1 亿亩。

河网密布，水资源丰富，但部分地区水资源匮乏。俄罗斯远东地区有 20 多万条河流，包括阿穆尔河和勒拿河，水电水资源丰富，前者可供修建总功率 2000 万千瓦的梯级电站，后者流量是伏加尔河的 2 倍。中国东北地区水资源比较丰富，有干支河流 158 条，包括黑龙江、乌苏里江、图们江、鸭绿江等，地表径流总量约为 1500 亿立方米，可供开发的水能资源约有 1200 万千瓦。蒙古国有大小河流 4000 多条，大小湖泊 1200 多个，年均径流量为 300 亿立方米。日本与朝鲜半岛河网稠密，流程短但水量充沛，水势湍急而水力资源丰富（张秀杰，2003）。

海洋面积辽阔，海产品丰富。东北亚濒临太平洋，日本为海岸线最长的国家之一。朝鲜半岛、俄罗斯千岛群岛均有较长的海岸线，渤海、黄海、日本海水产资源丰富。太平洋俄罗斯海域的生物资源总存量约为 2600 万吨，白令海、鄂霍次克海和日本海是俄罗斯捕鱼量最大的海域，年捕鱼量达 300 万吨，占俄罗斯捕鱼量的 50%；俄罗斯远东海洋捕鱼船队总部设在海参崴（张秀杰，2003）。日本鱼类资源丰富，在历史上即为渔业发达国家。朝鲜半岛的海域盛产鱼类和各种海洋生物，鱼类品种达 850 种。中国东北地区的海水养殖面积达 19.2 万公顷。

4. 人口与城镇

东北亚的人口总量为 33 086 万人，但内部存在巨大差异，如表 8-1 所示。日本和中国东北地区的人口分别为 12 600 万人和 12 000 万人，占比分别为 38.08% 和 36.27%；其次是韩国和朝鲜分别有 5042 万人和 2515 万人，占比分别为 15.24% 和 7.60%；俄罗斯远东地区和蒙古国分别有人口 629 万人和 300 万人，占比分别为 1.90% 和 0.91%。各国家有着不同的人口分布密度，其中人口密度最高的国家是韩国，为 463 人 / 平方公里；其次是日本，为 338 人 / 平方公里；俄罗斯远东地区和蒙古国人口密度最低，分别为 9 人 / 平方公里和 2 人 / 平方公里。东北亚的居民以东亚蒙古人种为主，集中在沿海平原区域。在民族构成上，主要有汉族、满族、大和民族、朝鲜族、蒙古族及俄罗斯族等。人口自然增长率在 1% 以下的有韩国、中国东北、日本，俄罗斯人口甚至出现了负增长，朝鲜和蒙古国人口增长较快。俄罗斯远东地区和中国东北地区人口流出明显。

表 8-1　东北亚人口总量及占比

地区	人口总量 / 万人	人口占比 /%
东北亚总人口	33 100	100
中国东北地区	12 000	36.27
蒙古国	300	0.91
俄罗斯远东地区	629	1.90
日本	12 600	38.08
韩国	5 042	15.24
朝鲜	2 515	7.60

东北亚的人口分布差异决定了城镇发展和分布极不平衡，形成了城市群、大中城市及小型市镇的分异。如表 8-2 所示。

城镇密集区：中国东北地区分布有哈大齐城市群、长吉城市群、辽中南城市群，是东北地区人口、城镇和产业分布的密集地区。韩国有首尔城市群和釜山城市群。日本形成了沿太平洋城市群，分布有东京都市圈、大阪都市圈和名古屋都市圈。

国际中心城市：主要包括东京、首尔、神户等。

沿海中心城市：主要包括大连、仁川、光州、清津、元山、釜山、蔚山、札幌、新潟、金泽、福冈、符拉迪沃斯托克（海参崴）、扎鲁比诺等。

内陆中心城市：主要包括中国的沈阳、哈尔滨、长春，蒙古国的乌兰巴托、乔巴山，俄罗斯的赤塔、哈巴罗夫斯克（伯力）、乌兰乌德、布拉戈维申斯克（海兰泡），朝鲜的平壤。

边境商贸城市：主要包括中国的延吉市、珲春市、黑河市、满洲里、丹东，朝鲜的清津、新义州，俄罗斯的布拉戈维申斯克等城市。

表 8-2　东北亚地区的城市群与重点城市

类型	名称
城镇密集区	哈大齐城市群、长吉城市群、辽中南城市群、首尔城市群、釜山城市群、东京都市圈、大阪都市圈、名古屋都市圈
国际中心城市	东京、首尔、神户
沿海中心城市	大连、仁川、光州、清津、元山、釜山、蔚山、札幌、新潟、金泽、福冈、符拉迪沃斯托克（海参崴）、扎鲁比诺
内陆中心城市	沈阳、哈尔滨、长春，蒙古国的乌兰巴托、乔巴山，俄罗斯的赤塔、哈巴罗夫斯克（伯力）、乌兰乌德，朝鲜的平壤
边境商贸城市	中国的延吉市、珲春市、黑河市、满洲里、丹东，朝鲜的清津、新义州，俄罗斯的布拉戈维申斯克（海兰泡）

蒙古国是原生态国家，地广人稀，野生动物多，适宜草原生态旅游；还有保存完整的历史文化遗址，如突厥石碑、哈拉霍林古都遗址、藏传佛教寺庙等，适宜发展草原文化体验旅游项目。俄罗斯东部拥有南部和北部两个旅游带，南部旅游带包括鄂毕—叶尼塞旅游区、贝加尔湖沿岸旅游区、远东旅游区；已开发了符拉迪沃斯托克（海参崴）海岛风情游、狩猎游等新项目，赤塔州创建中俄蒙跨国旅游胜地。蒙古国东方省和中国满洲里市共同创办了中俄蒙交界地区旅游节。

5. 经济与产业

东北亚区域既有经济发达国家，也有新兴的工业化国家，还有发展中国家，各国各地区发展水平、产业结构差异较大，经济发展梯次明显，存在明显的产业互补性。

日本、韩国、中国、俄罗斯、蒙古国等国家的经济于 20 世纪中后期以来出现了“接力式”的腾飞。20 世纪 70 年代，日本的经济崛起改变了世界经济格局；90 年代，韩国经济腾飞反映了发展中国家迈入工业化道路。当前，中国经济崛起正逐步改变全球格局。目前，东北亚是全球经济发展最快的区域之一，在世界的地位持续上升。2000 年，东北亚 GDP 占全球 GDP 总量的 20%，2012 年上升到 23%（不包括朝鲜），中日韩三国的 GDP 之和占亚洲 GDP 总量的 73%。

东北亚农业比较发达，是多种农业生产方式并存的地区。东北亚是世界水稻、玉米，小麦、大豆、温带水果、肉类、茶叶、棉花、蚕丝的重要产区，普遍精耕细作，农业产业化程度高。东北亚西部内陆条件较差，人口稀少，草原广阔，畜牧业、畜产品加工业发达。

日本是东北亚最发达的国家，技术密集型产业和资本密集型产业多，汽车、高新电子、石化、精密仪器仪表、摄像机和数码产品、生命科学、通信、环境、制造业等高技术产业发达。但日本经济增长缓慢，2018 年增长率仅为 0.7%，GDP 达 4.97 万亿美元，制造业跨国生产比例达 36%。日本拥有强大的全球竞争力，2018 年居第五位。日本面临着社会少子老龄化、总人口下降、劳动力短缺、出口下降等问题。2016 年，日本推出了以超智能社会为特征的“社会 5.0”计划。

韩国是新兴工业化国家，资本密集型产业发达，汽车、高新电子、机床、造船、石化、手机、平板显示器、飞机零部件等高层次高技术产业发达，对外出口贸易主要是半导体产业产品。有韩国三星电子、现代汽车、LG 等企业。2018 年，韩国 GDP 总量为 1.62 万亿美元，增速达 2.7%。低增长、低通胀、出口不振是重要特征。

中国东北地区是中国传统的工业基地、资源基地和能源基地，装备制造业、重化工业、建材、电力等集聚，农产品加工业与高新技术产业方兴未艾，航天技术产业和军工产业接近世界高等水平。

蒙古国近三分之一是戈壁或沙漠，降水量少，是“草原国家”。经济总量较低，2018 年 GDP 约为 130 亿美元，经济结构单一，畜牧业和采矿业是主导产业。2018 年牲畜存栏量超过 6650 万头（只），人均拥有量超过 20 头（只），居世界前列；种植业少，2018 年种植面积为 50.81 公顷；基础工业薄弱，多数商品依靠进口。近年来，蒙古国加大了矿产资源开发，经济增长主要依靠矿产资源开发与出口；矿产开采及加工业产值占工业总产值的 60%，矿产品在出口结构中的占比超过 80%，2018 年煤炭、铜、铁矿石出口额占全国出口额的 78%，肉类出口量达 5.5 万吨。

俄罗斯远东地区经济发展落后，工业占主导地位，具有完整的工业基础和军事工业体系，主导产业是能源、有色金属、机械制造、森林工业、渔业、冶金、石油化工和军工生产综合体，是重要的能源和原材料基地。2018 年，俄罗斯远东地区 GDP 为 608.4 亿美元，占俄罗斯经济总量的 5.5%，增长率为 6.3%。但该地区经济结构比较单一，农业发展落后，机械工业虽有发展但不配套而较为薄弱。

朝鲜经济体量小，2018 年 GDP 为 174.87 亿美元；实行计划经济，国有工业占绝对地位。坚持发展内向型经济，重点发展冶金、电力、煤炭和铁路等先行产业及采矿、机械、化工。农业集中发展粮食生产，以水稻和玉米为主，但农业生产条件较差，粮食生产力低下，无法满足需求。长期以来，朝鲜存在能源难、交通难、粮食难和外汇难等问题，面临国际制裁。

二、东北亚合作特征

东北亚各国均面临加快发展的历史任务，尤其是近年来均面临经济增速放缓的压力，有着强烈的经济转型和加快发展诉求。

1. 国家互补性

东北亚各国家和地区在人口规模与劳动力富余情况、自然资源禀赋、经济发展水平、技术水平等方面呈现多样性，具有很强的互补性。

俄罗斯的西伯利亚和远东地区拥有丰富的自然资源，石油资源占世界的1/3，天然气资源占世界的1/3，煤炭资源占世界的1/3，木材蓄积量约为610亿立方米，还有丰富的有色金属、贵金属、稀有金属，农业资源也极为丰富。但该地区发展能力有限。

中国东北地区煤炭、石油、铁矿石、木材、粮食等自然资源丰富，重工业与农业及农产品加工业、高新技术产业发达，劳动力资源充足。但该地区经济结构转型慢，经济增长缺乏活力。

朝鲜有丰富的劳动力资源和矿产资源，但经济发展落后，工业基础薄弱，农业生产难以实现自给自足。

蒙古国有丰富的畜牧资源，适宜发展畜牧业和畜产品加工业，探明的矿产资源丰富，能源资源丰富，矿业和畜牧业是主导产业。但蒙古国工业基础薄弱，许多工业品依赖于进口，资金严重短缺，生产能力不足，国内消费市场狭小。

俄罗斯远东地区和蒙古国自然环境恶劣，劳动力短缺，资金和技术力量不足，基础设施薄弱，属于欠发达地区。

韩国与日本属于发达国家，资金充裕，技术先进，工业门类齐全，电子和汽车等产业居世界领先水平，尤其是日本拥有巨大的资本和尖端技术，韩国拥有生产技术和开发经验。但两国自然资源极度缺乏，能源和基础原材料自给率很低，劳动力供给日趋紧张，劳动力成本高，国内市场扩张潜力不大。

2. 政治关系层面

“伙伴关系”蔚然成风。近年来，俄中、俄日、俄韩、俄朝、俄蒙分别建立了战略协作伙伴关系、建设性伙伴关系、全面伙伴关系、有前途的伙伴关系及友好互助伙伴关系。中蒙、日蒙、韩蒙、中日、日韩也分别建立了睦邻互信伙伴关系、综合伙伴关系、睦邻友好伙伴关系、战略互惠关系、成熟的伙伴关系；中韩、俄韩建立了战略伙伴关系。日俄关系朝“建设性伙伴关系”发展；朝韩关系在《南北关系发展与和平繁荣宣言》框架下发展（方华，2008）。

（1）中俄关系。经过20多年的探索与发展，中俄关系已有广泛的政治、经济和社会基础，建立了多层级的密切交流机制。2013年，中俄两国将战略协作伙伴关系提升到全面战略协作伙伴关系。2014年中俄元首进行了五次会晤，不断深化两国合作程度。2015年，中俄发表了《中华人民共和国和俄罗斯联邦关于深化全面战略协作伙伴关系、倡导合作共赢的联合声明》，推动中俄务实合作转型升级，重点推进能源、矿产、核能、高铁、航空航天等领域的战略合作。

（2）中蒙关系。冷战后中蒙合作得到提升与发展。2003年以来，中蒙两国领导人举行了数次双边会晤，不断加强经贸关系，重点包括矿产开采、基础设施建设等领域。

2008年，两国签署《中蒙经贸合作中期发展纲要》。2014年中蒙关系取得新进展，签署了《中蒙关于建立和发展全面战略伙伴关系的联合宣言》，在军事、文化等广泛领域开展合作，统筹开展矿产资源开发、基础设施建设和金融合作。

（3）俄蒙关系。两国一直保持传统友好关系，2009年建立战略伙伴关系。2014年俄领导人访问蒙古国，双方就军事技术、海关签证、司法、基础设施、通信、航空运输等方面签署了协议和意向书，双边关系发展有了新突破。

（4）中蒙俄三边关系。2014年9月和2015年7月先后举行的中蒙俄三国首脑会晤，以及三国副外长级磋商机制的建立，增强了三方政治互信和合作关系，政治关系处于历史最好阶段。

（5）日蒙关系。1990年以来，日本是蒙古国最大的援助国，2010年日蒙建立战略伙伴关系。2014年蒙古国宣布与日本达成该国第一个自由贸易协定。

不同层面的多边机制不断增多，主要有研究机制、国际论坛、功能性组织等，国际会议及论坛有环日本海地方政府首脑会议、东北亚经济论坛、东北亚经贸合作高官论坛等；功能性组织有东北亚地方政府联合会。此外，还成立了东北亚物流协会、中日韩国际物流论坛、图们江秘书处、中国图们江开发领导小组、中日韩货币互换协定、东北亚网站、东北亚博览会等地区合作组织（方华，2008）。

3. 经贸合作层面

东北亚地区经贸合作的基础良好，而且都有升级经济合作的强烈意愿。中国是东北亚区域内贸易最活跃的国家，其次是韩国。2014年，中俄贸易额达953亿美元，中国已成为俄罗斯第一大贸易国（12%）、进口源国和第三大投资国。2014年，中蒙双边贸易额达73亿美元，占蒙古国对外贸易总额的一半以上，是蒙古国第一大贸易国（52%）、第一大出口市场（89.5%）、第一大进口来源国（33.8%）和第一大投资国。俄蒙互为双方的重要经贸合作伙伴，俄罗斯是蒙古国的第二大贸易国、第三大出口市场、第二大进口来源国（29.1%），2013年俄蒙贸易额达16亿美元。中国是日本、韩国和朝鲜的第一大出口市场和第一大进口源国。日本是韩国的第三大出口市场和第二大进口源国，韩国是日本的第三大出口市场，是蒙古国的第四大出口市场和第四大进口源国。

日韩以出口机电产品、无线电通信设备、汽车和船舶等高附加价值产品为主，中国则以出口电器、机械设备、纺织品等劳动密集型产品为主，俄罗斯、朝鲜、蒙古国以出口矿产和能源产品为主。中日韩三国从俄朝蒙进口以能源、矿产为主，以出口高附加价值产品为主。日本、韩国从中国进口的商品是高附加价值零部件、原材料、机械类等，在中国完成加工、组装后以制成品形式向日韩出口，贸易产品由原材料、纺织品等低附加值产品向机电产品等技术含量高的产品转移（张隽，2011）。

4. 对外投资合作

东北亚国家间的投资主要集中在中国、日本、韩国对其他国家及三方之间相互的投资，投资领域集中在资源和能源开发、制造业和服务业（张隽，2011）。

日本对东北亚的投资集中在中韩两国，中国是日本对外直接投资中仅次于美国的第二大对象国。东北亚区域其他国家对中国的投资源于日本和韩国，2010 年对中国的投资分别占各自海外直接投资的 7.5% 和 14%。韩国对东北亚的投资集中在中国，2010 年对中国的投资占其海外直接投资的 14%，中国是韩国第一大海外投资市场。中国对东北亚其他国家的投资集中在俄罗斯、蒙古国和日本，分别占中国海外直接投资的 4.1%、2.1% 和 1.6%（张隽，2011）。

日俄合作。主要包括能源合作、港湾开发、旅游投资。在能源方面，日俄计划联合建设液化天然气（LNG）项目并向日本出口，日本积极参与“萨哈林 1”“萨哈林 2”的资源开发项目。为了扩大从俄罗斯进口煤炭，日本参与俄罗斯的港口基础设施建设。日本对俄投资的 90% 集中在远东地区。2015 年，两家日本企业投资哈巴罗夫斯克（伯力）跨越式发展区，包括哈巴罗夫斯克（伯力）国际机场航站楼建设。日本提出将俄罗斯远东地区、日本北海道、日本海沿岸地区视为一个经济圈进行开发，并努力在农业生产、西伯利亚铁路使用、堪察加半岛液化天然气储存基地建设等方面落实措施（洪欣，2015）。

中蒙合作。2008 ～ 2012 年，蒙古国获得的国外直接投资 98.26 亿美元，来自中国的直接投资为 34.48 亿美元，占 3 /4 以上，中国成为其第一大投资来源国（孙瑾瑾和李娟，2015）。2014 年中国对蒙投资达 3.5 亿美元，超过蒙古国总投资的一半。在蒙古国的中资企业达到 5734 家，占蒙古国外资企业总数的 50%（李新，2016）。中国对蒙古国的投资涵盖了贸易、餐饮、服务、建筑工程与建材生产、畜产品加工和食品生产等行业，但 67.3% 集中在地质和矿山领域，20% 集中在贸易和餐饮业。

俄蒙合作。能源合作成为俄罗斯和蒙古两国合作的“重头戏”，两国先后签署了铁路、铀矿等领域的合作协议。

中俄合作。主要包括港湾开发和能源合作。在港湾开发方面，中俄合作开发建设俄罗斯扎鲁比诺港，畅通中俄物流合作通道。中国积极推进与俄罗斯在沿海州、哈巴罗夫斯克（伯力）等地的边境贸易以及在农业、建筑及能源等领域的对俄投资（洪欣，2015）。2013 年，中俄签订长期石油供应协议，25 年内俄罗斯向中国供应石油约 3.65 亿吨；2014 年，中俄签订为期 30 年的框架协议，每年俄罗斯向中国输送 380 亿立方米天然气。

日蒙合作。2002 年起，日本在蒙古国实施“草根计划”，专门针对平民实施援助，将援助重点从经济转向文化思想交流。日本非政府组织也在蒙古国开展了积极的文化教育援助活动，日蒙每年都在对方国家举办文化日活动。日本希望达成自贸协议，扩大从蒙古国进口煤炭、稀有金属和其他矿产资源。

韩蒙合作。进入 21 世纪，两国在能源、资金、技术等方面进行了多领域、全方位的合作，韩国已成为蒙古国的第四大投资国。韩国向蒙古国提供了大量援助，韩国主要企业纷纷到蒙古国进行投资，建设“韩国 – 蒙古国建设产业园区”。韩国的一些优势产品已占据了蒙古国的国内市场，现代汽车占据蒙古国汽车总量的 60% 以上；蒙古国进口的涂料产品也主要来自韩国。韩国对蒙古国投资主要是基于进入当地市场、资源开发的目的，批发零售业、矿业、制造业、房产业及出租业的投资件数及投资额较大（邢新宇，2009）。

韩俄合作。1998 年金融危机爆发后，韩国对俄罗斯的直接投资急剧下降，近年来开始恢复并呈上升趋势，但仍然是低水平增长。韩国对俄投资集中在制造业、旅馆业、餐饮业、不动产、服务行业，上述行业占比为84%，其中汽车制造占30%，但零售、矿产、建筑、农业等领域的投资逐渐增多。韩国对俄罗斯远东地区的投资额集中在萨哈林州、勘察加州和滨海边疆区。

5. 资源环境领域合作

近年来国际石油价格大幅上升，能源供应与能源安全问题日益突出。尤其是东北亚各国对能源特别是石油的需求迫切，能源安全已成为东北亚各国共同面临的重大问题。2008 年 6 月，中、俄、日、韩、蒙五国在日本举行能源部长会议，就加强投资和节能、替代能源以及市场透明等问题达成共识；同年 9 月，在长春举行的第四届东北亚博览会上，中、俄、朝、韩、日、蒙等国家商讨加强东北亚区域能源合作，共同应对棘手的能源问题。2009 年 12 月，位于俄罗斯远东滨海边疆区的科济米诺港石油储藏和海上出口系统投入使用，第一艘出发的 10 万吨油轮将石油运送至中国香港，成为东北亚地区能源合作的重要一步。2008 年，中国国家电网公司与俄罗斯国家统一电力系统股份公司签署了“深化合作备忘录”，逐步实现与俄罗斯西伯利亚电网互联，将俄罗斯丰富的水电向中国输送。俄罗斯电力专家研究东北亚电网，以实现西伯利亚电网与中国东北和朝鲜并与日本电网互联（李罗力，2010）。

在环境合作方面，中国分别与日、韩、俄、蒙签署《环境保护合作协定》，在大气污染防治、水资源综合利用等领域开展合作，并针对东北亚共同的生态环境问题开展环境技术、自然环境状况评价等方面的合作。2003 年，中日韩三国环境部长会议提出，东北亚地区要建立区域环境合作机制，并就水和大气污染、沙尘暴等问题进行深入合作，通过信息共享建立一个地区性环境监测网络。目前，东北亚国家环境合作的绩效已显现出来（李罗力，2010）。

内蒙古与俄罗斯缔结了 9 对友好地区关系，与蒙古国缔结了 10 对友好地区关系，这为深化与蒙古国、俄罗斯全方位合作奠定了坚实的民间基础。中国有 30 所学校接收俄、蒙留学生，在校俄、蒙留学生近 3000 人，两国高校之间建立了互派留学生、互派教师、合作研究等机制。每年来中国二连浩特就医的蒙古国患者就有 4400 多人次，各级蒙中医医院每年收治蒙古国患者近 3 万人次。已连续举办十届的“满洲里中俄蒙科技展暨高新技术产品展览会”升格为“中国北方国际科技博览会”，每年定期在俄罗斯、蒙古国举办文化交流活动，并推动两国电视台以及报社展开合作。与俄蒙、中亚在非物质文化遗产保护、地质遗迹保护、图书研究、文物考古等领域进行合作，推进“茶叶之路”沿线国家和地区联合申遗（李罗力，2010）。

三、东北地区开放现状

1. 利用外资水平

东北地区 2005 年新签外资合作项目有 3271 个，合同金额为 164.76 亿美元；2010 年新签外资合作项目虽然降为 2252 个，相比 2005 年减少了 1019 个，但合同金额为 248.07 亿美元，增长 51%；2017 年新签外资合作项目有 1020 个，合同金额为 1 929 006

万美元，相比 2010 年均出现了降低，但提高了 1%。2017 年，东北地区实际利用外资额占全国实际利用外资总额的 18.6%。各地区的实际利用外资有着巨大的空间差异，如图 8-1 所示。长春的实际利用外资比重最高，达到 30.52%，远高于其他地区；哈尔滨和大连分别占 14.16% 和 13.36%，上述三个城市合计占 58.04%，超过一半。白城和延边州较高，比重分别达到 7.91% 和 6.99%，沈阳占 4.17%。其他地区的所占比重较低，牡丹江、通化和齐齐哈尔的比重均介于 2% ～ 3%，松原、大庆、辽源、白山、绥化、吉林等地区均为 1% ～ 2%，其他地区均低于 1%。

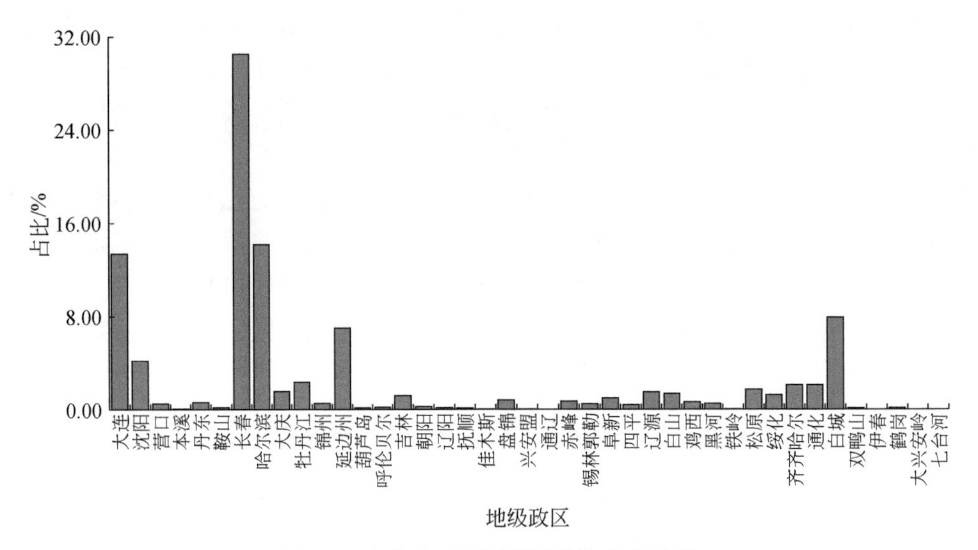

图 8-1 东北地区实际利用外资占比差异

2. 开放口岸形成体系

东北地区的对外开放口岸不断增多。2018 年东北地区正式对外开放的国家口岸达到 67 个，占全国国家级开放口岸总量的 21.9%，如表 8-3 所示。其中，航空口岸共有 10 个，铁路口岸有 8 个，公路口岸有 24 个，港口口岸有 25 个。辽宁省有 13 个口岸，吉林省有 17 个口岸，黑龙江省有 25 个口岸，蒙东地区有 12 个口岸。同时，四个省区还有许多的省级口岸。这些口岸成为东北地区对东北亚和全球开展经济往来的重要门户。

表 8-3 东北地区的国家级开放口岸

省区	辽宁省 /13	吉林省 /17	黑龙江省 /25	蒙东地区 /12
航空口岸 /10	沈阳、大连	长春、延吉	哈尔滨、佳木斯、齐齐哈尔、牡丹江	海拉尔、满洲里
铁路口岸 /8	丹东	集安、图们、珲春	哈尔滨、绥芬河	满洲里、二连浩特
公路口岸 /24	丹东	集安、珲春、图们、长白、南坪、圈河、临江、三合、开山屯、古城里、沙坨子	密山、绥芬河、东宁、虎林	二连浩特、满洲里、黑山头、室韦、阿日哈沙特、额布都格、阿尔山、珠恩嘎达布其
港口口岸 /25	营口、锦州、大连、丹东、葫芦岛、盘锦、旅顺、庄河、长兴岛	大安	哈尔滨、佳木斯、饶河、桦川、富锦、同江、抚远、绥滨、萝北、嘉荫、黑河、逊克、孙吴、呼玛、漠河	

中蒙两国有 18 个口岸，其中有 12 个边境口岸，在两国经贸合作尤其是边贸合作中发挥着极其重要的作用。蒙古国是世界上第二大没有出海口的内陆国家，距离蒙古国最近的天津港现已成为蒙古国主要出海口，负责蒙古国海上进出口贸易（孙瑾瑾和李娟，2015）。2014 年，内蒙古口岸对蒙进出境货运量为 4047 万吨。中俄开放口岸有 6 个，满洲里的进出境货运量在中国边境陆路口岸中多年来居第 1 位。2014 年，内蒙古口岸对俄口岸进出境货运量为 3038.7 万吨。“苏满欧”、“鄂满欧”、“湘满欧”和“渝满俄”等经满洲里口岸各类过境班列 460 列。

东北地区通行的公路口岸有 24 个，各口岸的货物进出口量、人员出入境量及运输车辆进出入境量都有很大的差异，如表 8-4 所示。其中，丹东的货物进出口量最大，2017 年达到 1 665 656 吨，占东北地区公路口岸货物总量的 24.9%；吉林南坪口岸达到 1 081 543 吨，占比达 16.2%，二连浩特达到 795 850 吨，绥芬河、满洲里、珠恩嘎达布其均超过 60 万吨。从出入境人员数量来看，二连浩特公路口岸的人员通过量最大，达到 177.4 万人次，占比达 41.43%；其次是绥芬河达 81.4 万人次，占比为 19.01%，珲春达到 39.12 万人次，丹东、东宁、虎林均超过 20 万人次，满洲里、密山均超过 15 万人次。

表 8-4　东北地区的公路口岸通过量

公路口岸	进出口货运量 / 吨	出入境人员 / 人次	公路口岸	进出口货运量 / 吨	出入境人员 / 人次
辽宁丹东	1 665 656	251 500	吉林古城里	61 144	7 947
吉林南坪	1 081 543	14 459	内蒙古室韦	48 686	4 599
内蒙古二连浩特	795 850	1 774 000	吉林临江	45 117	9 529
黑龙江绥芬河	635 469	814 000	内蒙古黑山头	42 513	14 843
内蒙古满洲里	621 151	150 400	黑龙江虎林	35 686	224 773
内蒙古珠恩嘎达布其	617 086	92 611	吉林开山屯	33 116	7 009
吉林珲春	416 642	391 200	吉林沙坨子	29 853	3 440
黑龙江东宁	277 660	235 645	黑龙江密山	15 559	150 177
吉林长白	179 220	29 542	内蒙古阿日哈沙特	4 840	96 224
吉林三合	73 239	8 512	内蒙古阿尔山	19	1 088

资料来源：《中国口岸年鉴 2018》

铁路口岸分别为满洲里、二连浩特、绥芬河、珲春、图们、丹东、哈尔滨、集安，如表 8-5 所示。2017 年，进出口货物主要集中在满洲里、二连浩特、绥芬河三个口岸，其中满洲里达到 13 957 721 吨，占比为 40%，二连浩特和绥芬河分别达到 9 703 068 吨和 8 875 453 吨，占比分别为 27.8% 和 25.4%。出入境人员集中在二连浩特、绥芬河、丹东，其中绥芬河最多，达到 18.47 万人次，占比为 34.08%，即超过 1/3，二连浩特为 15.18 万人次，占比达到 28.01%；丹东为 14.49 万人次，占比达到 26.73%。

表 8-5　2017 年东北地区的铁路口岸通过量

铁路口岸	进出口货运量 / 吨	出入境人员 / 人次
内蒙古满洲里	13 957 721	30 000
内蒙古二连浩特	9 703 068	151 800
黑龙江绥芬河	8 875 453	184 700
吉林珲春	1 957 069	4 200
吉林图们	161 085	1 000
辽宁丹东	134 376	144 900
黑龙江哈尔滨	86 801	0
吉林集安	30 672	25 389

3. 对外合作平台增多

在面向东北亚的开发开放过程中，东北地区形成了众多的国际合作平台。这包括自由贸易试验区、重点开发开放试验区、边境经济合作区、跨境经济合作区、边境旅游试验区、跨境电子商务综合试验区等各类开放平台，如表 8-6 所示。其中，2017 年中国（辽宁）自由贸易试验区挂牌，覆盖面积为 120 平方公里，包括沈阳、大连、营口等片区。先后成立了绥芬河－东宁、满洲里和二连浩特 3 个重点开发开放试验区，并设立中国图们江区域（珲春）国际合作示范区、呼伦贝尔中蒙俄合作先导区。拥有满洲里、二连浩特、绥芬河、丹东、和龙和黑河 6 个边境经济合作区，批设了大连、沈阳、长春和哈尔滨 4 个跨境电子商务综合试验区，2018 年设立了满洲里边境旅游试验区，设立了中蒙二连浩特－扎门乌德经济合作区、中俄绥芬河－波格拉尼奇贸易综合体 2 个跨境经济合作区。

表 8-6　东北地区的重要国际合作平台

类型	名称	数量
自由贸易试验区	中国（辽宁）自由贸易试验区	1
重点开发开放试验区	绥芬河－东宁重点开发开放试验区、满洲里国家重点开发开放试验区、二连浩特重点开发开放试验区	3
边境经济合作区	满洲里边境经济合作区、二连浩特边境经济合作区、黑河边境经济合作区、绥芬河边境经济合作区、丹东边境经济合作区、和龙边境经济合作区	6
跨境经济合作区	中蒙二连浩特－扎门乌德经济合作区、中俄绥芬河－波格拉尼奇贸易综合体	2
边境旅游试验区	满洲里边境旅游试验区	1
其他类型	图们江区域（珲春）国际合作示范区、呼伦贝尔中蒙俄合作先导区	2
跨境电子商务综合试验区	大连跨境电子商务综合试验区、沈阳跨境电子商务综合试验区、长春跨境电子商务综合试验区、哈尔滨跨境电子商务综合试验区	4

4. 国际贸易增长明显

对外贸易额呈现波动式发展。2003 ～ 2014 年以来，东北地区的进出口额稳中有升，仅 2009 年因金融危机而短暂下降，2014 年达到最高值 1793 亿美元，如图 8-2 所示。2015 年以后，东北地区的进出口额出现下降，2015 年达到 1358 亿美元，相比 2014 年下降 24.3%。2016 年继续降至 1202 亿美元。2017 年辽宁自贸试验区实现良好开局，进出口贸易额形成反弹，达 1391 亿美元，比 2016 年增长 15.7%。2017 年，珲春—扎鲁比诺—釜山航线货运量增长 65%，珲春—马哈林诺铁路进出口货物增长近 30%。黑龙江省围绕对俄合作不断扩大开放，2017 年对俄贸易增长 22.5%。东北地区进出口额出现回升，达 838 亿美元和 553 亿美元，但仍低于 2014 年水平，出口额仅相当于 2007 年水平，进口额相当于 2011 年水平。

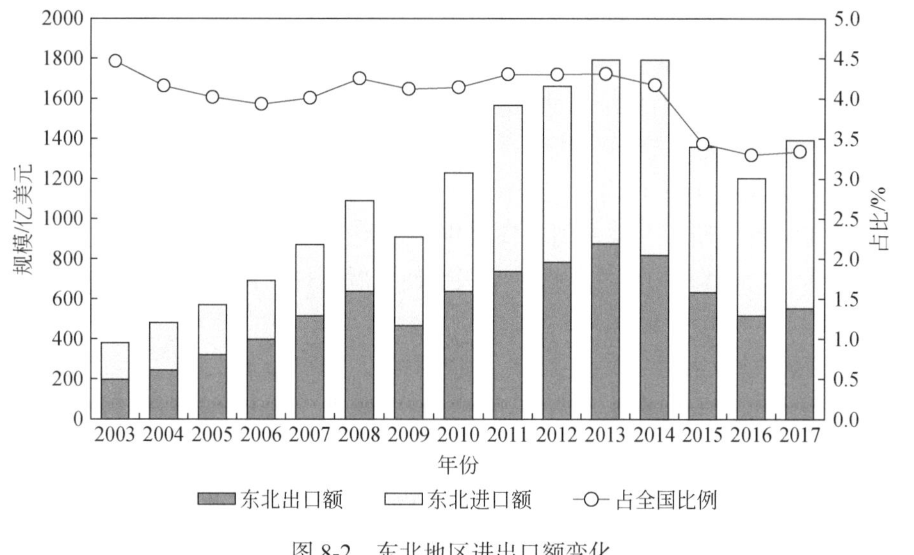

图 8-2　东北地区进出口额变化

长期以来的经济发展低迷促使东北地区的国际贸易在全国的地位有所下降。2003 ～ 2017 年，东北地区贸易额占全国的比例呈现波动式下降，尤其是 2013 年进入经济新常态以来占比持续下降，2017 年达到 3.34%，比 2013 年下降了 1 个百分点。从贸易结构来看，东北地区逐步从以出口和进口基本平衡向以进口为主进行转变，2003 年出口占比达 51.69%，2017 年下降至 39.8%，比进口低 20 个百分点。而全国形成“出口大于进口”的格局，东北地区出口占比远低于全国平均水平（55.11%），低 15.32 个百分点。

从布局来看，东北地区的贸易联系呈现出巨大的区域差异。大连的国际贸易最高，占比达 43.86%，远高于其他地区，长春和沈阳较高，分别达 10% 和 9.12%，大庆达 5.93%，其他地区的占比较少。在出口贸易上，大连最高，达到 46.66%，沈阳和营口分别占 8.37% 和 5.67%，本溪和丹东分别占 4.69% 和 4.24%。在进口贸易上，大连最高，达到 42.01%，长春达到 14.35%，沈阳和大庆分别达到 9.61% 和 8.43%，其他地区较低。

四、东北亚各国战略关系

进入21世纪，中国、俄罗斯、蒙古国相继出台了高度契合的21世纪前20年的中长期国家发展战略。在这些综合战略下，中国、俄罗斯和蒙古国开始陆续出台一系列的发展规划与战略，这些战略和规划在空间形成了一些契合点。

1. 俄罗斯：跨欧亚发展带

（1）"欧亚联盟"计划

"欧亚联盟"的概念最初是由时任哈萨克斯坦总统纳扎尔巴耶夫于1994年提出，主张独联体各成员国在保留主权的前提下，以平等、自愿、互利为原则建立类似于欧盟的一体化组织。2000年10月，欧亚经济共同体成立。普京执政之后，致力于打造欧亚经济联合体，组建欧亚经济联盟，"通过现存的机构慢慢融合形成关税联盟、统一经济空间"，成为欧亚大陆上继"东北亚经济圈"和"欧盟经济圈"外的第三极中心。2011年11月，时任俄罗斯总统梅德韦杰夫、哈萨克斯坦总统纳扎尔巴耶夫、白俄罗斯总统卢卡申科在克里姆林宫签署协议，决定在三国关税同盟基础上，推动经济一体化进程，并于2012年1月1日启动三国统一经济空间。先后接收乌克兰、亚美尼亚、塔吉克斯坦、吉尔吉斯斯坦、蒙古国、乌兹别克斯坦、塞尔维亚、黑山、土耳其、越南等国家加入其中。尤其是乌克兰危机的升级促使俄罗斯再次调整欧亚联盟的发展思路，将重心转向东方、转向亚太地区。

（2）"跨欧亚发展带"构想

2014年3月，俄罗斯提出"跨欧亚发展带"构想，作为开发西伯利亚和远东的重要手段与目标。以建设西伯利亚大铁路为依托，带动石油和天然气运输管道的建设，推动高新技术产业群与现代科学工业园区的建设。2014年5月，时任俄罗斯总统普京、白俄罗斯总统卢卡申科和哈萨克斯坦总统纳扎尔巴耶夫签订了"欧亚经济联盟条约"，2015年1月1日起正式生效。2030年"欧亚联盟"成员国之间将会取消签证限制，在这一区域内可自由旅行（项义军和翟今，2017）。

"跨欧亚发展带"试图以大中城市、石油和天然气生产和加工基地、新西伯利亚科学城等为依托，西伯利亚大铁路、石油和天然气运输管道为主干，吸引欧洲和亚洲国家参与，形成一系列高新技术产业集群，建成从欧洲大西洋经欧洲、西伯利亚到太平洋，进而穿越白令海峡进入阿拉斯加，连接北美的交通、能源、电信一体化的发展带，使俄罗斯成为西欧、北美、东南亚三大利益区的核心。目标是在俄罗斯的亚洲部分形成现代科学工业区和欧亚、欧美货物运输通道，将"跨欧亚发展带"作为开发西伯利亚和远东的重要抓手。为开发西伯利亚和远东，俄罗斯计划的21世纪大工程，包括北极和北冰洋大陆架油气资源开发、莫斯科—喀山高速铁路、博古恰内能源冶金联合体、贝阿铁路和西伯利亚大铁路改造、西西伯利亚油气田挖潜等（李新，2016）。

（3）《2025年前远东和贝加尔地区经济社会发展战略》

2007年，俄罗斯成立了总理牵头的远东和外贝尔加地区发展委员会，实施第二个

《远东和外贝加尔地区2013年前经济社会发展联邦专项纲要》。2009年，俄罗斯出台《2025年前远东和贝加尔地区经济社会发展战略》，2014年批准了《关于远东和贝加尔地区社会经济发展（2014～2025年）》国家纲要，设立远东和贝加尔地区发展基金和俄罗斯远东发展部（李新，2016）。作为俄罗斯实施“远东开发战略”纲领性文件，将提振经济、调整结构、改善民生、加强对外合作列为首要任务，改善远东和贝加尔地区的社会－人口状况，稳定常驻居民数量，确保居民生活水平达到欧洲中等水平。2012年，普京总统指出“全面走向亚太地区是俄罗斯未来成功及西伯利亚和远东地区发展的重要保证”。2014年12月，俄罗斯国家杜马通过了一揽子在远东设立超前发展区的法案。

（4）《西伯利亚和远东发展法（草案）》

近年来，俄罗斯紧锣密鼓地部署远东开发。2012年1月，俄罗斯建立发展东西伯利亚和远东国家公司，负责港口、道路、通信、机场和地方航线的建设及自然资源的开发。2012年3月，俄罗斯经济发展部制订了《西伯利亚和远东发展法（草案）》，提出政策举措。2012年5月，俄罗斯政府成立远东发展部，这是俄罗斯唯一不设在首都的联邦一级的部级机构，任务是协调和监督此前零散的联邦、部门和地区三级跟远东有关的所有发展纲要的实施，管理远东的国家企业、国有股和土地。2015年，俄罗斯确定农业、加工业、化工、机械制造和住房建设为财政优先支持领域。实施“跨欧亚铁路”计划，打通俄罗斯的远东通道，包括贝阿铁路和西伯利亚大铁路的现代化改造。

2. 蒙古国：草原之路计划

（1）《蒙古国交通运输发展国家纲要》

1990年，蒙古开始推动公路设施建设。2000年，蒙古国政府提出“千年公路”项目建设计划。2004年，蒙古国与联合国签订了联合国亚太地区经济社会委员会成员国政府间协议，参与了亚洲高速公路网建设项目。蒙古国负责建设AH3、AH32、AH4公路。2013年蒙古国继续修建了5个省相连接的公路，以期实现与中俄两国高速公路对接，促进天然气、石油和能源设施建设。2008年，蒙古国制订了《蒙古国交通运输发展国家纲要》，并在2011年蒙古国国家大呼拉尔正式通过了该纲要，建设“三纵一横”铁路网。但由于对轨距的争论（宽轨还是标准轨）僵持不下，铁路建设久拖未决。2014年，大呼拉尔通过决议，将在与中国邻近的两段铁路采用与中国相同的标准轨，以提高其第二大出口商品煤炭运输至其最大消费国的便利性。此外，蒙古国努力在天津建立专属经济区，打通乌兰巴托到天津港的出海通道（李新，2016）。

（2）《“草原丝绸之路”战略规划》

2012年，蒙古国提出要建设“草原丝绸之路”，将俄罗斯与中国过境运输公路连接到一起。2014年，实施“草原之路”计划，发挥作为欧亚桥梁的地理优势，通过运输贸易振兴蒙古国经济。计划从阿尔坦布拉格开始，向乌兰巴托延伸，最后连接扎门乌德。2014年9月，蒙古国成立“草原丝绸之路”工作组，推动“草原丝绸之路”项目实施。“草原之路”战略规划了5个庞大项目。连接中国和俄罗斯贯穿蒙古国的997高速公路、1100公里铁路的电气化改造和复线建设，以及高压输电线路和石油、天然气管道。蒙古国铁路第一阶段是建设连接南部戈壁地区战略大矿的横向铁路，即从达兰扎德嘎德经塔旺陶勒盖煤矿、查干苏布拉格铜矿、宗巴音至东戈壁省，与连接中国和俄罗斯的纵向铁路相接，再经苏赫巴托尔省最终到达乔巴山，可通往符拉迪沃斯托克，成为蒙古国的第二个出海口（李新，2016）。

3. 韩国：东北亚构想

韩国提出东北亚构想，通过改善东北亚各国间政治关系和扩大经济合作，来逐步消除东北亚地区国家间的不信任，缓解各国间的矛盾。同时，韩国力图通过建立开放、灵活的市场机制来吸引区域外投资，以此提高韩国在世界的地位。该构想欲以韩国为主导，通过加强对外合作，推动经济分阶段地、渐进地深入发展，最终实现东北亚和平与繁荣。

韩国提出了九大课题，包括：签订东亚自由贸易协定；开展东亚金融、环境及社会文化交流等领域的合作；促进东北亚各国间相互投资；加强南北经济合作；建设铁路运输网；开展东亚能源合作；开展情报通信领域的合作；开展科技领域的合作（安炯徒和任明，2005）。

（1）东北亚经济中心。2002 年，韩国提出了“东北亚经济中心国家”计划，发挥地理优势、经济优势，在东北亚地区大力发展物流、信息产业及金融等高附加价值产业，发展成为东北亚经济活动中心。韩国大力发展物流、金融和自由贸易区，建设物流中心、金融中心，设立经济自由区域。2003 年，韩国制定《东北亚中心国家建设具体推进方案》，把仁川、釜山、光阳等设立为经济自由区，组建了东北亚中心国家计划负责机构，加强与中国、俄罗斯资源的开发，推进朝鲜开发及东北亚和平合作体建设，设立东北亚开发银行与东北亚能源合作组织（安炯徒和任明，2005）。

（2）东北亚物流中心。在东北亚建设物流中心，开发高水平的空港及港湾。2006 年为止，对首都圈、釜山—珍海、广阳等扩大投资，加强物流设施建设；将仁川机场建设成东北亚的中枢机场，将釜山、广阳港建设成东北亚物流中心港湾；建设物流企业，构筑东北亚铁路网。开发世界最高水平的空港和港湾；2005 年完成仁川机场、铁路第一阶段建设，2008 年完成机场第二阶段工程，开发周边区域建设关税自由区，分阶段推进航空自由化，在主要国间开放国际货运市场。把釜山、广阳港建设成东北亚物流中心港湾，将集装箱处理能力提高到 3000 万 TEU，转港率达 55%（安炯徒和任明，2005）。

（3）东北亚金融中心。2003 年 12 月，韩国东北亚时代委员会提出了东北亚金融中心推进战略。分三个阶段推进建设。第一阶段（2003 ～ 2007 年），培育资产运营业，打造为金融中心建设的先导产业，吸引世界 50 大资产运营企业进入韩国，培育成国际资产运营机构。第二阶段（2008 ～ 2012 年），建成东北亚金融中心，争取海外金融机构投资韩国，使韩国成为亚洲主要资产运营中心，并将之作为海外金融机构在亚洲圈的国内机构。第三阶段（2013 ～ 2020 年），建成为亚洲三大金融中心之一，吸引国际大型商业银行、投资银行本部业务进入韩国，培育成为亚洲地区三大金融中心之一（安炯徒和任明，2005）。

（4）经济自由区域。韩国欲推进东北亚商业中心建设，制定了设立经济特区战略。2002 年，韩国颁布了“关于经济自由区域的指定及运营的法律”，2003 年 7 月 1 日起付诸实施。随后，韩国设置仁川经济自由区域，随后追加釜山、珍海、广阳经济自由区域。但东北亚地区只是停留在积极讨论缔结自由贸易协议的程度，韩中日三国为建立自由贸易区进行韩日和韩中双边磋商、多方讨论，至今未有明显进展。

4. 中国：中蒙俄经济走廊与东北振兴

1）中蒙俄经济走廊

为了与“一带一路”倡议更好地衔接，中国确定了与其他国家进行对接的六大经济走廊。六大经济走廊有着不同的发展地位与职能分工，建设的优先次序也有所不同。中蒙俄经济走廊、中巴经济走廊和孟中印缅经济走廊是优先推进的项目。中蒙俄经济走廊分为两条线路：一是从华北京津冀到呼和浩特，再到蒙古国和俄罗斯；二是东北地区从大连、沈阳、长春、哈尔滨到满洲里和俄罗斯的赤塔。中蒙俄经济走廊加强铁路、公路等互联互通建设，推进通关和运输便利化，促进过境运输合作，研究三方跨境输电网建设，开展旅游、智库、媒体、环保、减灾救灾等领域务实合作。其中，内蒙古重点是发挥联通俄蒙的区位优势，黑龙江重点完善对俄铁路通道和区域铁路网，黑龙江、吉林、辽宁重点完善与俄远东地区陆海联运合作，推进构建北京—莫斯科欧亚高速运输走廊，建设向北开放的重要窗口。中蒙俄经济走廊已率先达成共识，相关方案措施正在积极落实当中。目前已开通“津满欧”“苏满欧”“粤满欧”“沈满欧”等“中俄欧”铁路国际货物班列，并基本实现常态化运营。中俄企业联合体中标俄罗斯铁路公司“莫斯科—喀山—叶卡捷琳堡”高铁莫斯科—喀山段建设项目的工程勘察、区域规划和地界测定方案编制以及设计文件编制（李新，2016）。中俄两国领导人见证了 32 项大单的签署，涉及能源、高铁、航空、航天等多个重要领域。

2）东北地区全面振兴

东北地区是老工业基地，集聚分布了中国的基础原材料产业。但改革开放以来，东北地区发展低迷，在全国发展格局中其地位不断降低。2003 年，中国发布了《关于实施东北地区老工业基地振兴战略的若干意见》，标志着东北振兴战略的启动，成立了总理牵头的国务院老工业基地调整改造领导小组。2007 年，国务院发布《东北地区振兴规划》，计划经过 10 ～ 15 年实现全面振兴，建设成为综合发展水平较高的重要增长区域。2009 年，国务院发布《国务院关于进一步实施东北地区等老工业基地振兴战略的若干意见》，2014 年发布《关于近期支持东北振兴若干重大政策举措的意见》。2015 年，李克强总理对东北地区面临的新情况和突出问题进行了考察，要求必须有效顶住下行压力，把稳增长、保就业、提效益作为要务，实现东北老工业基地全面振兴。

5. 东北亚各国战略契合

进入 21 世纪，东北亚各国相继出台了高度契合的 21 世纪前 20 年的国家发展战略。2012 年，中国十八大提出了在 2021 年和 2049 年实现“两个百年奋斗目标”。2008 年，俄罗斯批准了《2020年前俄联邦社会经济长期发展构想》。2008年，蒙古国发布《基于千年发展目标的国家综合发展战略（2008～2021年）》（李新，2016）。在这些综合战略下，中国、俄罗斯、蒙古国、韩国陆续出台一系列的发展规划，这些战略和规划在空间上形成了一些契合点。

1）中蒙俄经济走廊

中国“丝绸之路经济带”构想、蒙古“草原之路”战略、俄罗斯开发远东的战略和韩国东北亚中心国家战略，其相互间具有兼容性、包容性和协作性，出现了各国间的战略对接。东北亚各国的经济发展具有很强的互补性，在能源输出、资金与技术支持等方面具有高度的利益需要，“中蒙俄经济走廊”是基于多国发展战略衍生出的战略产物，体现了多国战略决策的高度契合（于洪洋等，2014）。2013年，中俄蒙三国铁路部门在乌兰巴托举行第一次会议，确认开展铁路跨境运输合作，成立三方运输物流联合公司，提升乌兰乌德—苏赫巴托—二连浩特—集宁铁路线的运能。2014年，普京表示愿意将跨欧亚铁路项目与“一带一路”倡议对接，并把做好基础设施建设作为突破口。同年，中俄蒙三国元首在上海合作组织杜尚别峰会期间首次举行会晤，商定在双边合作基础上开展三方合作，明确了三方合作的原则、方向和重点领域，对接三国战略，打造“中蒙俄经济走廊”。2015年，习近平与普京共同签署并发表了《中华人民共和国和俄罗斯联邦关于丝绸之路经济带建设和欧亚经济联盟建设对接合作的联合声明》，对接中俄两大战略。同年，中俄蒙元首在乌法举行第二次会晤，批准了《中俄蒙发展三方合作中期路线图》。“中蒙俄经济走廊”既是三国国内经济发展战略衍生出的产物，更是三国国际战略价值诉求契合的战略产物，将推动“中国—振兴老东北战略”与“俄罗斯—远东开发战略”和“蒙古国—矿业兴国战略”对接，共同深化东北亚区域合作。

2）《中华人民共和国东北地区与俄罗斯联邦远东及东西伯利亚地区合作规划纲要（2009—2018年）》

2009年10月，中俄签署《中华人民共和国东北地区与俄罗斯联邦远东及东西伯利亚地区合作规划纲要（2009—2018年）》。该合作纲要提出如下建设重点：推进中俄口岸及边境基础设施的建设与改造，加强中俄地区运输合作，建设中俄合作产业园区，加强中俄两国劳务合作，推动中俄地区旅游合作，加强中俄地区人文交流合作，加强中俄地区环保合作。2013年习近平与普京共同签署《中俄联合声明》，扩大地区合作范围。2015年，《中俄联合声明》要求建立中国东北地区与俄罗斯远东及东西伯利亚地区地方合作理事会，加强区域性合作的规划统筹，推动两国毗邻地区的地方合作。同年，中国国家发展改革委与俄罗斯经济发展部签署了《中华人民共和国国家发展和改革委员会与俄罗斯经济发展部关于加强中俄地区与边境合作的谅解备忘录》，扩大中俄地区合作领域和范围，提升合作层次和水平，协调推进实施高铁、能源、矿产、林业、加工制造业和服务业等领域合作项目。

第二节　东北地区对外开放路径

一、构建国际交流合作平台

1. 总体发展思路

按照扩大合作、集聚产业、服务保障的原则，加强各类开放平台载体建设。提升边境经济合作区、综合保税区、跨境经济合作区、互市贸易区、进出口加工区、对外物流园区、自由贸易试验区、跨境电商综合试验区、进出口资源加工区的功能。加快绥芬河、哈尔滨、沈阳、长春、大连、牡丹江、大庆、黑河、佳木斯等综合保税区建设。建设一批互市贸易区、边境经济合作区，重点建设黑龙江（中俄）自由贸易区、内蒙古呼伦贝尔中蒙俄合作先导区、满洲里、二连浩特和绥芬河－东宁国家重点开发开放试验区，加快抚远中俄沿边开放示范区建设。

内陆地区围绕经济技术开发区、高新技术开发区、交通枢纽和机场，建设一批陆港、空港、进出口商品加工区、旅游经济合作区，积极发展外向型经济，培育对外经济基地。在具备发展情景的基础上升级一批保税区和内陆保税物流中心、保税库等特殊海关监管区域，实现境内关外，积极发展保税仓储、国际物流分拨配送、保税展示，实现“一站式”快速通关。支持珲春市建设“图们江三角洲国际旅游合作区”和“中俄朝多边自由贸易区”。支持有条件的边境重点口岸扩大建设进口商品指定口岸。

坚持点状突破与点状引领的理念，建设部分开放功能区。长兴吸引高端产业转移，设立海关特殊监管区域，培育成为中日韩合作的先行区和示范区。丹东新区抓住新鸭绿江大桥建设和中朝共同开发朝鲜黄金坪岛的机遇，推动丹东新区与黄金坪岛产业互动发展。抚远依托一岛两国的独特条件，突出生态保护、旅游休闲、口岸通道等功能，推动乌苏新城建设，努力建成中俄合作示范区。同江推进跨境铁路大桥建设，建设以木材、建材、食品加工、物流等为重点产业的桥头经济开发区。

2. 重大合作平台

呼伦贝尔中蒙俄合作先导区依托联通俄蒙、内接腹地的区位优势，落实先行先试政策、财政转移支付政策、资源性合作投资补助等支持政策，发挥黑山头、室韦、阿日哈沙特、额布都格等口岸作用，完善开放合作平台建设，发展国际物流、跨境旅游、资源加工等产业，开展国际贸易、展销展示、国际金融等业务，承接博览会、多双边论坛等大型涉外活动，深化人文交流。

满洲里国家重点开发开放试验区发挥向俄蒙开放的龙头作用，推进综合保税区、边境经济合作区、中俄边民互市贸易区建设，完善铁路及高速公路网络，研究建设中俄蒙自由贸易区、中俄跨境经济合作区、中俄跨境旅游合作区，与俄蒙在木材、机电、轻纺、清洁能源、新型煤化工、矿产品等领域实施开发合作，培育加工、贸易、物流等保税业务，建设国际贸易基地、能源开发转化基地、进出口加工制造基地和跨境旅游基地。

绥芬河－东宁重点开发开放试验区完善基础设施建设，促进农副产品、木材等沿边贸易发展，推动进口资源落地加工，扩大粮食和油品等进口，建设国家级进口木材加工交易储备示范基地和外派劳务基地，实行互市商品负面清单制度，探索设立边境旅游试验区和跨境旅游合作区，建设中俄贸易金融结算中心，建设成为中俄战略合作及东北亚开放合作的重要平台、联通中国与俄罗斯远东地区的综合性交通枢纽。

二连浩特重点开发开放试验区强化国际通道枢纽地位，推动中蒙跨境经济合作区和中蒙边境自由贸易区建设，提升边民互市贸易区，提高通关效率，发展离岸金融，建设成为中国向北开放的黄金桥头堡、区域性国际物流枢纽、睦邻安邻富邻的示范区。

中国图们江区域（珲春）国际合作示范区。建设国际产业合作区、边境贸易合作区、中朝以及中俄珲春经济合作区四大板块，发展商贸物流和跨境旅游，畅通人流物流通道，大力发展边境贸易、转口贸易及服务贸易，发展汽车零部件制造、农畜产品、新材料与矿产品精深加工产品、电子产品、医药、纺织与服装加工、国际会展等产业，建设为中国面向东北亚合作与开发开放的重要平台、图们江区域合作开发的桥头堡。

阿尔山中俄蒙区域合作先导区。以阿尔山口岸为依托，建设林区口岸经济合作园区，重点发展林区口岸进出口加工园区、口岸物流园区和互市贸易区，以旅游和物流为主，建设成为全国较大的进口资源加工园区和进出口产品交易集散地。

二、提高对外贸易发展水平

1. 提高利用外资水平

根据地缘邻近性，聚焦日韩地区，面向欧美地区和港澳台地区，开展招商引资。完善外商投资服务体系，开展产业集群和主题概念招商，注重补链式招商，持续引进关联度强、附加值高的中小项目；围绕重点产业和优势资源，引进一批投资额大、带动力强、支撑性好的大项目。支持东北企业利用国际金融组织和外国政府优惠贷款，积极争取国家丝路基金、亚洲基础设施投资银行、中央预算内专项资金、中俄地区合作发展（投资）基金等融资投资平台。

重要边境城市可筹建口岸银行，改善边境贸易企业结算和融资环境。加强与俄蒙在资金融通机制、金融机构业务和金融监管等方面的合作，积极推动跨境人民币业务，争取将二连浩特列入国家边境贸易人民币结算和出口退税试点，深入开展卢布、图格里克使用试点，推动人民币与图格里克直接汇率区域挂牌，实现图格里克、卢布与人民币现钞兑换，推动区域性对蒙资金清算中心和中蒙现钞调运中心建设。

2. 加强产业贸易合作

鼓励开展农业、制造业、能源资源等领域的投资合作，拓展国际工程承包市场，开展国际劳务合作。鼓励企业灵活采用对外投资、工程承包、境外合作园区等多种形式，参与蒙古国、俄罗斯远东及朝鲜的产业发展，采取多种方式依法参与俄罗斯农业开发与木材加工，开展农牧产品就地加工转化，加强与朝鲜在良种繁育、农业生产技术和农产品加工方面的合作，与蒙古国在粮食种植、畜产品改良、畜牧养殖及加工、有色金属、煤化工等方面实施合作。鼓励优势企业在境外设立农林、矿产等资源加工基地，在边境地区合作建设矿产资源进出口加工基地。扩大加工制造业合作，支持东北地区有实力的装备和汽车制造企业在境外设立研发中心和生产制造基地。鼓励企业在冶金、石化、煤化工、建材、装备制造、轻纺、农产品加工等领域，在俄罗斯、蒙古国和朝鲜合作建设具有示范带动作用的产业园区和重大项目。鼓励森工企业走出去，建立境外木材加工园区。拓展工程承包、设计咨询和劳务合作，规范劳务输出渠道和劳动力市场秩序，承建交通、石化、电力、冶金、矿山、环保等大型工程项目，在劳务输出规模较大的城市建设对外劳务公共服务平台和外排劳务基地。

3. 提高对外贸易水平

扩大进出口规模，支持大宗贸易和边境贸易发展，优化进出口贸易结构，加快发展服务贸易。扩大果蔬、轻工、医药、机电、食品、服装等传统产品出口，积极推进汽车及零部件船舶、轨道交通装备、数控机床、新能源装备、重大和成套设备及其他高技术、高附加值产品出口，坚持以质取胜，巩固对蒙俄两国的一般性贸易出口市场，拓展日本和韩国等国际市场，大力开拓欧美、拉美、非洲的出口市场。引导企业在蒙俄设立建材、机电、果蔬、日用消费品等商品分销中心和营销网络，扩大出口货运量。扩大矿产品和木材等大宗能源原材料产品进口，鼓励进口新技术、新设备、新材料、关键零部件和国内短缺的能源资源和原材料产品，推动东北地区产业升级和补齐产业链。以能源（石油、天然气、电力）、矿产品（铁矿石、有色金属矿石）、原材料、林木、农产品等为重点，发展大宗贸易。积极发展边境贸易，促进边境贸易向加工、投资、贸易一体化转型。

三、推动国际多边交流合作

深化与东北亚各国在教育文化、科技、卫生、生态环保、旅游等领域合作，促进民心相通。

1. 生态环境保护

加强与俄蒙朝在生物多样性保护、森林、湿地、草原保护及界河、跨境河流污染防治、跨界自然保护区建设等领域的合作。加强额尔古纳河、黑龙江、乌苏里江、鸭绿江等跨界河流的污染治理与监控。扩大与俄蒙朝在生态系统与生物多样性保护、沙尘暴和荒漠化防治、水资源利用保护、国际湿地管理、污染防治等方面的交流合作，共同保护次区域内森林、草原、湖泊、湿地等生态系统。建立健全中蒙俄朝地方生态环境保护合作机制，完善跨界生态环境重大事项通报会晤制度。围绕森林和草原防火，巩固完善边境联合防火机制，在阿尔山市建设中蒙联合防火会商中心。开展联合行动，推进跨境自然保护区或边境特别自然保护区建设，开展野生动植物保护领域的合作，围绕东北虎、东北豹等物种辟建跨境生态廊道，共同构建跨国保护区网络，突出抓好生态保护。

2. 文化教育体育

全面推进与周边国家在文化、教育、体育等领域开放合作和人文交流，拓宽合作流域。

发挥中俄工科大学联盟、中俄医科大学联盟等作用，促进高等教育合作。支持知名大学联合培养本科生、硕士生和博士生。鼓励东北高等院校结合东北亚合作需要，扩大联合办学和互派留学生规模，鼓励建立联合实验室。鼓励东北高等院校与周边国家高等院校等教育机构开展汉语国际教育，派驻汉语教师。支持二连浩特、满洲里、黑河、绥芬河、丹东等边境重点城市建设面向俄蒙朝三国的友谊学校和职业培训学校。推动与蒙古国的语言保护与合作。在伊尔库茨克国立大学贝加尔国际商学院基础上，与中国东北高校组织合办国际商务教学。在阿穆尔国立大学和阿穆尔国立师范大学孔子学院的基础上，联合组织国际文化 – 历史和人文教育活动。

推动各地区和民间团体与蒙俄朝开展具有各国风俗与风情、形式多样的文化艺术交流活动，拓宽友好城市和民间交流合作渠道。鼓励东北地区和东北亚各国互设文化中心，共同策划举办“哈夏”音乐会、“中俄文化艺术交流周”、大连“夏季达沃斯”等文化交流活动，相互举办文化月、文化周活动和文化日活动、电影周等，鼓励各地举办中俄博览会、中蒙博览会、绥芬河中俄油画交流展等特色节庆与会展活动。各国家艺术院团、博物馆、图书馆之间建立合作关系，进行合作演出和创作活动。鼓励各国建设非物质文化遗产保护合作机制，在联合保护、申报等方面加强协调合作。

加强民族传统体育项目合作，联合组织特色赛事。发挥大型体育活动的综合效应，共同举办中蒙俄国际冰雪节。加强东北地区与各国体育合作尤其是传统民族体育项目的合作，开展运动员和教练员交流。选择具备条件的东北城市创建区域性体育赛事与交流活动中心。

3. 科技创新

开展双多边科技交流与合作，发挥科技合作园区、研发中心等各类合作平台的作用，探索建立面向东北亚的科技创新合作基地。推进与日韩俄在生物、电子信息、新能源、新材料等高技术领域合作。鼓励与俄蒙两国在高寒家畜繁育、牧草优选和栽培、矿产资源利用、清洁能源、畜牧业机械、兽医等方面开展技术交流与合作。加强与俄罗斯在航空航天、信息通信、核电装备、复合材料、船舶制造等领域的研发合作，支持在哈尔滨建立中俄联合研究平台，在满洲里建立中俄高科技孵化合作平台，在牡丹江建设中俄科技信息产业园，在俄罗斯建设符拉迪沃斯托克中俄信息园区。深化与周边国家医疗卫生领域交流合作，密切东北医院与周边国家医院的友好往来和直接沟通交流，鼓励建立合作医疗机构。联合开展重大传染病防控，打造呼伦贝尔“海赤乔”次区域疾病防疫联控联治示范区。

四、打造商贸物流服务平台

1. 完善提升口岸功能

根据境内外资源分布和现有口岸基础，统筹口岸发展，形成优势互补、分工合理、功能完善的口岸群。加强满洲里、绥芬河、黑河、抚远、东宁、同江重点边境口岸基础设施建设，建成面向俄罗斯及东北亚的现代化口岸。完善饶河、密山、虎林、萝北、嘉荫、黑山头、室韦边境口岸功能，提高通关能力。推动开通洛古河、二卡、呼玛、孙吴口岸。提高哈尔滨、齐齐哈尔、牡丹江、佳木斯、满洲里、海拉尔航空口岸综合能力，提升松花江干流哈尔滨、佳木斯、富锦、桦川、绥滨内河口岸开放功能。

促进口岸提质增效。完善交通、水电、通信、仓储等基础设施，高标准建设联检、换装等口岸设施，提高智能化水平。协调协助周边国家，提升蒙古国、朝鲜和俄罗斯等国家对接口岸通关能力，实现能力双向匹配及跨境基础设施互联互通。推进绥芬河、黑河、延边、珲春、丹东、满洲里、二连浩特、同江等电子口岸升级和大通关配套建设，完善其他中小型口岸设施与通道，结合未来铁路建设增设一批铁路口岸，合理增设一批公路口岸。

强化“大通关”区域合作机制，深入推进关检融合，创新海关、检验检疫、边防检查、交通运输等监管模式，实施“限时作业”和“先验放后检测”，简化通关流程，将“单一窗口”功能拓展至海关特殊监管区域、跨境电商综合实验区及跨境经济合作区、自由贸易区。扩大中俄海关监管结果互认试点口岸范围。推动中俄蒙建立鲜活农副产品进出口目录清单，开通农副产品“绿色通道”。简化签证工作，简化工程建设人员口岸过境程序。推进中俄、中蒙、中朝国际运输便利化，积极推动落实双边汽车协定，加强双边运输标准对接。规范自驾车出入境车辆管理，争取在黑河、绥芬河开通中俄两国公民自驾 8 座以下小型车辆自驾游。

2. 建设电商物流平台

围绕东北地区与蒙古国、俄罗斯、朝鲜、日本和韩国之间的主要贸易产品和国际产业合作的方向，加强与国内知名跨境电商合作，共同建设跨境电子商务平台，打造跨境电商物流基地。支持哈尔滨跨境贸易电子商务综合服务平台建设，并向满洲里、绥芬河等重点口岸延伸，依托绥芬河、丹东、黑河、二连浩特、阿尔山等口岸建设跨境电子商务平台，建设物流仓储基地和“海外仓”。

大连跨境电子商务综合试验区。以跨境电子商务 B2C 为突破口、B2B 出口为重点，培育一批以日韩和“一带一路”沿线国家为目标市场的跨境电子商务进出口经营主体，推动“两直购（海运直购、店铺直购）两出口（软件服务外包出口和装备制造业 B2B 出口）”，建设“单一窗口”平台、园区综合服务平台、外贸服务综合服务平台、特色交易平台，建设智能物流体系、金融服务体系、公共服务体系，培育软件服务外包出口独特优势、本土知名品牌竞争优势、跨境电子商务后发优势，打造一批跨境电子商务园区，建设成为东北跨境电子商务发展的先行区、东北亚跨境商品的集散区。

沈阳跨境电子商务综合试验区。以深化中德、中欧、中蒙俄、中日韩经济合作为重点，按照“两平台，六体系”的总体思路，积极建设线上平台，建设国际快件集散分拨中心、跨境电商国际物流产业基地、跨境电商产业园区、跨境电商特色园区等跨境电商线下园区建设，完善国际化、智能化物流及仓储体系、金融服务体系、电商信用体系、统计监测体系、风险防控体系，积极发展跨境电商大数据。

长春跨境电子商务综合试验区。重点发展“一城两区多园”跨境电商格局，推进“三平台七体系”建设，加快发展长春兴隆综合保税区和长春新区，建设多个专业性跨境电商产业园，发展线上“综合服务”平台、线下“综合园区”平台和跨境电商“双创”平台，建设信息共享、金融服务、智能物流、电商信用、质量安全、统计监测、风险风控跨境电商七大体系，推进汽车及零部件、农副产品深加工、医药及医疗器械、光电信息产品、高精装备制造业及木制品加工等优势产业的跨境电商便利化、集聚化。

哈尔滨跨境电子商务综合试验区。以对俄跨境电商为特色，建设跨境电商线上登记备案平台、国际贸易“单一窗口”、跨境电商仓储物流中心、国际邮件处理中心、对俄数字贸易运营中心，促进跨境电商多园区和差异化发展，完善哈尔滨跨境电商航空物流通道、对俄跨境电商陆路通道，推进海外仓建设，创新金融服务和海关监管服务方式，构建线上线下联动机制，建设为以俄罗斯市场为主、辐射东北亚及北美的跨境电商物流集散中心。

五、推动矿产资源开发合作

1. 蒙俄境外资源开发

发挥东北地区的产业、技术与人力资源优势，在互惠共赢的基础上，积极参与东北亚地区尤其是俄罗斯远东和蒙古国资源的合作开发，包括能源、矿产资源及农业资源，通过多种方式进入开发、深加工领域，形成利益共享机制。依托中俄地区合作发展（投资）基金，在俄罗斯远东从事农业开发、矿产资源开采，拓展能源领域的合作。设立境外资源风险勘探专项基金，在蒙古国和俄罗斯共同勘查矿产，加快高热值煤炭、石油、铁矿、有色金属等矿产资源开发。鼓励企业以多种形式参与周边国家矿产资源开采加工，建设境外矿产综合加工园区及配套基础设施。鼓励有条件的企业参与朝鲜、俄罗斯远东地区、蒙古国产业园区的建设与管理，联合开发石油、风能、太阳能、生物质能等新能源。鼓励企业开发俄罗斯远东地区的水力资源，建设水电站。重点开展的项目包括萨哈秋楚斯金矿、堪察加地区库姆洛奇与罗德尼科金矿、哈巴罗夫斯克边疆区“康德尔”白金矿，萨哈丘利马坎与杰尼索夫斯基煤矿、楚科奇区阿玛姆煤矿、滨海边疆区苏城煤田、滨海边疆区的阿达姆索夫煤矿，阿穆尔州库恩－曼尼硫化镍矿、马加丹州奥罗耶克矿区铜矿、哈巴罗夫斯克边疆区普拉沃尔米锡矿、萨哈季列赫佳赫溪流锡矿等。鼓励中国企业在南雅库特、阿穆尔州和萨哈林州建设木材加工综合企业。

2. 进口资源落地加工

坚持利用“境外资源”和“进口抓落地”，扩大进口原料落地加工能力，发展“落地经济”。扩大能源矿产资源进口，鼓励绥芬河、珲春、延边、呼伦贝尔、黑河、二连浩特、满洲里等城市发展进口资源落地加工，重点发展矿产资源采选、冶炼和初加工及精深加工，实现资源过埠转化。研究设立国家级国际矿产资源深加工示范区。加快蒙古国的铜矿等有色金属矿产资源进口，积极发展精深加工，在赤峰市等地区建设有色金属深加工基地。加快蒙古国的铁矿石、煤炭资源，发展钢铁冶金、煤化工。扶持落地加工主体，培育壮大加工企业。

六、加强运输网络互联互通

1. 推动东北亚大通道建设

坚持共商共建共享原则，发挥边境口岸和沿线城市的优势，连通城镇群，构筑连接东北亚地区的重大通道。协同推动连接中俄、中蒙、中朝的高速公路、铁路、航空三位一体化运输线路，共同推动输油、输气管道和电力通道建设。稳妥推进中蒙俄边境口岸铁路、公路和跨境口岸桥建设。优先推进一批连接蒙古国南部重点矿区、产业园区、主要城市和俄罗斯毗邻城市的重大铁路、公路和机场。按照标准轨距谋划建设阿尔山—乔巴山铁路，推动集二铁路扩能改造。推进满洲里、二连浩特建设中欧班列编组枢纽和物流集散转运中心。改造满洲里—外贝加尔斯克—赤塔公路，改造室韦、嘉荫、萝北、同江、抚远、洛古河等口岸中俄两侧的口岸公路；建设满洲里—伊尔施、前进—抚远、洛古河—古莲铁路，改造满洲里—呼伦贝尔、同江—佳木斯铁路；在同江、饶河、漠河、黑河、嘉荫、萝北等铺设临时浮箱固冰通道。推动同江、黑河、东宁、萝北、饶河、洛古河等地区建设跨境铁路和跨境公路大桥。

2. 开辟东北亚国际航空网络

提升哈尔滨、长春、沈阳、大连机场面向东北亚门户机场的功能，加密通往蒙俄、日韩及全球的国际航线航班。推动二连浩特、阿尔山、锡林浩特、大庆、乌兰浩特、延吉、丹东、佳木斯、牡丹江、黑河、海拉尔、满洲里、齐齐哈尔等机场升级为国际机场。推动通辽等机场航空口岸临时开放，拓展二连浩特机场国际货运业务，建设海拉尔、满洲里、二连浩特等国际航空物流园区建设。建设空中开放通道，开辟连接东北亚乃至世界主要国家的空中定期和包机航线，适度建设面向日韩和蒙古国、俄罗斯的航空网络，争取新开通至乌兰乌德的国际航线和通用航空线路。依托哈尔滨、长春、沈阳和大连及北京等地区大型枢纽机场，将国际沿线延伸至东北西部地区。

3. 加强物流运输网络组织

深化国际运输领域的务实合作，推动物流运输协定的合理化，建立统一的全程运输协调机制，实现车辆互通互进。合理组织“锦蒙俄”“辽满欧”“哈满欧”“辽蒙欧”“绥满欧”“长满欧”“营满欧”“哈俄欧”“辽海欧”等国际客货班列，努力争取常态化运营和双向对开。积极开展“哈绥符釜”陆海联运、“陆海通快航”等多式联运。加强对国际道路运输企业的扶持。加强与锦州、大连、海参崴、纳霍德卡等港口的合作，加快发展口岸直通、转关和多式联运，提供中蒙、中俄国际物流跨境全程服务、国际货物运输代理、国际联运业务咨询服务。

4. 建设大连东北亚航运中心

利用辽宁沿海地区的区位优势和基础条件，发挥大连港的龙头作用，构建完善的基础设施体系、综合运输体系和航运服务体系，构建“一岛三湾”核心港口群。加大大连老港区的搬迁改造，推动港口由装卸生产型向临港产业开发型方向发展，推进大窑湾保税港区、长兴岛保税物流中心和出口加工区及各类物流园区、物流中心建设。加强与沈阳、长春、哈尔滨、绥芬河、满洲里等地保税物流中心联动，形成覆盖东北地区的保税物流与干港网络。建设大连国际邮轮中心，大力发展港航产业，构造全球航运网络。承接国际产业转移，发展高科技产业、金融业，优化工业布局，建设具有国际竞争力的新型产业基地。以此，打造港口布局合理、服务功能完备、牵动作用较强的东北亚重要的国际航运中心。

七、突出加强对外开放门户

1. 加强沿海门户城市发展

丹东位居中蒙俄东线运输走廊的核心区位，是东北亚东部地区尤其是中国东北东部的重要出海口。发挥沿边、沿海、沿江和东北东部地区出海通道的区位优势，积极参与辽宁“一带一路”综合试验区、中国－中东欧“16+1”经贸合作示范区建设，推动丹东港重组，加大对朝日韩联系和合作，建设商品生产、商贸物流和出口加工基地，发展边境旅游；完善国门湾中朝边民互市贸易区，积极申请综合保税区。以此，将丹东打造成为对朝鲜半岛开放的前沿先导区。

大连位居辽东半岛的顶点，是中俄运输通道的门户港口。大连要高标准建设国际航运中心和自由贸易区试验区，申请建设自由贸易港，创建“一带一路”综合试验区和中国－中东欧“16+1”经贸合作示范区。完善“辽满欧”“辽海欧”班列等国际物流组织。加快建设中英（大连）先进制造产业园，探索建设中日国际合作示范区建设。

营口依托港口、自贸区和综合保税区等平台，坚持港口自贸区联动发展，完善“营满欧”“营新欧”“营海欧”班列组织，推进“中俄粮食走廊”建设，建设粮食、原糖、镁制品等大宗商品国际贸易平台和现货交易市场，推进自贸区建设，围绕综合保税区发展保税加工、保税物流，建设航运、制造业、科技和跨境“四位一体”的金融服务综合体，围绕辽宁“16+1”经贸合作区先行区建设，与中东欧国家开展双向经贸合作。

锦州为中蒙俄东线通道的起点港，是辽宁省西部、内蒙古东部和蒙古国东部最近的出海口，是新的国际铁海联运起始点。增加中欧海铁班列货运量，推动“锦赤白珠乔铁路”建设，力争打通中蒙俄新通道。加强国际贸易“单一窗口”推广应用，促进跨境贸易便利化。积极参与辽宁中国－中东欧“16+1”经贸合作示范区建设。

2. 建设沿边对外开放门户

依托沿边口城市，加快建设沿边对外开放门户，促进边境对外开放。

珲春位于图们江下游地区，是中国从水路到韩国东海岸、日本西海岸的最近点。依托珲春国际合作示范区建设，集出口加工、境外资源开发、国际物流、跨国旅游等于一体，积极发展“长浑欧”货运班列和海洋班列；对俄实施“依港建区”战略，推进中俄珲春－哈桑跨境经济合作区。整合文旅节会活动，打造国家级东北亚文博会。完善海上运输网络，复航束草航线，谋划开辟珲春—扎鲁比诺港外贸航线；谋划珲春—罗先高速公路，改造珲春—扎鲁比诺港公路。谋划建立木材加工、农业种植等境外加工基地和产业园区。

绥芬河充分利用绥东试验区政策，大力发展国际物流业和旅游业，利用境外资源发展加工业，建设出口加工贸易基地，重点发展绥芬河综合保税区、经济开发区、东宁经济开发区。建设中俄电商信息港，打造跨境电商产业园。做大互市贸易，放宽互贸商品流通品种限制；做大旅购贸易，推动传统民贸向俄货市场提档升级，建设俄罗斯商品集散地；利用进口原木加工锯材出口试点口岸的优势，扩大进口原木，发展木材加工业。

黑河建设黑河－布拉戈维申斯克（海兰泡）“双子城”，以进出口加工和服务贸易为重点，积极发展“大桥”经济，发展边境经济合作区、俄电贸易加工区、综合保税区、重点开发开放试验区和边境旅游试验区，扩大机电、果蔬出口和电力、粮食、纸浆进口，扩大对俄农林合作，建设中俄跨境林业产业园，发展旅游业和物流业，与布拉戈维申斯克（海兰泡）共建“跨国特区”，申报国家级自贸区，建设中俄友好示范城市。

满洲里是中国最大的陆路口岸和亚欧第一大陆桥的交通要冲。推动“通道经济”向“落地经济”转变。加快建设重点开发开放试验区，完善口岸功能，扩大换轨能力，保障中欧班列开行，开辟中俄公路口岸货运通道，巩固提升木材、煤炭、化肥、农产品、原油、液化石油气等大宗商品进口，发展资源落地加工，稳定机电、建材、钢材、木制品和成品油出口，发展商务休闲旅游，促进国际物流产业园区、综合保税区、互市贸易区联动发展，加快发展跨境经济合作区和边境自由贸易区及境外经贸园区。

阿尔山为季节性开放口岸。大力发展口岸贸易，完善互市贸易区，积极发展中蒙边民互市贸易；建设进出口肉类制定口岸；优化中蒙跨境旅游落地签，大力发展口岸边境游和中蒙跨境游，推进哈拉哈河流域跨境旅游合作。探索谋划两山铁路建设。

二连浩特位居中蒙俄中线通道的中蒙交界处，是欧亚第二大陆桥的桥头堡。改善铁路和站场改造，推动二连浩特—乌兰巴托—乌兰乌德铁路电气化改造和高速公路建设，拓展二连浩特至蒙古国、俄罗斯的航线；巩固对蒙古国合作的桥梁和平台作用，拓展口岸综合贸易，发展进口资源加工。以此，将二连浩特建设成为进战略物资进口加工基地、对蒙轻工产品出口基地和跨境旅游基地。

集安位居中蒙俄东线通道支线通道，为中朝交界处，是中国三大对朝口岸之一。

重点推进国家级边境经济合作区、跨境经济合作区、边境旅游试验区、进出口加工区建设，完善开放通道，谋划通化—集安—满浦—平壤国际物流通道，建设国门景区。

图们位居中蒙俄东线通道支线通道，地处“金三角”结合部，拥有沿边、沿江、沿交通线和近海的区位优势。加快建设边境经济合作区、电子商务产业园、曲水国际物流保税区、凉水跨境先导区，谋划对朝南阳境外经济贸易合作区、稳城岛跨境合作旅游区；积极发展跨境旅游，重点发展南阳步行游、稳城一日游、七宝山铁路游等赴朝旅游路线，打造延龙图新区赴朝旅游集散地。谋划发展图们—清津港—符拉迪沃斯托克国际陆海联运。

3. 加强内陆对外开放门户建设

哈尔滨地处东北亚中心地带，是中蒙俄东线通道和中俄通道的重要中心城市。积极培育发展外向型服务业，完善对俄合作综合服务功能；办好“中俄博览会”和“哈洽会”等大型展会，构筑中俄经贸合作平台；协力推进哈欧、哈俄班列和哈绥俄亚陆海联运通道常态化运营，依托铁路集装箱中心站、哈尔滨空港、华南城“黑龙江省对俄经贸物流园区”等形成国际物流集散枢纽，推动开通哈尔滨至美国安克雷奇货运航线，扩大俄罗斯商品进口，建设跨境电商综合试验区和临空经济区。发展涉外金融结算、卢布现钞、离岸金融业务，搭建跨境电子商务支付平台，建成面向俄罗斯及东北亚区域金融服务中心。建设为“东北亚区域中心城市”及“对俄合作中心城市”。

长春位居中蒙俄通道和中俄通道。加快临港经济开发区建设，推动跨境电子商务综合试验区建设，增强兴隆保税区发展能力；提升国际货运包机、货运班列运营质量，增开国际客运航线。加快建设中德、中韩、中白、中俄等国际合作产业园区。

沈阳发挥中心引领作用，加快建设自贸区，积极参与创建辽宁“一带一路”综合试验区和中国 - 中东欧“16+1”经贸合作示范区，推动综合保税区、中德产业园、跨境电商综合试验区高水平建设，打造“一带一路”东北亚枢纽城市。深化与日韩两国的经济合作，深化与德英法等国家合资合作。加密通往日韩等的国际航线，建设沈阳临空经济示范区。

第三节　东北亚重要合作区域 / 领域

一、图们江区域合作开发

1. 基本情况

图们江区域从朝鲜的清津，经过中国的延吉到俄罗斯联邦的纳霍德卡，为中朝俄毗邻地区，包括朝鲜罗津—先锋自由贸易区、中国的延边朝鲜族自治州、俄罗斯的符拉迪沃斯托克（海参崴）和纳霍德卡自由经济区。1992 年，在联合国开发计划署的倡导下，中、俄、朝、韩、蒙五国共同启动了图们江区域合作开发项目。1995 年中、朝、俄签署了“3国协定”，中、俄、朝、韩、蒙签署了“5国协定”和备忘录。2005年在联合国开发计划署（UNDP）图们江区域合作开发项目第八次政府间会议上，再次将“5国协定”和备忘录的时效延长十年，签署《大图们江行动计划》。经过近30年的发展，该区域经贸往来日益密切，珲春边境经济合作区、出口加工区、中俄互市贸易区等合作平台不断健全，长春—图们高速公路、珲春—俄罗斯扎鲁比诺港铁路全线贯通，投资、贸易、旅游和过境运输等领域有了实质性进展，近年来中俄日朝韩联合开辟了4条海上运输线，开通了中俄、中朝光缆电话线路、旅游线路，设立了“中朝元汀里互市贸易区”“中俄珲春互市贸易区”等（方华，2008）。

2. 中国图们江地区

立足图们江，面向东北亚，全面推进图们江区域合作开发，打造成为激活东北亚发展的重要板块。

（1）产业发展。推进产业结构升级，建设以现代农业和特色农业为基础、以先进制造业和服务业为主体的产业体系。重点建设汽车、石化产业、农产品加工、光电子信息、冶金建材、装备制造、生物、新材料等新型工业基地，积极发展现代物流、特色旅游、文化创意、服务外包、商务会展以及金融保险业，稳步提高粮食综合生产能力。

（2）基础设施。加快建设连接长春的高速铁路，推进铁路干线扩能改造和连接辽宁、黑龙江两省的省际支线。适时开展延吉机场迁建论证工作，强化延吉空港国际物流功能。推进珲春口岸国际商品交易中心建设，完善珲春—扎鲁比诺—束草—新潟航线陆海联运。加强松花江、图们江等大江大河和重点城市防洪建设，实施中部引松供水等重点城市水源工程。建设吉林—延边天然气长输管线。

（3）生态保护。实施长白山天然林保护、松花江流域水污染治理及水体保护、中部黑土地治理工程。利用日、韩、俄等国家在生态环境领域的先进技术，加强资源综合利用，发展循环经济，推进跨国自然保护区、跨国湿地等重点地区生态建设的国际合作（徐云飞，2011）。

（4）文化教育。开展东北亚各国专业教育和人才培训合作，鼓励具有优质教育资源的韩、日大学与延边大学等合作办学。举办工艺品和书画艺术品展销、文化旅游、歌舞表演、特色餐饮等具有各国特色和风情的、形式多样的文化交流活动。定期在重要城市举办具有国际影响的文化交流活动。

3. 俄罗斯港口区域

俄远东联邦区濒临日本海、鄂霍次克海、白令海、楚科奇海和东西伯利亚海，沿海岸线约有300个港口，主要港口有符拉迪沃斯托克（海参崴）、纳霍德卡、东方港、瓦尼诺、苏维埃港、堪察加彼得罗巴甫洛夫斯克等。

符拉迪沃斯托克（海参崴）港位于阿穆尔湾与乌苏里湾之间，是西伯利亚大铁路的终点和北方航线的终点，是俄罗斯太平洋沿岸最大的港口城市、俄罗斯远东科学中心和俄罗斯太平洋舰队基地。工业以舰船修造业为主，为远东最大经济中心。冬季港口冰冻，结冰期4个月。吞吐量居俄罗斯远东港口之首，达到1000万吨，向俄罗斯太平洋沿岸、北冰洋东部沿岸及萨哈林岛和千岛群岛运输石油及煤炭、粮食、日用品、建材和机械设备，并运回鱼及鱼产品、金属、矿石，出口煤炭、木材、建材、矿石、化肥等，进口机器设备、谷物和日用品。

纳霍德卡港位于俄罗斯联邦滨海边疆区、彼得大帝湾东南最南突的陆岸凹入的阿美利加湾内，是西伯利亚大铁路的终端港口，以军事设施与水产养殖为主，也是泰舍特—纳霍德卡输油管道（泰纳线）的东终点。该港口有22个码头，承担着俄罗斯远东外贸货物的2/3运量，是俄罗斯西伯利亚大陆桥海陆联运的重要转口港之一。

东方港位于符兰格尔湾，是俄罗斯远东最大的港口，临日本海。有专业化码头70个，包括8个集装箱码头，可停泊10万吨级海轮，年吞吐能力4000万吨。

扎鲁比诺港位于中俄朝三国交界的图们江口北侧，为俄罗斯远东商港。东北距海参崴60余海里，东距纳霍德卡港约120海里，西南距罗津港约50海里。中俄双方已基本同意由中国提供资金和劳动力，在扎鲁比诺港建立外贸海港，该港可泊靠2万～3万吨级货轮，年吞吐能力120万吨；将扩建成中等规模的商港，吞吐能力达700万吨/年，同时建设珲春—扎鲁比诺港铁路（孙耀军，2010）。

波谢特港位于俄罗斯哈桑区，距离珲春长岭子口岸43公里，是天然不冻良港，可停泊万吨轮。

克拉斯基诺港原名摩阔崴，位于图们江入海口，临日本海，是一个小港口，人口约3万人。

4. 中朝罗先经济贸易区

罗先特区位于日本海沿岸的朝鲜、中国、俄罗斯三国交界处，距离吉林圈河口岸48公里，面积为470平方公里。1991年，朝鲜宣布建立罗津－先锋自由贸易区（罗先特区），2010年罗津市升级为特别市。罗先特区包括罗津、先锋、雄尚、豆满江4个城镇，涉及罗津、先锋和雄尚3个港口。其中，罗津港水深，是天然不冻港，拥有13个泊位，规划能力达940万吨/年；先锋港规划能力为500万吨，主要装卸石油和散装货物；雄尚港规划能力为500万吨/年。2013年罗津—俄罗斯哈桑区铁路改建并运营。现有外国投资企业150家，其中有4个合作企业、30个合营企业、103个外国人独资企业、13个外国企业办事处。图们江流域可与罗先特区形成中朝俄三国共同推进的国际合作与开发态势。但罗先特区自设立以来，因政策、政局等发展缓慢。

罗先特区是东北亚区域经济的重要一环。罗先特区不限制所有制形式，不限制产业，外国人短期出入境不实行签证制度，以合作、合营的方式接受海外投资。积极发展高新技术产业，重视具有国际竞争力的企业，共同开发产业，重点发展原材料产业、旅游、装备制造、国际贸易、轻工业、高效农业及服务业；将开发10处旅游区，建设会议会展中心，建设9处产业区，包括物流产业区和新兴轻工业区；企业有权制定经营管理秩序、生产计划、销售计划、财政计划，有权单独决定招工方式、生活费标准和支付方式、商品价格、利润分配方案。以此，将罗先特区建设成为先进制造业基地、国际物流中心、服务基地、区域旅游中心。

东北地区在此过程中，应重点考虑以下合作内容。

（1）积极投资建设罗先港的码头设施，或者租赁码头泊位，完善建设图们连接罗先港的标准轨距铁路，改造升级吉林圈河口岸和沙坨子口岸至罗先港的公路，形成铁水联运条件，推动东北地区的贸易物资实现“借港出海”。

（2）投资建设基础设施，包括能源电站等。

（3）重点投资产业包括金属加工、食品、水产品、服装、木材加工及家具制造、制鞋等产业。东北地区的农业企业加强合作，共同建设高效农业示范区。中国北大荒集团与罗先市合作建立了罗先北大荒友好农业公司。

二、“海赤乔”次区域国际合作金三角

1. 基本情况

2015 年国家发展和改革委员会等 8 部委联合批复《呼伦贝尔中俄蒙合作先导区建设规划》，提出建立以中国呼伦贝尔中心城区（海拉尔）、俄罗斯后贝加尔边疆区首府赤塔市、蒙古国东方省首府乔巴山市为核心的“海赤乔”次区域国际合作金三角。该区域覆盖中国的呼伦贝尔市及俄罗斯的外贝加尔边疆区、布里亚特共和国、伊尔库茨克州和蒙古国东部的东方省、苏赫巴托省、肯特省，覆盖面积约 210 万平方公里，经济总量约 360 亿美元，人口约 750 万人（包思勤，2017）。该区域山水相连，语言相通、习俗相近、往来密切、关系和睦，经济互补性较强，为世界“资源宝库”，有丰富的煤炭、水资源、有色金属矿产、森林、草原。“海赤乔”次区域国际合作金三角的俄蒙地区属于不发达地区，需要加快发展。

2. 建设思路

依托地缘优势和友好合作关系，以海拉尔、蒙古国东方省首府乔巴山市、俄罗斯后贝加尔边疆区首府赤塔市为支点，打造“海赤乔”次区域国际合作金三角，建成面向东北亚的辐射中心。以三方地方政府为主体，在基础设施、口岸管理、金融货币、边境事务、领事签证、论坛会展等方面建立次区域合作框架，促进要素自由流动。推进跨境合作、自由贸易区建设，以各类产业园区为平台，建立产业发展合作机制，深化木材加工、有色金属加工、农业开发、果蔬供应、跨境旅游等传统领域合作，探索在冷资源产业、生物资源产业和电子信息产业等新兴领域开展合作，实现联手谋划项目、共同建设基地、合作打造品牌、联合开拓市场，实现共同繁荣发展。

（1）基础设施。加快中国满洲里铁路换装和公路口岸通关设施改造，建设黑山头、室韦口岸铁路。共同推进满洲里—赤塔铁路电气化改造、阿日哈沙特—乔巴山或额布都格—塔木察格布拉格—乔巴山跨境铁路建设。研究推动阿日哈沙特—哈比日嘎—乔巴山、额布都格—巴彦呼舒—塔木察格布拉格等跨境公路建设。建设三方跨境陆地光缆，扩容完善满洲里—后贝加尔斯克中俄跨境光缆，打造欧亚电信传输的重点节点（包思勤，2017）。

（2）产业合作。建设满洲里中俄跨境经济合作区、额布都格中蒙跨境经济合作区，探索阿日哈沙特、室韦等口岸边境合作产业园区建设，扩大开放中俄满洲里—后贝加

尔斯克边民互市贸易区，争取从俄罗斯进口石油在呼伦贝尔市落地加工，鼓励中国企业参与毗邻地区森林资源及铅、锌、铜等有色金属矿藏开发合作，推进俄罗斯别列佐夫铁矿、蒙古国乌兰铅锌矿等金属矿合作开发（包思勤，2017）。鼓励企业参与跨境农畜产品加工，重点推进中俄达乌利亚农业合作区、中蒙哈拉哈农业合作区等境外合作产业区建设，发展中俄边境地区油菜籽种植、加工业。

（3）跨境旅游。推动跨境旅游区、跨境旅游线路建设与合作，合作开发阿尔山—乔巴山—斡难河、满洲里—伊尔库茨克等跨境旅游线路。打造乌兰巴托—乌兰乌德—贝加尔湖—满洲里—海拉尔—乔巴山等为主要节点的中俄蒙旅游圈。积极争取赴蒙旅游团队免签政策，放宽赴俄边境旅游团队人数限制（包思勤，2017）。

（4）人文领域。积极完善政府间、部门间和民间交流机制，扩大各类人员互访，共同策划举办各种形式的文化交流活动。谋划创建东北亚商务论坛，设立中俄蒙合作国际论坛。拓宽三方在高等教育教学、科技研发、人员交流等领域的合作。加强三方卫生部门和医院的友好往来，互派医护人员交流培训，开展中蒙医药学术交流、专家互访和义诊活动，健全传染病联合防控机制和卫生应急救治联动机制。

（5）生态保护。完善三方跨国生态环保合作机制，共同保护森林、草原、河流、湖泊、湿地等生态系统。加强自然保护区规划与建设，推进野生动植物保护。加强森林草原防火和林业有害生物防治联防建设（包思勤，2017）。

三、东北亚能源开发

1. 东北亚能源合作现状

东北亚是世界能源需求增长最快地区，世界六大石油消费国中的四个（中国、日本、印度和韩国）地处亚太地区，中韩日分别位居世界第二、第六和第三，集聚东北亚地区。这促使东北亚成为全球能源消耗最多的地区。近些年来，中韩日占世界能源消费总量的23.6%。与能源消费旺盛局面相并行的是中韩日能源消费对外依赖日趋严重。1994 年中国成为石油纯进口国家，成为消费石油增速最快的国家，而日本与韩国的石油消费几乎 100% 依赖进口（刘舸，2009）。中日韩在能源领域有着共同的弱点，能源进口对中东地区的石油和天然气构成严重依赖，中东政治动荡和海上运输促使能源运输安全性较低，均遭受能源“溢价”的盘剥，迫切需要开辟新的石油进口通道。

中日韩能源消费与进口的共同问题，导致三个国家在东北亚地区能源竞争与战略影响力博弈的升级，从俄罗斯石油出口管道到中国东海油田开发均是如此。日本、中国、韩国都没有摆脱“单干”的石油外交战略，缺少整合发展的平台。在能源出口国中，关注重点是俄罗斯，希望与俄罗斯建立能源合作伙伴关系。围绕“安大线”“安纳线”“泰纳线”所展开的一系列俄罗斯能源外交及普京总统承诺远东石油管线将首先通向中国，是大国博弈的最好解释。韩国积极参与俄罗斯远东的雅库特、萨哈林油气田开发；日本则努力铺设萨哈林经朝鲜半岛到日本的天然气输送管道；美国公司先后在蒙古国东方省、东戈壁省发现了石油，并同蒙古国合资成立了石油公司采油（刘舸，2009）。尽管东北亚地区有一些多边能源合作设想和初步实践，但目前真正有效的能源合作机制尚未建立。各国在能源合作上还是传统的“零和游戏”观念，仍旧是“单干”的石油外交战略。

2. 俄罗斯远东能源资源

俄罗斯远东地区和东西伯利亚分布着许多油田和天然气田，迄今尚未勘探开发。俄罗斯远东地区分布着亚太地区规模最大的煤矿，占整个亚太地区 27% 的天然气储量和 17% 的石油储量。目前，俄罗斯远东地区和东西伯利亚地区石油生产量达 5000 万吨 / 年，天然气产量达 1250 亿～ 1400 亿立方米 / 年。远东地区是石油和天然气开采中心，正在形成全球性的石油化工中心，液化天然气出口量约占液化天然气国际市场份额的 5%（任晓菲，2019）。俄罗斯远东地区和东西伯利亚开发生产石油和天然气，扩大对东北亚国家的出口有益于俄罗斯能源出口的多元化，推动中日韩能源供应的多元化。

3. 东北亚能源开发对策

东北亚各国在能源合作上存在巨大的潜力，但能源合作机制有待建立。

（1）形成共同协调的能源开发利用组织。建议成立东北亚能源合作组织，共同解决地区能源安全问题，避免少数国家操纵能源市场。2006 年，韩国首次倡导成立“东北亚能源协作体”，建议成立中日朝韩蒙俄六国能源合作机制。韩国还提出“能源丝绸之路” 的欧亚能源合作机制和与联合国经社理事会亚洲太平洋分委员会合作共建的“泛亚能源体系”。

（2）形成区域性的能源市场。围绕石油、天然气和电力，以俄罗斯为主要供给方，辅之蒙古国，以中国、韩国和日本为主要需求方，辅之朝鲜，形成供需并存、相对独立的东北亚能源市场，尤其是提高对油气价格的定价控制权。形成共同的石油战略储备和组建国际能源开发财团。

（3）重点参与项目：尽快开展阿穆尔—黑河边境油品储运与炼化综合体、乌斯季库特石油天然气综合加工及储运项目、萨哈林州多林斯克煤矿、阿穆尔天然气处理厂及关联精细化工项目、哈巴罗夫斯克和滨海边疆区精细化工项目建设。

四、东北亚旅游圈与边境旅游试验区

1. 东北亚旅游圈

加快旅游资源整合，推动东北亚国际旅游圈建设。东北各地区旅游主管部门积极探索与东北亚各国旅游组织、旅游目的地城市建立合作友好关系。完善多边旅游合作协调机制，在旅游便利化、旅客人身财产安全、应急事故处理、旅游产品营销等方面加强合作。在绥芬河、黑河、抚远、阿尔山、二连浩特、满洲里等地区建设一批跨境旅游合作区，在资源互补、客源互送和产业联动基础上，促进跨境旅游深入合作。推动国际旅游圈建设，共同打造图们江中朝俄三国游、丹东中朝两国游、中俄中朝界江游、中俄两国游、满洲里中俄蒙三国游、阿尔山中蒙边境游等具有区域特色的国际知名旅游产品。鼓励东北地区积极融入“东方之环”和“大茶道”旅游路线。推进边境城市开通跨境自驾游，积极发展“五日”“三日”跨境自驾游等形式的旅游活动。协助并组织参与在双方国家举行的国际旅游展，在双方毗邻地区举行国际旅游论坛，发展会展旅游业。

东北亚主要旅游路线包括以下几部分。

（1）中俄友谊之旅旅游线路，以哈尔滨、长春、沈阳及其他中国东北城市为对俄连接点，发展“国家年”中俄友好之旅环线。

（2）“东方之环”旅游路线，主要集中在东西伯利亚和远东南部，覆盖外贝加尔边疆区、阿穆尔州、犹太自治州、哈巴罗夫斯克边疆区、滨海边疆区、堪察加边疆区、萨哈（雅库特）共和国、萨哈林州、伊尔库茨克州、布里亚特共和国，既可形成东西伯利亚与远东地区内陆旅游小环，又可形成跨海旅游大环。特色旅游有阿穆尔州的休闲娱乐、哈巴罗夫斯克边疆区的北方小民族文化、犹太州的生态资源、堪察加边疆区的火山温泉、楚科奇区的历史遗迹、萨哈的北极探险、滨海边疆区的疗养资源和岛上水上娱乐（孙晓谦，2011）。

（3）“大茶道”旅游路线，主要覆盖布里亚特、彼尔姆边疆区、伊尔库茨克州、外贝加尔边疆区。

（4）阿穆尔河—黑龙江旅游路线，为中俄界河旅游路线，中俄双方共同组织沿阿穆尔河道至乌苏里江、松花江、结雅河的休闲旅游线路。

2. 边境旅游试验区

东北地区的边境旅游试验区主要是指满洲里边境旅游试验区。利用边境特色旅游资源和气候资源，完善边境全域旅游服务设施，扩大旅游开放，完善旅游服务管理体系。加快发展新兴旅游产品，积极发展融草原文明、红色传统、异域风情为一体的口岸文化。优化出入境管理制度，促进人员、自驾车、团体旅游往来便利化。推动文化和旅游融合，打造边境旅游目的地，对全国旅游业的改革创新发挥先行示范作用。

五、俄罗斯远东超前发展区

1.基本概况

为加速远东地区开发，2015～2016年俄罗斯政府先后出台4项措施，即远东社会经济超前发展区、优先发展项目、远东和贝加尔发展基金提供融资项目和远东自由港。2014年12月29日普京签署了《俄罗斯社会经济超前发展区联邦法》，此后俄罗斯相继出台相关联邦法律，推进远东超前发展区的开发。2015年，俄罗斯选择共青城、哈巴罗夫斯克和纳杰日金斯基作为超前发展区的示范区，此后俄罗斯又批准了10个超前发展区。目前，俄罗斯共建立18个超前发展区，分别分布在滨海边疆区、哈巴罗夫斯克边疆区、阿穆尔州、犹太自治州、萨哈林州、萨哈（雅库特）共和国、堪察加边疆区、楚科奇自治区，如表8-7所示。截至2018年10月28日，正式签署协议入驻超前发展区的企业为57家，正在落实注册超前发展区的企业有315家（李勇慧和倪月菊，2019）。

表 8-7　俄罗斯远东地区的超前发展区

所在地区	名称
滨海边疆区	米哈伊洛夫斯基、纳杰日金斯基、石油化学、巨石、大卡缅
哈巴罗夫斯克边疆区	哈巴罗夫斯克、共青城、尼古拉耶夫斯基
阿穆尔州	自由、别洛戈尔斯克、阿穆尔河畔
犹太自治州	阿穆尔－兴安岭
萨哈林州	南区、山区空气、千岛群岛
萨哈（雅库特）共和国	坎加拉瑟、南雅库特
堪察加边疆区	堪察加
楚科奇自治区	白令戈夫斯基

2. 发展思路

俄罗斯的目的是利用远东地区的丰富资源，制造高附加值产品，出口亚太各国。该地区为实现企业活动了设置了特别的法律制度，如表 8-8 所示。根据《超前发展地区法》，免除联邦利润税（利润税为 20%，联邦征收 2%）5 年，前 5 年的地方利润税不超过 5%，后续 5 年不超过 10%；企业入驻超前发展区最低投资额为 50 万卢布；吸引投资开发港口，简化海关制度。超前发展区主要是吸引亚洲投资者。

表 8-8　“一区一港”的优惠政策

项目	超前发展区入驻企业	一般企业
养老金、社保、医疗保险等缴费	10 年之内为 7.6%	30%
利润税	5 年内不征税 ,5 年后为 12%	20%
土地税	5 年内不征税	0.3% ～ 1.5%
法人财产税	5 年内不征税 ,5 年后为 0.5%	2.20%
行政监管便利化	企业用地不需要通过招标，仅按地籍价格向入驻企业提供租赁地块	无
海关优惠	对入驻企业实施自由海关区制度，免税进口、存放、使用外国商品	无

东北地区参与俄罗斯远东超前发展区的建设与发展，重点关注类型的差异。

（1）工业园区型。重点发展制造业，如哈巴罗夫斯克、共青城、纳杰日金斯基和坎加拉瑟。这些工业园区由地方政府主导，入驻企业较多。2016 年哈巴罗夫斯克超前发展区入驻 14 家企业，主要发展制造业、农业和物流项目。共青城超前发展区入驻 10 家企业，重点发展木材深加工、航空和船舶制造、农业和旅游等项目。纳杰日金斯基超前发展区入驻 11 家企业；坎加拉瑟超前发展区入驻企业 10 家。

（2）特色经济型。别洛戈尔斯克、米哈伊洛夫斯基主要发展农业、食品加工业、建材、林业加工。萨哈林州山区空气和南区超前发展区及堪察加超前发展区主要发展旅游、休闲度假产业，尤其是冬季休闲和豪华旅游，堪察加超前发展区还发展交通物流、水产养殖加工。

（3）特定产业型。白令戈夫斯基超前发展区主要发展煤炭开发，大卡缅和巨石超前发展区主要发展造船业。南雅库特超前发展区重点发展大型焦煤矿开发相关的项目。

（4）特定项目型。阿穆尔－兴安超前发展区主要发展资源、物流产业，重点关注黑龙江跨境铁路桥运输及物流项目。

六、符拉迪沃斯托克自由港

1. 基本情况

截至2016年末，俄罗斯远东地区已批设5个自由港，即滨海疆区的符拉迪沃斯托克自由港、萨哈林州的科尔萨科夫自由港、哈巴罗夫斯克边疆区的瓦尼诺自由港、堪察加边疆区的彼得罗巴甫洛夫斯克和楚科奇自治区的佩韦克自由港。自由港面积约13万平方公里，港口吞吐量约为1.5亿吨，有20个通关口岸。其中，符拉迪沃斯托克（海参崴）自由港有15个口岸，科尔萨科夫自由港有2个，瓦尼诺、佩韦克和彼得罗巴甫洛夫斯克各有1个口岸。

符拉迪沃斯托克自由港是一个实行特殊海关，税收和投资等制度的港口地区。1862年12月25日，俄罗斯下令建立符拉迪沃斯托克（海参崴）自由港，有效期至1909年3月1日。2015年10月13日，符拉迪沃斯托克（海参崴）自由港正式设立，期限为70年。该自由港靠近中国和朝鲜边境地区，占地面积为3.4万平方公里。符拉迪沃斯托克（海参崴）作为俄罗斯面向中国的门户，设立自由港有利于借助其地理优势发展国际贸易，打造面向欧亚美的贸易中转站。截至2018年6月13日，自由港共有749名居民，108个项目，仅2018年就有315家企业加入。

符拉迪沃斯托克（海参崴）自由港具有优越的地理条件。滨海1号国际交通走廊联结哈尔滨、绥芬河、格罗杰科沃、符拉迪沃斯托克（海参崴）、东方港、纳霍德卡，滨海2号国际交通走廊联结珲春、克拉斯基诺、波谢特、扎鲁比诺，以及滨海3号国际交通走廊，均处于自由港区域。

2. 发展思路

自由港在税收、海关和检疫等方面为入驻企业提供政策支持和优惠。这一期限可延长，也可提前停止国家对企业活动的扶持措施。个体经营者或法人入驻自由港后第一个5年期间可享受0%的利润税（所得税）税率政策，第二个5年期间按10%的税率计算；出口商品免增值税，土地税五年内税率为0%；企业财产税第一个5年期间税率为0%，第2个5年期间为0.5%；社保费率为7.6%；土地无须通过招投标提供；对居民运入、储存、消费外国商品，运出商品（设备）、运入外国商品（设备），免征关税和其他税；可免签在自由港停留8日。

东北地区在符拉迪沃斯托克自由港的建设中，可从如下方面积极参与。

（1）利用远东地区丰富的自然资源，加快发展资源生产和精深加工业，重点从事森林采伐与加工。

（2）积极开展农业种植和养殖，建立境外粮食生产基地。

（3）适应本地消费需求，投资发展轻工产品制造业。

（4）投资经营生活服务业，包括商贸商场、酒店。

（5）承担基础设施建设和劳务输出，承担工程建筑。

第九章

东北地区振兴新高地与新区建设

培育和发展新的增长空间与新动能是各地区发展的重要思想。东北地区的产业和人口等社会经济要素长期集聚在哈大铁路沿线地区，塑造了集中分布的城市化地区。长期以来，东北各城市群地区已形成了固化的发展模式与空间格局，迫切需要构建新的空间以集中高端要素，实施产城融合战略，推动工业化与城镇化、绿色化协同发展，打造具有引领性和示范性的发展区域。本章主要是从新高地新区的视角，以培育区域发展新增长极与新承载空间为目标，分析东北地区新区的发展路径。重点分析了国家新区批设历程与重大作用，比较分析东北地区新区的特点差异，然后深入分析了大连金普新区、长春新区、哈尔滨新区和沈阳沈北新区的发展路径，包括基本情况、总体思路、空间结构、产业体系、科技创新、对外开放、人居环境等各个方面。

本专题主要得出以下结论。

（1）国家级新区是新一轮国土开发的焦点，是各地区经济社会转型的重要载体，尤其是成为支撑城市群建设的重要抓手。东北地区的国家级新区设立时间比较晚，目前共设立了三个国家级新区和一个省级新区，即辽宁大连金普新区、黑龙江哈尔滨新区、吉林长春新区和沈阳沈北新区。四个新区成为东北地区在经济发展低迷背景下新的增长点与新的发展动能，有助于推动东北地区的全面振兴与全方位振兴。

（2）大连金普新区是东北地区的第一个国家新区，要积极扩大对外开放，加快产业发展，推动产城融合，加强生态环境保护，提高航运、科技等区域服务功能，建设成为面向东北亚区域开放合作的战略高地。沈阳沈北新区坚持产城融合与绿色发展，以新兴产业、现代服务业和都市农业为主要方向，实施创新驱动，积极发展食品加工及生物产业、手机及光电信息产业、通航及高端装备制造业、现代服务业和都市农业，提高城市品质，打造为沈阳市新的经济增长区域和城市拓展空间。

（3）长春新区要提升创新创业水平，推进产业优化升级，形成特色新兴产业集群，壮大现代服务业，推动产城融合和新型城镇化建设，建设绿色智慧新城区，努力把长春新区建设成为辐射哈长城市群的增长极。哈尔滨新区立足于东北亚地区，以对俄合作为主题，畅通对外贸易物流大通道，搭建国际合作大平台，推动高端服务和要素集聚平台，构建外向型现代产业体系，提升哈尔滨对俄及东北亚开放枢纽作用和综合服务功能，建设为中俄全面合作的重要承载区、特色国际文化旅游的聚集区。

第一节　国家开发战略演变

一、新一轮发展高地

1. 国家级新区

国家级新区（national-level new districts，NND）是由国家批准设立的、承担国家重大发展和改革开放战略任务的综合功能区。国家级新区是在新的发展背景下国家空间开发开放进程中出现的一种形式，是一种特定的、超大规模的城市新区，是一种新开发开放与改革的大城市区，是对以城市为对象的开放空间的深化。

国家级新区是国家战略与城市郊区化相互作用的产物。是相对较小范围的开放空间，相比城市更能有效集聚各种资源，实现“以点带面”带动全局发展。国家级新区具有改革先行先试区、新产业集聚区等特征，具有普通城市新区的一般特征但承担国家全局性的特殊使命（谢广靖，2018）。新区从设立之初，便立足于国家全局性的发展目标，承担国家改革与开放、辐射城市群等更大空间尺度的战略功能，重点承接中心城区产业和人口外溢。国家级新区的最终目的是打造为辐射带动区域发展的重要增长极、创新体制机制的重要平台、扩大对外开放的重要窗口、产城融合发展的示范区。国家级新区体现了国家级战略，拥有副省级管理自主权，与其所处区域行政级别无关。

部分学者认为不同时期，国家级新区的战略功能有所差异。

1992～2009年，国家级新区要引领新一轮对外开放的使命，支撑改革开放基本国策和东部率先发展战略，而且要推动沿海开发开放重点由南向北进行拓展。

2010～2013年，赋予国家级新区带动区域发展、促进区域协调的任务，推动东部率先发展战略逐步转向“四大板块”协调发展战略。

2014年以来，国家级新区主要在体制机制改革、产业发展、区域合作、对外开放中等方面承担新的使命，探索新型城镇化、生态文明、创新创业等试点，培育新的区域增长极。

2. 国家级新区开设历程

国家级新区批设与建设的时间跨度比较大且各年份的数量密度不一，形成了一定的时间序列。1992年，国家级新区成为新一轮开发开放和改革的重要切入点。1992年10月，上海浦东新区成立，此后一直未再有新区设立。2006年5月天津滨海新区成立，2010年6月重庆两江新区成立，2011年7月浙江舟山群岛新区成立；2012年8月兰州新区成立，9月广州南沙新区成立。

2014年开始，国家级新区的设立速度加快，迅速在全国复制推广。2014～2016年6月 设立了12个国家级新区，而1992～2012年中国仅设立6个国家级新区。2014年1月陕西西咸新区、贵州贵安新区成立，6月青岛西海岸新区、大连金普新区成立，10月四川天府新区成立。2015年4月15日，国家发展和改革委员会、国土资源部、环境保护部、住房和城乡建设部联合下发《发展改革委 国土资源部 环境保护部 住房城乡建设部关于促进国家级新区健康发展的指导意见》。2015年4月湖南湘江新区成立，6月南京江北新区成立，9月福建福州新区成立、云南滇中新区获批成立，12月哈尔滨新区成立。2016年2月长春新区成立，6月江西赣江新区成立。2017年4月河北雄安新区成立。截至2018年6月，全国共有19个国家级新区，如表9-1所示。

此外，还有武汉长江新区、合肥滨湖新区、郑州郑东新区、南宁五象新区、乌鲁木齐新区、沈阳沈北新区、石家庄正定新区，以及唐山曹妃甸新区、杭州钱塘新区等地区在申报中。

表9-1 中国国家级新区一览表

新区名称	获批年份	主体城市	面积/平方千米	城市群	支撑战略
浦东新区	1992	上海	1210	长江三角洲	东部率先
滨海新区	2006	天津	2270	京津冀	东部率先
两江新区	2010	重庆	1200	成渝	西部开发
舟山群岛新区	2011	浙江舟山	1440	—	东部率先
兰州新区	2012	甘肃兰州	1700	兰州都市圈	西部开发
南沙新区	2012	广东广州	803	珠江三角洲	东部率先
西咸新区	2014	陕西西安、咸阳	882	关中	西部开发
贵安新区	2014	贵州贵阳、安顺	1795	黔中	西部开发
西海岸新区	2014	山东青岛	2096	青岛都市区	东部率先
金普新区	2014	辽宁大连	2299	辽中南	东北振兴
天府新区	2014	四川成都、眉山	1578	成渝	西部开发
湘江新区	2015	湖南长沙	490	长株潭	中部崛起
江北新区	2015	江苏南京	2451	长江三角洲	东部率先
福州新区	2015	福建福州	1892	海西	东部率先
滇中新区	2015	云南昆明	482	滇中	西部开发
哈尔滨新区	2015	黑龙江哈尔滨	493	哈长	东北振兴
长春新区	2016	吉林长春	499	哈长	东北振兴
赣江新区	2016	南昌、九江	465	环鄱阳湖	中部崛起
雄安新区	2017	河北保定	2000	京津冀	北京疏解

3. 国家级新区的作用

在新一轮的国土开发开放格局中，国家级新区成为经济社会转型的重要载体，重点承载如下功能。

1）地方集聚资本、带动区域发展的重要方式

城市是资本的集聚之地，也是资本推动的结果。各地区一方面通过出让土地获得收益，另一方面通过抵押土地获取贷款。土地财政成为国家级新区建设的重要资金来源，土地或建设用地资源成为地方申请国家级新区追求的目标之一（谢广靖，2018）。国家级新区作为政策性区域，其建设用地规模得到国家支持。国家级新区通过政策性支持，获得更多的城镇建设用地，以获取发展资本，形成规模效益和引领作用，带动周边地区发展。

2）区域经济转型发展的重要载体

国家转型发展的关键是要实施创新战略，国家级新区在设立之初就被赋予创新体制机制的职能和任务，与国家转型发展的要求相契合。这促使国家级新区成为中国经济发展进行内生式探索并实现本土化应用的重要载体（谢广靖，2018）。

3）区域体制机制的创新基地

国家级新区在引领改革发展和创新体制机制等方面要发挥试验示范作用。2015年，国家发展改革委结合国家级新区各自特点和区域发展需要，统筹考虑区域性和属地性，明确了国家级新区体制机制创新的重点（谢广靖，2018）。各个国家级新区均要承担重要的体制机制创新任务，包括区域协同机制、港区联动机制、国际合作机制、科技创新、大众创业。

4）支撑城市群建设的重要抓手

几乎所有的国家级新区均布局在各地区的城市化地区，尤其是成为城市群的重要组成部分。在中心城市设立国家级新区，通过基础设施建设、产业转型与园区布局、公共服务设施布局与生态环境保护，统筹推动新型城镇化、新型工业化与绿色发展，培育新的城市增长区域，拉动中心城市发展，为城市群的优化发展、巩固壮大与培育提供重要动力。

二、东北新区基本特点

1. 东北新区

东北地区的国家级新区设立时间比较晚。截至 2016 年年底，东北地区共批设成立 3 个国家级新区。辽宁省、吉林省和黑龙江省分别设立了 1 个国家级新区，分别是辽宁大连金普新区、黑龙江哈尔滨新区和吉林长春新区。

东北各国家级新区的批设时间如下所示。

（1）2014 年 6 月，大连金普新区获得中国政府批设。

（2）2015 年 12 月，哈尔滨新区获得批设。

（3）2016 年 2 月，长春新区获得中国政府批设。

（4）2017 年，辽宁省批设了沈阳沈抚新区。

上述三个国家级新区和一个省级新区的批设与发展，重要目的是在东北经济发展低迷的宏观背景下，积极培育新的增长点，形成新的发展动能，以推动东北地区的全面振兴与全方位振兴。

2. 比较分析

东北新区的批设与成立，其背景相同、发展基础相当，而其产业结构、建设路径、发展轨迹等则各不相同（秦培容，2018）。

（1）区位条件

三个国家级新区有着不同的区位优势。金普新区位居东北海上门户地区，是东北地区及东北亚经济贸易往来的重要枢纽，对内是东北地区海陆联运中心，对外是东北亚国际航线的要冲，为东北地区的门户。哈尔滨新区地处东北内陆和东北亚地理中心位置，位于“一带一路”的重要节点，有着悠久的对俄合作历史，是东北地区与东北亚国家开展经贸合作的重要枢纽。长春新区是长吉图开发开放先导区的核心腹地。

（2）产业基础

国家级新区的主导产业掌控着区域发展的命脉，是推动区域发展的主动力，决定着区域发展的总体态势、技术发展速度和竞争力强弱。金普新区以生物医药、石化化工、新能源汽车、电子信息、装备制造业、保税商品贸易、保税物流等产业为主。哈尔滨新区以绿色食品、新一代信息技术、高端装备制造业、节能环保、新材料、金融商务及生物医药等产业为主。长春新区则以电子商务、文化创意、健康养老与旅游休闲、智能机器人、轨道交通等产业为主（秦培容，2018）。

（3）管理体制

管理体制的构建涵盖管理机构的设立、职能和权力的分配及各职能机构之间的协调配合。管委会型管理体制的新区一般设立党工委、管委会，分别是上一级党委、政府的派出机构，主要负责新区发展和开发建设的统一规划、统筹协调和组织实施，哈尔滨新区及长春新区采用的就是此类管理体制。哈尔滨新区空间跨度大、布局比较散，为实现对各行政区和高开区的一体化管理，哈尔滨新区实行行政区党委、政府和开发区党工委、管委会合署办公的管理体制。长春新区成立长春新区党工委和长春新区管委会，作为中共吉林省委、吉林省人民政府的派出机构，享有市级行政管理权限，委托长春市管理。政区合一型管理体制是指新区管委会与所在行政区政府并存，两个机构在领导任职上多有交叉，政府体制下的新区既拥有经济事务管理权，又拥有社会事务管理权，大连金普新区采用的就是此种管理体制。大连金普新区党工委、管委会正式在金州区人民政府挂牌成立，金普新区党工委为市委派出机构，同金州区委合署办公。管委会为市政府的派出机构，同金州区政府合署办公。金普新区管委会在市政府的领导下，主要负责规划、协调和推进工作，管委会主任由大连市长兼任（秦培容，2018）。

（4）功能定位

在东北地区全面振兴全方位振兴的背景下，国家对东北三个国家级新区的功能定位有所不同、各有侧重，但均体现出振兴东北及加强与东北亚区域开展合作的战略意图（秦培容，2018）。

金普新区：重点是打造中国面向东北亚区域开放合作的战略高地，成为引领东北地区全面振兴的重要增长极，老工业基地转变发展方式的先导区，体制机制创新与自主创新的示范区，新型城镇化和城乡统筹的先行区。

长春新区：重点是打造创新经济发展的示范区，成为新一轮东北振兴的重要引擎，图们江区域合作开发的重要平台，体制机制改革的先行区。

哈尔滨新区：重点是打造中俄全面合作的重要承载区，成为东北地区新的经济增长极，老工业基地转型发展的示范区，特色国际化旅游集聚区。

第二节　东北地区新区发展思路

一、大连金普新区

1. 基本情况

大连金普新区位于大连市中南部，是东北地区第一个国家级新区。金普新区的提出最早追溯到2003年，大连市提出“西拓北进”的发展思路，金普片区的发展开始进入大连市的总体框架。2007～2008年，大连城市发展向北迁移再次提上日程，在普兰店建立“新市区”，新区构想成型。2009年，大连制定新区申报方案。2010年，大连市启动新市区管理体制改革，将金州新区、保税区和普湾新区确定为大连新市区。2012年，辽宁省将大连市金州区和普兰店部分地区打包向国务院申请设立大连金普新区。2014年7月，国务院颁布《国务院关于同意设立大连金普新区的批复》（国函〔2014〕76号），同意设立大连金普新区，成为中国第10个国家级新区。

金普新区覆盖大连市金州区全部行政区域和普兰店区部分地区，总面积约2299平方公里。该新区覆盖人口158万，地区生产总值约占大连市的1/3。2019年12月6日，入选全国农民合作社质量提升整县推进试点单位。

金普新区是东北地区的海陆联运中心，哈大铁路、哈大高铁和东北东部铁路、沈海和鹤大高速公路连通东北广大腹地，是东北亚国际航线的要冲，周水子机场与新区毗邻。该新区是国家级经济技术开发区、保税区、出口加工区、旅游度假区等重要开放功能的集合区域，大连东北亚国际航运中心的核心港区布局在新区内，建有10万吨级集装箱、30万吨级原油和矿石、大型粮食和汽车滚装等专业泊位，铁路集装箱中心站开行全国首条直达斯洛伐克的中欧班列。2017年，地区生产总值达到2342.9亿元，实际利用外资20.2亿美元。已有66家世界500强企业投资。

目前，金普新区初步形成了高端装备制造、汽车整车及核心零部件、电子信息和港航物流等主导产业。2017年，规模以上工业总产值2790.1亿元。精细化工、石油、汽车制造、电子信息、医药制造等产业发展迅速。2014年，金普新区获工信部“国家新型工业化产业示范基地”，已形成以高端数控机床和自动化主控系统为主的智能制造装备产业，主要有大连机床集团、山崎马扎克、格劳博机床等企业。拥有规模以上生物医药企业50余家，形成以辉瑞制药、欧姆龙、汉信、珍奥集团等企业为龙头的产业集群；初步形成了完整的节能与新能源汽车产业链，拥有奇瑞汽车、辽宁曙光汽车集团、一汽集团等一批节能与新能源汽车企业。汽车整车有华晨专用车、奇瑞整车、东风日产、黄海汽车、一汽客车五大整车，零部件产业已落户企业120余家。电子信息产业已形成半导体晶圆、LED芯片及外延片、电子元器件、工业电子、通信与电子设备等核心产品门类，现有企业471家。精细化工企业有近80家，产品涉及染料、农药、催化剂、医药中间体等领域。现有各类交易市场14个，形成东北亚油品、矿石、农产品、工业原材料、工业制成品等大宗物资贸易中心。

大连金普新区科教技术人才优势明显，是东北地区重要的技术创新中心和科研成果转化基地。2017年，金普新区的财政科技经费支出占公共财政支出的1.59%，全社会研发投入占GDP的2.9%；高新技术企业245家，市级以上孵化平台32个，市级以上研发平台179个，发明专利拥有量达到2139件，引进跨境电商1100多家。

2. 发展思路

大连金普新区有着优越的地理区位与巨大的发展潜力。金普新区的核心任务是注重海陆统筹，提升产业层次，完善服务功能，提高国际竞争力，融入国际产业分工合作体系，助推大连东北亚国际航运中心和国际物流中心建设，承接生产要素转移集聚，在航运、物流、金融、人才和科技等方面提供综合服务，引领辽宁沿海经济带加速发展，促进东北地区等老工业基地全面振兴，推动建立中日韩自由贸易区。未来，金普新区要建设为中国面向东北亚区域开放合作的战略高地、引领东北地区全面振兴的重要增长极、老工业基地转变发展方式的先导区。以此，提升中国在东北亚区域合作中的地位。

根据新区资源环境承载力、现实基础和发展潜力，促进新区全面发展，形成“双核七区”协调发展格局。

“双核”：主要是指普湾城区和金州城区。普湾城区重点要完善城市综合功能，大力发展总部经济、研发创新、高端医疗、高水平职业教育，建设成为城市综合服务核心区。金州城区要依托大连经济技术开发区、大连保税区和大连出口加工区，建设为面向东北亚区域产业、技术和人才合作的核心区。

“七区”：主要是指大小窑湾区、金石滩区、登沙河－杏树屯区、金渤海岸区、七顶山－三十里堡区、复州湾－炮台区和华家－登沙河区。其中，大小窑湾区依托大窑湾港区，重点发展港航物流、报税仓储和国际商务等生产性服务业，推进航运服务区建设。金石滩区、金渤海岸区重点发展休闲旅游和国际会展等产业，金石滩区依托金石滩国家旅游度假区而重点发展休闲旅游、运动健身、国际会展等产业，金渤海岸区加快国际空港建设，发展临港产业、金融服务、商贸会展、文化娱乐及休闲旅游等产业。登沙河－杏树屯区、七顶山－三十里堡区、复州湾－炮台区重点发展工业，登沙河－杏树屯区重点发展特钢新材料、航空制造、水产品技工及冷链物流、港口航运业；七顶山－三十里堡区重点发展临港型高端装备制造业，复州湾—炮台区重点发展精细化工、新材料和食品加工业。华家－登沙河区发展优质、高效、绿色生态农业，建设农业产业化示范基地。

3. 重点任务

大连金普新区的建设与发展，必须坚持如下几个方面。

（1）扩大对外开放

目前自贸区大连片区已经注册企业5730家。金普新区要充分发挥地缘优势，提升开放层次，拓宽开放领域，加强同东北亚及世界主要经济体的合作，融入国际分工合作体系。

按照“重振日韩、深耕欧美、巩固港澳台及东南亚”的思路，内资外资一起抓，实现引资增资双促进。引导外资更多投向战略性新兴产业、先进装备制造业和现代服务业，发展跨境电子商务。

推进辽宁自贸试验区大连片区建设，构建更高标准贸易便利化规则的监管制度，争取大连自由贸易港批设，在冷链通关、微波检疫、铁矿石和黄大豆期货保税交割等领域。

优化外贸结构，积极发展服务贸易，形成以技术、品牌、质量、服务为核心的出口竞争新优势。

鼓励外资企业在新区设立研发中心、区域总部，融入东北亚和全球创新体系。搭建各类东北亚区域合作交流平台。

（2）产业发展

产业始终是大连金普新区的发展核心。金普新区要利用现有产业基础，推进制造业与服务业、工业化与信息化深度融合，加快传统产业升级改造，大力发展战略性新兴产业。重点发展电子信息产业、生物制药、新材料、新能源、高端装备制造、国际港航物流、国际贸易、现代商务、休闲旅游等产业。巩固提升石油化工产业集群，做强做优电子信息产业集群，壮大电子信息产业集群，推进汽车及零部件产业集群转型升级。以此，建设国家新型工业化产业示范基地。

以集成电路研发设计和加工制造为核心，培育电子信息产业集群。

以生物制药、新材料、新能源等产业为核心，加快发展新兴产业集群。

以数控机床及关键件、专用设备、汽车及零部件制造为核心，打造先进装备制造业集群。

以空海航运、保税物流、国际贸易、科教研发、金融保险为核心，培育现代生产性服务业集群。

以休闲购物、旅游度假、影视娱乐为核心，打造高端生活服务业集群。

（3）产城融合

紧密结合大连城市总体规划，统筹发展老城区与新区，以人的城镇化为核心，有序推进农业转移人口市民化，合理承接大连老城区疏解人口。以人口密度、产出强度和资源环境承载力为基准，推进产城融合，重点沿哈大交通走廊和黄海、渤海沿岸构建城镇发展格局。加强市政公用设施和公共服务设施建设，增加基本公共服务供给，增强城镇对人口、产业的支撑能力。推进教育、医疗、卫生、文化、体育、就业等公共服务设施建设，率先实现城乡基本公共服务均等化。

（4）生态环境保护

金普新区要坚持绿色发展与生态保护。加强生态屏障建设，重点构建以二龙山—小黑山—大黑山和成山头—金石滩—大黑山—荞麦山纵横两带为核心、以沿海滩涂浅海和主要河流水库湿地为支撑，集山、水、海、林、田于一体的多样化生态系统。加大环境污染治理，强化对水、大气、土壤的污染防治。加大节能减排力度，大力发展循环经济，严格控制高耗能行业，推广应用清洁能源。

（5）区域服务功能

面向东北地区甚至东北亚地区提供各种服务功能是金普新区的重要发展方向。大连金普新区要提升服务功能，建设成为服务东北地区的综合性枢纽。

重点推动建设大连东北亚国际航运中心、国际物流中心软环境，增强港航物流服务功能，为东北亚乃至远东地区提供国际航运服务功能。

完善连通东北地区的集疏运网络，重点是干线铁路、快速通道建设，与腹地重要经济中心城市合作新建一批内陆无水港，提高货物集散能力，建设成为东北地区的出海门户。

推动大连港与辽宁沿海港口之间的分工和协同发展，规避恶性竞争。

整合区域科技创新资源，搭建重大科技创新平台，建设区域性科技创新服务中心，建设服务东北地区的产业经济和科技信息交换中心。

支持总部经济发展，鼓励企业在新区设立全国或区域性总部。

二、长春新区

1. 基本情况

长春新区是中国第 17 个国家级新区。2016 年 2 月，国务院印发了《国务院关于同意设立长春新区的批复》（国函〔2016〕31 号），同意设立长春新区。2016 年 3 月，国家发改委公布《关于印发长春新区总体方案的通知》；4 月长春新区正式挂牌成立；10 月，《长春新区发展总体规划（2016—2030）》正式获得吉林省政府批复。2019 年 12 月 19 日，长春新区入选国家城乡融合发展试验区。

长春新区紧邻长春市主城区，范围包括长春市朝阳区、宽城区、二道区、九台区的部分区域，覆盖长春高新技术产业开发区。长春新区下辖长春高新技术产业开发区、北湖科技开发区、长德经济开发区、长春空港经济开发区四个开发区。长春新区面积约 499 平方公里，覆盖人口 47 万人，下辖 2 个乡、5 个街道、51 个村、32 个社区，常住人口约 55 万人。

长春新区区位优势明显，位于长吉图先导核心腹地和东北地区地理中心，产业基础坚实，创新氛围浓厚，开放条件优越，承载能力较强。长春新区交通运输网络比较完备，京哈铁路、长吉图铁路、哈大高速铁路、长（春）珲（春）城际铁路以及京哈、珲乌（兰浩特）等国家高速公路和多条国道贯穿新区，已开通长春至欧洲的中欧班列（长春—满洲里—德国），拥有国家干线机场长春龙嘉国际机场（秦培容，2018）。

2019 年，长春新区地区生产总值 732 亿元，规模以上工业总产值实现 839.6 亿元，一般公共预算收入完成 18.1 亿元，各类市场主体发展到 4.4 万户。长春新区的装备制造、农产品加工、高教科研等产业优势明显。长春新区拥有丰富的卫生医疗资源和科技资源，搭建了光电子、新材料、生态农业等五大专业技术平台，已累计引进高水平研发机构60余家，入驻了150余家高新技术企业，被列入长吉图实施方案及长春市国家创新型城市试点方案，成为辐射东北地区乃至面向东北亚的科技成果研发、技术转移和扩散的创新中枢。

2. 总体建设思路

长春新区必须充分发挥区位优势、产业基础优势，推进产业优化升级，形成特色新兴产业集群，发展壮大现代服务业，加快构建现代产业体系，集聚产业、科技、教育等经济资源要素，完善基础设施网络，推动产城融合和新型城镇化建设，努力把长春新区建设成为创新经济发展示范区和科技创新中心、辐射哈长城市群的增长极、图们江区域合作开发的重要平台。长春新区的建设要逐步开展，首先构建开放创新型产业体系，建设国家级新区；其次建设自由贸易试验区，参与世界经济格局；最后将长春新区全面建设成为中国面向世界开放的新节点。

长春新区根据资源环境承载力、现实基础，应构建"两轴三中心四基地"的发展格局。

"两轴"：主要是指哈长战略性新兴产业发展轴、长吉高端服务业发展轴。哈长战略性新兴产业发展轴重点发展高端装备制造、生物医药、新材料、新能源等战略性新兴产业。长吉高端服务业发展轴重点发展高技术服务、现代物流、文化创意、休闲旅游、养老健康等现代服务业。

"三中心"：主要是指科技创新中心、国际物流中心、国际交流与合作中心。科技创新中心重点完善光电子、新材料、新能源、生物医药、生态农业等平台，建设公共服务平台，建设科研项目孵化、科技成果转化、中小企业培育和企业上市融资等基地。国际物流中心要建设铁路综合货场，加强与长春兴隆综合保税区联动，发展跨国物流。国际交流与合作中心要建设文化交流、科技合作、金融创新和国际会展等开放平台。

"四基地"：主要是指高技术产业基地、先进制造产业基地、临空经济产业基地、健康养老产业基地。高技术产业基地要重点发展光电子、生物医药、电子商务、文化创意、软件及服务外包等新兴产业。先进制造产业基地要重点发展汽车、轨道交通、通用航空航天、智能机器人等先进制造业。临空经济产业基地重点发展运输业、航空航天综合服务业及物流配送等配套产业。健康养老产业基地大力发展旅游休闲、健康养老等现代服务业。

3. 主要建设任务

长春新区的建设与发展，必须坚持如下几个方面。

（1）提升创新创业水平

科技资源是长春新区发展的重要依托，目前已累计引进高水平研发机构60余家，构建了科技服务创新服务平台、北湖科技园、光电子产业孵化器、吉林省化工新材料科技创新基地等创新发展载体。必须把科技创新作为第一驱动力，全力实施科技创新战略。长春新区要重点加强科技创新平台建设，支持"大众创业，万众创新"，推动人才管理改革试验区建设。尤其是，突出建设科技创新中心、国际金融中心、国际交流与合作中心、国际物流集散中心、数据信息中心和检验检测认证中心，建设为具有东北亚区域性支撑能力和服务能力的高端核心功能区。同时，加强对外科技合作，重点在中俄科技园建设一批国际联合实验室，打造“国家级国际引智示范基地”。

（2）创新型产业体系

长春新区应依托现有产业基础和科技资源，重点推进战略性新兴产业发展，发展生物医药、新材料、新能源等产业，构筑辐射东北的战略新兴产业发展轴。同时，积极发展现代服务业，大力发展都市型现代农业。长春新区重点建设十大产业园区。

高端装备制造产业园：重点发展光电、智能装备制造等产业，建设光电和智能装备产业园区、长德智能装备产业园、威斯汀国际铸锻产业园。

航天信息产业园：重点发展航天相关的信息产业，建设以卫星及无人机研发与生产为核心的产业集群。

大数据产业园：重点发展云计算、卫星云数据等大数据产业，打造东北亚地区大数据核心汇聚节点。

新能源汽车产业园：重点建设动力电池、储能系统、研发中心及新能源汽车整车生产基地。

亚泰医药产业园：发挥国家级生物产业基地和国家级重要现代化产业基地的引领作用，积极发展以基因工程、生物疫苗、现代中药为重点的医药产业体系，建设为大型医药物流基地。

亚太农业和食品安全产业园：重点发展农产品、食品加工制造、农产品监测与技术创新。

临空产业园：以龙嘉国际机场为中心，重点发展航空物流、高端装备制造、飞机制造等产业，推进“大通关”，同时发展航空航天综合服务业。

绿色健康产业园：依托优良的生态资源，重点发展休闲旅游、体育产业、健康养老、医疗服务、创意农业等业态，打造健康养老产业集群。

国际教育与信息产业园：积极发展国际教育，以大数据产业带动园区智慧产业发展。

通用航空产业园：主要发展航空制造、通航服务及综合配套服务。

（3）建设绿色智慧新城区

长春新区必须坚持工业化、生态化与城市化协同融合发展，推动壮大吉林中部城市群。

继续完善长春新区的市政基础设施，推进国家智慧城市试点建设，重点建设轨道交通线和市郊铁路、空港开发区地下管廊，围绕奥体中心建设文体设施，建设海绵城市。

完善公共服务体系，建设优质学校、医院体系与文体设施，增强城市功能。

以满足城镇居民休闲游憩需求为目标，加大森林公园建设，加快建设综合公园、专类公园、社区公园、带状公园等多种类型的公园绿地，重点建设奥林匹克公园。

加强生态文明建设，推动北湖和高新区人居环境建设，保护大黑山生态绿脉。

完善河网水系布局，治理伊通河、雾开河、干雾海河和饮马河、小南河，提高水系连通性，建设生态廊道与绿楔。

推进滨湖湿地恢复治理，重点保护北湖国家湿地公园和饮马河下游湿地。

（4）融入“一带一路”建设

发挥区位优势，长春新区必须积极融入“一带一路”建设，积极开展对外开放。重点加强对外投资经贸合作，增强对外科技合作，扩大国际人文交流。在空间上，重点建设北湖龙翔、空港、长德和物流中心四大国际商务中心，构建现代国际商务平台。

鼓励长吉图联动发展，加快基础设施协同建设，推动经济技术互利合作。重点建设国际空港和国际陆港，发展大通关，打造为航空物流中心枢纽和横跨亚欧大陆的国际物流新枢纽。

建设国际空港和国际陆港两大港口。国际空港要依托龙嘉国际机场，实现国际“大通关”，开辟俄罗斯、北欧等客货运航线，建设航空物流中心枢纽。长春新区要依托铁路综合性货场，加快建设保税物流中心、海关监管等开放性功能设施，集聚布局跨境电商企业、专业物流企业，建设成为横跨欧亚大陆的国际物流陆港。

三、哈尔滨新区

1. 基本情况

2015 年 12 月，国务院印发了《国务院关于同意设立哈尔滨新区的批复》，同意设立哈尔滨新区。2018 年 6 月 7 日，哈尔滨新区管理委员会正式挂牌。2019 年 11 月，《哈尔滨新区总体规划（2018—2035 年）》获黑龙江省人民政府正式批复。哈尔滨新区包括哈尔滨市松北区、呼兰区的部分区域和平房区全域，覆盖面积 493 平方公里，常住人口达到 70 多万人。2020 年 1 月，哈尔滨新区入选 2020 年中国冰雪旅游十强县（区）。

哈尔滨新区区位条件优越，科技和产业基础雄厚，生态环境优良，对俄合作历史悠久，战略地位重要。近些年来，哈尔滨新区相继出台促进产业集聚的《哈尔滨新区暨黑龙江自由贸易试验区哈尔滨片区关于鼓励产业集聚推动高质量发展的若干政策措施（试行）》（“黄金 30 条”）、支持改革创新的《中国（黑龙江）自由贸易试验区哈尔滨片区关于加强对外开放深化改革创新的若干政策措施》（“新驱 25 条”），相关中省直部门也结合各自职能出台了系列扶持政策。2014 年，哈尔滨新区地区生产总值达到 754.2 亿元，工业总产值达 1442.4 亿元，地方财政收入为 85.5 亿元。2019 年，新区江北一体发展区实现地区生产总值同比增长 10.5%，固定资产投资增长 38.2%，一般公共预算收入增长 12.3%。

交通区位比较优越。哈尔滨新区地处京哈通道和绥满通道“T”字形交汇处，多条干线铁路贯通全域，是连接中蒙俄经济走廊和亚欧国际运输大通道的重要节点。毗邻哈尔滨太平国际机场，俄罗斯远东地区、蒙古国、日本、韩国等国家和地区均处在 2 小时航空交通圈。

科技和产业基础雄厚。哈尔滨新区是黑龙江最大的产业集聚区，已入驻世界 500 强企业 50 多家，拥有哈尔滨高新技术开发区、哈尔滨经济技术开发区、利民经济技术开发区 3 个国家级开发区，建设了国家航空高技术产业基地、新型工业化食品产业示范基地、新型工业化装备制造业示范基地、服务外包基地城市核心区、生物产业基地等现代产业基地。哈尔滨新区拥有国际、国内各类研发创新机构200多家，其中国家级研发机构占比近50%；拥有30余所高等院校，是东北地区重要的技术创新中心和科研成果转化基地。2019年共引进产业项目101个，协议引资额2264亿元，5个超百亿元项目落地开工。

对俄合作历史悠久。哈尔滨市与俄罗斯合作交流具有深厚的历史和文化渊源，对俄经贸、科技、文化、旅游等方面合作呈现良好发展态势。目前，中俄跨境电商在线支付平台和边境物流仓储中心已建成运营，引进了一批知名跨境电商企业，对俄邮政包裹发运量占全国的30%以上。拥有较多的对俄国际合作平台，包括国家级对俄科技经贸合作园区、哈工大中俄科技合作和产业化中心、中国－俄罗斯博览会、哈尔滨冰雪等平台。

2. 基本发展思路

哈尔滨新区位居东北亚中心，其发展必须立足于东北亚地区、东北地区及黑龙江省进行综合考虑。哈尔滨新区必须发挥位居东北亚中心的区位优势，以对俄合作为主题，按照高能级开放、高质量发展、高品质生活的思路，畅通对外贸易物流大通道，搭建国际合作大平台，推动建设科技、信息、金融、国际贸易、文化旅游等高端服务和要素集聚平台，构建外向型现代产业体系，提升哈尔滨对俄及东北亚开放枢纽作用和综合服务功能，建设为中俄全面合作的重要承载区、特色国际文化旅游的聚集区，将哈尔滨建成为面向远东和东北亚的重要中心城市，辐射带动哈大齐工业走廊和黑龙江省经济发展。

结合哈尔滨资源环境承载力、现实基础和发展潜力，哈尔滨新区重点打造“一江居中、两岸繁荣”的总体布局。

以松花江北部地区为核心区，加快科技创新，促进产业集聚，释放发展潜能，辐射呼兰区整体和周边市县部分区域，使松北成为最具活力和潜力的发展区域。

以哈南工业新城平房区部分为产业支撑区，以综合保税区、内陆港为联动发展区，构建“一带、一核、三组团”协调发展新格局。“一带”为沿松花江现代服务产业带，“一核”为松北核心区，“三组团”为松北科技创新组团、利民健康产业组团、哈南现代制造业组团。

3. 主要建设任务

根据资源情况、产业基础与功能定位，哈尔滨新区的未来发展要重点坚持如下方向。

（1）对外开放合作

长期以来，哈尔滨与俄罗斯远东地区有着密切的交流与联系。2019年9月，中国（黑龙江）自由贸易区哈尔滨片区管委会挂牌。中国（黑龙江）自由贸易区哈尔滨片区成功复制上海等自贸试验区改革试点经验167项，形成企业跨域登记注册服务等首批制度创新案例29项，其中4项通过专家评审并拟在全省复制推广（薛婧和李爱民，2020）。未来，哈尔滨新区仍要充分发挥毗邻俄、蒙等东北亚国家的地缘优势，提升开放层次，拓宽开放合作领域，打通贸易大通道，将哈尔滨建设为远东地区国际合作交流中心。

强化哈尔滨新区铁路站点与哈大、哈齐、哈牡等高铁及其他干线铁路的联系，密切与满洲里、绥芬河等口岸的协作与大通关，提高对俄对欧铁路集装箱运输能力，建设为中欧物流大通道的重要起点城市。

依托京哈、哈大、哈牡、哈萝等高速公路，建设跨境公路运输枢纽。

搭建对外开放合作平台，建设科技、金融、贸易等综合服务平台，推动建设中外产业合作园区，建设哈尔滨高新技术产品国际采购服务中心。

优化外贸结构，积极发展服务贸易，推动由经贸合作为主向经贸、科技、资本、人文等全方位合作转变。

（2）开放型产业体系

近些年来，哈尔滨新区产业发展迅速。2019年，食品、医药、装备制造三大主导产业实现工业总产值同比增长21.7%，占规模以上工业总产值的88.7%；战略性新兴产业、高技术产业总产值分别增长25.8%和14.3%（薛婧和李爱民，2020）。哈尔滨新区重点发展高端装备制造、绿色食品、新一代信息技术等千亿级产业集群，培育发展生物医药、新材料、节能环保产业，加快发展金融商务、文化旅游、商贸物流等现代服务业，提升产业国际竞争力。以此，形成制造业和现代服务业相互促进、信息化和工业化深度融合的产业发展新格局，并重塑哈尔滨产业结构。

哈尔滨新区重点打造三大板块，包括松北科技创新组团、利民健康产业组团和哈南现代制造业组团。松北科技创新组团：依托哈尔滨高新技术产业开发区，重点推进新一代信息技术、新材料、节能环保等产业发展，加快发展科技研发、金融商务、国际商贸、文化旅游等现代服务业。利民健康产业组团：依托利民经济技术开发区，重点发展生物医药、绿色食品产业，加快发展医疗服务、健康养生等服务业。哈南现代制造业组团：依托哈尔滨经济技术开发区，大力发展高端装备制造等产业，积极培育发展云计算、大数据、信息服务等新兴产业。

（3）自主创新

科技资源是哈尔滨新区的重要基础优势，必须在东北亚地区充分挖掘科技资源的潜力与产业化。哈尔滨新区要充分整合、吸引创新要素和资源，强化中俄科技合作，掌握一批关键核心技术，提升自主创新能力，加快创新成果产业化发展。加快重大科学研究基础设施建设，打造一批产业技术创新平台、高校协同创新中心和企业技术中心等研发平台，建设辐射东北亚的科技服务中心。支持开展高校科技成果转化及产业化工作，打通“孵化—中试—产业化”链条，建设华为鲲鹏、海克斯康、西门子等产业科技创新创业中心，支持高校建设创新创业园。建设光电产业园、5G创新应用示范区等一批重点园区，形成以科技创新城、大科学城和30公里滨河科创走廊为依托的“两城一廊”创新空间格局。

（4）生态宜居新城区

新区建设的最终目标是形成新城区，哈尔滨新区必须将城市化和工业化相融合发展，推动产城融合，建设成为国际化、现代化、智慧化和生态化新城区。

有序推进农业转移人口市民化，合理承接老城区疏解人口。

哈尔滨新区要统筹推进城市基础设施与公共服务设施建设，增强新区的城市化建设与城市综合功能。完善新区对外辐射通道系统和内部主干路系统，加强地铁、城铁等城市轨道交通建设。增强市政基础设施支撑能力，建设地下综合管廊。科学规划、合理布局建设文化体育、医疗卫生、教育、健康、养老等公用设施，健全社会保障体系。

必须将人居环境建设置于重要地位，强化生态环境保护，抓好“北国水城”、太阳岛等湿地的生态保护，打造北国水韵新城区。

四、沈阳沈北新区

1. 基本情况

沈北新区隶属于辽宁省沈阳市，为省级新区。2006 年 3 月，沈阳市决定将新城子区与辉山农业高新区合署办公，组建沈北新区，同年 10 月新区经国务院正式批准成立。沈北新区地处沈阳市北郊，南靠沈阳主城，北与铁岭市、法库县相望，东与抚顺市、铁岭县毗邻，西接沈西工业走廊。沈北新区总面积达到 819 平方公里，下辖 13 个街道、4 个农场、1 个林场、1 个种畜场，人口总量达 42.3 万人。

沈北新区交通便利。京哈高速公路、哈大高速公路、沈康高速公路、国道 101、国道 102、国道 203 贯穿全区，京哈高铁、沈大高速公路、哈大高铁、长大铁路干线在此经过，距离沈阳桃仙国际机场 30 公里，拥有新城子站、虎石台站等火车站，地铁 2 号线、4 号线北延线将沈北新区与沈阳主城区相连。

2018 年，沈北新区实现地区生产总值为 323.8 亿元，实际利用外资 11 361 万美元，一般公共预算收入 34 亿元，城镇居民人均可支配收入 39 693 元，农村居民人均可支配收入 19 062 元。目前，沈北新区已成为产业发展的重要空间载体，拥有国内外企业 4000 多家，其中规模以上企业有 1000 多家，包括世界 500 强企业 20 多家。2018 年，规模以上工业总产值达 627.2 亿元。农产品加工、手机制造、光电信息、文化创意等成为沈北新区的主导产业，成为全国最大的农产品深加工基地、辽宁省通信产业基地、国家动漫产业基地。以重点产业集群、专业工业园区为主导的新型工业化格局已形成，现代服务业加速布局，总部基地、专业市场等加速发展。

沈北新区智力与科技资源丰富。共有各类教育机构 24 所，辽宁大学、沈阳师范大学、中国医科大学、沈阳航空航天大学等 6 所大学组成了沈北大学城，辽宁装备技术学院、辽宁金融职业学院等 12 所高职院校组成了辽宁高职城（胡晓鹏，2010）。2018 年，高新技术企业实现“破百”，发明专利累计 907 件，转化科技成果 162 项，省级工程技术研究中心和重点实验室达到 98 个，省级以上“双创”基地达到 12 个。

沈北新区先后荣获了全国生态示范区、中国名优食品产业基地、中国特色旅游之乡和首批国民休闲旅游胜地、国家级农产品深加工示范基地、全国绿色食品原料标准化生产基地、东北亚科技创新与成果转化基地、辽宁省最具发展潜力区、智慧物流配送示范基地和中国十大物流重镇等荣誉称号。

2. 基本发展思路

沈北新区根据发展条件与实际现状，要充分利用国家级经济技术开发区的平台优势，坚持高质量发展，坚持产城融合与绿色发展，整合龙头企业、研发机构和科研院所等资源，以新兴产业、现代服务业和都市农业为主要方向，积极发展食品加工及生物产业、手机及光电信息产业、通航及高端装备制造业、现代服务业和都市农业，扩大开放合作，补齐民生短板，提高城市品质，打造为沈阳市新的经济增长区域和城市拓展空间。

沈北新区的总体布局为“一城一区”。“一城”指蒲河新城，具体包括辉山经济区、虎石台经济区、道义经济区。“一区”为新城子现代农业经济区。

沈北新区重点建设“一带四基地”。“一带”是指以温泉度假区、怪坡旅游风景区、石佛寺库区、七星山旅游风景区为主体的沈北生态旅游带。“四基地”是指东部5万亩绿色林果产业基地、中部万亩花卉产业基地和西部15万亩绿色水稻产业基地、现代化养殖业基地。

3. 主要建设任务

沈北新区的未来发展要重点坚持如下方向。

（1）创新驱动

沈北新区需要强化“政产学研用金”衔接配套，依托沈北大学城，加强创新载体和创新体系建设，加速高校科技成果就地转化与产业化建设。继续壮大高新技术企业，做大高新技术产业规模，不断提升产业竞争力。推进光谷创客公社、海智创业基地等“双创”基地建设，优先发展一批符合新区主导产业需求的科技创新平台。

（2）产业转型升级

以辉山国家级经济技术开发区为依托，重点发展食品医药、汽车及轨道交通装备、航空及零部件、新一代信息技术和文化旅游等主导产业，不断优化产业结构。

各行业发展重点如下所示。

做精食品医药产业。依托辉山食品产业园，发展以粮油、畜禽、乳品、果蔬（饮料）加工等为重点的食品加工业，重点发展乳酸制品、高端食品、生物制剂、医疗器械等产业，延伸拓展产业链条，打造东北地区最具竞争力的高端食品产业基地和国内重要的生物医药产业基地。

做强汽车及轨道交通装备产业。发挥技术优势与产业基础，沈北新区要重点发展新能源汽车整车、“三电”系统及高端零部件、轨道交通设备等制造业，推动产业链条完善与产品高端化，形成汽车及轨道交通装备产业集群。

做优新一代信息技术产业。依托手机产业园和光电信息产业园，应重点发展信息技术服务、人工智能及智能终端设备，尤其是引进高附加值的创新中心、公共服务平台推动产业升级与拓展范围，打造辽沈地区信息技术产业高地和东北地区最大的智能通信设备及智能家电生产基地。

做大航空及零部件产业。该产业重点发展航空新材料制造、通用航空器组装及配套零部件制造、通用航空运营服务等，力争建设成为国家级军民融合产业发展示范区。

沈北新区仍有大面积的耕地与农村地区，农业仍是重要的发展重点。沈北新区需要根据新区的城市化建设与工业户发展，积极推进农业产业结构调整，强化对设施农业、规模化养殖的管理，扩大小龙虾北方养殖基地、华美畜禽全产业链生产基地等建设。探索新模式，推广“互联网＋现代农业”模式，搭建“特色沈北”农副产品网上交易公共服务平台。

（3）产业园区

在园区方面，沈北新区应重点发展辉山农业高新技术开发区、虎石台经济技术开发区、道义经济技术开发区、新城子经济技术开发区、玉米工业园、蒲河新城电子信息产业园等产业集聚区。

道义经济开发区：重点发展房地产、商贸商务、光电信息、创意产业、温泉旅游等主导产业。

辉山农业高新技术开发区：重点发展乳品加工、粮油加工、畜禽加工、果蔬（饮料）加工、生物制品加工等主导产业。

虎石台经济技术开发区：重点发展商贸地产、生命工程、健康医疗等产业。

新城子现代农业经济区：重点发展现代农业、都市农业和生态旅游产业，大力发展假日庄园、休闲农场、农业示范园、民俗体验园，建设现代都市农业集聚区。

（4）人居环境

高品质公共服务示范区。在油桶蒲河生态经济带和沈北核心区，应重点发展总部经济、金融商贸、旅游康养、文化创意、会议会展等功能型产业，促进城市化与工业化功能融合发展，打造成为沈阳市最具生机和活力的高品质公共服务示范区，服务辽宁省。

生态旅游品质。根据生态景观与文化资源，实施全域旅游发展战略，重点辽河湿地景区，积极发展冰雪经济，打造“千亩冰城”。积极发展怪坡旅游风景区和七星山旅游风景区。

城乡统筹。以提高城市承载力和提升农村人居环境为重点，实施城乡基础设施建设，完善城市功能，提升乡村品位。推进公共服务建设，实现公交线路及站点全覆盖。改善城乡人居环境，推进棚户区和老旧小区改造，实施乡镇配套建设及村屯改造提升工程，推进腰长河锡伯村寨等特色小镇建设。完善数字化城管平台建设，促进城市管理数字化、常态化。

第十章

东北同城化地区识别与发展路径

城镇尤其是城市群是人口和产业的主要集聚承载空间。东北地区的城镇化发展起步较早，截至目前区域有较高的城镇化水平，培育发展了规模较大的城市群，并一直主导着东北地区的社会经济发展与国土开发格局。近些年来，东北地区空间开发体系的缺陷凸显，各类资源要素集聚在哈大轴线地区，哈大轴线两侧地区及中小城市发展缺少动力，迫切需要培育新的增长空间，以激活和拉动东北地区的社会经济发展，并优化国土开发格局。本章主要是从新型城镇化的视角，以需求新的城镇化空间为目标，分析东北同城化地区的发展路径。重点阐释了同城化的基本概念，设计了同城化地区的识别方法，对东北地区进行了识别，深入分析各同城化地区基本概况，包括地理区位、地形地貌、拓展媒介等，从行政级别、单元数量、空间形态、自然地理等角度对同城化地区的类型进行了分析并从体制机制、基础设施、公共服务、经济产业、城市功能等角度提出了同城化发展战略。

本专题主要得出以下结论。

（1）同城化是新时代下推进城市化进程、优化区域开发格局的重要战略。东北地区可以实施同城化的空间单元共有38处，其中黑龙江省和辽宁省较多，分别有14处和13处；吉林省有9处，蒙东地区较少，有2处。这些同城化城镇是未来东北地区培育新增长空间的重点地区。

（2）东北地区可以实施同城化建设的空间单元形成主体城市模式、同级城镇模式、综合性模式的分化，形成双城模式与多城模式的分化；在空间形态上形成大都市区模式、中心城市模式、新增长极模式与城市带模式的差异；在自然地理环境上形成平原地区、丘陵地区、沟谷地区、隔山地区、跨河地区的分化，其中平原地区的发展潜力最高。

（3）同城化重点从体制机制、基础设施、经济产业、城市功能等方面实施建设。体制机制领域重点推动土地、城市、产业等空间利用规划一张图，实施一体化管理体制。要加快交通、能源、市政等基础设施一张网建设，推进运输、电信、医疗等公共服务同城化。要优化城市间的产业布局，推动市场一体化建设。要优化城市功能布局，合理确定中心城市和中小城市的职能分工，重点推动中间地区的对接开发建设，塑造共同的城市文化与形象，实行一体化的社会民生管理。

第一节　同城化概念与基本模式

一、同城化概念

1. 背景的提出

同城化是区域发展规律与新型城镇化建设的内在要求。改革开放以来，随着中国市场经济的飞速发展和城市化进程的迅速推动，邻近城市间的联系不断紧密，城市规模不断扩大，城市建成区之间的距离不断缩小。大城市与特大城市开始出现人口膨胀、住房紧张、交通拥挤、污染等问题，各类城市要素需要疏散与外溢。尤其是高速铁路、高速公路、快速路、城际轨道等现代交通设施与交通方式的出现与快速发展，大大缩短了城市间的传统交通时间，由此对城市间的产业布局和分工、职住关系、基础设施布局、公共服务网络等产生了冲击并对其进行了重塑，跨城工作、跨城就学、跨城商务、跨城购物、跨城就医、跨城休闲等城际活动日渐增多。在此背景下，部分地区尤其是存在上下级行政辖属关系的城镇纷纷通过“撤县设区”实现“行政体制”与“财政体制”的扁平化管理，以实现同城化发展。基于此背景，同城化的概念被提出，并且得到了各地政府的广泛赞同与应用。

1982 年，湖南学者提出了长株潭一体化的概念。2005 年，深圳市发布的《深圳2030 城市发展策略》提出“加强与香港在高端制造业、现代服务业以及其他领域的合作，与香港形成同城化发展态势”，首次明确提出了同城化概念。2008 年 12 月，国务院批复的《珠江三角洲地区改革发展规划纲要（2008—2020）》明确提出要“强化广州佛山同城效应，携领珠江三角洲地区打造布局合理、功能完善、联系紧密的城市群”（李晓辉等，2010）。随后，国内许多城市提出了同城化的发展思路，同城化战略逐渐成为城市扩大规模、增强竞争力的务实选择，同城化建设从就业与居住、基础设施、公共服务设施等领域拓展到创新网络、生态共建等各领域。

2. 同城化概念

同城化是中国城市发展过程中出现的新概念，也是中国特殊城镇化过程产生的一种新现象，其本质是实现区域治理融合的同城效应过程。同城化是中国学者根据中国区域发展实际情况提出的新概念，其概念与国外的“双子城”的内涵相似。截至目前，学者、规划师、政府管理者均对同城化的概念进行了界定，有着不同的理解。本书综合各学者的观点，认为同城化的概念如下所示。

同城化是相邻城市空间一体化、经济一体化和制度一体化的地域过程。同城化具体是指两个或两个以上地域临近、功能关联、交通便利、认同感强的城市建成区，在经济产业、社会文化和自然环境等方面具有融为一体的基础条件，为了打破城市间的行政分割和保护主义限制，通过要素的共同优化配置，以城市内部标准，在更大的空间范围内，促使这些城市在土地利用、产业布局、基础设施建设、生态环境保护、管理制度等方面实施融合统一，推动各类资源要素开展城市内部模式的流动，形成空间同城、基础设施同城、产业同城、市场同城、公共服务同城、管理同城，深化城市发展的相互作用模式与功能优化，实现相互融合、相互支撑、互动互利、共同发展，最终形成一个城市或都市区或都市圈（余舒悦，2012）。同城化是区域发展一体化和城市群建设的一个重要阶段。同城化的“城”一般是指特大城市与大城市，也包括中小城市、县城和镇。同城化既是一种发展战略，也是一种城市化过程和区域发展过程，还是一种发展格局。

二、同城化空间模式

1. 基本模式

1）按城市地位划分

根据“城”的大小与行政级别，可以分为如下类型。

主体城市模式：主要是指大城市与邻近小城市、小城镇之间的同城化。该模式一般分布在城市群或省会地区或地级城市与邻近县城之间，中心城市往往有着绝对的主导地位，周边城市为中心城市的腹地或产业－人口疏散地。该模式在不同发展阶段，其同城化的目的是不同的。

同级城镇模式：主要是指临近并由交通干线连接的同级城镇尤其是县城之间的同城化。该模式的目的是联合城镇发展，培育大城市，塑造区域增长极。

组团合并模式：主要是指主体城区尚存较大的距离，但行政区划合并而实现城市重构。例如，大连与旅顺直接实现行政合并，但建成区相隔较远。目前所推动的、非邻近的“撤县设区”均为此类。

2）按城市数量划分

根据“城”的数量，同城化可以分为如下几类模式。

双城模式：主要是两个邻近城市或城镇实现同城化。该模式强调城镇之间的空间对接与相向发展。

多城模式：主要是指地域上相互临近或沿交通线彼此临近的多个城镇实现同城化。该模式强调城镇之间的对接与相向发展，各城市因区位不同而采用不同的发展方向。这种模式多分布在都市区或交通轴线。

2. 发展阶段

同城化是城镇发展的长期过程，正确认识同城化发展阶段对制定正确的同城化发展战略与建设路径有重要意义。同城化的发展过程大致分为同城共识阶段、城城共建阶段、城城融合阶段和一体同城阶段四个阶段。在每个阶段，城镇基本特征、同城化重点和同城化目标、具体建设任务及表现形式，均存在明显的差异。

（1）同城共识阶段。该阶段主要是城镇之间形成同城化建设共识，并制定一体同城规划，对同城化制定发展蓝图与实施方案。但各城镇仍保持独立性。

（2）城间共建阶段。该阶段主要是推动基础设施对接、土地协同开发利用、产业合理布局，是同城化各项具体建设任务的实施阶段，实现有形要素与低级要素的同城化。各城市之间形成一定水平的相互依赖性。

（3）城城融合阶段。该阶段主要是在各项建设较好完成的基础上，加强城市同城化的软环境建设与认同感，重视管理制度与居民文化的同城化，实现无形要素与高级要素的同城化。各城市之间形成较高水平的相互依赖性。

（4）一体同城阶段。该阶段主要是全域同城发展，城际变成城市而实现一体化，实现了资源共享。

三、同城化典型案例

1. 国内区域

21 世纪以来，中国加快了城镇化的推进速度。在此过程中，同城化开始成为重要的发展战略与城镇化模式。2005 年，深圳与香港提出"同城化"发展理念后，中国很多城市开展了同城化战略与同城化建设的尝试，尤其是各地方在"十二五"规划中均将同城化建设作为亮点。这些城市覆盖中国的很多地区，覆盖不同规模等级的城镇，成为过去十年及未来的城市建设热点。

通过资料收集并进行总结，目前中国实施同城化战略和推动同城化建设的地区如下所示。

西咸同城化，分布在关中平原地区，主要覆盖西安市和咸阳市。该地区为两城对接模式。

沈抚同城化，分布在辽宁省的辽中南城市群地区，主要覆盖沈阳市与抚顺市。

长株潭同城化，分布在湖南省的长株潭城市群地区，主要覆盖长沙市、湘潭市和株洲市。

太榆同城化，分布在山西省的太原都市圈地区，主要覆盖太原市和晋中市（榆次区）。

郑汴同城化，分布在河南省的中原城市群地区，主要覆盖郑州市和开封市及沿线城镇。

广佛同城化，分布在广东省的珠江三角洲城市群地区，主要覆盖广州市和佛山市。

宁镇扬同城化，分布在江苏省的沿长江地区，主要覆盖南京市、镇江市和扬州市等城市。

成德绵乐同城化，分布在四川省的平原地区，主要覆盖成都市、德阳市、绵阳市和乐山市等城市。

乌昌同城化，分布在新疆的天山北坡城市群地区，主要覆盖乌鲁木齐市和昌吉市。

厦漳泉同城化，分布在福建的海峡西岸城市群地区，主要覆盖厦门市、漳州市和泉州市等城市。

合淮同城化，分布在安徽省，主要覆盖合肥市和淮南市。

长吉同城化，分布在吉林省的中部地区，主要覆盖长春市和吉林市。

汕潮揭同城化，分布在广东省的东部地区，主要覆盖汕头市、潮州市和揭阳市。

昌九同城化，分布在江西省的鄱阳湖地区，主要覆盖南昌市和九江市及沿线城镇。

济莱同城化，分布在山东省的中部地区，主要覆盖济南市和莱芜区。

贵安同城化，分布在贵州省的中部地区，主要覆盖贵阳市和安顺市。

深港同城化，分布在珠江三角洲的口门地区，主要覆盖深圳市和香港。

苏锡常同城化，分布在苏南地区，主要覆盖苏州市、无锡市和常州市等城市。

沪杭同城化，分布在长江三角洲的杭州湾地区，主要覆盖上海市、杭州市及沿线城市与城镇。

烟威同城化，分布在山东半岛地区，主要覆盖烟台市和威海市。

虽然上述地区提出了同城化战略，但实施和建设水平不一，部分地区已进入了实质性操作阶段，有些地区仍处于倡议和商议阶段。

2. 典型案例

（1）广佛同城化。广州和佛山同城化发展可追溯到2000年，广州提出“东进、西联、南拓、北优、中调”发展战略。佛山为与广州“西联”战略相呼应，提出“东承”战略。2008年，国务院批复的《珠江三角洲地区改革发展规划纲要（2008—2020）》，将广佛同城化提升到国家战略层面；2019年，中共中央、国务院印发《粤港澳大湾区发展规划纲要》，指出要加快广佛同城化（张传娜，2020）。在广佛同城化建设中，形成了较为完善的工作机制，坚持规划引领而形成了完善的规划体系，实施两城联合行动，以项目清单推动同城化，推动交界区县先行，建设合作示范区。

（2）厦漳泉同城化。1981～2003年，“闽南金三角”概念被提出，政府、企业和民众初步形成认识。2003～2010年，福建省先后出台了若干政策推动同城化，厦漳泉三地积极响应，举行城市联盟会议，在规划、基础设施及旅游业等方面进行探索，厦漳泉同城化初具雏形（张传娜，2020）。2010年至今，福建省和厦漳泉三市出台了一系列促进同城化发展的规划和实施方案，厦漳泉同城化进入基础设施、信息服务、基本公共服务、要素市场建设、产业融合发展等重大项目的实施建设阶段。

第二节　东北同城化地区识别

一、研究目的

1. 要素长期过度集聚

截至目前，东北地区的空间开发经历了不同的历史时期。东北地区的开发始于清朝初年，清代末期进入了大规模移民开发阶段。20世纪初期开始，东北地区进入了工业化开发和城镇化建设的时期，尤其是20世纪50年代开始进入了大规模的工业化和“156”项目建设阶段，并奠定了当前东北地区国土开发的基本格局。

东北地区是中国最早开展工业化和城镇化建设的区域，目前有着较高的工业化水平和城镇化水平，也形成了较为密集的城市群。但长期以来，东北地区的发展关注哈大铁路沿线地带，尤其是将大量的资源要素集聚在四大中心城市，即沈阳、大连、长春和哈尔滨。这促使哈大铁路成为东北地区的开发主轴线。目前，经济实体高度集中在四大中心城市，大连的经济比重最高，达到13.3%，长春占比为12.4%，沈阳占比为11%，哈尔滨占比为8.5%，合计占东北地区经济总量的45.2%。工业企业集中在中心城市，大连和长春的规模以上工业企业最多，分别达到1683家和1580家，沈阳和哈尔滨分别为1379家和1248家，合计占东北地区规模以上工业企业总量的32.3%。虽然科教资源丰富，但呈现四大城市绝对集聚的空间格局；哈尔滨的高校数量最多，达到51所，沈阳和长春分别有47所和40所，大连有30所，共计占62.7%。此外，长期以来许多重大政策、重大工程和重大项目甚至有些重要定位均赋予了沈阳、大连、长春和哈尔滨四大中心城市。

东北地区的中小城市数量虽然较多，却在长期的发展过程中成为空间开发的“洼地”。中小城市的资源要素集聚较少，包括经济产业、政治资源、扶持政策、改革试点等各方面，缺少产业发展的实体企业，经济发展的动力薄弱。尤其是，中小城市的资金、人才纷纷外流，人口消费也纷纷因交通条件改善而转移到邻近的大城市。这导致东北地区的中小城市缺少发展活力，并日渐衰败。

2. 培育区域新增长极

非均衡发展是东北地区长期实施的空间开发战略。在此战略下，增长极发挥了至关重要的作用。2003年以来，党中央、国务院提出了振兴东北等老工业基地的战略，经过十年的努力，东北地区发展有所复兴，辽中南、长吉、哈大齐等城市群一直带动着东北地区的经济增长。2014年以来，东北地区经济发展面临下行压力，《国务院关于近期支持东北振兴若干重大政治举措的意见》（国发〔2014〕28号）提出“大力推进东北地区内部次区域合作，编制相关发展规划，推动东部经济带，以及东北三省西部与内蒙古东部一体化发展”，急需培育新的增长区域。通过同城化的建设，在东北地区可以培育新的增长空间。这表现如下方面：①通过同城化战略培育一批大城市；②助推大城市的发展，增强中心城市的竞争力；③加速大都市区或城市群的建设，增强其辐射力和带动力。以此，在培育新增长区域的同时，支撑壮大传统重点区域的发展，以推动东北地区的全面振兴。

二、同城化形成条件

同城化的实施和建设必须建立一系列的基础条件上，不仅取决于城市区位条件，而且取决于城市的社会经济差异性与文化认同感。下述条件并非均是必需条件。

（1）空间地域。城镇在空间上边界相连衔接，可形成连续发展空间。这是同城化发展的空间基础。同城化发展的空间表象就是消除社会经济发展与布局的空间界限。

（2）空间距离。同城化的城镇具有距离门槛，空间距离是能否进行同城化的关键。同城化引力与城镇建成区距离成反比，距离越小，引力越强，同城效应越明显，因此地理位置毗邻、空间距离较近是推动同城化的基本条件。同城化城镇之间的距离相对较小，从已呈同城化态势的广佛（20km）、沈抚（45km）、长株潭（10km、40km）、太渝（25km）、西咸（20km）案例来看，均未超过 50km，郑汴同城化的距离较大，为 72 公里。距离门槛值与城市规模、城市职能及交通技术相关。特大城市与大城市的同城化距离多控制在 50 公里之内，国际大都市交通圈的通勤圈约为 100 公里，大都市的通勤圈约为 50 公里（段德罡和刘亮，2012）。中小城市的同城化，由于经济产业基础和交通条件不同，相互作用较弱，距离门槛要求更高，城镇建成区间的距离一般不超过 20 公里。县城和镇区的中心距离则应更为邻近甚至接壤。

（3）产业结构。差异是合作的基础，城镇之间需具有差异性的产业结构与资源禀赋，尤其是主导产业需具有互补性与分工合作潜力，形成错位的产业发展优势以此来规避重复竞争。差异性越大，同城化的可能性越高。

（4）文化本底。社会文化本底条件相同，历史基础相同，社会文化同源，居民具有共同的宗教信仰。这有利于形成同城化城市居民的认同感与归属感。

（5）交通条件。交通网络完善而发达，交通便捷。尤其是现代化的快速交通方式尤为重要，这包括高速公路、快速路、城际轨道、高速铁路等。通达性越高，同城化越具潜力，同城化水平越高。时间与距离的关系随着技术进步而变化，交通技术越高，运输速度越快，交通时间越短，同城化的空间距离门槛就越长。交通圈的尺度界定与城市规模相关联，这是因为城市规模不同，其产业类型与就业结构不同，就业结构不同就决定了职住距离不同。国际大都市圈的通勤时间范围为 60 分钟，大都市间的通勤时间约为 30 分钟，“30 分钟和 60 分钟通勤圈”成为重要的交通时间门槛。以 30 分钟为通勤时间的距离空间为近域，以 60 分钟为通勤时间的距离空间为中域，以 90 分钟为通勤时间的距离空间为远域；近中域城市间可实现日常通勤联系，进行跨城市的工作和生活。

（6）自然环境。自然地理环境较好，形成较好的本底条件一致性，山水相连，平原地形尤为重要，具有较好的空间均衡条件。城镇之间的对接区域具有较好的用地条件，规避大面积的山地丘陵与大型河流阻隔。

（7）联系紧密。城镇之间形成紧密的社会经济联系，生产生活要素自由流动，有着频繁而高强度的“流”，包括通勤流、客流、资金流、商贸流、物流及信息流，形成“生活相依”。城市间差异性越大，互补性越强，联系性越紧密。

三、同城化识别方法

1. 交通圈

同城化的前提是距离门槛，交通时间和自然地理条件是决定同城化的基础条件。交通时间是交通距离的再次反映，相同的交通距离因交通方式不同而产生交通时间的差异。城市与腹地的空间组合决定了客流、货流和车流向中心汇集和从中心向四周腹地扩散的空间特征。交通圈是指中心地的交通吸引范围，通过交通线上下行方向发生明显变化的交通流变流点，将这些点相连所划定的范围即构成交通圈。交通圈具有层次结构。

距离有空间物理距离、交通空间距离、交通时间距离、经济联系距离。空间物理距离主要是指城镇之间的物理直线距离，是理想化的空间距离。交通空间距离是对空间物理距离的修正，根据具体路程来确定，是城镇之间的某种交通路线距离。交通时间距离与交通条件、交通方式有关，各种交通方式有不同的运行速度，城镇之间交通设施路线、技术水平等综合作用决定了交通时间距离，但往往以最短交通时间进行表征。经济联系距离由经济联系方式、产业结构差异、产业链关系、物流成本等因素决定。

根据交通时间与居民社会经济活动的关系，将交通圈分为 15 分钟生活圈、30 分钟通勤圈和 1 小时经济圈。不同时间圈内的同城化战略、空间模式与实施内容存在明显差异。

（1）15 分钟生活圈。该交通圈是以居住点为中心，以居民购物、休闲、娱乐、锻炼、就学、就医等日常活动为内容的活动圈层。“日常”是典型标志，社区生活圈是其典型范围。根据相关研究，以自行车为交通工具，按理想化的交通速度 12 公里 / 小时进行计算，15 分钟生活圈的空间半径一般为 3 公里，如果考虑交通拥堵、红灯等现实情况，其半径要压缩到 1.5 ～ 2 公里。

（2）30 分钟通勤圈。该交通圈关注以就业为主体的社会经济活动，大体以城镇中心区为中心，以公共交通工具往返工作地点、居住地的最大通勤距离为半径所组成的地域。交通方式包括城际轨道、高速公路、铁路客运专线等。城市规模越大，交通网络越发达，通勤半径越大，通勤范围越广。东京通勤圈是以东京站为圆心，以城际铁路为交通方式，以 50 公里为辐射半径的区域；伦敦通勤圈半径大致为 60 公里。

（3）1 小时经济圈。主要是指以中心城市的主城为圆心，在交通 1 小时内可通达的地域范围所组成的地域。该交通圈注重“经济”，即重视产业的布局与分工协作。1 小时经济圈实际上是都市圈的空间范围，重视大城市的经济辐射和引领作用，也称为“1 小时都市圈”。1 小时交通圈采用以城际轨道为主体的快速交通体系。目前，中国提出并实施同城化战略的城镇距离多在 20 ～ 40 公里，处于 1 小时经济圈内；部分城市的 1 小时经济圈通达范围可达 100 公里。国家发改委下发的《关于培育发展现代化都市圈的指导意见》（发改规划〔2019〕328 号）认为 1 小时交通圈为通勤圈，该界定的基础是都市圈交通方式为轨道交通（高速铁路、城际铁路）、地铁、轻轨和有轨电车，但如果考虑两端节点的其他时间，1 小时通勤圈则将压缩为 30 分钟通勤圈。

2. 识别技术

本节研究以识别具备同城化条件的空间单元为目的。为了推动识别工作，需要设置一些前置条件。

（1）空间单元的选择。本节研究以县级城镇建成区为独立单元，但已形成连续分布的地级城市建成区则视为一个独立单元，已撤县设区并在空间上与主城区相连的不再视为独立单位。而非形成连续分布、孤立于主城区之外的地级城镇建成区则视为独立单元，已撤县设区但在空间上与主城区未形成连接的视为独立单位。根据此标准，东北地区共选择 38 个空间样本。

（2）同城化是着眼于未来发展情景，交通时间的界定需充分考虑未来规划路网与交通结构。本研究的交通路网以当前综合交通网络和 2030 年规划网络为主。相关规划源于《国家公路网规划（2013—2030 年）》《中长期铁路规划 2020 ~ 2035》《中长期综合交通网规划》。

（3）交通速度的设定要区分技术速度与运行速度，前者是技术允许速度，一般为最高速度；后者为实际发生的速度，发生时间既包括行使时间，也包括车站停留时间、等候时间、堵车时间等。对上述因素进行综合后，国道采用的运行速度为 50 公里 / 小时，高速公路为 80 公里 / 小时，高速铁路为 250 公里 / 小时。

四、同城化识别结果

根据上述方法，对东北同城化地区进行了识别，其结果如表 10-1 所示。

表 10-1　东北地区同城化单元识别结果

省区	同城化地区	数量
辽宁省	建平县 - 凌源市、葫芦岛市 - 兴城市、锦州市 - 凌海市、盘锦市 - 双台子区 - 盘山县、盖州市 - 鲅鱼圈区、瓦房店市 - 普兰店区、营口市 - 大石桥市 - 老边区、辽阳市 - 辽阳县 - 鞍山市 - 海城市、阜新市 - 阜新蒙古族自治县 - 新邱区、法库县 - 调兵山市、昌图县 - 开原市、沈阳市 - 抚顺市 - 铁岭市 - 新民市 - 本溪市 - 灯塔市 - 辽中区、本溪市 - 溪湖区 - 明山区	13
吉林省	图们市 - 延吉市 - 龙井市、吉林市 - 永吉县、白山市 - 江源区、通化市 - 通化县、梅河口市东丰县、白城市 - 洮南市、四平市 - 梨树县、辽源市 - 东辽县、长春市 - 九台区 - 吉林市 - 德惠市 - 公主岭市 - 农安县	9
黑龙江省	通河县 - 方正县、绥滨县 - 富锦市、双鸭山市 - 四方台区 - 宝山区 - 岭东区 - 集贤县、大箐山县 - 南岔县、宜春市 - 乌翠区 - 友好区、西林区 - 金林区、海伦市 - 绥棱县、牡丹江市 - 海林市 - 宁安市、鸡西市 - 城子河区 - 恒山区 - 鸡东县 - 滴道区、林口县 - 麻山区、哈尔滨市 - 阿城区 - 肇东市 - 双城区 - 宾县、肇州县 - 肇源县、齐齐哈尔市 - 昂昂溪区 - 富拉尔基区 - 梅里斯达斡尔族区、大庆市 - 让胡路区 - 红岗区 - 安达市	14
蒙东地区	加格达奇区 - 鄂伦春自治旗、呼伦贝尔市 - 鄂温克族自治旗 - 陈巴尔虎旗	2

1. 辽宁省

在辽宁省，可以考虑同城化建设的城镇对共有 13 处，占东北同城化地区识别结果总量的 34.2%，即超过 1/3。如表 10-2 所示。辽宁省可以实施同城化战略的空间单元主要为建平县 - 凌源市、葫芦岛市 - 兴城市、锦州市 - 凌海市、盘锦市 - 双台子区 - 盘山县、盖州市 - 鲅鱼圈区、瓦房店市 - 普兰店区、营口市 - 大石桥市 - 老边区、辽阳市 - 辽阳县 - 鞍山市 - 海城市、阜新市 - 阜新蒙古族自治县 - 新邱区、法库县 - 调兵山市、昌图县 - 开原市、沈阳市 - 抚顺市 - 铁岭市 - 新民市 - 本溪市 - 灯塔市 - 辽中区、本溪市 - 溪湖区 - 明山区。这些地区覆盖了沈阳市、大连市、营口市、阜新市、抚顺市、本溪市、锦州市、葫芦岛市、铁岭市、盘锦市、鞍山市、朝阳市、辽阳市 13 个地市，仅未能覆盖丹东市。这表明在辽宁省开展同城化建设具有较好的空间基础。

表 10-2　辽宁省同城化单元及覆盖地市

同城化单元	覆盖地市	同城化单元	覆盖地市
建平县－凌源市	朝阳市	盖州市－鲅鱼圈区	营口市
葫芦岛市－兴城市	葫芦岛市	瓦房店市－普兰店区	大连市
锦州市－凌海市	锦州市	昌图县－开原市	铁岭市
盘锦市－双台子区－盘山县	盘锦市	营口市－大石桥市－老边区	营口市
法库县－调兵山市	沈阳市、铁岭市	本溪市－溪湖区－明山区	本溪市
辽阳市－辽阳县－鞍山市－海城市	辽阳市、鞍山市	阜新市－阜新县－新邱区	阜新市
沈阳市－抚顺市－铁岭市－新民市－本溪市－灯塔市－辽中区	沈阳市、阜新市、铁岭市、本溪市、辽阳市		

2. 吉林省

吉林省城镇数量相对较少，可以实现同城化建设的城镇对相对较少，共有 9 处，如表 10-3 所示。这些同城化空间单元包括图们市－延吉市－龙井市、吉林市－永吉县、白山市－江源区、通化市－通化县、梅河口市－东丰县、白城市－洮南市、四平市－梨树县、辽源市－东辽县、长春市－九台区－吉林市－德惠市－公主岭市－农安县。这些空间单元覆盖了长春市、吉林市、四平市、延边州、辽源市、白城市、通化市、白山市 8 个地市州，仅未能覆盖松原市。

表 10-3　吉林省同城化单元及覆盖地市

同城化单元	覆盖地市	同城化单元	覆盖地市
图们市－延吉市－龙井市	延边州	吉林市－永吉县	吉林市
白山市－江源区	白山市	通化市－通化县	通化市
梅河口市－东丰县	通化市、辽源市	白城市－洮南市	白城市
四平市－梨树县	四平市	辽源市－东辽县	辽源市
长春市－九台区－吉林市－德惠市－公主岭市－农安县	长春市、吉林市、四平市		

3. 黑龙江省

基于历史的原因，黑龙江省可以实施同城化建设的城镇对较多，共有 14 处，如表 10-4 所示。这些空间单元包括通河县－方正县、绥滨县－富锦市、双鸭山市－四方台区－宝山区－岭东区－集贤县、大箐山县－南岔县、宜春市－乌翠区－友好区、西林区－金林区、海伦市－绥棱县、牡丹江市－海林市－宁安市、鸡西市－城子河区－恒山区－鸡东县－滴道区、林口县－麻山区、哈尔滨市－阿城区－肇东市－双城区－宾县、肇州县－肇源县、齐齐哈尔市－昂昂溪区－富拉尔基区－梅里斯达斡尔族区、大庆市－让胡路区－红岗区－安达市。这些单元覆盖哈尔滨市、鹤岗市、佳木斯市、双鸭山市、牡丹江市、绥化市、宜春市、鸡西市、大庆市、齐齐哈尔市10个地市，未能覆盖七台河、黑河市和大兴安岭地区。

表 10-4 黑龙江省同城化单元及覆盖地市

同城化单元	覆盖地市	同城化单元	覆盖地市
通河县－方正县	哈尔滨市	绥滨县－富锦市	鹤岗市、佳木斯市
双鸭山市－四方台区－宝山区－岭东区－集贤县	双鸭山市	牡丹江市－海林市－宁安市	牡丹江市
大箐山县－南岔县	宜春市	宜春市－乌翠区－友好区	宜春市
肇州县－肇源县	大庆市	林口县－麻山区	牡丹江市、鸡西市
哈尔滨市－阿城区－肇东市－双城区－宾县	哈尔滨市、绥化市	鸡西市－城子河区－恒山区－鸡东县－滴道区	鸡西市
西林区－金林区	宜春市	海伦市－绥棱县	绥化市、牡丹江市
大庆市－让胡路区－红岗区－安达市	大庆市、绥化市	齐齐哈尔市－昂昂溪区－富拉尔基区－梅里斯达斡尔族区	齐齐哈尔市

4. 蒙东地区

蒙东地区因覆盖面积广阔，城镇数量较少，而存在同城化潜力的城镇对数量较少。本研究主要识别出蒙东地区有2处城镇对，均分布在呼伦贝尔地区，具体包括加格达奇区—鄂伦春自治旗、呼伦贝尔市－鄂温克族自治旗－陈巴尔虎旗。锡林郭勒盟、赤峰市、通辽市和兴安盟都未能识别出具有同城化条件的空间单元。

第三节 东北地区同城化地区概况

一、辽宁省

1. 凌源市区－建平县城

该空间单元对分布在辽西北地区。凌源市和建平县均为朝阳市的下辖县市，位于丘陵山地地区，城市建设与产业布局的用地条件一般。建平县城与凌源市区的交通距离为20公里左右，有铁路、公路、高速公路连接，交通时间约为20分钟。建平新城、牛河梁红山文化遗址公园和博物馆、富山镇区分布在建平县城与凌源市区之间的地带。建平县的主导产业以铁矿石采选和膨润土建材业为主，拥有著名的铁路站叶柏寿站；凌源市的主导产业为钢铁冶金和汽车制造，并有丰富的地热资源；两个城镇之间具有较强的工业互补性。

2. 锦州龙栖湾新区 – 葫芦岛市区 – 兴城市区

该空间单元对分布在辽西走廊地区。兴城市为葫芦岛下辖县级市，锦州港与龙栖湾新区为锦州市的空间单元，历史上该地区均为锦州市所管辖。该地区以辽西岸前平原为主，地形平坦，城市建设和产业布局的用地条件好。葫芦岛市区与兴城市的距离为 15 公里，交通极为便利，有铁路、高速铁路、公路与高速公路连接，交通时间为 10 分钟；锦州笔架山港区与葫芦岛连山区的距离为 15 公里，龙栖湾新区与葫芦岛连山区的距离为 30 公里。葫芦岛市区、兴城市、锦州港、锦州龙栖湾新区均为滨海地区，拥有丰富的滨海旅游资源和港口资源，临港工业与滨海休闲旅游的发展条件较好。葫芦岛市区和兴城市的中间区位已建设有葫芦岛市体育中心、兴城比基尼广场、辽宁工程技术大学等载体，并建有滨海景观公路，开发有大量的滨海旅游地产小区，滨海一带已形成同城化开发态势。锦州笔架山港区与葫芦岛连山区之间已有葫芦岛开发区打渔山园区、塔山工业区、南票新城布局。该地区形成以锦州湾为核心，自兴城开始绵延至龙栖湾新区，以临港工业、滨海旅游、港口物流为特色的沿海港城带或锦葫都市区。

3. 锦州市区 – 凌海市区

该空间单元对分布在辽宁西部地区。凌海市为锦州市的下辖县级市，该地区为平原地貌，地形平坦，城市建设和产业园区布局的用地条件好。锦州市区和凌海市区两个城区距离 15 公里，交通条件极为便利，有铁路、公路、高速公路和高速铁路连接，为交通设施密集布局轴线，交通时间约为 10 分钟。两个城区之间有双羊镇区分布，并有铁路北新站。

4. 盘锦市区 – 双台子区 – 盘山县城

该同城化单元分布在辽河下游平原地区，地形平坦，土地资源较多，城市建设与产业园区布局的用地条件好。双台子区和盘山县均为盘锦市下辖县区。双台子区已与盘锦市区衔接相连，盘山县城与双台子区距离 5 公里，与盘锦主城区距离 13 公里。三者之间有铁路、公路、高速公路连接，交通极为便利，交通时间约为 15 分钟。盘山县城与双台子区间已有精细化工孵化基地、华锦精细化工园、金岩环保科技园等产业园区布局，并有北方工业学校、华发国际学校等教育资源布局，道路等基础设施已形成一体化布局，同城化水平较高。

5. 盖州市区 – 鲅鱼圈区

该同城化单元分布在辽东半岛渤海湾沿岸。盖州市为营口市下辖的县级市，鲅鱼圈区为营口市经济技术开发区。该地区以平原为主，兼有地山丘陵地区和岸线滩涂，城市建设与产业园区布局的用地条件较好。盖州市区和鲅鱼圈区的距离为 18 公里，有铁路、高速公路、公路连接，交通设施密集布局，交通条件极为便利，交通时间约为 20 分钟。该地区港口资源丰富，工业布局密集，就业量大，沿海岸线地区已形成了开发态势。两个城区中间有沙岗镇区布局。

6. 瓦房店市区 – 普兰店区

该同城化单元分布在辽东半岛北部地区。瓦房店市和普兰店区均为大连市下辖的县级市和市辖区，后者为普湾新区的核心地带。该地区主要为平原地区，但兼有丘陵山地，城市建设和产业园区布局的用地条件较好。普兰店区和瓦房店市两个城区的距离为 20 公里，有铁路、高速铁路、高速公路相连，交通条件便利，交通时间约为 10 分钟。普兰店区和瓦房店城区间已有铁西街道、大连电视大学等资源分布，目前普兰店区是大连市重点推动开发的地区，开发政策环境较好。

7. 营口市区 – 老边区 – 大石桥市区

该同城化单元分布在辽宁南部地区。大石桥市和老边区分别为营口市下辖的县级市和区。该地区主要为平原地区，地势平坦，城市建设和产业园区布局的用地条件好。大石桥市区与营口主城区的距离约为 18 公里，老边区居于中间区位，有铁路、公路、高速公路连接，是营口主城区连接高速铁路的主通道地区，交通条件便利，交通时间为 15 分钟。营口市区与老边区之间已建有东湖广场、营口市中小企业创业园、铁路老边站等基础设施与产业集聚区，老边区与大石桥市之间已建有铁路营口东站、大石桥沿海新兴产业区等。

8. 辽阳市区 – 辽阳县城 – 鞍山市区 – 海城市区

该同城化单元分布在辽中南地区，覆盖两个地级行政区。辽阳市和鞍山市为辽宁省的地级城市，海城市为鞍山市的下辖县级市，辽阳县为辽阳市的下辖县。该地区分布在辽河下游平原地区，地势平坦，城市建设与产业园区布局的用地条件好。辽阳市主区和鞍山市区的距离约为 20 公里，中间分布有辽阳县城，建成区边界仅有 5 公里的距离，该地区为哈大交通主轴线，城际之间有铁路、高速铁路、公路、高速公路相连接，交通优势显著，交通时间仅为 8 分钟。海城市区和鞍山市区距离 25 公里，城际之间有铁路、高速铁路、公路、高速公路相连，交通时间为 15 分钟；中间分布有南台工业园、甘泉镇区、汤岗子街道、汤岗新城后英钢铁工业园等人口 – 产业载体分布。

9. 阜新市区 – 阜新县城 – 新邱区

该同城化单元分布在辽西北地区。新邱区和阜新县分别为阜新市的下辖县区。该地区的地形地貌以平原为主，但采煤沉陷区较多，遗留煤炭矿区较多，在一定程度上影响了城市建设与产业园区布局。三个空间单元沿着交通线从西南向东北依次分布并已连接成片，衔接处已分布了具备明显城市特征的人口居住区和产业区及市政公共服务单位，形成了统一的建成区。三者之间有铁路、公路和高速公路连接，交通条件便利。

10. 法库县城 – 调兵山市区

该同城化单元分布在辽宁北部平原地区，覆盖辽宁省的两个地级行政区。法库县为沈阳市的下辖县，调兵山市为铁岭市的下辖县级市。两个城区均分布在平原地区，城区邻近地区的用地条件较好，但两个城区中间为山体所阻隔，两个城区相向发展的用地条件较差，不利于企业布局和城市建设。有公路穿越丘陵山地而连接两个城区，交通距离为10公里，交通时间约为15分钟。如果推行同城化建设，如何科学开发利用中间丘陵山体很关键。

11. 昌图县城 – 开原市区

该同城化单元分布在辽北平原地区。昌图县和开原市均为铁岭市的下辖县市。该地区为平原地区，地形平坦，城市建设和产业园区布局的用地条件好。昌图城区和开原城区的距离为18公里，中间有高速铁路、高速公路、铁路和公路连接，为哈大主轴线的部分区段，交通条件便利，交通时间约为20分钟。两个城区中间区段分布有金沟子镇区、马仲河镇区以及部分铁路站，对接的中间媒介基础较好。

12. 沈阳市区 – 抚顺市区 – 铁岭市区 – 新民市区 – 本溪市区 – 灯塔市区 – 辽中区

该同城化单位分布在辽宁中部的平原地区。重点以沈阳市建成区为中心，向四周毗邻地区进行辐射连接。该地区以平原地貌为主，地形平坦，城市建设与产业园区布局的用地条件较好，地域文化与历史基础一致。沈阳市区与抚顺市区距离为30公里，中间有铁路、高速公路和城际铁路连接，交通时间为20分钟；沈阳市区与铁岭市区距离为40公里，中间分布有沈北新区，铁岭市区与沈北新区距离为20公里，中间有铁路、高速铁路、高速公路和城际铁路，交通时间为20分钟左右。沈阳市区与新民市区距离为45公里，沈阳市区与本溪市区距离为30公里，交通时间分别为30分钟和25分钟左右。沈阳苏家屯区与灯塔建成区距离为25公里，沈阳于洪区与辽中区建成区距离为40公里，交通时间均为30分钟左右。

13. 本溪市区 – 溪湖区 – 明山区

该同城化单位分布在辽东丘陵地区。溪湖区和明山区为本溪市的下辖区并在空间上相连，原为本溪市的主城区。该地区为丘陵山地地区，地形复杂，平地较少，城市建设和产业园区布局的用地条件较差。目前，上述两个城区与本溪市主城区中间有山地分布。本溪市主城区与溪湖区与明山区的距离为25公里，有铁路和高速公路连接，交通时间约20分钟。溪湖区与明山区与本溪市城区中间区段有火连寨街道驻地、高台子镇区分布。

二、吉林省

1. 延吉市区 – 图们市区 – 龙井市区

该同城化单位分布在吉林省东部的图们江下游地区。延吉市为延边州的主城区，图们市和龙井市均为延边州的下辖县级市，分别位于延吉城区的东侧和南侧。延吉城区与图们城区的距离为30公里，中间有铁路、高铁、高速公路、公路连接，按城际高铁250公里/小时计算，两城交通时间约10分钟；中间区段已有长安镇区、苇子沟铁路站等载体分布；但两城区中间为丘陵山地，城市建设和产业布局用地条件较差。延吉城区与龙井市区的距离为12公里，中间有公路连接，交通时间约15分钟；中间区段已有延边国家农业科技园、帕西菲克产业园等载体分布；但两者间有山体阻隔，建设用地条件较差。

2. 吉林市区－永吉县城

该同城化单位分布在吉林东中部地区。永吉县为吉林市的下辖县，地形相对平坦，中间有山体间隔，但不影响城市建设和产业园区的用地选择。吉林市区和永吉建成区的距离为12公里，中间有公路、高速公路和铁路连接，并从中间山体东西两侧连接两个城区，交通时间约为15分钟。吉林市区和永吉城区间已有吉林铁道职业技术学院布局，永吉县城向吉林市主城区的拓展建设已形成态势。

3. 白山市区－江源区

该同城化单元分布在吉林省东部的长白山地区。白山市为主城区，江源区为白山市的下辖区。该地区为丘陵山地，主要为沟谷地带，中间地带用地狭窄，城市建设和产业园区布局的用地潜力相对有限。江源区与白山市区距离为12公里，中间有铁路、公路和高速公路连接，交通时间约为10分钟。白山市区和江源区间已有江源铁路站、八宝工业园、江源区八宝循环经济工业区、砟子镇区等产业－人口集聚载体，形成间隔性的开发格局。

4. 通化市区－通化县城

该同城化单元分布在吉林省的长白山地区。通化县为通化市的下辖县。该地区为丘陵山地，沿浑江河谷分布，地形复杂，地貌多样，平地较少，总体上用地狭窄，不利于城市大规模拓展与产业园区布局。但通化市区与通化县城相距15公里，中间已有铁路、公路和高速公路连接，交通时间约为15分钟。通化市区和通化县城间已有湾川开发区、铁路通化县站布局，两端开发较好但中间潜力较小。

5. 梅河口市区－东丰县城

该同城化单位分布在吉林省东部的长白山地区，覆盖两个地级行政区。梅河口市为通化市下辖的县级市，东丰县为辽源市的下辖县。该地区为丘陵山地，但海拔较低，地形相对平坦，城市建设和产业园区布局的用地条件较好。梅河口市区与东丰县城的距离为17公里，中间有铁路、公路连接，交通时间约为18分钟。梅河口市城区和东丰县城之间已有东丰县三合工业园、南屯集镇区布局。

6. 白城市区－洮南市区

该同城化单元分布在吉林省西部的松嫩平原地区。该地区地形平坦，城市建设和产业园区布局的用地条件好。洮南市为白城市的下辖县级市，两个建成区距离为25公里，中间有公路、高速公路和铁路连接，交通时间约为 30 分钟。白城市区和洮南市区中间有兴建乡驻地。

7. 四平市区－梨树县城

该同城化单位分布在吉林省中南部的辽河平原。梨树县为四平市的下辖县。该地区为平原，地形平坦，城市建设和产业园区布局的用地条件好。四平市区与梨树县城相距 12 公里，中间有公路连接，双向六车道，交通时间约为 15 分钟。梨树县为农业大县，四平市区为老工业基地，主导产业为特色装备制造业和绿色食品产业。目前，梨树镇、十家堡镇等区域人口可落户四平市区，梨树镇居民子女可入学四平市区学校，医疗保险实行一致的参保结算服务。

8. 辽源市区－东辽县城

该同城化单位分布在吉林市东部的长白山地区。东辽县为辽源市的下辖县。该地区为丘陵山地，但海拔较低，地势较为平坦，城市建设和产业园区布局的用地条件较好。辽源市区与东辽县城的建成区相距 8 公里，中间有铁路、公路和高速公路连接，交通时间约为 10 分钟。辽源市区和东辽县城中间已有元隆达新建工业园、白泉镇区、东北袜业工业园等，产业－人口集聚的载体发展基础较好，同城化的发展态势明显。

9. 长春市区－九台区－吉林市区－德惠市区－公主岭市区－农安县城

该同城化单元分布在吉林省中部地区，主要围绕长春市区分布，覆盖长春市、吉林市和四平市。该地区分布在松嫩平原，地势平坦，城市建设与产业园区布局的用地条件较好。九台区为长春市的下辖区，位于长春城区的东部，距离为 45 公里，有公路、高速公路、铁路和城际铁路连接，交通时间为 20 分钟；中间区段已有龙家堡镇区、饮马河镇区[①]、卡伦镇镇区、九台经济开发区等载体分布。吉林市位于长春城区的东部，距离为 100 公里，有高速铁路连接，交通时间为 30 分钟。德惠市为长春市的下辖县级市，位于长春城区的北部，距离为 70 公里，有高速铁路连接，交通时间为 20 分钟；中间区段已有布海铁路站和沃皮站、米沙子工业园区布局。公主岭市位于长春城区的南部，距离为 60 公里，有高速铁路连接，交通时间为 15 分钟；中间区段已有刘房子镇区、公主岭开发区等载体分布，2019 年吉林省印发《长春—公主岭同城化协同发展规划（2019—2025）》。双阳区为长春市的下辖区，分布在长春城区的东南部，距离为 20 公里，有公路连接，交通时间为 20 分钟；中间区段已有吉通工业园、奢岭街道驻地等载体分布。农安县城位于长春城区的东北部，距离为 53 公里，有高速铁路连接，交通时间为 15 分钟；中间区段已有华家镇区、开安镇区等载体分布。

①龙家堡镇和饮马河镇于 2001 年合并为龙嘉镇，而龙嘉镇于 2016 年撤镇设街道，更名为龙嘉街道。

三、黑龙江省

1. 通河县城 – 方正县城

该同城化单位分布在黑龙江东部小兴安岭与张广才岭之间的松花江冲积平原。通河县和方正县均为哈尔滨市的下辖县，并分布在松花江南北两岸，通河县滨河布局。该地区位于沿河平原，地形平坦，建设用地条件好，但防洪压力大。通河县城与方正县城的距离为 15 公里，中间有松花江间隔但有公路和公路桥连接，交通时间约为 15 分钟。中间区位有松南乡驻地。

2. 富锦市区 – 绥滨县城

该同城化单位分布在黑龙江东部的三江平原地区，覆盖佳木斯市和鹤岗市。富锦市为佳木斯市的下辖县级市，绥滨县为鹤岗市的下辖县。该地区位于平原地区，地形平坦，城市建设和产业布局的用地条件较好。富锦市区和绥滨县城之间分布有松花江，并位居南岸和北岸，距离为 18 公里，中间有公路和公路桥连接，交通时间约为 20 分钟。绥滨县在东侧、富锦市在西侧分别建设了绥滨县中小企业创业基地和富锦市电子商务产业园区。

3. 双鸭山市区 – 四方台区 – 宝山区 – 岭东区 – 集贤县城

该同城化单位分布在黑龙江三江平原和万达岭的交界地区。四方台区、宝山区、岭东区、集贤县均为双鸭山市的下辖县区，其中四方台区和宝山区位于双鸭山市区的东南方向，集贤县位于双鸭山市区北部，岭东区位于双鸭山市区南部。双鸭山市区与集贤县城的距离为 7 公里，中间有铁路、公路和高速公路连接，交通时间约为 10 分钟；沿线为平原地区，用地条件好；中间区位分布有黑龙江能源职业学院、风场创业创新孵化中心。宝山区与双鸭山市区的距离为 20 公里，中间分布有四方台区（四方台区与双鸭山市区距离为 10 公里），并有公路和铁路连接，交通时间约为 20 分钟；多数区段的用地条件较好，中间区段分布有七星镇镇区。双鸭山市区与岭东区的距离为 21 公里，中间有铁路、高速公路和公路连接，交通时间约为 20 分钟；多数区段用地条件较好，中间区段分布有窑地街道、尖山区城南工业园、中心街道、西山街道等人口 – 产业集聚体。

4. 大箐山县城 – 南岔县城

该同城化单位分布在黑龙江北部的小兴安岭林区。大箐山县和南岔县均为伊春市的下辖县区。该地区总体上为丘陵山地地区，两个城区分布在河谷地区，平地较少且狭窄，城市建设和产业布局的用地条件较差。大箐山县和南岔县城区相距 25 公里，中间有公路和铁路连接，交通时间为 30 分钟。沿线地区分布有少量村庄、生产队。

5. 宜春市区 – 乌翠区 – 友好区

该同城化单位分布在黑龙江北部的小兴安岭林区。乌翠区和友好区均为伊春市的下辖区，前者分布在宜春市区的西部，后者分布在伊春市区的北部。该地区为丘陵山地地区，但沿线地区地势平坦，平地面积较大，用地条件较好。宜春市区与乌翠区的距离为 13 公里，中间有铁路、公路连接，交通时间约为 15 分钟；中间区段分布有宜春市工业园、翠东工业区、宜春市电子商务产业园。宜春市区与友好区的距离为 12 公里，中间有铁路和公路连接，交通时间约为 15 分钟；中间区段分布有东升镇区、林都机场。

6. 西林区 – 金林区

该同城化单位分布在黑龙江北部的小兴安岭地区。西林区和金林区均为宜春市下辖区。该地区为丘陵山地，城区分布在沟谷地带，地形复杂崎岖，平地较少，建设用地资源稀少，不利于城市建设和产业布局。西林区和金林区相距 10 公里，中间有公路和铁路连接，交通时间约为 15 分钟，但均分布在河谷地区，用地条件仅能沿着河谷进行布局。中间区段分布有 4 个村庄和金山屯铁路站。

7. 海伦市区 – 绥棱县城

该同城化单位分布在黑龙江西部的松嫩平原。海伦市与绥棱县均为绥化市的下辖县级县市。该地区为平原，地形平坦，土地资源丰富，城市建设与产业布局的用地条件好。海伦和绥棱城区距离为 25 公里，有公路、高速公路和铁路连接，交通时间约为 30 分钟。中间区段分布有海南乡驻地、乐业乡驻地、东边井铁路站、南兴乡驻地。

8. 牡丹江市区 – 海林市区 – 宁安市区

该同城化单位分布在黑龙江东部地区。海林市为牡丹江下辖的县级市，分布在牡丹江市区东部，宁安市亦为下辖县级市，分布在牡丹江市区的南部。该地区为丘陵山地，但地形平坦，平原土地较多，城市建设和产业布局的用地条件较好。海林市城区与牡丹江市主城区、宁安市城区与牡丹江市主城区均有铁路和高速公路连接，前者为 18 公里，后者为 25 公里，交通时间为 20 ～ 30 分钟。海林市城区与牡丹江市主城区的中间区段分布有拉古铁路站，宁安市城区与牡丹江市城区的中间区段分布有西安区台湾农民创业园、黑龙江农业经济职业学院、牡丹江海浪机场、温春镇区、共和绿色中医农业产园区、牡丹江信息科技产业园等产业 – 人口集聚载体。

9. 鸡西市区 – 城子河区 – 恒山区 – 鸡东县城 – 滴道区

该同城化单位分布在黑龙江东部的长白山地区。该地区以丘陵山地为主。城子河区分布在鸡西市区的北部，距离仅为 5 公里，中间分布有桥北开发区、城子河建材广场。滴道区分布在鸡西市区的西部，距离仅为 10 公里，中间有铁路、公路、高速公路连接，交通时间为 10 分钟；中间区段分布有滴道河乡驻地。恒山区分布在鸡西市区的南部，距离为 10 公里，有公路、铁路连接，交通时间为 10 分钟；中间区段分布有东太汽车产业园、立新街道驻地。鸡东县城分布在鸡西市区的东部，距离为 13 公里，中间有铁路、高速公路和公路连接，交通时间为 15 分钟；中间区段分布有鸡西静脉产业园。

10. 林口县城 – 麻山区

该同城化单位分布在黑龙江省东部的长白山地区。林口县和麻山区均为鸡西市的下辖县区。该地区为丘陵山地，但平原面积较大，用地条件较好，适宜城市建设与产业园区布局。林口县城和麻山区城区的距离为18公里，中间有公路、铁路、高速公路连接，交通时间为20分钟。中间区段分布有杨木和奎山及西麻山铁路站、奎山乡驻地。

11. 哈尔滨市区 – 阿城区 – 肇东市区 – 双城区 – 宾县县城

该同城化单位分布在黑龙江中部平原地区，覆盖哈尔滨市、绥化市等地级行政区。该地区地形平坦，用地条件好，城市建设和产业布局的土地资源丰富。哈尔滨城区与阿城城区距离25公里，目前有铁路和高速公路连接，未来有城际轨道交通，交通时间在15分钟左右；中间分布有成高子铁路站、黑龙江省轻工业技工学校、哈尔滨城市职业学院等载体。肇东市为绥化市的下辖县级市，分布在哈尔滨市的西部地区，距离为55公里，有高速铁路连接，交通时间约为15分钟；中间区段分布有姜家镇区、对青山镇区、五站镇区、里木店镇区等载体。双城区为哈尔滨市下辖区，位于哈尔滨城区的南部，距离为50公里，有高速铁路连接，交通时间为12分钟；中间区段分布有五家街道和五家铁路站、幸福街道、新发镇区、哈尔滨太平机场、榆树镇区。宾县为哈尔滨的下辖县，其县城位于哈尔滨城区的东部，距离为60公里，规划建设有高速铁路，交通时间约为12分钟；中间区段分布有蜚克图街道、民主镇区、新香坊铁路站、黑龙江农垦科技职业学院、宾西经济技术开发区、哈尔滨信息工程学院等载体。

12. 肇州县城 – 肇源县城

该同城化单位分布在黑龙江的松嫩平原地区。肇州县和肇源县均为大庆市的下辖县。该地区为平原，土地平坦，城市建设和产业布局的用地条件好。肇州和肇源两城区距离为27公里，有公路和高速公路连接，交通时间约为30分钟。中间区段分布有和平乡驻地。

13. 齐齐哈尔市区 – 昂昂溪区 – 富拉尔基区 – 梅里斯达斡尔族区

该同城化单位分布在黑龙江省西部的松嫩平原地区。梅里斯达斡尔族区分布在齐齐哈尔城区的西部，距离为15公里，中间有公路连接但有嫩江相隔，交通时间约为15分钟。富拉尔基区分布在齐齐哈尔城区的西南部、嫩江西岸，距离为21公里，中间有公路连接但有嫩江相隔，交通时间约为20分钟。昂昂溪区分布在齐齐哈尔城区的南部，距离为15公里，交通时间为15分钟；中间区段分布有齐齐哈尔三家子机场、大民屯铁路站、榆树屯铁路站。

14. 大庆市区 – 让胡路区 – 红岗区 – 安达市区

该同城化单位分布在黑龙江西部的松嫩平原，覆盖大庆市和绥化市。该地区为平原，地势平坦，土地资源丰富，城市建设和产业布局的用地条件好。让胡路区为大庆市下辖区，分布在大庆城区的西部，距离为15公里，交通时间约为15分钟；中间区段分布有大庆市第 14 中学、大庆电子商务产业园、大庆长途客运总站等许多人口 – 产业集聚体，同城化发展的媒介基础好。红岗区为大庆市的下辖区，分布在大庆城区的南部，距离为 24 公里，交通时间为 30 分钟；中间已开发建设了大量的居住小区和产业园区，对接发展的媒介较多。安达市为绥化市下辖的县级市，分布在大庆城区的东南地区，距离为 15 公里，交通时间为 15 分钟，中间有公路、高速公路与铁路连接。

四、蒙东地区

1. 加格达奇区 – 鄂伦春自治旗

该同城化单元分布在大兴安岭林区。该地区为内蒙古行政管辖区和大兴安岭林区的混交地区，加格达奇区为黑龙江省大兴安岭地区的行署所在地，鄂伦春自治旗为内蒙古的少数民族旗。两个城区均分布在丘陵山地的甘河河谷地带，用地狭窄，城市建设和产业园区用地的空间有限。两城区的距离为 30 公里，由铁路线和高速公路串联而形成，交通时间约为 25 分钟，沿线分布有少数村庄和铁路站。

2. 呼伦贝尔市区 – 鄂温克族自治旗 – 陈巴尔虎旗

该同城化单元分布在东北西部的呼伦贝尔草原。呼伦贝尔市主城区主要为海拉尔区，鄂温克族自治旗和陈巴尔虎旗均为呼伦贝尔市的下辖旗县，分别分布在海拉尔区的西侧和南侧。该地区为草原地区，地势平坦且沿河分布，城市建设和产业园区布局的用地、用水条件较好。三个城市建成区沿海拉尔河和锡尼河分布，呼伦贝尔市主城区为海拉尔河和锡尼河汇流处。鄂温克族自治旗城区已与海拉尔区连为一体，海拉尔区与陈巴尔虎城区距离为 27 公里，有高速铁路和高速公路连接，交通便利，交通时间为 15 ～ 20 分钟。

第四节　东北地区同城化地区分类

一、行政级别类型

根据“城”的大小与行政级别，前文将同城化分为主体城市模式、同级城镇模式和组团合并模式。此处，根据具体研究结果，将其分类调整为主体城市模式、同级城镇模式和综合模式。

1. 主体城市模式

该模式共有 22 处同城化空间对。根据地级市区与县城的行政区别，又可以分为三类，如表 10-5 所示。其中，地级市区 – 县城同城化共有 12 处，吉林省有 6 处，辽宁和黑龙江省各有 3 处和 1 处，蒙东地区有 2 处，分布在延吉市、通化市、吉林市、通化市、白城市、四平市、辽源市、牡丹江市、呼伦贝尔市、葫芦岛市、锦州市、辽阳市。地级市区－地级市区（组团合并模式）有4处，其中黑龙江省有2处，吉林和辽宁省各有1处，分布在本溪市、白山市、宜春市、齐齐哈尔市。地级市区－地级市区－县城模式共有6处，黑龙江和辽宁省各有3处，分布在大庆市、双鸭山市、鸡西市、营口市、阜新市、盘锦市。

表10-5 东北地区同城化行政级别类型

模式		同城化地区	数量
主体城市模式	市区－县城	图们市－延吉市－龙井市、通化市－通化县、吉林市－永吉县、白城市－洮南市、四平市－梨树县、辽源市－东辽县、牡丹江市－海林市－宁安市、呼伦贝尔市－鄂温克族自治旗－陈巴尔虎旗、葫芦岛市－兴城市、锦州市－凌海市、辽阳市－辽阳县－鞍山市－海城市、加格达奇区—鄂伦春自治旗	12
	市区－市区	本溪市－溪湖区－明山区、白山市－江源区、宜春市－乌翠区－友好区、齐齐哈尔市－昂昂溪区－富拉尔基区－梅里斯达斡尔族区	4
	市区－市区－县城模式	大庆市－让胡路区－红岗区－安达市、双鸭山市－四方台区－宝山区－岭东区－集贤县、营口市－大石桥市－老边区、阜新市－阜新县－新邱区、鸡西市－城子河区－恒山区－鸡东县－滴道区、盘锦市－双台子区－盘山县	6
同级城镇模式	县城－县城模式	梅河口市－东丰县、通河县－方正县、绥滨县－富锦市、大箐山县－南岔县、海伦市－绥棱县、肇州县－肇源县、建平县－凌源市、瓦房店市－普兰店区、法库县－调兵山市、昌图县－开原市	10
	县城－市区模式	林口县－麻山区、盖州市—鲅鱼圈区	2
	市区－市区模式	西林区－金林区	1
综合模式		沈阳市－抚顺市－铁岭市－新民市－本溪市－灯塔市－辽中区、长春市－九台区－吉林市－德惠市－公主岭市－农安县、哈尔滨市－阿城区－肇东市－双城区－宾县	3

2. 同级城镇模式

该模式共有13处同城化空间对。根据城镇的行政级别，又可分为县城－县城模式、县城－市区模式、市区－市区模式。县城－县城模式较多，共有10处；其中，辽宁省有4处，分别分布在朝阳市、大连市、沈阳市、铁岭市；吉林省有1处，分布在通化市，黑龙江省有5处，分布在大庆市、哈尔滨、绥化市。县城－市区模式较少，仅有2处，分布在黑龙江的牡丹江市和辽宁的营口市；市区－市区模式仅有1处，分布在黑龙江的宜春市。

3. 综合模式

该模式主要有3个地方，分别围绕哈尔滨、沈阳和长春三大省会城市而形成，集中分布在哈大铁路沿线地区。该模式的“城”既有省会城市市区，也有地级城市市区和县城，形成各级城镇共同参与的同城化模式。

二、单元数量类型

根据“城”的数量，前文将同城划分为双城模式、多城模式，如表10-6所示。

1. 双城模式

该模式主要由两个空间单元实施同城化，为典型的双城记模式，相向发展是其主要方向，尤其是中间的乡镇或工业园区成为重要的结合点与媒介。该模式共有22处，比重为57.9%，具有较高的数量优势。其中，辽宁省有7处，黑龙江省有7处，吉林省有7处，蒙东地区有1处，主要覆盖朝阳市、葫芦岛市、锦州市、营口市、大连市、吉林市、白山市、通化市（2个）、白城市、四平市、辽源市、大兴安岭地区、沈阳市、铁岭市、哈尔滨市、佳木斯市、宜春市（2个）、大庆市、牡丹江市、绥化市等地区。

表10-6　东北地区同城化的城镇数量类型

省区	同城化地区	数量
双城模式	建平县－凌源市、葫芦岛市－兴城市、锦州市－凌海市、盖州市－鲅鱼圈区、瓦房店市－普兰店区、吉林市－永吉县、白山市－江源区、通化市－通化县、梅河口市－东丰县、白城市－洮南市、四平市－梨树县、辽源市－东辽县、加格达奇区－鄂伦春自治旗、法库县－调兵山市、昌图县－开原市、通河县－方正县、绥滨县－富锦市、大箐山县－南岔县、肇州县－肇源县、林口县－麻山区、西林区－金林区、海伦市－绥棱县	22
多城模式	盘锦市－双台子区－盘山县、营口市－大石桥市－老边区、辽阳市－辽阳县－鞍山市－海城市、呼伦贝尔市－鄂温克族自治旗－陈巴尔虎旗、阜新市－阜新县－新邱区、沈阳市－抚顺市－铁岭市－新民市－本溪市－灯塔市－辽中区、本溪市－溪湖区－明山区、图们市－延吉市－龙井市、长春市－九台区－吉林市－德惠市－公主岭市－农安县、双鸭山市－四方台区－宝山区－岭东区－集贤县、牡丹江市－海林市－宁安市、鸡西市－城子河区－恒山区－鸡东县－滴道区、哈尔滨市－阿城区－肇东市－双城区－宾县、齐齐哈尔市－昂昂溪区－富拉尔基区－梅里斯达斡尔族区、大庆市－让胡路区－红岗区－安达市、宜春市－乌翠区－友好区	16

2. 多城模式

该模式由两个以上的城区单元实施同城化。该模式共有16处，比重为42.1%。多城模式往往涉及不同的地级行政区，甚至涉及不同的省份。虽然城市规模与行政级别复杂，分布区位差异也较大，但该模式的核心发展方向是向中心城市对接。其中，辽宁省有6处，吉林省有2处，黑龙江有7处，蒙东地区有1处。主要分布在盘锦市、营口市、辽阳市、鞍山市、呼伦贝尔市、阜新市、沈阳市、抚顺市、本溪市、延吉市、长春市、吉林市、双鸭山、牡丹江市、鸡西市、哈尔滨市、齐齐哈尔市、大庆市、宜春市。

三、空间形态类型

不同的城区单元实施同城化，在空间呈现出不同的形态。本研究将其分为四种模式，分别为大都市区模式、中心城市模式、新增长极模式和城市带模式，如表10-7所示。空间模式的不同意味着同城化的方向与内容也存在较大的差异。

表10-7　东北地区同城化的城数量类型

省区	同城化地区	数量
大都市区模式	哈尔滨市－阿城区－肇东市－双城区－宾县、沈阳市－抚顺市－铁岭市－新民市－本溪市－灯塔市－辽中区、长春市－九台区－吉林市－德惠市－公主岭市－农安县	3

续表

省区	同城化地区	数量
中心城市模式	葫芦岛市－兴城市、锦州市－凌海市、吉林市－永吉县、白山市－江源区、通化市－通化县、白城市－洮南市、四平市－梨树县、辽源市－东辽县、加格达奇区－鄂伦春自治旗、呼伦贝尔市－鄂温克族自治旗－陈巴尔虎旗、阜新市－阜新县－新邱区、双鸭山市－四方台区－宝山区－岭东区－集贤县、牡丹江市－海林市－宁安市、鸡西市－城子河区－恒山区－鸡东县－滴道区、齐齐哈尔市－昂昂溪区－富拉尔基区－梅里斯达斡尔族区	15
新增长极模式	建平县－凌源市、盖州市－鲅鱼圈区、瓦房店市－普兰店区、梅河口市－东丰县、法库县－调兵山市、昌图县－开原市、通河县－方正县、绥滨县－富锦市、大箐山县－南岔县、肇州县－肇源县、林口县－麻山区、西林区－金林区、海伦市－绥棱县	13
城市带模式	盘锦市－双台子区－盘山县、营口市－大石桥市－老边区、辽阳市－辽阳县－鞍山市－海城市、本溪市－溪湖区－明山区、图们市－延吉市－龙井市、大庆市－让胡路区－红岗区－安达市、宜春市－乌翠区－友好区	7

1. 大都市区模式

该模式主要是围绕省会城市而形成，覆盖同城化的空间单元较多。本研究共识别出3处。该模式重点是省会城市与周边邻近的中小城市实行产业、人口、城市功能的同城化布局，发展要点是周边邻近中小城市积极对接省会城市，接受省会城市的产业、人口等各类要素的疏解与扩散，而省会城市则进一步虹吸周边城市的高端要素。

2. 中心城市模式

该模式主要是围绕地级城市而形成，主要是对下辖县区实施同城化。该模式的发展要点是以地级城市区为核心，加快临近县城或城区向其延伸发展，扩大地级城区的发展规模与空间容量，有利于将地级城市培育成大城市和特大城市。该模式共有15处，其中辽宁省有3处，吉林省有6处，黑龙江省有4处，蒙东地区有2处。这些单元分布在葫芦岛市、锦州市、吉林市、白山市、通化市、白城市、四平市、辽源市、大兴安岭地区、呼伦贝尔市、阜新市、双鸭山市、牡丹江市、鸡西市、齐齐哈尔市。

3. 新增长极模式

该模式主要是两个县级空间单元实施同城化，以形成新的增长极。该模式的重点是培育新的增长区域，这也是本研究的重要出发点。该模式共有13处，其中辽宁省有5处，吉林省有1处，黑龙江省有7处。主要分布在朝阳市、营口市、大连市、通化市、沈阳市、铁岭市、哈尔滨市、佳木斯市、宜春市（2个）、大庆市、牡丹江市、绥化市。

4. 城市带模式

该模式强调实施同城化的空间单元至少为三处，而且位于同一伸展方向上，形成连续的城市建成区分布。该模式的重要载体是交通轴线，两端城市向中间城市对接，中间城市则双向对接。该模式共有7处，其中辽宁省有4处，吉林省有1处，黑龙江省有2处。分别分布在盘锦市、营口市、辽阳市、本溪市、延吉市、大庆市、宜春市。

四、自然地理类型

1. 平原地区

该模式主要是指同城化单位分布在平原地区。这类地区地形平坦，土地资源丰富，城市建设和产业布局的用地条件最好，而且水资源相对丰富。但这类地区往往存在建设用地与耕地保护的矛盾与冲突。该模式是实施同城化战略最具潜力的地区。该模式共有 17 处，数量较多，所占比例较高，达到 44.7%，如表 10-8 所示。这些同城化单位主要分布在辽河平原、松嫩平原和三江平原地区。

表 10-8　东北地区同城化的地貌类型

省区	同城化地区	数量
平原地区	沈阳市－抚顺市－铁岭市－新民市－本溪市－灯塔市－辽中区、长春市－九台区－吉林市－德惠市－公主岭市－农安县、哈尔滨市－阿城区－肇东市－双城区－宾县、锦州滨海－葫芦岛市－兴城市、锦州市－凌海市、盘锦市－双台子区－盘山县、盖州市－鲅鱼圈区、瓦房店市－普兰店区、营口市－老边区－大石桥市、辽阳市－辽阳县－鞍山市－海城市、肇州县－肇源县、四平市－梨树县、白城市－洮南市、阜新市－阜新县－新邱区、昌图县－开原市、海伦市－绥棱县、大庆市－让胡路区－红岗区－安达市	17
丘陵山地	凌源市－建平县、林口县－麻山区、辽源市－东辽县、宜春市－乌翠区－友好区、延吉市－图们市－龙井市、梅河口市－东丰县、牡丹江市－海林市－宁安市、鸡西市－城子河区－恒山区－鸡东县－滴道区	8
沟谷地区	本溪市－溪湖区－明山区、白山市－江源区、通化市－通化县、西林区－金林区、大箐山县－南岔县、加格达奇区－鄂伦春自治旗、双鸭山市－四方台区－宝山区－岭东区－集贤县	7
隔山地区	法库县－调兵山市、延吉市－图们市－龙井市、吉林市－永吉县	3
跨河地区	通河县－方正县、富锦市－绥滨县、齐齐哈尔市－昂昂溪区－富拉尔基区－梅里斯达斡尔族区、呼伦贝尔市－鄂温克族自治旗－陈巴尔虎旗	4

2. 丘陵地区

该模式的同城化单位主要分布在丘陵地区。该类地区以丘陵山地地貌为主，地形复杂，地表破碎，海拔落差大，平坦土地有限。该模式的城市建设和产业布局的潜力较小，但具体要取决于城区周边地区及交通轴线地区的地形条件。该模式共有 8 处，占比达到 21%。这些同城化单位主要分布在小兴安岭和长白山地区。

3. 沟谷地区

该模式主要是指同城化单位分布在丘陵山地的沟谷地带，地形复杂，地势落差大，平地资源极少，用地狭窄，不利于城市建设拓展及产业布局，取水虽然方便但有防洪压力。该模式的同城化潜力较小。该模式覆盖 7 个地区，数量占比为 18.4%。这些同城化单位主要分布在辽东山地、长白山、小兴安岭和大兴安岭地区。

4. 隔山地区

该模式主要是指两个城区虽然空间距离较近，但有山体阻隔，城区联系通道较少。中间区段的用地条件极差，产业发展和城镇建设的空间极为有限。该模式主要 3 处地区，数量占比为 7.9%。该模式的同城化建设重点是如何科学利用好中间山体建设生态功能区、生态绿心及休闲旅游区。

5. 跨河地区

该模式主要是指同城化单位分布在河流地区，沿河流布局并分布在河流两岸，中间通过公路桥梁连接。该模式具有较好的水资源条件，用地条件也较好，但有防洪压力。因河流条件和城区具体区位不同，该模式具有不同的同城化发展情景。该模式主要覆盖 4 个地区，占比为 10.6%。该模式的同城化建设重点是如何加强跨河通道建设，如何开发利用滨河资源建设休闲娱乐功能区。

第五节　东北地区同城化发展战略

紧紧围绕“一张图”和“一盘棋”，聚焦基础设施全网络、产业全链条、民生全卡通、环保全流域，实施规划编制一体化、区域布局一体化、基础设施一体化、产业发展一体化、城乡建设一体化、市场体系一体化和社会发展一体化，推动基础设施共建共享、产业发展合作共赢、公共事务协作管理，实现交通同环、电力同网、金融同城、信息同享和环境同治（帅晓玲，2010）。

一、体制机制

1. 空间利用规划

同城化的空间表象是土地开发利用。规划是一个地区发展的总纲、龙头和关键，同城化建设必须“有法可依”，以实现规范化与制度化。规划编制必须更新城市与区域规划理念，以系统化思维进行指导。同城化的建设必须要实现同城单元的战略融合，制定相应的方案来推进一体化建设，在空间规划与行业规划上实现两个或多个单元组织开展统一研究、统一编制、统一实施、统一建设。这些规划领域涉及土地利用、城市建设、产业布局、基础设施、市政设施等，对这些要素的空间配置做出明确规定，实现土地利用开发的一张图，为同城化发展提供统一方案。这种方式是国内各同城化地区普遍采用的发展模式。在沈阳 – 抚顺同城化过程中，沈阳市确定了“南拓、北扩、西延、东优”的战略，抚顺市制定了“西进、东优、北拓、南治”的空间发展战略，沈阳市的“西延”和抚顺市“东优”相对接（桑秋等，2009）。

“突出重点”是同城化建设的重要策略，必须设计创造同城化的媒介和触发点。中间地带是同城化城镇间的人流、物流必经地区，是同时接受两个城区辐射带动的区位。中间地区的空间开发尤为重要，这是触动两个城区相向发展的媒介和关键。同城化单位加强中间跨界地区的空间规划，重点围绕镇区、乡政府驻地、产业园区、大学城、农业园区、建材园区、物流园区等人口 – 产业集聚体编制规划建设方案，以创造培育同城化的建设媒介。

综合性规划的编制主要由同城化单位的上级政府来组织开展。具体实施方案可由同城化单位负责编制，实施产业、交通、城市建设、能源、信息、通信、教育、文化、旅游、商贸等各方面的空间布局、时序目标与建设内容，并由各主管部门负责落实重大工程建设。

2. 管理体制机制

同城化的核心是城镇间形成高效的协调与合作机制，要点是破除行政束缚与地方保护主义、地方竞争，通过正式或非正式的制度安排建立高度协调机制。

（1）同城化城镇应联合成立领导小组，由行政领导担任组长，由主管部门担任重要成员，负责同城化过程中重大项目的决策和协调工作，解决突出的难点问题与重大矛盾。南京都市圈就成立了都市圈党政领导联席会议制度、南京都市圈城市发展联盟等，广佛同城化也建立了领导小组。

（2）制定行政领导联席会议和工作协调会议制度，高规格、大力度指导协调推进同城化发展。西咸、广佛、长株潭等同城化地区在建设过程中，建立了市长联席会议制度，定期轮流举办。

（3）在推进同城化发展和经济圈建设的过程中，各地均建立了相应的组织协调机构。需要建立统一的同城化地区管理机构，配置专一化职能并赋予一定的行政级别，以贯彻落实同城化战略与同城化规划方案。下设联席会议办公室和专责小组，重点挂靠在住建部门或发改部门。

（4）必要时可发挥行政区划调整的作用，在存在上下级管辖的地区，可实施“撤县设区”。在具备条件的地区，可实施代管托管，将相对落后单元交由发达单元进行代管和托管。

专栏 10-1　行政托管

行政托管的实质是行政管理权的让渡，将行政“所有权”和“经营权抄”分离，本质上是行政权力的再次分配。行政托管是在不改变行政区划的前提下，上级政府设立派出机构，主要是采用委托或建立某一开发区管委会、县（区）对原属不同行政区的乡镇或特定区域的经济社会管理权限，从而推动经济增长和区域协调发展的一种行政权力和管理职能的分配模式。派出机构就是托管机构。行政托管可以节省大量的人力资源投入与行政成本，达到开支压缩和机构精简的目的，但可以提供高效的行政服务。行政托管的模式在中国开发区的管理中得到了广泛应用，并形成半托管与完全托管两类模式。

（5）加强领导干部的任职交流，促进同城化单位之间的交叉任职和干部交流，促进相互了解与行政文化认同，提高同城化的向心力。

（6）同城化发展过程需要投入大量资金，参与城镇应从各自财政出资，联合设立“同城化发展基金”，为同城化建设提供基本的资金支持。出资模式与比例根据各城镇的具体情况而定，并积极吸引民间资本注入。

（7）加大舆论宣传。通过各种新闻媒体与现代通信手段，加大同城化战略、规划与政策的社会宣传，注重引导社会舆论氛围，增强民众关注度，为同城化战略的实施营造良好民情民意基础。以此，可以减少拆迁征地的难度，同时吸引民间资本参与同城化的项目建设与运营。

二、基础设施与公共服务

1. 基础设施网络

要发挥基础设施先行的引导作用，加强基础设施共建共享，重点推动以交通为主的基础设施一体化，为同城化建设提供支撑，并塑造同城化发展的环境与条件。

（1）加强交通基础设施建设。加快完善城际之间的公路、铁路、高速公路、轨道等基础设施建设，构建运行高效、服务能力强的一体化综合交通运输体系。突出建设同城化城区之间交通主通道，建设高效便捷、运输容量大的快速主通道，支撑两个城区之间的主要客货流。在大都市区，要规划建设城际铁路或轨道体系，实现城际直达。以此，实现同城化单元间的高速化、容量化与网络化交通组织。

（2）共享大型枢纽性基础设施。共建共享物流园区、建材市场，尤其是城区对接地区建设区域性物流中心、物流园区、建材市场、汽配市场、批发市场、农贸市场。共享机场与铁路站、高铁站、高速公路出入口，不再单独建设机场。

（3）在具备条件的同城化单元，积极推进能源设施共享，共享热电厂。

（4）统筹大型市政公用设施建设，重点围绕供排水、供电、供电、燃气、水务、环卫等领域，推动各项市政设施的共享与联网，合理规划，同步建设。

（5）共同推进通信信息一体化，实现基础通信网、无线宽带网、数字电视网等信息设施的融合同网。

2. 公共服务体系

加强公共服务体系建设，统筹推进交通运输、通信信息、金融、教育等领域的同城化建设与服务供给，可以为同城化发展塑造环境，共建优质生活圈，为居民提供发展福利，并有利于推动地域与文化认同。

（1）加强交通运输组织，延长对接公交路线，加密运输班次，促进长途交通向“城市公交化”转变。加强交通运输管理与服务同城化，实行车辆通行费年票互认、公交卡互通。扩大出租车同城化服务，实行出租车营运一体化管理，实施区域大牌照，统一管理费、票据、价格。在具备条件的都市区地区，实施地铁轻轨一张网、一票通。撤销原城际间的所有公路收费站。

（2）电信电视广播同城，全面取消移动电话长途和漫游资费，调整移动电话资费套餐逐步同价，同网同价，统一为大区号。整合双方广播电视节目，实施统一频率播放。

（3）医疗同城，推进医疗资源共享，实施医保同城化结算，提供同城化医疗信息服务，建立门诊通用病历、双向转诊机制、临床用血应急调配机制、重大传染病联防联控机制。促进医务人员交换流动，实施医疗报销、医疗报告互认。

（4）教育同城，提供一致的教育机会，实施公平就学。鼓励同城化单位联合组建职教联盟，共同开发优质教育网络资源。在幼儿园、小学、初中教育方面，不再受户口限制。推动中小学教师在不同地区轮流入职，实现优质教育资源共享。

（5）文化旅游同城化。两地实行旅游卡互认制度，推行互认的公园年卡。对本地人免费游览的重要景区，要共享免费权力。推动图书馆、博物馆、展览馆等对同城化单位居民一致，两市居民享受同等待遇。鼓励两地体育场馆双向免费开放。

（6）金融同城。金融结算实现通存通兑，免收手续费，允许个体工商户自主选择银行申请贷款。充分利用两地金融市场资源，共同打造区域金融服务体系，银行汇款取消异地结算而实施同城结算，发行“城际一卡通”，推动公交、出租车、公共自行车、长途客运站等公共交通领域、公用事业缴费、商业消费领域等的机具升级和改造，实施金融同城化。

三、经济产业

1. 产业布局

产业发展是同城化的重要方面。同城化单位之间必须规避竞争，促进两个或多个城区的产业资源、园区建设与企业布局在更大的空间内进行优化配置，加强对接，合理分工，协调布局，形成供应链和产业链网络，共同打造竞争力，形成联系更加紧密、共同繁荣的经济圈。

（1）根据同城化单位的发展阶段与规模实力，实施不同的产业发展策略。在大都市区域和中心城市模式的同城化地区，积极促进大城市或中心城市的生产活动转移到邻近的中小城镇。在城镇地位对等的地区，重点是促进产业错位发展。

（2）大城市市区重点发展研发、总部集聚中心、商务会展、金融、信息服务、文化创意、科研教育，建设现代服务业中心，发展总部经济，引领和服务区域发展。

（3）中小城市重点发展工业生产与商贸集散业，建设制造中心、资源加工中心、仓储中心、物流中心。

（4）坚持“错位发展”，发挥两地的产业特色，加强产业链延伸，实施分工协作、联动互补、互相配套，重视各类园区的互补发展，规避企业恶性无序竞争。

（5）加强产业合作发展载体建设，共建产业园区，尤其是在城镇之间的中间地带共建产业园区。

（6）共建技术创新平台和公共服务平台，共享创新资源。

（7）共同开发能源资源和矿产资源。

2. 市场网络

同城化的目的是消除行政壁垒，实现各类生产要素和商品的自由流动，形成统一的市场网络。同城化单位重点从市场规则、信息平台、流通网络、市场监管等方面推进一体化市场建设。

（1）打破行政区划，围绕行政许可、资质认定、行政处罚、市场价格等，共建统一的区域性市场规则体系，消除市场准入的体制机制障碍，促进原材料、资本、技术、劳务和商品的自由流通，为同城化发展奠定物质基础。

（2）充分利用互联网等现代技术，促进市场信息共享互通，共用或联通市场信息平台，在具备条件的城市推进电子口岸平台互联互通。

（3）共建流通设施与物流网络，重点共建共用仓储仓库、物流园区、物流中心、配送中心、大型批发市场，形成一体化的现代物流体系。

（4）推动市场监管共治，构建以信息信用监管为核心的监管体系，重点建设商务诚信体系平台，推进执法监管平台开放共享，执法互助，建立规范的市场秩序，实行信用体系互认，实现“守信联合激励，失信联合惩戒”。

四、城市功能

1. 城市功能优化

同城化的目的是在多个城市单元内实现城市功能的协调互补，实施整体效能最大化，共同打造宜居宜业环境。

（1）推动不同城市单元形成专业化、差异化的城市功能。中心城市重点发展高端化功能与服务性职能，次级城市或中小城镇重点发展生产功能与专业化职能，实现同城化单位之间的功能互补。

（2）加强城市人居环境的共同建设，尤其是将两城区连接带打造为环境良好、优美和谐的景观走廊。对具有共同水源或上下游或左右岸关系的同城化单元，联合推进水源水质保护与污染治理，建立健全联合执法制度；共同加强跨界丘陵山地的森林保护。协同建立重污染天气应急机制，联合实施大气污染防治措施。

（3）共筑新城。在中间地带用地条件没有限制的前提下，坚持将新兴职能布局在中间区位，尤其在具有中间优势的镇区、产业园区，实施镇城融合、产城融合，合力共筑新城。这些新兴城市职能包括商务金融、大学城、高等院校分校、大型会展与文化创意中心、农业科技园、产业园区、大型企业、大型购物中心。

（4）如果同城化单元的中间地带存在山体、河流、湖泊等地形地貌条件，要充分利用丘陵山地和河流湿地建设绿心、绿脉，重点可以建设森林公园、城市公园、休闲郊野公园、滨河景观廊道。

2. 区域历史文化

文化是城市的灵魂，也是增强居民地域认同感的心理基础。

（1）构建“大文化”与“城市精神”。以历史认同和现代传承为主线，充分发挥历史传统、精神积淀、社会风气、市民素质等方面的存量优势，促进文化要素与思想精神的凝聚，通过观念文化、制度文化和物质文化的全面沟通与交流，构建区域文化认同和价值取向，为同城化建设注入活力和灵魂，提升同城化的凝聚力、传播力和渗透力，不断提高区域文化竞争力。

（2）根据同城化城镇的共同自然地理环境、共性精神、风情及物质设施，设计共用的城市标识与城市形象。

（3）整合旅游资源，优化旅游发展环境，联合设计旅游路线，共同开展市场营销推介，构建旅游大市场。

（4）共同策划、联合举办各类节会活动与展销会。

3. 社会民生管理

行政管理是实现同城化建设的基础部分，包括政务、就业市场、社会保障、社会福利等方面。

（1）政务互通。同城化城镇尤其是中间地区要加快推进行政事务互通，重点推动工商登记、经营许可、投资项目核准、房屋施工许可、法律监察、税务办理、城市管理等事项实现跨城通办。

（2）实施就业同城。建立人力资源市场供求信息共享机制和就业信息服务平台、劳动就业服务管理资源库，促进劳动力规范有序合理流动，就业不受区域限制。

（3）实施社会保障体系同城，建立各种社会保险信息共享与监督机制，实施社保保险、养老保险、医疗保险、失业保险、生育保险“互认”，实施养老、失业等保险关系无障碍转移，享有同等报销比例。

（4）社会福利同城化。统一老人及残疾人的优待条件，发放统一的优待证，统一发放优待证，让老人在乘公交、逛公园等方面享受相同优待。

第十一章
东北特殊类型地区发展指引

特殊类型地区是重要的区域类型，是在区域发展格局中具有独特地位、职能或功能，或呈现特殊发展状态的地区，大致由特殊地区与问题区域组成。东北地区因其特殊的地理区位、地缘条件、自然环境、资源开发及历史发展过程，形成了大量具有特殊功能的地区，包括林区垦区、少数民族地区、边境地区、相对贫困地区和资源型城市。随着发展环境的变化，这些地区成为东北发展的问题地区与短板区域，成为全面振兴不可回避的焦点地区。本章主要是从问题地区的视角，以促进区域协调发展与培育新增长空间为目标，分析东北特殊类型地区的振兴发展路径。重点阐释了各类地区的基本范围、总体发展状况，提出了各类地区的振兴发展路径，包括特色产业与资源利用、社会事业与民生条件、基础设施与公共服务、城镇布局与更新改造、生态保护与环境治理。

本专题主要得出以下结论。

（1）东北地区是我国开发较晚的地区，新中国成立以来的开发建设形成了庞大的国有林区与农垦系统。未来一段时间，东北地区的林区垦区要继续优化局场和城镇布局，促进人口集聚；完善交通、能源、农田水利、森林管护等基础设施网络，提高区域发展能力；促进社会事业全面发展，健全社会保障体系。

（2）东北地区是许多少数民族的世居地区和集聚地区，要以团结稳定和共享繁荣为目标，深入开展民族团结进步活动，弘扬创新传统少数民族文化，推动宜居民族地区建设，壮大特色产业与民族产业。东北地区有着漫长的边境线，边境地区要坚持“富民、兴边、强国、睦邻”宗旨，促进特色优势产业发展，改善边境地区基础设施条件，加强与周边国家互联互通，提升沿边开发开放水平，加强生态护边建设，建设繁荣稳定和谐边境。

（3）东北地区有着较多的贫困地区，未来要创把巩固脱贫成果、培育致富能力作为首要任务，新“后扶贫时代”的工作体制机制，继续加大基础设施建设，发展特色农林牧业，有序开发矿产资源，完善社会保障事业。长期的工业化培育了大量的资源型城市，东北资源型城市要围绕“接续替代产业”、“独立工矿区”和“沉陷区”等重点问题，有序开发综合利用资源，构建多元化产业体系，切实保障和改善民生，加强生态环境保护，促进城镇更新改造，打造新的产业基地。

第一节　林区垦区城乡建设

一、发展现状

1. 林区局场

林区是东北地区的特殊区域，覆盖范围较广，面积较大。东北地区共有五个国有林区，分别为内蒙古森工集团、吉林森工集团、龙江森工集团、大兴安岭林业集团、长白山森工集团，共设有 92 个国有林业局。东北林区共经营面积 4.9 亿亩，占全国国有林区经营面积的 67%。具体如表 11-1 所示。

表 11-1　东北林区的基本情况

林区名称	面积 / 万平方公里	覆盖县市	森林面积 / 万平方公里	林业局数量 / 个
内蒙古大兴安岭林区	10.7	牙克石市、扎兰屯市、根河市、额尔古纳市、鄂伦春自治旗、鄂温克族自治旗、阿荣旗、莫力达瓦达斡尔族自治旗、阿尔山市	8.2	19
大兴安岭林业集团	8.35	加格达奇、呼中县、塔河县、呼玛县、漠河县	8.03	10
龙江森工集团	10.06	小兴安岭地区	8.29	44
吉林森工集团	1.35	柳河、靖宇、抚松、江源、临江、桦甸、蛟河、敦化	1.22	8
长白山森工集团	4.07	长白山地区	3.26	11

内蒙古大兴安岭重点国有林区：覆盖呼伦贝市、兴安盟 9 个旗县市，包括牙克石市、扎兰屯市、根河市、额尔古纳市、鄂伦春自治旗、鄂温克族自治旗、阿荣旗、莫力达瓦达斡尔族自治旗、阿尔山市。东接黑龙江大兴安岭，西接呼伦贝尔草原，南至吉林洮儿河，北部和西部与俄罗斯、蒙古国毗邻；面积达 10.7 万平方公里，森林面积达 8.2 万平方公里，占大兴安岭森林面积的 46%。下设 19 个林业局，牙克石市是政治经济文化中心。

大兴安岭林业集团：经营面积为 802.8 万公顷。下设 10 个林业局和 61 个林场，加格达奇是政治经济文化中心；林区覆盖人口 53 万人。

龙江森工集团：覆盖小兴安岭、完达山、张广才岭，跨 10 个地市的 37 个县市，总经营面积 10 万平方公里。下设 4 个林管局和 40 个林业局、627 个林场，覆盖人口 167 万人。

吉林森工集团：位居长白山林区，经营面积达 134.8 万公顷。下设 8 个林业局。

长白山森工集团：地处中朝俄三国交界处，经营面积达 230 万公顷。延吉市是其政治经济中心，林区覆盖人口 150 万人。下设 10 户国有森林企业、1 户森林经营局。

2. 垦区农场

东北地区作为中国开发较晚的地区，新中国成立以来形成了大量的国有农场，尤其是农垦系统较为完善。这成为东北地区的特殊类型地区，并主要分布在平原。

东北地区共有国有农场413个，占全国总量的23.22%，接近四分之一，如表11-2所示。其中，黑龙江最多为113个，辽宁和内蒙古分别有109个和103个，吉林较少，为88个。四省区国有农场共有耕地38 222平方公里，占全国国有农场耕地面积的61.54%，耕地资源比较集中；其中黑龙江覆盖面积最多，为28 853平方公里。四省区共有大中型拖拉机87 641台，占全国总量的49.58%，其中黑龙江最多，达到68 544台。

表11-2 东北地区的国有农场概况

地区	农场数 / 个	职工 / 万人	耕地 / 平方公里	大中型拖拉机 / 台	农业产值 / 亿元
全国	1 779	324	62 105	176 750	3 356.3
内蒙古	103	1	6 602	10 566	104
辽宁	109	25.4	1 551	4 340	178.5
吉林	88	4.5	1 216	4 191	37.1
黑龙江	113	43.7	28 853	68 544	1 058.1
四省区合计	413	74.6	38 222	87 641	1 377.7
四省区占全国比例 /%	23.22	23.02	61.54	49.58	41.05

黑龙江北大荒集团的前身是黑龙江农垦系统，是目前黑龙江国有农场的主体。黑龙江农垦系统下属9个分公司 / 管理局，拥有113个农牧场，覆盖人口157.9万人，土地面积达到543.9万公顷。黑龙江垦区地处东北部小兴安岭南麓、松嫩平原和三江平原地区，分布在黑龙江省12个地市。管理局包括宝泉岭管理局、红兴隆管理局、建三江管理局、牡丹江管理局、北安管理局、九三管理局、齐齐哈尔管理局、绥化管理局、哈尔滨管理局。

3. 基本特征

林区垦区既是行政空间，又是生产空间和企业，拥有独特的空间属性与发展问题。

（1）地位重要。大小兴安岭林区、长白山林区是中国面积大、纬度最高、国有林最集中、生态地位最重要的森林生态功能区和木材资源战略储备基地，为东北平原、华北平原营造了适宜的农牧业生产环境，是黑龙江大小水系的主要源头和水源涵养区，在维护国家生态安全、保障国家长远木材供给等方面具有不可替代的作用。农垦系统主要分布在三江平原地区，是中国湿地分布最为集中的地区。

（2）方式改变。中华人民共和国成立以来，林区垦区在昔日人迹罕至、基础设施几近为零的原始林区和荒地建立起星罗棋布的小城镇，开垦出大面积的耕地资源，形成了比较完备的林业农业生态体系、产业体系和社会体系。长期的高强度开发，导致东北国有林区生态功能退化、可采林木资源锐减。2015年以来，东北地区的各国有林场均停止采伐天然林，进入了休养生息的阶段。在该过程中，大量的国有林场职工面临转型就业，林场林局城镇面临功能优化与属地化整合。

（3）问题较多。目前，林区垦区生态系统破坏严重，自然灾害频繁发生。大小兴安岭林区林缘向北退缩了100多公里，湿地面积减少了一半以上，多年冻土退缩，局部地区沙化加剧，洪涝、干旱、森林火灾和病虫等自然灾害频发，生态功能严重退化。产业结构极其单一，“农业”经济和“木头经济”显著，经济发展滞后。基础设施建设滞后，民生问题十分突出，职工生活困苦，居民居住条件极其简陋，生产生活极为不便。

二、发展路径

1. 优化局场和城镇布局

综合考虑林区垦区局场、人口分布现状和局场职能转变等因素，合理调整林区垦区局场和城镇布局，撤并部分局场，加快小城镇建设，促进人口集聚。

调整局场布局。有序调整局场，辖区内无作业任务或地处偏远深山的林业局、林场要坚决撤并；经营面积小于20万公顷、有林地面积小于10万公顷，林业局之间距离不足20公里的林业局，原则上要撤并整合；每个林业局保留5～8个林场，减轻深山区和自然保护区核心区的生态压力。调整后的林业局、林场要与林区小城镇建设紧密结合、相互促进，努力实现基础设施和公共服务的资源共享和高效利用。赋予垦区场部与人口和经济规模相适应的管理权，在保障性住房、基本公共服务等方面实现与城镇同等待遇。

优化林区城镇布局。按照场局城市化、场部城镇化、场队社区化和职工市民化方向，将农垦、林场纳入当地城镇体系规划建设，实现无缝对接融合，与周边城镇同规划、同建设。远离中心城镇的林（农）场场部以发展成为功能设施齐全、公共服务配套的新型小镇为方向，按照重点镇标准规划建设。

完善林区中心城市的综合引领职能，加快建设一批小城市和重点镇，引导林区局场和人口向中小城市和重点镇集聚。完善加格达奇、伊春、黑河、海拉尔等城市的政治、经济、文化、交通、对外合作等功能，构筑林区产业转型、森林生态保护与资源管理的载体。依托中心城市，探索林区经济转型、对外开放、区域合作的新模式，促进人口、产业集聚发展，改善林区生产生活环境。

选择若干个人口较多、产业基础较好、区位有利的小城市，积极发展特色产业，完善社会、文化教育、养老、卫生等功能，逐步提高综合承载能力，打造为林区职工就地转移的重要承载体。重点发展漠河、塔河、呼中、铁力、嫩江、五大连池、北安、阿尔山、牙克石、根河、扎兰屯。

结合林场调整，每个县（旗、区）重点培育和扶持1～2个重点镇，建设成为林区移民的安置点、特色产业发展集中点。推进宝泉岭、牡丹江、建三江、九三、红兴隆5个农垦管理局局址和农场场址城镇化建设。推进亚布力、大海林、东京城、东方红、山河屯、柴河、方正、沾河8个林场局址所在地建成旅游主导型城镇；绥棱、穆棱、清河、兴隆 4 个局址所在地建成工业主导型城镇；绥阳、鹤北 2 个局址所在地建成商贸主导型城镇；迎春、通北、八面通、鹤立、桦南、苇河、林口 7 个局址所在地建成特色产业主导型城镇（谢兵团，2018）。鼓励林区城镇积极发展林产品精深加工、绿色食品精深加工、山产品精深加工和旅游服务业。

2. 完善基础设施网络

加快形成林区垦区与周边地区及与俄、蒙、朝贯通的交通通道，改善供水、取暖、供电等生活设施，提升基础设施水平。

完善交通基础设施。以提高路网密度、改善对内对外通达性为目标，重点建设通场公路、防火和专用通道，提高路网的养护等级。推进高等级公路、进出口通道和资源运输通道建设，提高对外联系的通达能力。加强既有铁路改造，根据资源开发和边贸发展需要，加快主要干线、后方通道及延伸线的建设。充分考虑地广人稀的特点，完善机场布局，大力发展支线航空。

能源水利设施改造。加大电网改造力度，增加可再生能源分布式供电系统，提高电网整体供电能力，全面解决林区垦区无电区域供电问题。搞好饮用水水源地（水井）、给排水管网、水质净化处理等基础设施建设。结合林区局场调整、中小城镇建设，在中心城市和部分小城市建设一批热电联产项目，集中建设和改造城镇供热锅炉、供热管道、换热站等设施，逐步使林区城镇由独立供热向集中供热转变。推广“以煤代木”项目，减少日常生活对木材的消耗。

改善森林保护和管护设施。大幅提高森林防火装备水平、改善基础设施条件，增强预警、监测、应急处置和扑救能力。加强林业有害生物防治设施建设，重点建设监测预警、检疫御灾、防治减灾、应急防控等设施，提高危险性林业有害生物灾害的预防和除治能力。

完善农田水利设施。不断完善垦区的农业基础条件，加强农田水利设施建设，建设高标准农田，改造中低产田；发展节水型农业，实施“节水增粮行动”。调整优化农机装备结构和布局，加强玉米收获、水稻插秧、深松作业等薄弱环节，推广大马力、高性能、节能环保和复式作业机械，完善粮食仓储物流设施。

3. 加快社会事业发展

健全林区垦区社会保障体系，按照集中建设、全面覆盖的原则，逐步扩大覆盖面，加大中小学校、医院、卫生院、文化场馆建设，促进社会事业的全面发展。

完善社会保障体系。扩大社会保险覆盖范围，对于完成政企分开改革的林区垦区，将企业职工和居民纳入当地基本养老保险、基本医疗保险、失业保险、工伤保险等社会保险制度体系。建立企业退休人员基本养老金标准调整机制，逐步将“老工伤”人员纳入工伤保险统筹管理。健全最低生活保障制度，确保林区垦区低保对象的基本生活。加大林区垦区特困户、残疾人等弱势群体救助力度。

促进就业。落实各项就业政策，拓宽就业渠道，增加就业岗位。扶持劳动密集型产业、服务业、中小企业和非公有制经济发展，提高吸纳就业的能力。完善创业服务体系建设，发挥好小额担保贷款政策的积极作用，支持推动创业，以创业促就业。以服务林区森林资源管护和接续替代产业发展为目标，整合就业培训资源，依托职业学校建立技能培训基地。

发展社会事业。结合林区垦区小城镇建设，整合、优化配置教育资源，合理调整中小学校布局，根据人口密度和服务半径均衡布点小学，依托小城镇和重点镇布点初中，依托中小城市布点高中。完善卫生设施，形成覆盖全林区垦区的基本医疗卫生制度，构建设施齐全、功能完备、服务优良的三级医疗卫生服务体系。挖掘、保护和传承具有历史和地域特色的民族传统文化，继续实施好重大文化工程，建成覆盖林区垦区的公共文化服务网络。搞好广播电视村村通工程，提高广播电视覆盖率。

第二节　民族地区团结进步

一、发展现状

1. 少数民族众多

东北地区分布有众多的民族，是中国少数民族的重要发源地。其中，东北地区的少数民族有 51 个，包括朝鲜族、满族、蒙古族、锡伯族、达斡尔族、鄂伦春族、赫哲族、俄罗斯族等。除汉族外，人口较多的少数民族主要有满族、蒙古族、朝鲜族及回族。东北地区是部分少数民族的发源地和世居地，包括满族、锡伯族、鄂伦春族、达斡尔族、赫哲族、鄂温克族、朝鲜族等。朝鲜族和俄罗斯族为跨境民族。其中，满族有 1000 多万人，朝鲜族有 180 多万人，锡伯族有 10 多万人，达斡尔族有 13 万人，鄂温克族有 3 万人，鄂伦春族有 8000 多人，赫哲族有 5000 多人。

2. 分布范围广

东北地区是一个少数民族集聚地区，尤其是东北西部地区和东部地区成为典型的少数民族集聚居住地区。这种集聚既包括蒙古族的大面积世居，也包括部分人口较少民族小范围的自治旗县集聚。其中，蒙古族的分布范围广，主要集中在蒙东地区，包括呼伦贝尔市、锡林郭勒盟、兴安盟、通辽市、赤峰市等地区，辽宁和吉林省有阜新、喀左、前郭尔罗斯、杜尔伯特等蒙古族自治县。东北地区是满族的发源地，满族主要集聚居住在辽宁东部地区，同时在吉林东部地区有少量分布，有新宾、清原、岫岩、本溪、桓仁、宽甸、伊通等满族自治县。朝鲜族主要居住在辽宁省和吉林省的中朝边境地区，有延边州和长白自治县及丹东地区；俄罗斯民族主要居住在中俄边境地区。其他人口较少的少数民族地区呈现较为明显的集聚，包括莫力达瓦达斡尔族自治旗、梅里斯达斡尔族区、鄂温克族自治旗。

3. 地区功能重要

少数民族的生产生活习性决定其居住地区有着特殊的自然环境与地理区位，塑造了其重要的功能与地位。这些地区往往是丘陵山地或草原地区，是东北大江大河的源头，是东北地区的重要生态功能区与生态安全屏障，甚至是东北亚的水塔，最为典型的是大小兴安岭和长白山地区，其生态地位不但具有国内战略意义而且具有国际意义。少数民族独特的文化资源，是开展旅游活动的资源基础，也是实现居民致富的基础。这些地区往往有着丰富的能源、矿产、畜牧、森林等资源，具备发展特色产业的重要基础。但这些地区往往又是贫困地区，是区域协调发展的短板地区。少数民族往往居住在边境地区，如中朝地区、中俄地区、中蒙地区，对稳定边境安全具有重要意义。

4. 发展相对落后

基于历史、自然和地理等原因，少数民族和民族地区发展仍面临一些突出问题和特殊困难。少数民族地区的发展起点较低，经济社会发展总体滞后。目前，多数少数民族地区的资源优势尚未转化为经济优势，产业基础薄弱，产业发展层次水平偏低，经济发展落后，自我发展能力较弱。民族交往过程中由文化、经济利益等引发的矛盾和摩擦仍然存在。部分民族仍保持着传统的生产生活方式，如鄂温克族、鄂伦春族等。人口居住分散，公共服务普及的难度大。人口整体素质有待提高，民族传统文化传承亟待加强。贫困问题依然严峻。

二、发展路径

坚持“中华民族一家亲，同心共筑中国梦”目标，以团结稳定和共享繁荣为目标，围绕“缩小差距，改善民生，因地制宜”，以增强自我发展能力、提高公共服务水平、改善民生为重点，解决制约突出短板和薄弱环节，深入开展民族团结进步活动，保护、传承和创新优秀传统民族文化，加快发展特色产业与民族产业，提升各民族福祉，巩固和发展平等团结互助和谐的社会主义民族关系。

1. 深入开展民族团结进步活动

尊重少数民族群众的风俗习惯和宗教信仰，把民族团结作为各族人民的生命线，促进各民族唇齿相依、手足相亲、守望相助，推动各民族群众“五个认同”，促进各民族交往交流交融，深入推进民族团结进步示范区建设。

促进各民族交往交流交融。营造蒙古族、满族、鄂温克族、朝鲜族、鄂伦春族等各族群众共居共学共事共乐的和谐环境，促进东北各民族相互了解、相互尊重、相互包容、相互学习、相互帮助，建设共有精神家园，增强对中华文化的认同。推进城市和散居地区民族工作，推动建立相互嵌入式的社会结构和社区环境。完善少数民族平等进入市场、就业就学、融入城市的政策，鼓励各族群众联合创业。促进各民族文化交融创新，广泛开展“吉林好人·最美民族团结之星”等群众性互动交流，打造“中华民族一家亲”系列活动平台。

民族团结进步示范区（单位）建设。坚持“中华民族一家亲，同心共筑中国梦”总基调，加强各级各类民族团结进步示范区（单位）建设。重点支持牡丹江、延吉、丹东、呼伦贝尔等地区争创全国民族团结示范市。鼓励各地结合实际开展形式多样的民族团结进步创建活动，拓展参与类型，扩大参与范围。深入推动民族团结进步创建工作进机关、进企业、进乡镇、进社区、进学校、进宗教活动场所。鼓励基层创新民族团结进步创建活动，推动协同创建，发挥好示范区（单位）的带动作用。

民族团结进步宣传教育。培育中华民族共同体意识，深入开展爱国主义和民族团结教育，引导各族群众牢固树立“三个离不开”思想，增强“五个认同”。创新民族团结进步宣传理念、方法，扩大媒体和社会传播，拓展网上传播平台，实施“互联网+民族团结”行动。加强民族团结进步教育基地建设，重视标准化、多样化、特色化建设，大力开展群众性主题实践教育活动，举办民族团结进步创建活动成果展。充分利用重要纪念日、少数民族传统节庆活动、文艺演出、体育竞技、村规民约等多种形式，宣传民族政策和民族法律法规，开展民族团结宣传活动，集中进行民族团结教育。

2. 弘扬创新传统少数民族文化

加强少数民族文化保护传承，重点抓好民族文化的静态保护与活态传承。

建设非遗展示馆、乡村博物馆或村史馆等静态展示传统生产生活用具、民族服饰、乐器、手工艺品，保存民族记忆。推进民间文化艺术之乡建设，鼓励引导群众将民族语言、文化艺术、生产技艺、节庆活动和婚丧习俗融入日常生活，传承民族记忆。

加强少数民族优秀传统文化保护传承，抢救和保护蒙古族、满族、朝鲜族、达斡尔族、鄂伦春族、赫哲族等少数民族传统经典、民间文学、音乐舞蹈、美术、技艺、医药等物质文化遗产和非物质文化遗产，争取更多项目列入各级代表性项目保护名录，探索建设少数民族非物质文化遗产集聚区进行整体性保护。

培养少数民族文化能人、民族民间文化传承人、少数民族非物质文化遗产项目代表性传承人，鼓励开展传承活动，培养一批少数民族传统手工艺大师。支持传统村落文化保护传承，继续推进锡伯族等民族标志性文化设施建设，包括民族博物馆、民俗馆、民俗文化传习所、民族文化广场等。鼓励公共博物馆结合当地实际适当设立少数民族文物展览室、陈列室或文化展厅。保护发展蒙古族、朝鲜族等少数民族传统体育，建立项目训练、示范基地，打造具有民族特色的品牌赛事，推动与全民健身融合发展。

鼓励民族地区依托民族文化发展文化产业，建设一批民族特色文化产业基地，重点建设大庆市杜尔伯特阿木塔蒙古风情岛、富裕县乌裕尔达斡尔族文化产业园等工程。建立民族传统手工艺品保护与发展电子商务平台，支持举办黑龙江少数民族文化艺术巡回展、少数民族手工艺品博览会等重要平台。

3. 推动宜居民族地区建设

保护改造少数民族特色民居。以弘扬少数民族传统文化、实现各民族团结稳定为导向，加强少数民族特色民居保护，保护营造技法、建造技艺和传统建筑风格，保持与民族文化相适应的村镇风貌，形成有民族特色的传统建筑群落。保护一批基础条件较好、民族特色鲜明的少数民族特色村落，努力打造三江沿岸赫哲族特色村镇示范带、界江沿岸少数民族特色村镇示范带、嫩江沿岸人口较少民族（达斡尔族、鄂温克族、柯尔克孜族）特色村镇示范带。加强对具有历史文化价值古建筑的保护，推进少数民族特色民居改造，旧民居改造注重保持民族传统建筑风格，新民居建设注重体现民族特色。

专栏 11-1　中国少数民族特色村寨

蒙东地区：根河市敖鲁古雅鄂温克民族乡敖鲁古雅村、阿荣旗新发朝鲜族乡东光村、太仆寺旗贡宝拉格苏木后瓦窑嘎查。

辽宁省：喀左县南哨镇白音爱里村、新宾满族自治县永陵镇赫图阿拉村、凤城市凤山区大梨树村、盘山县胡家镇红岩村。

吉林省：吉林市龙潭区乌拉街满族镇阿拉底村、白山市浑江区七道江镇鲜明村、抚松县漫江镇锦江满族木屋村、长白县马鹿沟镇果园村、图们市月晴镇白龙村、珲春市敬信镇防川村、和龙市西城镇金达莱村、安图县石门镇茶条村等。

黑龙江省：齐齐哈尔市梅里斯区雅尔塞镇哈拉新村、黑河市爱辉区新生鄂伦春族乡新生村、佳木斯市敖其镇敖其赫哲族村、宁安市江南朝鲜族满族乡明星村。

推进以民族文化为载体的新型城镇化。因地制宜，统筹中小城市、重点镇、特色镇发展，建设一批边贸重镇、产业大镇、工业强镇和旅游名镇。加快延吉、呼伦贝尔、乌兰浩特、黑河等中心城市建设，支持珲春、图们、阿尔山、满洲里等城市发展，支持民特色产业小（城）镇建设。旧城改造重视保护历史文化遗产、民族文化风格和传统建筑风貌，新城新区建设注重融入传统民族文化元素。加强历史文化名城名镇、历史文化街区、民族特色小镇的文化资源挖掘和整体文化生态保护。根据不同地区的自然历史文化禀赋和不同民族的文化形态多样性，发展有历史记忆、文化脉络、民族风情的特色小镇，重点打造边贸小镇、梅花鹿小镇、矿泉小镇、冰雪运动小镇、草原小镇、森林小镇等，力争每个世居少数民族至少成功打造 1 个少数民族特色小镇。

4. 壮大特色产业与民族产业

依托自然环境、资源特色、产业基础和民族特点，坚持“宜粮则粮，宜特则特”，突出重点，发展特色产业与民族产业，促进资源优势转化为经济优势，增强自我发展能力。力争实现“一县一特色，一乡一业，一村一品”。

农牧业种植及加工。发挥民族地区天然、绿色、生态优势，保护少数民族特有农林牧品种资源，鼓励优化种养结构，发展特色种植养殖，扩大生产规模。大力发展特色林业，支持木本油料、特色林果、林下经济、种苗花卉、森林康养基地建设。因地制宜发展观光农业、体验农业、创意农业等新业态。推动特色农林牧产品深加工发展。加强民族药资源保护利用，建设一批药材种植资源保护区和药用野生动植物种养基地。

扶持发展特色产业。围绕民族群众生活生产需求，积极发展特需商品生产，壮大行业骨干企业，建设特需商品生产基地。改造提升传统民族食品加工业，发展高品质乳制品、畜产品，加快发展特色饮品，培育知名品牌，支持现代化民族食品生产基地建设。推动少数民族传统手工艺品保护与发展，打造一批产业化基地。发挥民族医药资源优势，积极发展绿色北药产业，壮大民族医药产业，发展满药、朝药、蒙药等系列民族医药产品，推进民族医药与养老保健、健康旅游互动发展。有序推进能源矿产资源开发，扶持发展能源矿产资源采选和制品加工，合理发展精深加工业。

突出发展民族旅游。坚持旅游富民，鼓励依托文化遗产，发展民族旅游业，开发民族文化体验项目，培育一批民族特色旅游品牌，打造集自然风光、人文景观于一体的原生态民族风情旅游目的地。深入挖掘东北民族民俗文化、歌舞艺术、特色饮食、传统建筑等旅游资源。依托世居民族特色村镇，打造一批具有影响力的特色村镇旅游品牌，打造赫乡旅游、猎乡旅游、达乡风情、草原旅游等民族精品旅游线路。推动延边地区创建“全国少数民族地区边境旅游示范区”、黑龙江同江赫哲族文化旅游示范区。

提升民族文化产业。加强少数民族非物质文化遗产保护，挖掘丰富的民族传统文化资源，加快民族文化产业发展，建设一批民族特色文化产业基地。扶持具有民族特色、地域特点的传统小吃、手工艺品、旅游纪念品等产业发展。支持举办民族特色节庆活动，打造特色民族文化活动品牌。

第三节　沿边地区富民兴边

一、发展现状

1. 基本概况

东北地区位于东北亚核心地区，与朝鲜、俄罗斯、蒙古国接壤，有着漫长的边境线。这促使边境地区成为东北的特殊类型地区。如表 11-3 所示，东北地区共有 15 个地级行政区位居边境，有 42 个县市旗分布在边境地区；其中，辽宁省有 2 个县市分布在边境地区，吉林省有 9 个，黑龙江省有 16 个，蒙东地区有 15 个。以县市区为单位的陆地总面积约 42.69 平方公里，占东北地区国土面积的 29.4%。2017 年，边境县市区总人口约 563 万人，占东北地区总人口的 4.87%。

表 11-3　中国陆地边境县（旗）市辖区分布

地区	县（旗）市
蒙东地区	二连浩特、阿巴嘎旗、东乌珠穆沁旗、苏尼特左旗、苏尼特右旗、满洲里市、额尔古纳市、陈巴尔虎旗、新巴尔虎左旗、新巴尔虎右旗、阿尔山、科尔沁右翼前旗
辽宁	丹东振安区、丹东元宝区、丹东振兴区、东港市、宽甸满族自治县
吉林	北安市、浑江区、临江市、抚松县、长白朝鲜族自治县、图们市、龙井市、珲春市、和龙市、安图县
黑龙江	萝北县、绥滨县、饶河县、密山市、虎林市、鸡东县、嘉荫县、穆棱市、绥芬河市、东宁市、同江市、抚远县、爱辉区、逊克县、孙吴县、呼玛县、塔河县、漠河县

2. 存在问题

边境地区位居国家社会经济发展的末梢和国防建设的前沿，国防问题、生态问题、人口问题等各类问题错综复杂。长期以来社会经济发展基础薄弱，成为区域协调发展的短板区域。经济发展相对落后，经济体量较小，多数县市以传统农牧林经济为主，工业发展落后。开放口岸产业发展动力较小。人口分布稀疏，近年来流失严重，部分边境地区出现人口负增长。基础设施仍然滞后，基本建设欠账多，边防道路、国防道路等级低。对外开放层次和水平低。

二、发展路径

坚持“富民、兴边、强国、睦邻”宗旨，深入融入“一带一路”建设，坚持“突出重点，统筹兼顾，军民融合，共建共享”，以保基本、补短板为重点，实施强基固边、民生安边、产业兴边、开放睦边、生态护边行动，完善基础设施，积极发展特色产业，提高边民生活质量，进一步推动对外开放，建设繁荣稳定和谐边境。

1. 促进特色优势产业发展

坚持产业兴边，加快发展特色产业和优势产业，积极发展面向周边国家的特色农业、加工制造、资源加工、边境旅游、民族工艺及边境贸易等沿边特色产业，集约集聚建设产业园区。

壮大特色农牧林业。依托绿色农牧业资源，优化发展小麦水稻种植业，积极发展草牧业与畜牧产品，大力发展特色林业与林业经济。推动农业产业化发展，发挥龙头企业作用，延伸产业链，培育一批知名品牌。支持边境地区开展农业国际合作项目，强化农产品地理标志登记保护，推进特色农产品基地建设和国家级出口食品农产品质量安全示范区建设。

积极发展加工制造业。在资源环境承载力范围之内，大力发展优势加工业，实施“出口抓加工，进口抓落地”。推进边境优势资源富集地区有序开发，开展跨境资源开发利用合作与进口资源落地加工。发展外向型优势制造业，因地制宜培育一批轻工、纺织服装、五金建材、机电产品、能源和原材料等产业基地，做强机电设备、轻纺、绿色食品等出口加工业，做大原油、铁矿石、化肥、木材等进口加工业。根据资源禀赋、区位优势及与周边国家毗邻地区的互补性，建设出口加工园区、区域性国际商贸物流中心，推进产业园区发展。

合理发展特色服务业。以重要口岸为节点，建设一批特色商贸市场、商品交易市场，鼓励发展国际商贸物流业。推动边境电子商务发展，积极发展跨境电子商务，建设一批“边境仓”。大力发展服务外包、中医药服务、会展服务、金融服务等服务贸易，推动有条件的地方建设沿边服务外包合作区。放宽边境旅游管制，大力发展跨境旅游，在具备条件的边境口岸城市新增一批跨境旅游合作区。设置团队游客绿色通道，简化出入境手续，完善绥芬河中国国际边境特色旅游等国际旅游平台，因地制宜发展“跨境三日游”等特色旅游项目。

2. 改善边境地区基础设施条件

按照缩小差距、保障需求、提升能力、适度超前原则，解决边境地区农村群众生产生活突出困难，建设与群众切身利益相关的中小微型基础设施，改善守边固边环境，重点解决群众用电、安全饮水等问题，方便群众防洪抗旱、轮牧转场。

加强民生水利设施建设。充分考虑边境地区的特殊性，开展农村饮水安全巩固提升工程、农田水利工程等民生水利工程建设，提高水资源保障能力。支持中小河流治理、病险水库水闸除险加固等水利建设项目，加强山洪灾害防治力度，开展山洪沟防洪治理。

加快能源信息建设步伐。因地制宜发展光伏发电、风力发电，深入实施新一轮农村电网改造升级工程。完善边防通信设施，实现行政村通宽带，推动 4G 网络向自然村和重要交通沿线覆盖，加快网络信息安全系统建设，建设边防覆盖和应急通信工程，强化信息网络安全与应急保障能力。

推进公共服务延伸，提升公共服务能力，解决好上学难、看病难等问题，留住边民。推进社会保障体系建设，支持救灾减灾指挥中心和救灾物资储备库、应急避难场所建设。优先发展教育事业，积极发展符合边境地区实际的职业教育。强力推进卫生事业发展，完善疾病防控监测体系。大力推进文化强边，加大公共文化资源供给。推动符合条件的边民参加新型农村合作医疗。

推进城镇化建设。按照集约布局原则，加快边境重要节点城市建设，打造为固边守边基地、对外交流的门户。有序推进重点镇与中心镇建设，因地制宜发展边境小城镇，培育一批休闲旅游、商贸物流、少数民族等特色小镇。推进沿边村庄人居环境综合整治，建设一批美丽村庄。加强边境地区的牧民边民定居点建设。

3. 加强与周边国家互联互通

依托区位优势，发挥对外开放窗口作用，加快融入“一带一路”建设，在加强与周边国家的政策沟通、设施联通、贸易畅通、资金融通、民心相通方面发挥前沿作用（刘玲，2020）。

完善边境地方政府对外合作机制，依托大图们倡议等合作平台，促进边境地区与周边国家的交流与合作。支持沿边重点地区各级学校与俄罗斯、蒙古国对等学校开展交流与合作，支持黑河学院与俄罗斯知名高校开展合作办学。与周边国家共同组织开展传染病、地方病等防治工作。

推进“一带一路”国际通道和东北沿边铁路建设，尽快完成同江大桥俄罗斯段建设，推动中俄虎林—列索扎沃斯克、密山—图里洛格等铁路规划建设，扩能改造图们—珲春—马哈林诺—扎鲁比诺跨境铁路，谋划建设珲春至（俄）海参崴高铁。

以国家高速公路网待贯通路段为重点，稳步推进与周边国家互联互通、与内地联系的大通道建设，谋划建设珲春至（俄）海参崴高速公路，基本实现与毗邻国家相连的公路通道高等级化，尽快推动黑河和东宁跨境公路大桥建设。

完善机场体系与航空网络组织，合理发展白山、珲春等支线机场，根据需求建设一批通用机场。推动跨界河流航道治理，加强黑龙江、乌苏里江国际水运通道建设，继续推进图们江出海工作，借用扎鲁比诺港开通至日韩俄航线，推进界河跨境桥梁建设。

推进油气通道建设，稳步推进边境地区与周边国家的电力设施合作。

4. 提升沿边开发开放水平

依托独特地缘优势，贯彻落实“一带一路”倡议，加快口岸设施建设，完善口岸功能，稳步发展边境贸易，完善对外开放平台，提升沿边开放合作层次和水平。

推动国际贸易方式转变。支持对外贸易转型升级，有序发展边境贸易，支持边境小额贸易向综合性多元化贸易转变，探索发展离岸贸易。扩大汽车、工程机械、农产品等出口，加强电力、油气、矿产资源等产品进口。加强边民互市贸易区（点）建设与管理，完善互市贸易方式，严格落实国家规定范围内的免征进口关税和进口环节增值税政策。推广电子商务运用，做大旅游、运输、建筑等传统服务贸易。建成一批以能源、原材料、特色农产品、粮食等资源性产品为主的国际物流集散中心。完善跨境电子商务发展环境，建设电子商务产业园区。

提升沿边开放便利化。加大沿边口岸开放力度，推进边境口岸对等设立和扩大开放，根据需求新设同江铁路大桥、抚远公路及水运等一批口岸。加强口岸设施建设，完善检查检验配套设施设备，提高口岸运行效率。提高沿边重要口岸的监管能力，创新口岸监管模式，优化查验关检机制，在有条件的口岸海关特殊监管区域深化“一线放开、二线安全高效管住”、“前伸后移”的监管服务改革，在黑河、绥芬河、满洲里、二连浩特、珲春、丹东等重要口岸实施“单一窗口”。加强与周边国家在出入境管理、检验检疫和边防检查领域的合作，推进人员往来便利化，将中俄海关监管结果互认试点范围扩展至东北地区的主要口岸。加快修订中俄、中蒙汽车运输协定修订，规范两国出入境车辆管理。

加强开发开放平台建设。推进内蒙古满洲里、二连浩特，黑龙江绥芬河－东宁等重点开发开放试验区建设，壮大珲春国际合作示范区作用，改革创新试验区体制机制，加快建设国际贸易基地、国际物流中心、进出口加工基地、国际人文交流中心。加大珲春、和龙等国家级边境经济合作区和跨境经济合作区的支持力度，支持符合条件的边境经济合作区扩大规模，稳步建设跨境经济合作区。突出生态保护、休闲旅游、口岸通道等功能，建设黑瞎子岛中俄国际合作示范区。

5. 加强生态护边

各边境地区根据其生态基础和生态问题，加强生态建设，加强环境治理，实现生态护边。

加快实施以东北森林带、北方防沙带等为主体的生态安全战略，推进退耕还林还草、退牧还草、天然林资源保护等重大生态工程建设，提升森林、草原、河湖、湿地等自然生态系统稳定性和生态服务功能，构筑以草原和天然林为主体的国家生态安全屏障。

重视国际生态保护合作，完善同朝鲜、蒙古国、俄罗斯等国家建立跨区域生态建设环境保护协商通报机制，构建生态廊道和生物多样性保护网络，共建具有国际意义的自然保护区。

加强国门生物安全体系建设，健全国门生物安全查验机制，加强边境地区动植物疫病疫情防控。

加强黑龙江、额尔古纳河、松花江、图们江、鸭绿江等重要界河跨境河和界湖的水质监测与污染治理。

统筹考虑将符合条件的边境县优先纳入国家重点生态功能区，加大转移支付力度，在边境地区率先实行资源有偿使用制度和生态补偿制度。

第四节　贫困地区振兴发展

一、发展现状

1. 国贫县分布

东北地区虽然有着丰富的土地资源和矿产资源，也是中国工业化与城镇化水平较高的地区，但长期以来因各种原因形成了部分贫困地区。如表 11-4 所示，东北地区共有 43 个国家贫困县（旗）；其中，蒙东地区最多，达到 21 个；吉林省有 8 个，黑龙江省有 14 个。这些贫困县在空间上形成相对集中的地区，即形成“大集聚，小分散”格局，包括中俄北部边境贫困区、中俄东部边境贫困区、松嫩平原贫困区、西部贫困区、中朝边境贫困区。多数国贫县主要分布在东北三省与蒙东交界地区，即农牧交错地带，自北向南延伸；同时在中俄、中朝边境地区形成贫困地区；此外在东部平原与丘陵过渡区存在部分贫困县。在这些贫困地区，耕地不足，耕地利用率较低，居民文化水平较低。

经过多年的扶贫工作，东北贫困地区和贫困人口的数量均大幅减少，贫困程度得到缓解。但目前贫困形势依然严峻，“多、广、深”的贫困现状依然不容乐观，贫困发生率仍保持着一定的水平，目前尚未脱贫的贫困人口，生存环境和居住条件更为恶劣、贫困程度更深，属于“硬骨头”，但返贫现象严重，返贫率较高。

表 11-4　国家贫困县的东北四省区分布

省区	国贫县名称
蒙东地区	阿鲁科尔沁旗、巴林左旗、巴林右旗、翁牛特旗、喀喇沁旗、宁城县、敖汉旗、科尔沁左翼中旗、科尔沁左翼后旗、库伦旗、奈曼旗、莫力达瓦达斡尔族自治旗、鄂伦春自治旗、阿尔山市、科尔沁右翼前旗、科尔沁右翼中旗、扎赉特旗、突泉县、苏尼特右旗、太仆寺旗、正镶白旗
吉林省	靖宇县、镇赉县、通榆县、大安市、龙井市、和龙市、汪清县、安图县
黑龙江省	延寿县、泰来县、甘南县、拜泉县、绥滨县、饶河县、林甸县、桦南县、桦川县、汤原县、抚远市、同江市、兰西县、海伦市

2. 大兴安岭南麓特困区

大兴安岭南麓集中连片特殊困难地区是全国 14 个特困区之一，跨内蒙古、吉林、黑龙江三省区，是国家新一轮扶贫开发攻坚战主战场之一。该特困区地处大兴安岭中段和相连的松嫩平原西北部，涉及22个县市区，覆盖面积14.5万平方公里和833万人，其中包括少数民族人口111万人。地貌类型以低山丘陵和平原为主。该地区可以利用的自然资源有限，气候干旱寒冷，不利于农作物生产；山坡地多，农牧民主要依靠旱作种植业，产量较低。局部地区土地退化、沙化，直接威胁着当地人民群众的生产和生产。春寒、秋冬、早霜、洪涝灾害等自然灾害频发。地下资源不够丰富，基础设施条件较差，对外交通不便，医疗设施缺乏，教育水平较低。中华人民共和国成立以后，半游半牧经济向农业经济转变，脆弱的生态环境遭到破坏，人口激增，开发强度过大。城镇扩散效应较低。

3. 突出困难与问题

虽然经过“十二五”和“十三五”期间的精准扶贫与脱贫攻坚行动，东北贫困地区的发展取得了重大成就。但目前仍在不少的问题。

（1）农田水利等设施薄弱，农业支撑体系乏力。农田低压电网普遍缺乏，农机具与规模化生产要求不配套。农业科技创新和推广应用体系不健全，农业科技进步贡献率低。

（2）人均耕地面积较多，但土地生产力不高。自然灾害严重，旱灾、风灾突出，雪灾、冰雹、霜冻、洪涝和沙尘暴等多发。

（3）农户收入来源单一，增收困难。农户以传统农牧业生产为主，经营性收入增长乏力。

（4）部分农村人口尚未解决饮水安全问题，医疗卫生条件差，社会保障水平低。

（5）城镇化水平较低，城镇辐射带动能力不足。

二、发展路径

把巩固脱贫成果、培育致富能力作为首要任务，更加注重增强自我发展能力，更加注重基本公共服务均等化，更加注重解决制约发展的突出问题，实施扶贫开发与推进城镇化、建设社会主义新农村、美丽乡村建设相结合，因地制宜实施多种扶贫方式，改善基础设施和民生事业，显著改善生产生活水平条件，夯实区域发展基础，发展现代农业和特色优势产业，增强内生发展动力，由解决绝对贫困向解决相对贫困转变，改善贫困地区民生福祉，共享发展成果。

1. 创新“后扶贫时代”工作体制机制

改变农村和农业发展框架下的扶贫思想，改变原有的城乡扶贫二元战略框架和以农村开发式扶贫为主导的路径，实施新的扶贫战略，建构适应新的贫困形势的新体制，建立城乡一体化的扶贫战略与政策。

调整贫困线识别贫困人口。面对剩余贫困户的复杂性、新脱贫户的不稳定性和脱贫户的迷茫性的“后扶贫时代”，合理调整贫困线，改变单一货币收入标准，更加重视综合性指标，多个维度定义和识别贫困。实施动态管理，扩大建档立卡人口的覆盖范围，聚焦深度贫困地区和特定贫困群体，重视次生贫困和相对贫困，合理将转型贫困群体和潜在贫困群体纳入覆盖范围。

建立扶贫长效机制。逐步提高扶贫标准，东北四省区可根据当地实际情况，制定高于国家扶贫标准的地区扶贫标准。扶贫标准要生存需要和发展需要并重，不仅要满足贫困群众吃穿等基本生活需求，而且要关注教育、医疗、住房等标准。

加大精准扶贫力度。加大城乡一体化和扶贫开发与社会公共服务一体化改革，构建新的综合性贫困治理机制和贫困治理结构。鼓励农村基层组织“结对帮扶”的激励机制，帮助脱贫户致富。政府发挥引导作用，提倡节俭型农村婚丧节庆，避免大办庆典的经济负担。动员社会各界力量参与扶贫，完善整村推进、产业扶贫、易地搬迁扶贫、社会扶贫、生态扶贫、特殊资源扶贫等各种形式。

2. 加大基础设施建设

加快重要基础设施建设步伐，推进对外交通通道建设，完善农村道路网络与客货运输网络，改善农业水利与民生水利设施，发展能源和通信信息设施网络，解决制约发展的瓶颈问题。

完善农田水利设施。推进大中型灌区续建配套与节水改造和小型农田水利建设，发展高效节水灌溉，扶持修建小微型水利设施，提高农田基础设施建设水平。抓好病险水库（闸）除险加固工程和灌溉排水泵站更新改造，推进山洪、泥石流、滑坡、崩塌等地质灾害防治，重点抓好灾害易发区内的监测预警、搬迁避让、工程治理等综合防治措施。积极实施农村饮水安全工程，加大牧区游牧民定居工程实施力度。

完善交通道路与运输网络。加快通乡、通村道路建设，推进村庄道路硬化，实现建制村通沥青水泥路。稳步发展农村客运班车，积极发展农村配送物流，全面提高农村公路服务水平。加快对外通道建设，提高对外联系便捷性，改善区位条件。

发展能源和通信网络。继续推进水电新农村电气化、小水电代燃料工程建设和农村电网改造升级。因地制宜发展小水电、太阳能、风能等民生能源项目，推广应用沼气、节能灶、固体成型燃料、秸秆气化集中供气站等生态能源建设项目。普及通讯信息网络，实施村村通有线电视、电话、互联网工程，加快农村邮政网络建设，推进电信网、广电网、互联网“三网”融合。

3. 发展特色农牧林业

立足生态环境和资源优势，加强产业带动帮扶，合理开发当地资源，培育壮大一批特色产业和优势产业，积极发展现代特色高效农业、农产品加工和乡村旅游等产业，带动群众脱贫致富。

特色农业。充分利用大兴安岭南麓等贫困地区的自然环境优势，面向市场需求，发展特色种植、高效养殖、林下经济、设施农业等，拓展农业多种功能。依托商品粮基地，改造传统种植业，稳定提高水稻生产能力，大力发展玉米生产，有序推进马铃薯及杂粮杂豆生产，稳定增加粮食生产能力。择优发展水果、蔬菜、马铃薯、特色经济林、中药材、花卉、苗木等特色产业，建设葵花、红辣椒、蓖麻、亚麻、万寿菊、甜叶菊、瓜子、中草药等一批特色农业基地。有序推进设施农业、设施养殖业，发展高附加值农林产品。培育家庭农林场、专业大户、农民合作社、龙头企业等新型经营主体，推进产业基地建设。促进农产品加工，提高农产品加工转化率。根据特色农业资源，采取“公司＋农户”“合作社＋农户”“订单农业”等新模式，发展绿色农产品、体验式农产品。围绕主导产品、名牌产品、优势产品，扶持建设各类批发市场和边贸市场。规范农业资料市场秩序，开展“农批零对接”“农超对接”等多种形式的产销对接。

优势工业。依托资源优势，坚持市场导向，培育壮大特色突出、竞争力较强、生态环境友好的支柱产业，推动区域发展和贫困人口脱贫致富。积极发展农产品加工，加大大豆、葵花籽、马铃薯等产品的精深加工，推进禽畜加工向细分割和深加工转变，做优做强乳品等加工产业。发挥水煤组合优势，依托兴安盟经济技术开发区和科右中旗百吉纳工业园区、白城工业园区，合理发展煤炭深加工与清洁载能产业，推进有色金属资源的勘探与开发，提高资源综合利用水平。在具备基础的地区，加快发展以汽车和重型机械零部件、农业机械、石油机械等为重点的装备制造业。

现代服务业。以森林公园、地质公园和湿地公园为依托，以阿尔山、科尔沁草原和向海、扎龙湿地为重点，大力发展生态旅游、度假休闲、民俗风情、湿地科考和红色文化等主题旅游；提升乌兰浩特、白城等城市旅游服务功能。充分发挥县城、小城镇、中心村等区位优势，扶持农副产品营销、餐饮、家政、仓储、配送等服务业。完善商贸流通、供销、邮政等系统物流服务网络和设施建设，加快物流服务业发展。注重民族传统特色文化传承与保护，发展民族特色优势产业。加大“互联网＋”扶贫力度，鼓励开设网店和电子商务服务点，拓宽农产品销售渠道。依托工业园区、产业基地、小城镇、旅游景区，拓宽就业创业渠道，加强就业指导，鼓励引导向旅游服务、商贸流通、运输、工业等产业转移。

园区建设与产业承接。统筹规划产业园区建设，加强园区配套基础设施建设，完善园区服务能力。支持具备条件的国家级、省级开发区适当扩区，支持符合条件的省级开发区升级为国家级开发区。积极承接哈大齐工业走廊、长吉图经济区、辽中南经济区及周边大城市相关产业转移，采取多种形式共建产业园区。

4. 完善贫困地区社会保障

坚持数量与质量共同推进，集中实施一批教育、卫生、文化、社会保障、公共服务等民生工程，促进基本公共服务均等化，全面改善生产生活条件。

促进就业。继续完善实施“雨露计划”，以促进稳定就业为核心，对农村贫困家庭未继续升学的应届初、高中毕业生参加劳动预备制培训，给予一定的生活费补贴。面对缺乏技术的贫困人群，开展相应的技能培训，以适应劳动市场需求；对农村贫困家庭新成长劳动力接受中等职业教育给予生活费、交通费等特殊补贴。加大残疾人就业的扶持力度。

发展社会事业。推进贫困地区适当集中办学，加快寄宿制学校建设，提高农村家庭经济困难寄宿生生活补助标准。免除中等职业教育学校家庭经济困难学生和涉农专业学生学费，继续落实国家助学金政策。继续推进广播电视村村通、农村电影放映和农家书屋等重大文化惠民工程建设。提高新型农村合作医疗和医疗救助保障水平，健全基层医疗卫生服务体系，改善医疗与康复服务设施条件，加大重大疾病和地方病防控力度。

完善社会保障制度。逐步提高农村最低生活保障和五保供养水平，引导贫困人口参加续保，做到应保尽保，完善临时救助制度。加快新型农村社会养老保险制度覆盖进度，完善社会保障服务体系。加快农村养老机构和服务设施建设，支持建立健全养老服务体系。扩大农村危房改造试点，改善居住条件。健全自然灾害应急救助体系，完善受灾群众生活救助政策。

第五节　资源型城市转型发展

一、发展现状

1. 数量较多，分布分散

资源型城市是以本地区矿产、森林等自然资源开采、加工为主导产业的城市类型(天然国土)。作为基础能源和重要原材料的供应地，资源型城市为经济社会发展做出突出贡献，资源型城市的城市生产、发展与资源开发有密切关系，形成了“建设→繁荣→衰退→转型→振兴或消亡”的过程。资源型城市“因矿而建，因矿而兴，因矿而衰，因矿而转”。中国共有262个资源型城市，涉及煤炭、油气、金属、非金属、森工等资源型地区，历史贡献大。

东北地区共有42个资源型城市，占全国总量的16%。其中，包括地级资源型城市有23个，县级资源型城市有15个，区级资源型城市有4个，如表11-5所示。各资源型城市有着不同的发展水平，东北地区有4个成长型城市，是近几年发展起来的资源型城市；有13个成熟型城市，有20个衰退型城市和5个再生型城市。

表11-5　东北地区资源城市名单

类型	地级行政区（23）	县市（15）	开发区、管理区（4）
成长型城市（4）	呼伦贝尔市、松原市	锡林郭勒盟、锡林浩特市	
成熟型城市（13）	赤峰市、本溪市、吉林市、延边朝鲜族自治州、黑河市、大庆市、鸡西市、牡丹江市	调兵山市、凤城市、尚志市、宽甸满族自治县、义县	
衰退型城市（20）	阜新市、抚顺市、辽源市、白山市、伊春市、鹤岗市、双鸭山市、七台河市、大兴安岭地区	阿尔山市、北票市、九台区、舒兰市、敦化市、五大连池市、汪清县	弓长岭区、南票区、杨家杖子经济开发区、二道江区
再生型城市（5）	鞍山市、盘锦市、葫芦岛市、通化市	大石桥市	

2. 资源枯竭城市多

资源枯竭城市是处于资源枯竭阶段的城市类型，指矿产资源开发进入后期、晚期或末期阶段，其累计采出储量已达到可采储量的 70% 以上的城市。经过长期的开发与利用，资源型城市逐渐受到资源枯竭的威胁，面临着复杂多样的困境。2008 年、2009 年和 2011 年，国家分三批确定了 69 个资源枯竭城市（县、区），中央财政给予资源枯竭型城市财力性转移支付资金支持，国家发展和改革委员会设立了资源型城市发展接续替代产业专项资金。

东北地区共有 26 个资源型城市，不包括独立工矿区，分布在东北四省区。其中，黑龙江省有 10 个，数量最多；吉林省和蒙东地区分别有 6 个，辽宁省有 4 个。东北地区的独立工矿区主要是因煤炭、石油等资源开采和林木采伐加工而形成。如表 11-6 所示，森工城市有 15 个，主要分布在大兴安岭、小兴安岭和长白山地区；煤炭城市有 10 个，主要分布在辽西北、吉林东部和黑龙江东部地区。这些资源枯竭城市的煤炭资源和森林资源已经枯竭或禁止采伐，经济规模有限，产业结构单一，传统资源型产业萎缩且效益下降，接续替代产业尚未形成；经济总量不足，地方财力薄弱，居民收入水平低；生态环境恶化；转型发展内生动力不强。

表 11-6　东北地区资源枯竭城市名单

省区	地级政区	城市	资源	省区	地级政区	城市	资源
蒙东地区	呼伦贝尔市	阿尔山市	森工	吉林省	长春市	九台市	煤炭
	呼伦贝尔市	牙克石	森工		延边州	敦化市	森工
	呼伦贝尔市	额尔古纳	森工		延边州	汪清县	森工
	呼伦贝尔市	根河	森工	黑龙江省	伊春市	伊春市	森工
	呼伦贝尔市	鄂伦春	森工		大兴安岭地区	大兴安岭地区	森工
	呼伦贝尔市	扎兰屯市	森工		七台河市	七台河市	煤炭
辽宁省	阜新市	阜新市	煤炭		黑河市	五大连池市	森工
	盘锦市	盘锦市	石油		鹤岗市	鹤岗市	煤炭
	抚顺市	抚顺市	煤炭		双鸭山市	双鸭山市	煤炭
	朝阳市	北票市	煤炭		黑河市	逊克县	森工
吉林省	辽源市	辽源市	煤炭		黑河市	瑷珲区	森工
	白山市	白山市	煤炭		伊春市	嘉荫县	森工
	吉林市	舒兰市	煤炭		伊春市	铁力市	森工

3. 数量多，转型任务重

矿产资源因其形成条件，多赋存在人烟稀少、地广人稀的地区，甚至深藏于广袤的无人区中。矿产资源的开采则形成了独立工矿区。独立工矿区是指长期以矿产资源开采加工为主导产业，以矿工及家属为居民主体，远离市、县主城区，经济社会功能相对独立的生产生活区，包括部分市辖区、开发区和问题突出的乡镇、街道等（周祖兵，2018）。

东北地区的独立工矿区较多，分布在不同省区和地区，有着不同的矿产资源类型，其形成时间也存在明显差异。如表 11-7 所示，根据不完全统计，东北地区有独立工矿区 31 个，覆盖四省区。其中，辽宁省有 10 个，占三分之一；吉林省和黑龙江省分别有 8 个和 7 个，蒙东地区有 6 个。独立工矿区以煤炭资源开采为主，约有 21 个，占独立工矿区总量的三分之二，能源开采始终是资源开发的主体。其次是，有色金属有 8 处，主要是金矿、铅锌、铜镍；铁矿石矿区较多，有 3 处。许多的独立工矿区是大型冶金企业的附属矿区，如弓长岭矿区。

表 11-7　东北地区独立工矿区名单

省区	矿区	县区	产业类型	省区	矿区	县区	产业类型
辽宁省	南芬	南芬区	铁矿	吉林省	梅河口	梅河口市	煤炭
	八道壕	黑山县	煤矿		龙马	靖宇县	煤炭
	大孤山	千山区	铁矿	黑龙江	滴道	滴道区	煤炭
	弓长岭	弓长岭区	铁矿		光义	穆棱市	煤炭
	华铜	瓦房店市	铜矿		恒山	恒山区	煤炭
	新邱区	新邱区	煤炭		罕达汽	爱珲区	金矿
	南票区	南票区	煤炭		南山	南山区	煤炭
	田师付	本溪满族自治县	煤炭		西林	西林区	铅锌
	晓明	调兵山市	煤炭		茄子河	茄子河区	煤炭
	杨家杖子	连山区	钼矿	蒙东地区	元宝山	元宝山区	煤炭
吉林省	天宝山	龙井市	铅锌		扎赉诺尔	扎赉诺尔区	煤炭
	二道江	二道江区	煤炭		锡林浩特	锡林浩特市	煤炭
	红旗岭	磐石市	铜镍		联合屯	扎鲁特旗	煤炭
	大湖	临江市	煤炭		沙尔呼热	霍林郭勒市	煤铝
	英安	珲春市	煤炭		金厂沟梁	敖汉旗	金矿
	杉松岗	浑南县	煤铜钴				

二、发展路径

资源型地区 / 城市以加快转变经济发展方式为主线，围绕“接续替代产业”、“独立工矿区”和“沉陷区”等重点问题，改造提升传统资源型产业，培育壮大接续替代产业，建设绿色矿山，保障和改善民生，改善人居环境，有序开发综合利用资源，打造新的产业基地。

1. 有序开发综合利用资源

坚持资源有序开发、高效利用，努力增强资源保障能力。

加大矿产资源勘查力度。围绕资源富集地区开展矿产资源储量调查，圈定找矿靶区，开展后续矿产资源勘查。加大矿山深部和外围找矿力度，重点推进老矿区重要固体矿产工业矿体的深度勘查。优先在成矿条件有利、找矿前景好的资源危机矿山实施接替资源找矿项目，延长矿山服务年限。

统筹重要资源开发与保护。有序提高重要资源生产能力，加强石油、天然气、铁、铜等资源开采力度。选择部分资源富集地区，加快建设石油、特殊煤种和稀缺煤种等重点矿种矿产地储备体系。支持资源枯竭城市矿山企业开发利用区外、境外资源，为本地资源深加工业寻找原料后备基地。限制生态功能区和生态脆弱地区矿产资源开发，减少矿山数量。

促进资源节约与综合利用。提高矿产资源采选回收水平，严格实施矿产资源采选回收率准入管理，从严制定开采回采率、采矿贫化率和选矿回收率等新建矿山、油田准入标准。充分利用低品位、共伴生矿产资源，重点加强有色金属、稀有稀散元素矿产等共伴生矿产采选回收。强化废弃物综合利用，推广先进适用的尾矿、煤矸石、粉煤灰和冶炼废渣等综合利用工艺技术。推进大小兴安岭、长白山等重点林区实施天然林保护工程，禁止采伐。

2. 构建多元化产业体系

以创新驱动、转型发展为主题，坚持“升级、淘汰、培育”并举，改造提升传统优势产业，大力发展接续替代产业，培育战略性新兴产业，积极发展与本地资源优势相结合的产业，实现产业多元发展和优化升级，构建区域发展的稳定基础。

全面淘汰落后产能。坚持分业施策，引导工业企业通过压减、兼并重组、转型转产、搬迁改造等途径，主动退出部分过剩产能。围绕钢铁、有色金属、水泥、电解铝、平板玻璃等行业，分布实施“消化一批、转移一批、整合一批、淘汰一批”，淘汰过剩产能。具有竞争力的过剩产能集中企业，重点升级技术与产品结构，退出部分中低端产能。

提升发展资源深加工业。支持资源优势向经济优势转化，有序推进资源产业向下游延伸，大力发展循环经济。推动石油炼化一体化、煤电化一体化发展，有序发展现代煤化工，提高钢铁、有色金属深加工水平，发展绿色节能的新型建材，重点发展鞍山滑石和方解石深加工、鸡西石墨精深加工等产业集群。推动资源综合利用，重点发展盘锦塑料和新型建材、鸡西煤炭资源综合利用、松原生物质能源等产业集群。

传统优势产业转型升级。围绕“智能制造”，对具有比较优势、市场潜力、产业关联性较强的传统产业和重点行业，进行转型升级。鼓励利用新技术、新工艺、新材料，增强新产品开发能力，加快产品更新换代、上档升级，扩大规格品种。做大做强装备制造等传统优势产业，重点发展抚顺工程机械装备制造、盘锦船舶配套产业、大庆石油石化装备制造等产业集群。

培育壮大新兴产业。发挥比较优势，培育具有潜力的新兴产业和高新技术产业，扶持发展特色产业，培育新的经济增长点。利用核心产业技术、资源和市场等优势，拓展产业领域，发展战略性新兴产业，促进新产品、新业态蓬勃发展。大力发展新材料、生物医药、节能环保等产业。重点发展劳动密集型产业，尤其是发展阜新皮革、辽源袜业、大兴安岭蓝莓、伊春木制工艺品等产业集群。支持锡林浩特、乌兰浩特、呼伦贝尔等农牧资源丰富城市发展农牧产品深加工，鼓励伊春、加格达奇等森工城市发展食用菌、山野菜等绿色食品加工业。

加快产业技术创新。激活资源型企业的原有创新资源，优化整合利用，加强各类创新平台建设，重点建设工程实验室、工程研究中心、企业技术中心。鼓励资源型企业与高等院校、科研院所开展战略合作，建设特色鲜明的科技孵化和创新园区。引导企业参与基础研究和高技术研究，围绕重点园区、骨干企业和高新技术企业建设一批产学研示范企业。围绕煤炭、冶金、装备制造、有色金属等行业加强产业链上下游创新合作，以资源精深技工、材料、基础零部件等关键领域为重点，研发一批重大装备和关键产品，为传统产业升级提供支撑。结合优势产业和新兴产业发展，建立科技创新成果转化中心，加大高技术领域自主创新成果产业化。

3. 切实保障和改善民生

民生事业始终是资源型地区 / 城市的发展落脚点。该类城市要积极扩大就业，提升社会保障水平，完善基本公共服务，改善生产生活环境，促进社会和谐稳定。

促进就业和再就业。发挥政府投资和重大项目建设对就业的带动作用，扶持劳动密集型产业、服务业和小微企业发展，发展家庭服务业。促进各类群体创业带动就业，鼓励通过盘活商业用房、闲置厂房等资源，建设创业孵化基地和众创空间。多渠道开发公益性工作岗位，优先支持失业矿工、林区失业工人、工伤残疾人员等困难群体再就业。

加强社会事业发展。完善基本养老、基本医疗、失业、工伤、生育等社会保险制度，推进各类困难群体参加社会保险，扩大社会保险覆盖面。逐步解决关闭破产集体企业退休人员参加医疗保险、“老工伤”人员纳入工伤保险等历史遗留问题。加快矿区社会保障服务设施建设，关注社会事业发展，加快公共服务体系建设。推进城市和国有工矿（煤矿）棚户区以及林区棚户区改造。

营造安全和谐的生产生活环境。加强安全生产管理，以煤矿、非煤矿山、危险化学品、冶金等行业和领域为重点，严格安全生产准入制度，强化隐患排查治理。防范治理粉尘、高毒物质等重大职业危害和环境危害。增强应急管理能力，加大矿山地质灾害隐患排查力度。

4. 加强生态环境保护

把生态文明放在突出位置，积极发展循环经济，加强环境污染治理，推进节能减排，促进资源集约高效利用。

推动矿山地质环境恢复治理。按照“谁破坏，谁治理”的原则，开展采矿、露天矿坑、沉陷区等矿山地质环境治理，推进废弃土地复垦和生态恢复，加强尾矿库加固治理，做好露天采矿场闭坑后的生态治理。以采煤沉陷区为主，兼顾采油、采矿等沉陷区，加强沉陷区治理，加快海州煤矿区、鹤岗岭北煤矿区等矿坑重点治理。做好尾矿库闭库后期管理，加大对石油等液体矿产开采造成的水位沉降漏斗、土地盐碱化等问题的治理，重点推动盘锦油区等地区地下水破坏治理。

强化重点污染物防治。继续推进火电、冶金、化工、建材等高耗能、高污染企业脱硫脱硝除尘，全面完成工业改造，推动挥发性有机污染物、有毒废气控制和废水深度治理。开展重金属污染综合治理，以采矿、冶炼、化工等行业为重点，推动杨家杖子钼矿区等开展一批综合治理试点工程。选择问题突出的城市开展矸石山、尾矿库综合治理和重金属污染防治试点，然后在资源型城市进行推广普及。

大力推进节能减排。针对高耗能产业，围绕阜新、鞍山、鹤岗、吉林等城市，加大冶金、建材、化工、电力、煤炭等行业落后产能和工艺技术、设施设备淘汰力度，实施热电联产、余热余压利用、锅炉（窑炉）改造、建筑节能等重点工程，减少能源消耗。

5. 促进城镇更新改造

城市是产业和人口的主要承载体，改善人居环境和建设宜居城市是资源型城市的重要发展方向，也是拉动该类地区发展的重要动力途径。

宜居城市建设。培育城市综合性服务职能，完善金融、商贸、信息、科教文化功能，增强对周边地区的辐射与带动作用。加快中小城市和各级城镇的基础设施建设，包括交通道路、供排水、能源电力、供气供热、环卫等设施，增强公共服务能力。统筹新建产业园区和城市新区建设，完善配套设施建设。对老旧楼房、老旧企业家属区和城中村进行棚户区改造，改善居住环境。

老工业区搬迁改造。将新型城镇化与新型工业化相结合，继续推行“退二进三”和“退市进园”，加快市区工业企业和老旧企业搬迁改造，破解城市内部二元结构。探索工业地产再开发机制，腾退土地重点发展高新技术产业和现代服务业，促进传统工业区向现代化新城区转变。加强工业遗产资源的保护与合理利用，建设科普基地、爱国主义教育基地等，积极发展工业旅游和创意工业文化产业。推进老工业区环境整治和生态修复，对水土污染严重的区域进行专项治理，加强绿地、公园建设，加快人居环境建设。

专栏 11-2　东北地区老工业区调整改造清单

辽宁省：沈阳市重工街老工业区、大连市瓦房店市老工业区、鞍山市铁西老工业区、辽阳市辽阳老工业区、朝阳市双塔老工业区。

吉林省：白城铁东老工业区、辽源市仙人河老工业区、吉林市哈达湾老工业区、白山市城区老工业区。

黑龙江省：哈尔滨市香坊老工业区、七台河市勃利老工业区、伊春市铁力老工业区、双鸭山市城区老工业区。

独立工矿区改造。坚持“宜改则改，宜搬则搬”，分类实施改造。

改造型：对适合人类居住、交通便利的独立工矿区，结合邻近乡镇区和行政村建设，实施矿镇矿村合一。完善基础设施，提高公共服务能力，培育接续产业，加强生态环境恢复，打造新型社区。

搬迁型：对远离城镇和农村居民点、自然环境恶劣、地质灾害严重、存在重大安全隐患的独立工矿区，实施居民搬迁，关闭企业，恢复生态环境。

专栏 11-3　东北地区独立工矿区

辽宁省：南芬、八道壕、大孤山、弓长岭、太平镇、华铜、新邱区、南票区、田师付、晓明、杨家杖子。

吉林省：二道江、红旗岭、大湖、英安、杉松岗、天宝山、梅河口、龙马。

黑龙江省：滴道、光义矿区、恒山、军达汽、南山、西林铅锌矿、茄子河。

内蒙古自治区：元宝山、扎赉诺尔、锡林浩特煤矿、联合屯、沙尔呼热、金厂沟梁、固阳、乌达。

参考文献

安炯徒，任明 . 2005. 韩国的东北亚经济合作及东北亚中心战略 . 东北亚论坛，（4）：8-12.
包思勤 .2017. “海赤乔”国际次区域合作前景展望 . 北方经济，（10）：37-39.
曹彩杰 .2010. 长白山矿泉水产业发展现状与对策研究 . 商业经济，（9）：99-100，117.
陈耀 .2017. 新一轮东北振兴战略要思考的几个关键问题 . 经济纵横，（1）：8-12.
程叶青，马庆斌，张平宇，等 . 2007. 东北地区粮食可持续生产能力分异特征及其空间类型 . 农业系统科学与综合研究，23（3）：261-264.
程叶青，张平宇 .2005. 中国粮食生产的区域格局变化及东北商品粮基地的响应 . 地理科学，25(5): 3-10.
崔丹 .2014. 推动大东北文化产业集群发展的对策建议 . 哈尔滨市委党校学报，（6）：7-11.
崔广红 .2009. 开发与保护并举——靖宇县矿泉水产业可持续发展之路 . 经济视角 (上)，（6）：51-53.
代海涛 .2009. 长白山地区矿泉水产业发展的战略思考 . 吉林农业科技学院学报，18（2）：45-47.
邓嘉纬 .2016. 东北经济存在的问题与“二次振兴”东北的对策研究 . 工业经济论坛，3（6）：702-711.
邸延顺，孙嘉利 .2020. 黑龙江省黑土耕地保护存在的问题及对策建议 . 现代化农业，（10）：53-56.
刁秀华 . 2009. 东北振兴发展中的能源安全问题研究——兼论东北地区与俄罗斯的能源合作 . 西伯利亚研究，36（1）：72-77.
丁晓燕 .2016. 怎样改变“新东北现象”. 中国经济报告，（6）：97-100.
丁妍 .2019. 2001 ~ 2018 年东北三省水稻面积扩张对气温的影响 . 哈尔滨师范大学硕士学位论文 .
段德罡，刘亮 .2012. 同城化发展模式研究 . 规划师，28（5）：91-94.
方华 .2008. 东北亚区域经济合作的现状及前景 . 现代国际关系，（11）：57-62.
冯浩城，杨青山 .2015. 文化创意产业对东北老工业基地振兴的作用机理探究 . 资源开发与市场，31(7): 844-849.
傅毓维，姜钰 .2007. 黑龙江省科技资源投入与产出现状分析 . 科技管理研究，（9）：123-125.
龚勤林 .2007. 产业链空间分布及其理论阐释 . 生产力研究，（16）：106-107，114.
国家发改委宏观经济研究院“宏观经济政策动态跟踪”课题组，丁丁 .2007. 对生态安全的全面解读 . 经济研究参考，（13）：51-60.
国英男，关吉臣 .2013. 东北地区体育旅游资源开发研究 . 教书育人，（30）：32-33.
郭庆海 . 2005. 新时期商品粮基地的建设与发展——以吉林省为例 . 吉林农业大学学报，27（6）：701-704.
郭淑敏，马帅，陈印军 . 2006. 中国东北三省粮食生产的态势、优势、问题与对策 . 中国农学通报，22（12）：488-493.
韩杰 .1993. 东北区冰雪旅游资源及其应用研究 . 地理科学，13（3）：234-241，295.
韩静 .2007. 论东北地区滑雪旅游开发 . 边疆经济与文化，（3）：13-14.
何于苗，陈元欣，滕苗苗，等 .2017. 我国冰雪产业发展与市场开发研究 . 河北体育学院学报，31（1）：23-27.
洪欣 .2015. 韩俄经济合作现状及其对黑龙江省的启示分析 . 商业经济，472（12）：106-107，137.
胡晓鹏 . 2010. 沈北新区人力资源管理平台的构建与实施 . 吉林大学硕士学位论文 .
胡兆民 .2020. 全面建设现代农业大基地大产业努力提升呼伦贝尔农垦品牌价值 . 中国农垦，（5）：8-9.
贾若祥 . 2015. 东北地区装备制造业的发展思路 . 中国发展观察，（11）：80-84.
焦爱丽 .2016. 东北地区区域旅游合作研究 . 东北师范大学博士学位论文 .

姜国庆，居润林 .2017. 科技投入与东北地区经济增长关系的实证分析 . 沈阳工业大学学报（社会科学版），10（1）：37-42.
金双燕，程瑶，连占海 .2017.“头尾”呼应 “双链”劲舞 . 黑龙江日报，9-25.
李斌 .2020. 新时代赣南红色文化传播价值和路径思考 . 赣南师范大学学报，41（2）：27-31.
李春顶，谢慧敏 . 2020. 新冠疫情与全球粮食安全 . 世界知识，（14）：58-59.
李辉，李秀霞，于娇 .2008. 东北地区生态安全评价研究 . 吉林大学社会科学学报，（5）：148-154.
李建安 .2017. 东北地区经济林建设和林下经济开发利用 . 吉林日报，9-19.
李俊，兰传海 . 2012. 东北地区文化产业发展的对策研究 . 经济纵横，（6）：52-55.
李刘艳 . 2007. 东北区粮食生产的 SWOT 分析及支持方案 . 安徽农业科学，35（25）：7984-7985，7990.
李罗力 . 2010.“经济圈”与中国参与的次区域经济合作 . 开放导报，（4）：32-36.
李庆雪 . 2018. 区域装备制造业与生产性服务业互动融合运行机制研究 . 哈尔滨理工大学博士学位论文 .
李炜 .2012. 大小兴安岭生态功能区建设生态补偿机制研究 . 东北林业大学博士学位论文 .
李晓刚，张少杰，李北伟 .2007. 协同互动建立东北区域创新的自组织机制 . 经济纵横，（10）：56-58.
李晓红 . 2018. 深度体验成为东三省旅游发展新动能 . 中国经济时报，12-17.
李新 .2016. 中俄蒙经济走廊推进东北亚区域经济合作 . 西伯利亚研究，43（1）：12-22.
李勇慧，倪月菊 . 2019. 俄罗斯远东超前发展区和自由港研究 . 欧亚经济，（5）：60-74，126，128.
李振国，温珂，郭雯，等 .2019. 科研机构在东北地区科技成果转化的现状，挑战和建议——以中国科学院为例 . 中国科学院院刊，34（8）：934-942.
栗进波 .2017. 煤化工企业节能降耗现状与发展对策 . 工业技术创新，4（2）：156-158.
林伯强 . 2019-10-24. 中国能源安全面临三大挑战 . 第一财经日报，A11.
林莉，谢富纪 . 2010. 东北老工业基地区域科技资源配置的现状、问题及对策 . 科技进步与对策，27（17）：59-61.
刘春燕，鲁庆莲，李长胜 . 2007. 东北区域农业发展优势及特点剖析 . 科技成果纵横，（5）：5-7.
刘舸 .2009. 东北亚能源安全局势与韩国的战略选择 . 当代韩国，2（2）：6-15.
刘金祥 . 2014. 文化资源视角下的东北主要城市特色文化产业发展研究 . 中国名城，（7）：44-53.
刘玲 . 2020. 兴边富民行动与民族团结进步 . 云南师范大学学报 (哲学社会科学版)，52（2）：37-44.
刘凯瑞 .2017. 我国煤炭期货市场及期现货市场的联动性分析 . 北京林业大学硕士学位论文 .
刘小宁，高常思 . 2008. 东北地区粮食基地建设的现状、问题与对策 . 中国商界，（7）：140-141.
刘幸 . 2000. 东北老工业基地存在的突出问题及解决的基本途径 . 中国林业经济，（6）：17-19.
刘彦随，甘红，王大伟 . 2005. 东北地区农业现代化水平及比较优势分析 . 土壤与作物，21（2）：149-153.
刘志彪，徐宁 . 2019. 东北经济“铁锈化”问题的根源与破解之道 . 中国国情国力，（12）：10-12.
罗方迪 .2017. 浅析中国东北地区红色旅游开发 . 现代交际，（21）：38.
罗家新 .2018. 东北林区林下经济经营模式及发展对策 . 防护林科技，173（2）：48-49.
吕博，张博 .2017. 东北地区冰雪旅游资源整合开发研究 . 冰雪运动，39（2）：75-77.
麦子 . 2020. 北大荒：打造新型国际大粮商 . 农经，344（Z1）：72-75.
孟爱云 . 2009. 东北区域冰雪旅游资源整合探讨 . 学术交流，（3）：115-119.
孟凡杰，于晓芳，高聚林，等 .2020. 黑土地保护性耕作发展的制约瓶颈和突破路径 . 农业经济问题，（2）：135-142.
牛娟娟，和军 .2018. 东北经济发展不平衡不充分问题与对策 . 东北亚经济研究，2（4）：14-27.
秦培容 .2018. 东北地区国家级新区的比较及整体布局研究 . 吉林大学硕士学位论文 .
仇荀 . 2017. 东北地区装备制造业发展历程及未来展望 . 商业研究，（11）：5-8.

任淑华 . 2011. 邢台特色产业集群发展中的问题与对策研究 . 邢台职业技术学院学报，28（6）：68-69,102.
任晓菲 . 2019. 推动中日第三方市场合作向东北亚腹地延伸 . 东北亚经济研究，3（2）：92-101.
桑秋，张平宇，罗永峰，等 . 2009. 沈抚同城化的生成机制和对策研究 . 人文地理，24（3）：32-36.
盛彦文，马延吉 . 2016. 东北三省科技资源产出效率及经济贡献——基于 34 个地级城市的面板数据 . 中国科学院大学学报，33（5）：632-640.
盛彦文 .2017. 东北三省科技资源产出效率与经济贡献研究 . 中国科学院大学硕士学位论文 .
师瑞娟 .2005. 东北地区旅游商品开发研究 . 东北师范大学硕士学位论文 .
帅晓玲 . 2010. 提升长株潭城市群竞争力研究 . 湘潭大学硕士学位论文 .
苏长枫 . 2018. 总体国家安全观视域下边境经济振兴对策研究 . 辽宁省社会主义学院学报，77（4）：21-24.
苏红梅，刘俊华 .2020. 内蒙古牛羊肉产业绿色高质量发展路径探析 . 内蒙古社会科学，41（5）：207-212.
孙浩进，董正杰，潘伟 .2016. 东北老工业基地提升区域科技创新能力研究 . 牡丹江师范学院学报（哲学社会科学版），（3）：35-39.
孙瑾瑾，李娟 . 2015.“中蒙俄经济走廊”建设背景下中蒙贸易合作发展的机遇与对策 . 知与行，（5）：31-35.
孙平军，修春亮 .2010. 东北地区中老年矿业城市经济系统脆弱性 . 地理科学进展，29（8）：935-942.
孙晓谦 .2011. 西伯利亚“东方之环”的开发潜力及前景 . 西伯利亚研究，38（2）：14-17.
孙耀军 .2010. 俄罗斯海洋产业开发研究 . 东北师范大学硕士学位论文 .
孙耀唯 .2020. 应对中美关系恶化要高度重视能源安全 . 经济导刊，（9）：66-69.
陶连飞 .2018. 吉林冰雪大放异彩 斩获多项殊荣 . 吉林日报，12-24.
佟玉权，韩福文，许东 . 2012. 工业景观遗产的层级结构及其完整性保护——以东北老工业区为例 . 经济地理，32（2）：166-172.
王斌 .2017. 发挥优势 吉林省加速培育十大装备制造新产业 . 中国工业报，11-27.
王成志 .2010. 长白山地区矿泉水产业发展战略研究 . 中国商贸，（26）：221-222.
王立国 .2010. 东北滑雪产业发展问题研究 . 东北师范大学博士学位论文 .
王丽丽，明庆忠 .2018. 中国东北边境旅游发展及其地域空间模式研究 . 四川旅游学院学报，（3）：83-87.
王羚 . 2016. 人口外流陷恶性循环 东北振兴必须面对的难题 . 第一财经日报，9-30.
王蓉 . 2019. 制约东北新旧动能转换的要素禀赋短缺问题与对策研究 . 辽宁经济，（2）：18-20.
王守聪 . 2019. 以习近平新时代中国特色社会主义思想为指引 奋力谱写新时代农垦改革发展新篇章 . 北大荒日报，3-29.
王淑华，洪岩，杨柳河 . 2008. 东北农业发展的自然区位优势 . 黑龙江农业科学，（5）：136-138.
王为农，贾玉良 .2006. 大力发展东北地区农产品精深加工问题研究 . 经济研究参考，（57）：19-36.
王莹 .2006. 东北老工业基地科技资源优化配置研究 . 吉林大学硕士学位论文 .
王玉娟 .2006. 东北生态农业现状及其发展对策 . 现代农业，（12）：114-116.
魏淑艳，孙峰 . 2017. 东北地区投资营商环境评估与优化对策 . 长白学刊，（6）：84-92.
武靖州 . 2017. 振兴东北应从优化营商环境做起 . 经济纵横，（1）：31-35.
项义军，翟今 . 2017. 中蒙俄经济走廊战略的现实基础分析 . 北方经贸，（1）：1-5.
谢兵团 . 2018. 黑龙江省推进户籍人口城镇化进程中的政府职能研究 . 东北农业大学硕士学位论文 .
谢广靖 .2018. 基于国家战略视角的国家级新区发展的再认识 . 城市规划，42（8）：16-20，28.
邢新宇 .2009. 探析韩蒙经济合作 . 法制与社会，（16）：128-129.
肖毅 .2013. 褐煤混煤灰熔融特性试验研究 . 昆明理工大学硕士学位论文 .

徐金庆，高洪杰 .2010. 东北地区体育旅游整合研究 . 山东体育学院学报，26（5）：35-38.
徐云飞 . 2011. 长吉图区域经济一体化研究 . 东北师范大学硕士学位论文 .
薛婧，李爱民 .2020. 经济提速 后劲增强 人气升温 . 黑龙江日报，7-7.
杨白冰 .2019. 东北地区中长期发展面临的问题及对策 . 中国经贸导刊（中），（7）：33-34.
徐青民 . 2016. 如何看待和破解“新东北现象”. 吉林日报，6-21.
杨波，王晓萍 .2018. 新一轮东北振兴背景下辽宁文化产业转型升级对策研究 . 理论界，（1）：69-75.
杨斌 . 2013. 东北地区城市冰雪文化旅游竞争力评价 . 通化师范学院学报，34（3）：33-36.
杨玲，张新平 .2016. 人口年龄结构、人口迁移与东北经济增长 . 中国人口 . 资源与环境，26（9）：28-35.
杨威 .2016. 大力推动东北地区科技创新成果就地转化 . 中国经贸导刊，（27）：55-57.
杨荫凯，刘羽 . 2016. 东北地区全面振兴的新特点与推进策略 . 区域经济评论，（5）：85-93.
姚成胜，殷伟，李政通 . 2019. 中国粮食安全系统脆弱性评价及其驱动机制分析 . 自然资源学报，34(8)：1720-1734.
闫志辉，戎悦胜，包祥 .2018. 内蒙古草产业可持续发展战略研究 . 草原与草业，30（1）：29-32.
叶兴庆 .2020. 始终筑牢国家粮食安全防线 . 山东经济战略研究，（8）：44-45.
衣保中 .2014. 近百年来三江平原土地开发与区域生态环境的可持续发展 . 社会科学战线，（8）：109-114.
尹晓宇，周姝，王冬雪，等 .2013. 东北、内蒙古重点国有林区林下经济发展现状、趋势及政策建议 . 经济师，（10）：179-180.
尹喜霖，张烽龙，柏钰春，等 .2002. 黑龙江省矿泉水资源的开发利用 . 国土与自然资源研究，（3）：53-54.
于洪洋，欧德卡，巴殿君 .2014. 试论“中蒙俄经济走廊”的基础与障碍 . 东北亚论坛，24（1）：96-106，128.
余秀生 .2020. 浅谈《中国的粮食安全》白皮书 . 教学考试，（7）：29-31.
于明宽 . 2005. 吉林省发展矿泉水产业的战略思考 . 吉林地质，（1）：54-57，88.
于平 . 2015. 新常态下“新东北现象”解析 . 长春市委党校学报，（4）：57-60.
余舒悦 .2012. 厦漳泉大都市区同城化建设的条件分析与对策思考 . 台湾农业探索，（3）：40-43.
于洋 .2010. 我国林产品进出口形势向好 . 中国建材报，5-24.
昝欣 .2010. 产业安全责任是企业社会责任的升华 . 生产力研究，（11）：1-3.
张弛，冉政宇，王海彦 .2012. 黑龙江省石化产业发展现状与对策研究 . 时代金融(中旬)，（11）：71-72.
张传娜 .2020. 加快推进长春公主岭同城化协同发展的路径研究 . 长春金融高等专科学校学报，（1）：68-73.
张飞 . 2015. 大力发展林下经济为农牧民开辟一条脱贫致富的新途径 . 内蒙古科技与经济，（11）：44-45.
张隽 .2011. 韩国在东北亚区域经济合作中的地位和作用 . 吉林大学硕士学位论文 .
张建，赵丹丹 .2019. 中国东北努力打造冰雪经济高地 . 经济参考报，1-4.
张奎燕 .2002. 东北地区旅游资源的现状特点与趋势分析 . 商业研究，（10）：146-148.
张猛 .2015. 长白山天然矿泉水资源法律保护：现状、问题与对策 . 长春工程学院学报（社会科学版），16（3）：23-27.
张秀杰 . 2003. 东北亚自然资源状况及开发前景 . 黑龙江社会科学，（1）：46-49.
张瑜 .2019. 阿尔山国有林区林下经济产业发展研究——以林菌产业为例 . 内蒙古农业大学硕士学位论文 .
张占斌 .2015. 经济新常态下的“新东北现象”辨析 . 人民论坛，（24）：14-17.
赵雅雯 .2017. RothC 模型在我国北方农田作物残体提升土壤有机碳中的应用 . 中国农业科学院硕士学

位论文 .
郑雪梅 .2017. 以科技创新融合发展助推东北全面振兴 . 大连干部学刊，33（7）：53-56.
郑颖，曲艺，王月婵，等 .2019. 辽东山区林下经济发展现状及问题研究——基于30个样本村的实地调研 . 辽宁林业科技，（6）：58-61.
郑文范 .2004. 东北老工业基地改造与科技资源优化配置 . 自然辩证法研究，20（12）：102-104.
中国旅游研究院课题组，韩元军 .2018. 中国冰雪旅游消费大数据报告（2018）. 中国旅游评论，（3）：87-94.
周祖兵 .2018. 独立工矿棚户区改造存在的问题与对策 . 住宅与房地产，512（27）：28.
朱军，张晓明，韩嵩，等 .2012. 优化辽宁石化产业结构 . 辽宁经济，（9）：14-19.